La Roue du Temps

VII

La Montée des Orages

Robert Jordan

La Roue du Temps
VII
La Montée des Orages

Traduit de l'américain
par Arlette Rosenblum

ÉDITIONS FRANCE LOISIRS

Titre original : *The Shadow Rising*

Édition du Club France Loisirs,
avec l'autorisation des Éditions Payot & Rivages

Éditions France Loisirs,
123, boulevard de Grenelle, Paris
www.franceloisirs.com

© 1992, Robert Jordan
© 2000, Éditions Payot & Rivages pour la traduction française
ISBN : 978-2-7441-9873-1

Dédié à
Robert Marks
Écrivain, professeur, érudit, philosophe,
ami et source d'inspiration

L'Ombre s'élèvera et s'étendra d'un bout à l'autre de la terre, elle assombrira chaque pays jusqu'en ses moindres recoins, et il n'y aura plus ni Lumière ni sécurité. Et lui qui sera né de l'Aube, né de la Vierge selon la Prophétie, il avancera les mains pour se saisir de l'Ombre et le monde criera dans les souffrances qui seront le prix du salut. Gloire éternelle au Créateur et à la Lumière, gloire éternelle à celui qui va renaître. Puisse la Lumière nous garder de lui.

Extrait des : *Commentaires sur le Cycle de Karaethon*
Sereine dar Shamelle Motara Sœur-Conseillère de Comaelle, Haute et Puissante Reine de Jaramide (environ 325 AD, la Troisième Ère)

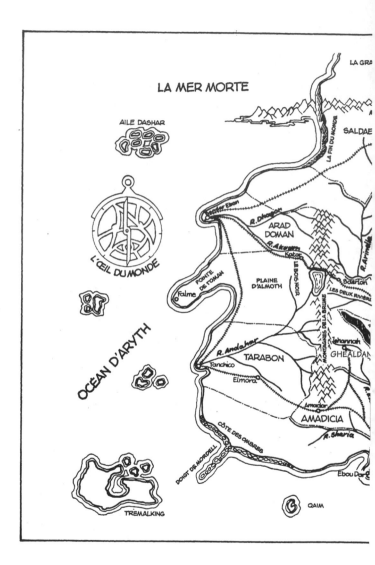

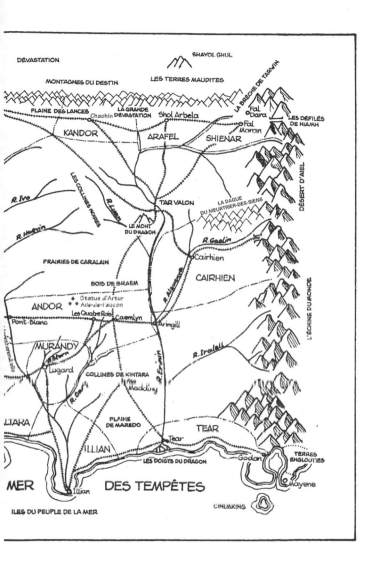

Résumé des volumes précédents

On raconte qu'en des temps reculés certains avaient le don d'obtenir de la Lumière un pouvoir surhumain, le *Saidin* pour les hommes ou la *Saidar* pour les femmes. À ces élus était donné le nom d'Aes Sedai.

En ces temps-là, le Seigneur de l'Ombre voulant imposer sa suprématie au monde entier, les Aes Sedai s'unirent pour le combattre sous la conduite d'un des leurs, surnommé le Dragon. Ils parvinrent à sceller sur le Ténébreux la porte d'un cachot, aux confins des terres du nord dans le Shayol Ghul.

Alors ses amis et alliés prirent leur revanche en provoquant chez leurs vainqueurs une folie meurtrière qui ravagea le monde. Les siècles s'écoulèrent ; les ruines furent en partie relevées. Seules restèrent des hommes élues capables de posséder le don, mais à la puissance limitée car le *Saidin* leur manquait. Ainsi, famines, guerres ou cataclysmes apparaissaient aux peuples comme l'œuvre des Amis de l'Ombre, des jalons préparant une nouvelle offensive destinée à assurer le triomphe final du Ténébreux.

La légende disait que le Dragon renaîtrait pour délivrer de l'Ombre la terre des hommes. Au fil des ans, de faux Dragons se levèrent, avides de conquêtes, semeurs de mort et de misère. Ainsi devait en aller le monde tant que durerait la rivalité entre l'Ombre et la Lumière.

La Roue du Temps

Au pays des Deux Rivières, on est sceptique devant ce passé tumultueux qui s'estompe en une histoire plus légendaire que véridique. Les ménestrels en colportent toujours les épisodes de cité en village ; encore se montrent-ils bien rares dans cette région fort isolée, qui vit au rythme des traditions.

L'hiver n'a pas tout à fait battu en retraite, et les loups rôdent encore, que déjà s'annonce Bel Tine, la fête du premier jour du printemps. Le cœur léger, Rand al'Thor accompagne son père, Tam, qui part livrer au bourg du Champ d'Emond cidre et eau-de-vie promis pour les festivités à l'aubergiste et maire, Maître al'Vere.

Rand, âgé de dix-huit ans, osera-t-il demander une danse à Egwene, fille cadette de Bran al'Vere, sa camarade d'enfance tout comme l'espiègle Mat Cauthon et le sérieux apprenti forgeron Perrin Aybara ? Un sentiment de malaise interrompt ses réflexions lorsqu'il aperçoit dans la forêt un cavalier en manteau noir qui les suit. Tam regarde à son tour, mais la route est déserte.

S'agit-il d'une illusion ? Pourtant Mat, Perrin, d'autres encore, ont entrevu le cavalier mais, malheureusement, aucun de leurs aînés. Ce souci s'efface à l'arrivée de deux étrangers, la Dame Moiraine accompagnée du guerrier Lan, et du ménestrel Thom Merrilin.

On attend encore Padan Fain le colporteur, avec son arsenal de feux d'artifice, et cette fête de Bel Tine sera la plus belle de mémoire d'homme. Mais Fain apporte aussi la nouvelle d'une guerre dans le Ghealdan, causée par l'apparition d'un Dragon réincarné. Le bourg entre en effervescence, et Tam et Rand décident de s'en retourner à la ferme, abrégeant les réjouissances de circonstance en cette dernière Nuit de l'Hiver.

Dans la nuit, des Trollocs, géants mi-hommes mi-bêtes, attaquent la ferme. Rand en tue un avec l'épée de Tam, qui porte la marque du héron, celle d'un maître ès armes. Rand emporte son père, blessé, à travers la forêt où ils évitent un Myrddraal à la tête d'une colonne de Trollocs. Arrivé au bourg, Rand tente de faire soigner Tam par Nynaeve, la « Sagesse » du village, mais la blessure dépasse sa science et Moiraine devra s'en charger.

Moiraine est une Aes Sedai. Elle guérit Tam et convainc Rand que c'est lui, ainsi que ses amis d'enfance Mat Cauthon et l'apprenti forgeron Perrin Aybara, que cherche le cavalier sans visage au manteau noir. L'unique moyen de sauver leur bourg natal de la destruction est de fuir à Tar Valon, la cité forte des Aes Sedai, seules capables de s'opposer aux séides du Ténébreux.

Grâce à Moiraine et à ses pouvoirs, le groupe surmonte danger après danger, franchit en bac la rivière Taren, sort indemne de la ville de Baerlon, patrouillée par les fanatiques Enfants de la Lumière, puis se réfugie pour une nuit dans la cité maudite de Shadar Logoth où la moindre pierre renferme les germes du Mal. Malgré les recommandations de Moiraine, Mat y subtilise un poignard orné de rubis. Alors surviennent des Trollocs.

Poursuivis par ces géants cruels, harcelés par les maléfices de Mashadar, le Mal incarné, les compagnons se dispersent à la hâte. Thom, Rand et Mat parviennent à fuir en bateau sur l'Arinelle. Moiraine et Lan sont rejoints par Nynaeve, décidée à ramener au Champ d'Emond les trois jeunes dont elle estime, en tant que « Sagesse », avoir la garde. Egwene et Perrin, eux, traversent l'Arinelle à la nage, puis errent dans ce qu'ils pensent être la direction de Caemlyn, capitale du Royaume d'Andor et étape sur la route de Tar Valon. Ils croisent heureusement le chemin d'Élyas

Machera, l'Homme aux Loups, qui offre de leur servir de guide avec sa meute. Tous savent qu'ils ont une chance de se retrouver à Caemlyn.

Au port fluvial de Pont-Blanc survient un Myrddraal, toujours sur la piste de ses proies. Thom Merrilin se sacrifie pour que Rand et Mat puissent lui échapper et continuer vers Caemlyn. Pendant ce temps, Perrin et Egwene ont fait la connaissance des Thuatha'ans, qu'on appelle le Peuple Voyageur. Et Moiraine tente toujours de les rattraper.

L'Œil du Monde

À Pont-Blanc, Moiraine et ses compagnons découvrent des traces du Ténébreux : incendies et rixes font peser une atmosphère lourde sur la ville. De leur côté, Élyas, Perrin et Egwene sont pourchassés par une nuée de corbeaux, noirs serviteurs du Ténébreux. Ils leur échappent en se réfugiant dans un *stedding*, village d'Ogiers, géants bâtisseurs et planteurs de forêts. Perrin se découvre la faculté de communiquer avec les loups. Les Enfants de la Lumière capturent Perrin et Egwene, qu'ils prennent pour des Amis de l'Ombre et veulent emmener à Amador, place forte des Blancs Manteaux, pour les juger.

Sur la route de Caemlyn, Rand et Mat vont de ferme en village, gagnant leur pain en jouant de la musique dans les auberges. À trois reprises, les serviteurs de l'Ombre tentent de s'emparer d'eux mais échouent. Ba'alzamon le Ténébreux apparaît dans leurs cauchemars et tente de les soumettre à sa volonté. L'épée ornée du héron que porte Rand attire convoitises et curiosité, et ce n'est qu'arrivés à Caemlyn, cité grandiose bâtie par les Ogiers, qu'ils peuvent trouver un répit en se fondant dans la foule nombreuse qui vient voir le « faux Dragon », un nommé Logain.

À l'auberge de Maître Gill, *La Bénédiction de la Reine*, où Thom Merrilin leur avait fixé rendez-vous, Rand et Mat apprennent que la Reine Morgase soutient les Aes Sedai et en a une pour conseillère, Élaida, de l'Ajah Rouge. Cela provoque des antagonismes au sein de son royaume, en particulier avec les Enfants de la Lumière, farouchement opposés aux Aes Sedai. Rand fait la connaissance de Loial, un Ogier haut de trois mètres qu'il prend d'abord pour un Trolloc. Loial a quitté son *stedding* pour voir le monde. Grand connaisseur du passé, il déclare à Rand que celui-ci est *Ta'veren*, un personnage essentiel du Dessin des Ères, comme le furent avant lui Lews Therin Telamon, dit le Dragon, ou Artur Aile-de-Faucon. Moiraine, Lan et Nynaeve arrivent près du camp des Enfants de la Lumière et Lan fait évader Perrin et Egwene.

À Caemlyn, la tension monte. Un mystérieux mendiant cherche à contacter Rand et Mat. Rand grimpe sur les remparts du palais pour apercevoir Logain, le « faux Dragon », prisonnier que des Gardes de la Reine et des Liges emmènent dans une cage auprès de Morgase. Il tombe du mur et se retrouve dans le jardin de la Reine, où il est recueilli par la princesse Élayne et son frère Gawyn. Le prince Galad, aîné des enfants royaux, survient et veut le livrer aux gardes mais Élayne insiste pour accompagner Rand auprès de la Reine. Le fait que Rand soit un berger des Deux Rivières intrigue la Reine Morgase et alarme Élaida, l'Aes Sedai. Celle-ci proclame que la souffrance et la division vont s'abattre sur le monde et que Rand sera au cœur de cette épreuve. Il constitue, dit-elle, un danger terrible, mais la Reine le libère néanmoins, au nom de la justice.

De retour à l'auberge, Rand raconte sa mésaventure à

Loial. Moiraine et ses compagnons surviennent. Mat, qui est possédé par le mal dont est imprégné le poignard volé à Shadar Logoth, tente de tuer Moiraine. Maîtrisé, il est à demi guéri de son envoûtement par l'Aes Sedai.

Les Trollocs et les Évanescents s'assemblent aux portes de Caemlyn avec l'intention d'entrer dans la ville à la recherche de Rand. Moiraine annonce qu'il faut aller à Fal Dara, près de l'Œil du Monde « qui a été créé en vue de la plus grande nécessité que le monde aura à affronter ». Ils devront passer par les Voies. Les Voies sont des chemins secrets hors du temps qui autrefois furent offerts aux Ogiers par les Aes Sedai. Mais le *Saidin*, le pouvoir qui servit à créer les Voies, ayant été contaminé par le Ténébreux, elles sont dangereuses à utiliser. Il n'y a pourtant pas d'autre choix, car Moiraine déclare que Rand, Mat et Perrin sont tous *Ta'veren* et doivent se rendre au plus vite auprès de l'Œil du Monde. Leur première étape sera la cité forte de Fal Dara.

Les compagnons, guidés par Loial, passent par une porte secrète souterraine d'une maison de Caemlyn et pénètrent ainsi dans les Voies. Ils franchissent plusieurs ponts et échappent à la menace invisible du Vent Noir. Ils ressortent au Shienar, à la frontière de la Grande Dévastation. À Fal Dara, le Seigneur Agelmar les accueille dans sa forteresse. Tandis que le groupe se rend auprès de l'Œil du Monde, Agelmar part livrer une grande bataille aux Demi-Hommes et aux Trollocs à la Brèche de Tarwin. Un étrange prisonnier a été capturé à Fal Dara, en qui Rand reconnaît le mendiant de Caemlyn et le colporteur Padan Fain, qui se révèle un limier du Ténébreux dont la mission est de traquer Rand.

Les compagnons se mettent en route vers l'Œil du Monde, à travers la Grande Dévastation, échappant de peu aux monstres qui y rôdent. Ils parviennent au domaine de l'Homme Vert, créature de légende faite de matière végétale, qui les guide vers leur but.

Au bord de la surface limpide de l'Œil du Monde, source de *Saidin*, Rand et ses amis sont confrontés à deux des Réprouvés, ces paladins de l'Ombre emmurés avec le Ténébreux, nommés Aginor et Balthamel, qui les attaquent aussitôt. L'Homme Vert s'interpose, et Balthamel et lui s'entretuent. Rand fait appel à la Lumière pour anéantir Aginor. Il se retrouve soudain au-dessus du champ de bataille où s'affrontent l'armée d'Agelmar et celle des Trollocs, face à Ba'alzamon, qui tente de le soumettre. Avec l'aide de la Lumière, Rand provoque la mort de ce qu'il croit être le Ténébreux.

Ses compagnons ont récupéré au fond de l'Œil du Monde la bannière de Lews Therin, le Dragon, ainsi qu'un coffret qui renferme le Cor de Valère, instrument magique dont le son doit, d'après les légendes, appeler hors de la tombe les héros du passé.

Moiraine, blessée, doit se reposer à Fal Dara avant de regagner Tar Valon avec Mat, pour achever de l'arracher à l'emprise du mal de Shadar Logoth, en compagnie de Nynaeve et d'Egwene, les deux jeunes femmes qui veulent devenir Aes Sedai. Quant à Rand, *Ta'veren* se découvrant avec un pouvoir capable de tout anéantir, il songe à fuir loin de ceux qu'il aime.

Le Cor de Valère

Dans l'ombre du Shayol Ghul, une inquiétante assemblée se réunit : des fidèles du Ténébreux de toutes origines, humains, Trollocs, ou Myrddraals. Alors, le Maître en personne, Ba'alzamon, fait son apparition.

Ba'alzamon annonce que le Jour du Retour, triomphe des Ténèbres, est proche. Il conjure l'image de Rand, de Mat et de Perrin, et proclame que l'un d'eux est le Dragon Ressuscité, mais ne doit point être détruit car il pourrait être converti à la cause des Ténèbres. Puis il transmet ses instructions à chacun des fidèles présents. L'homme nommé Bors est envoyé dans le Tarabon à la recherche des trois jeunes gens.

À Fal Dara, une armée approche de la forteresse sous la bannière de la Flamme de Tar Valon, escortant la Souveraine d'Amyrlin, chef des Aes Sedai. Sentant que celle-ci est venue pour lui, Rand, saisi d'angoisse, décide de s'enfuir seul. Mais la forteresse est bouclée et il n'y parvient pas.

Anaiya et Liandrin, deux Aes Sedai, apportent à Moiraine des nouvelles fraîches : trois nouveaux faux Dragons sont apparus et ravagent le pays ; à Caemlyn, le pouvoir de la Reine Morgase est en péril. La Reine a envoyé à Tar Valon ses enfants, Gawyn et Élayne, accompagnés d'Élaida, sa conseillère Aes Sedai ; Élayne est elle-même sans le savoir une Aes Sedai. À Illian, la Grande Quête du Cor a été proclamée, car on dit que la Dernière Bataille approche. Des rumeurs de combats proviennent de la Plaine d'Almoth, au Tarabon.

Moiraine rencontre seule à seule l'Amyrlin. Les deux femmes discutent du pouvoir naissant d'Egwene, des factions rivales, Ajah Bleue et Ajah Rouge, au sein des Aes Sedai, et de l'avènement du Dragon Réincarné. Leurs plans se tissent autour de Rand et du destin qui l'attend.

Deux mille Enfants de la Lumière arrivent au Tarabon sous la conduite de l'honnête Geofram Bornhald pour y rejoindre une troupe de Blancs Manteaux fanatiques dite La Main de la Lumière, section d'Inquisiteurs sans merci commandée par Jaichim Carridin, qui se sont donné pour mission d'exterminer quiconque ils jugent être les Amis des Ténèbres.

Des Trollocs et un Évanescent surviennent soudain dans Fal Dara : un traître les a fait pénétrer dans la forteresse. Padan Fain parvient à s'évader à la faveur de leur assaut, aidé par Liandrin. Mat est blessé au cours de l'évasion, et le poignard nécessaire à sa complète guérison a disparu ainsi que le Cor de Valère. Moiraine avertit Rand qu'il lui faut partir vite et l'Amyrlin lui révèle qu'il est le Dragon Réincarné.

Rand, Loial, Perrin, Mat, Ingtar, Hurin le Flaireur et quelques guerriers partent à la poursuite de Padan Fain qui a volé le Cor de Valère. Egwene, Nynaeve et les Aes Sedai s'en retournent vers Tar Valon avec l'escorte de l'Amyrlin. Sans explication, Moiraine s'éclipse avec Lan le Lige, et Liandrin part de son côté.

Rand, Loial et Hurin disparaissent. Perrin utilise alors ses propres dons de Flaireur pour guider son groupe sur leurs traces. Vérine, l'autre confidente de l'Amyrlin, les rejoint. Cependant, Ba'alzamon apparaît à Rand et lui fait entrevoir la face noire de son destin. Peu après, il sauve la vie de Séléné, une jeune fille magnifique et étrange, tout de blanc vêtue, qui semble issue de la noblesse de Cairhien, et qui part avec eux. Ils finissent par rattraper Fain et lui reprennent le poignard et le Cor. La poursuite s'inverse alors, Fain et les Amis du Ténébreux s'élancent à la poursuite de Rand. En route pour Cairhien, ville où Rand, Agelmar et ses autres compagnons savent devoir se retrouver, Séléné, vers qui Rand se sent fortement attiré, les abandonne subitement.

Moiraine, qui s'était retirée à la campagne chez des amies Aes Sedai pour étudier les Prophéties, est attaquée par un Draghkar, une créature de l'Ombre. Est-ce l'œuvre de l'Ajah Noire, la faction des Aes Sedai qui ont secrètement adhéré au parti du Ténébreux et dont personne n'ose parler ? Lan sauve Moiraine et tous deux prennent hâtivement la route. À la Tour Blanche, Egwene devenue novice fait la connaissance de la Fille-Héritière d'Andor, Élayne, fille de la Reine Morgase, cependant que Nynaeve subit avec succès les trois épreuves permettant d'accéder au rang d'Acceptée, dernier stade avant d'être de plein droit une Aes Sedai.

La Bannière du Dragon

Rand al'Thor, son ami l'Ogier Loial et Hurin le Flaireur, leur guide, arrivent à Cairhien, capitale du pays, où ils comptent rejoindre les compagnons dont ils ont été séparés quand ils sont entrés involontairement dans un monde magique parallèle.

Une mésaventure qui, en fait, est une chance : dans ce monde-là, un monde futur, ils ont réussi à intercepter Padan Fain, le colporteur serviteur du Ténébreux, voleur du coffre contenant le Cor de Valère et le poignard de Shadar Logoth qui voue Mat à la mort s'il n'est pas soigné au plus tôt par les Aes Sedai de Tar Valon, à la Tour Blanche.

C'est en possession du coffre qu'ils attendent Ingtar, seigneur de Shinowa, commandant d'un groupe de guerriers du Shienar, Mat que ronge le mal de Shadar Logoth, Perrin aux yeux devenus couleur des yeux de loup et l'Aes Sedai de l'Ajah Brune, Vérine.

Au cours d'une promenade dans les rues, Rand reconnaît une voix de ménestrel – celle de Thom Merrilin, le barde de cour qui a vécu avec eux les premiers épisodes de leurs aventures, Thom qui lui a sauvé la vie et qu'il croyait mort. Thom refuse de revenir avec Rand et ses amis à Fal Dara où Rand veut rapporter le Cor de Valère – et pourtant Rand a besoin de son expérience, ne serait-ce que pour survivre à Cairhien où se pratique le dangereux *Daes Dae'mar*, le Grand Jeu des Feintes et Intrigues des Maisons nobles pour conquérir toujours plus de pouvoir, toujours plus d'argent, même au prix du sang.

Thom s'est créé à l'auberge de son amie Zéna une vie modeste avec pour élève et compagne la jolie Dena, déjà habile jongleuse et récitante de poèmes. Il n'a plus envie de courir les routes, car il s'aperçoit qu'il aime Dena et en est aimé.

En retournant à leur auberge, Rand et Loial sont pris en chasse par des Trollocs. Soudain reparaît la belle et blonde Dame Séléné que Rand avait sauvée des monstrueux *grolms* dans le monde magique et qui avait disparu avant l'entrée dans Cairhien. Elle les incite à trouver refuge dans le domaine des Illuminateurs, disparaît de nouveau.

De retour à l'auberge, ils la voient en feu, Hurin assommé, le coffre disparu et – fendant la foule des badauds – Vérine, Ingtar, Mat et Perrin. Hurin retrouve la trace du Cor : dans les jardins du Seigneur Barthanes, rival du souverain du Cairhien, Galldrian. Barthanes transmet à Rand un message de Fain : rendez-vous à Falme, à la Pointe de Toman.

Comment s'y rendre vite sinon par une Porte des Voies ? Celle du Stedding Tsofu leur est interdite par le Vent Noir. Ils iront par une Pierre Porte, quittant le Cairhien en pleine guerre civile car Barthanes et Galldrian ont été tous les deux assassinés et les Seigneurs des Maisons rivalisent en forcenés pour la Couronne cairhienine.

Entre-temps, à la Tour Blanche, l'Aes Sedai Liandrin ordonne à Egwene et à Nynaeve de la suivre pour aller au secours de Rand en difficulté à la Pointe de Toman. Élayne et Min, la « voyante » de Baerlon, exigent de les accompagner et Liandrin, sarcastique, accepte.

Elle les emmène par les redoutables Voies vers... un

piège : quand la porte s'ouvre près de Falme, la Dame Suroth, haut placée chez les envahisseurs seanchans, attend pour prendre livraison de ces jeunes femmes capables d'utiliser le Pouvoir. Un collier relié par une laisse est passé au cou d'Egwene, Min se bat au poignard mais est capturée. Pour lui sauver la vie, Egwene promet à la Dame Suroth totale obéissance. Min l'accompagnera, libre, vers la prison où les *damanes*, réduites à l'impuissance par les châtiments invisibles infligés au moyen de cette laisse maudite, apprennent l'obéissance, autrement dit à servir dans les batailles comme armes mortelles.

Nynaeve et Élayne, avec l'aide de Min, délivrent Egwene tandis que, arrivé à la Pointe de Toman, le groupe guidé par Hurin suit la piste de Fain : le Cor et le poignard sont chez le chef des envahisseurs seanchans, le Seigneur Turak. Rand le tue en duel, mais une bataille rangée menace. Ingtar se sacrifie pour permettre aux autres de gagner un terrain plus favorable – pour se racheter aussi d'avoir cru sauver le Shienar en se tournant vers le Ténébreux et en ouvrant les portes de Fal Dara aux traîtres. Car il n'y a pas que les Seanchans et leurs Aes Sedai esclaves à vaincre, à l'horizon se profile la légion des Enfants de la Lumière conduite par l'honnête Geofram Bornhald... Mat qui s'est saisi du poignard et du Cor embouche ce dernier. Et ainsi qu'il a été dit dans les Prophéties, les Héros du passé viennent combattre pour Rand. Et les Seanchans repartent sur l'Océan d'Aryth dans la direction d'où ils étaient venus. Il se retrouve seul face à Ba'alzamon. Pour vaincre, il n'hésite pas à « mettre l'épée au fourreau ». A-t-il tué Ba'alzamon ? Lui-même s'éveille grièvement blessé et portant imprimée au fer rouge dans sa paume la marque du héron, celle qui désigne le Dragon Réincarné.

Acceptera-t-il enfin sa destinée ? Tandis qu'il s'interroge, Mat mourant est déjà loin transporté vers la Tour Blanche sous la protection de Vérine, de Nynaeve et d'Egwene. Et autour de lui rôdent Réprouvés et Amis du Ténébreux. En déployant la Bannière du Dragon, la lutte ne fait que commencer... Rand le sait, mais s'y résigne mal...

Le Dragon Réincarné

Perrin, quelques Shienarans et Leya, une messagère du Peuple des Nomades, arrivent au camp du Dragon Réincarné. Pendant que Leya informe Moiraine de ce qui est advenu sur la plaine d'Almoth, Perrin retrouve Rand, en plein désarroi, car, dit-il, tous ceux qui ont embrassé la cause du Dragon meurent tour à tour, alors que lui-même reste à l'abri du camp.

Au réveil, le camp est assailli par les Trollocs et Leya trouve la mort sous les yeux de Perrin, lui-même blessé. Celui-ci ne se pardonne pas de n'avoir pu empêcher l'attaque, car la part du loup en lui aurait dû la prévoir. Rand, à son tour, s'en veut de n'avoir rien pu faire. Il n'a pas réussi à utiliser le Pouvoir Unique, et n'a pas pris au sérieux son pressentiment d'un danger imminent. Alors que Moiraine soigne les blessures de chacun, Rand admet la mission qui sera désormais la sienne : « Je combattrai de mon mieux. Parce qu'il n'y a personne d'autre, que cela doit s'accomplir et que ce devoir est le mien. »

Le lendemain, Perrin et les autres s'aperçoivent du départ de Rand. Il a laissé une lettre dans laquelle il explique qu'il doit assumer sa destinée, ce qui inquiète profondément Moiraine car elle ne le juge pas suffisamment prêt. Il leur faut donc impérativement le retrouver. Tous décident de quitter le camp pour se diriger vers Tear, à l'est.

Ils arrivent finalement dans le village de Jarra, où ils sont accueillis par Simion. Celui-ci leur raconte que les Blancs Manteaux sont venus et se sont conduits comme s'ils étaient pris de folie et qu'un homme qui pourrait bien être Rand est passé la veille. Simion est préoccupé par son frère Noam que l'on tient enfermé car il est devenu loup, mais il n'y a rien à faire. Très ému par ce qui est arrivé à Noam, Perrin s'enquiert pour la première fois auprès de Moiraine de ce qui l'attend. Mais elle n'en sait pas davantage, si ce n'est qu'elle le met en garde contre ses rêves. De retour dans sa chambre, Perrin fait d'affreux cauchemars.

De son côté, chevauchant vers Tear, Rand se familiarise avec le Pouvoir et apprend à le contrôler. Mais sa blessure au côté est de plus en plus douloureuse...

Dans un climat inquiétant, Egwene, Nynaeve, Élayne, Vérine et Mat, blessé, ont voyagé tout l'hiver vers Tar Valon. À l'arrivée dans la Tour Blanche, Vérine se rend auprès de Siuan Sanche, l'Amyrlin. Mat est emmené sur sa litière tandis que Sheriam accueille les trois femmes et les conduit dans leurs appartements. Sur l'ordre de Siuan, aucune d'entre elles ne doit quitter la Tour.

L'Amyrlin apprend à Vérine que les faux Dragons ont été vaincus et Vérine lui annonce que Rand s'est proclamé le Dragon Réincarné. Puis elle lui présente le Cor de Valère.

Un peu plus tard, l'Amyrlin convoque Egwene, Élayne et Nynaeve. Elle leur révèle qu'elle est au courant de leur fuite avec Liandrin. Elles devront être punies mais, parce qu'elle leur fait confiance, elles seront chargées de démasquer quiconque appartient à l'Ajah Noire. Et, puisque Élayne et Egwene ont beaucoup progressé dans la maîtrise du Pouvoir au cours de leur voyage, elles seront élevées au rang d'Acceptées. Comme Nynaeve l'est déjà.

Sheriam les emmène dans la salle souterraine où l'Amyrlin, assistée par plusieurs Aes Sedai sûres, procède à la guérison de Mat qui passe de l'inconscience proche de la mort à un profond sommeil réparateur.

À son réveil, bien que faible et avec un appétit d'ogre, Mat n'a qu'une idée : fuir Tar Valon et ses redoutables Aes Sedai. L'argent manque ? Avec son cornet à dés, il est sûr d'en trouver. Néanmoins, c'est grâce à un bâton d'escrime qu'il gagne les quatre marcs d'argent nécessaires pour démarrer une partie de dés : il provoque en duel les deux jeunes princes d'Andor, pariant qu'il les vaincra tous les deux à la fois... et y réussissant en dépit de leur virtuosité au maniement de l'épée.

Pièces en poche et bâton à la main, il regagne sa chambre. Son excursion lui a rapporté l'argent désiré mais aussi la certitude que l'Amyrlin a pris ses précautions pour l'empêcher de partir.

La liste des treize Aes Sedai appartenant à l'Ajah Noire, disparues après avoir volé les talismans conservés à la Tour Blanche, laisse apparaître un curieux indice. Après l'épreuve du *ter'angreal* qu'Élayne et Egwene passent avec succès – et souffrance : elles ont dû affronter et surmonter ce qu'au fond d'elles-mêmes elles redoutent le plus – Egwene décide de visiter le *Tel'aran'rhiod*, le Monde des Rêves, en se servant de l'anneau confié par Vérine, pour tenter de voir plus clairement ce que l'avenir réserve.

À ce moment, la novice Else Grinwell vient les avertir de la part de l'Amyrlin que les affaires abandonnées par les treize se trouvent entreposées dans le sous-sol de la Tour. L'expédition manifestement dangereuse leur apporte la certitude qu'un piège leur est tendu – on veut les attirer à Tear.

Nynaeve décide de s'y rendre, surtout après l'incursion d'Egwene dans le Monde des Rêves où elle se retrouve dans le Cœur de la Pierre de Tear, la citadelle qui renferme une épée de cristal nommée *Callandor*.

L'Amyrlin n'a pas confié de message à la novice Else, repartie depuis longtemps dans sa ferme natale. Laquelle des treize a pris l'apparence d'Else ? L'Amyrlin approuve finalement le plan de Nynaeve et leur donne trois sauf-conduits.

Élayne veut prévenir sa mère de son départ de la Tour. À qui confier la lettre ? À Mat à qui un sauf-conduit permettra de quitter Tar Valon pour Caemlyn, résidence de la mère d'Élayne, Morgase.

Mat, enchanté de pouvoir s'éloigner des Aes Sedai et de leur Pouvoir qu'il redoute, s'en va donc faire la tournée des tavernes afin de regarnir son escarcelle. La chance le sert merveilleusement aux dés – et aussi dans les rues et ruelles où des inconnus le traquent et cherchent à le tuer, se retrouvant tués eux-mêmes.

Las et toujours affamé, Mat décide d'entrer dans la plus proche auberge. Ce sera celle à l'enseigne de *La Femme de Tanchico*.

Ici commence la seconde et dernière partie du *Jeu des Ténèbres*.

Le Jeu des Ténèbres

À l'auberge de *La Femme de Tanchico*, Mat retrouve le vieux ménestrel Thom Merrilin et lui propose de l'accompagner. Grâce au laissez-passer signé par l'Amyrlin que lui a confié Élayne en échange de sa promesse de remettre en main propre la lettre destinée à sa mère, Morgase reine d'Andor, ils s'embarquent sur *La Mouette Grise*.

De leur côté, Moiraine, Lan, Loial et Perrin se hâtent dans l'espoir de rattraper Rand. Ils s'arrêtent pour la nuit au village de Remen. Sur la grand-place, des enfants s'amusent à lapider un homme dans une cage suspendue à une sorte de potence – c'est un Aiel. Le village est en fête pour célébrer cette capture et la grande victoire remportée par le seigneur Orban et son ami Gann sur une troupe d'Aiels. Lorsque Perrin délivre l'Aiel, celui-ci – qui s'appelle Gaul – relate ce qui s'est réellement passé. Surviennent une douzaine de Blancs Manteaux. Les tuer ou être tué par eux, pas d'autre solution. Perrin se bat à contrecœur et c'est d'ailleurs Gaul qui abat le plus d'ennemis avant de remercier Perrin et de disparaître dans le noir. Perrin aperçoit une jeune inconnue dont le regard posé avec insistance sur lui l'avait inquiété à l'auberge. Il y a donc eu au moins un témoin de cette bagarre mortelle. Lan prépare aussitôt leur départ sur un bateau, *L'Oie des Neiges*.

Au dernier moment, la jeune inconnue saute à bord. Elle dit s'appeler Zarine et être un Chasseur à la recherche du Cor de Valère, se donnant alors le nom de « Faile », qui signifie « Faucon » dans l'Ancienne Langue. Perrin qu'assaillent encore constamment des cauchemars se rappelle les visions de leur amie Min : un Aiel dans une Cage, un Faucon sur son épaule... Malgré sa réticence, Moiraine accepte que « Faile » vienne avec eux si elle jure obéissance et discrétion.

Loin devant, dans les collines du Murandy, Rand s'éveille d'un sommeil hanté de rêves où il a manqué de peu tuer son ami d'enfance Perrin. Sa première pensée est alors : « Il faut que je sois prudent. » Quand arrive une petite troupe – apparemment une négociante et dix hommes d'escorte, son instinct lui dicte que ce sont des ennemis. Grâce au *Saidin*, il les anéantit et poursuit sa route à cheval vers Tear.

Egwene, Nynaeve et Élayne, quant à elles, ont pris place à bord de *La Grue Bleue* qui navigue entre la rive paisible de l'Andor et celle du Cairhien que ravage la guerre civile. Pourtant, quand leur bateau s'échoue au milieu du courant, Nynaeve exige de descendre à terre pour gagner à pied le petit port de Jurène où elle compte retrouver un bateau rapide pour gagner Tear. À terre, c'est-à-dire sur la berge dévastée du Cairhien, ce qui est s'exposer à de mauvaises rencontres. La première se révèle inoffensive, les Aielles surgissant autour d'elles demandent simplement assistance pour une des leurs qui est grièvement blessée. Ainsi apprennent-elles ce que sont réellement les Aiels – ou, plutôt, découvrent que presque tout ce qu'elles en savent est faux. Les trois jeunes femmes reprennent le chemin qui doit les mener à Jurène et qui les conduit droit vers une troupe de brigands qui les capturent et les forcent à boire un breuvage destiné à les endormir. Par chance, il s'agit seulement d'un remède contre les maux de tête. Elles se remettent des coups reçus à temps pour user de la *Saidar*, tandis que les Aielles et leurs compagnons d'armes commandés par le chef Rhuarc qui les avaient suivies à distance pour les protéger attaquent le camp. Victoire leur reste. Escortées par les Aiels jusqu'aux abords de Jurène, elles montent à bord de la *Flèche Filante* qui les emporte majestueusement vers leur destination, Tear.

Après une sérieuse alerte à bord de *La Mouette Grise* prouvant que son mystérieux ennemi n'a pas désarmé, Mat accoste avec Thom à Aringill et s'enquièrent d'une auberge où se restaurer, dormir et prendre des chevaux pour continuer leur voyage. Ils ne dénichent qu'une écurie, mais Mat y recevra un cadeau fort utile pour la suite des événements, cela grâce à l'élan chevaleresque qui l'a poussé à secourir Aludra, l'Illuminatrice.

L'Oie des Neiges arrive à Illian. À l'auberge où ils descendent, Perrin est de nouveau en proie à des rêves annonciateurs de danger. Il se tient sur ses gardes et décèle ainsi la présence d'Hommes Gris dont il pare l'attaque avec ses compagnons. Moiraine va seule à la recherche de renseignements. Pendant son absence, Lan constate qu'un Chien des Ténèbres les a suivis à la trace. Il court rejoindre Moiraine pour la prévenir. Moiraine qui a découvert qu'un Réprouvé gouverne à Illian. C'est le signal d'un nouveau départ dans l'obscurité où ils entendent hurler une meute de Chiens Noirs, les Féroces Chiens des Ténèbres.

De leur côté, Mat et Thom ont atteint leur but – la cité de Caemlyn, au grand soulagement de Mat qui tient à se débarrasser de la lettre d'Élayne à sa mère, cause à son avis de toutes leurs mésaventures. Or la situation s'est modifiée à Caemlyn. La Reine Morgase a un nouveau conseiller, Gaebril, qui a changé la garde en y mettant des hommes à lui, ce qui complique la mission de Mat. Se souvenant de l'intrusion de Rand qui avait escaladé un mur, il suit cet exemple et surprend une conversation entre un inconnu et un autre que cet inconnu appelle Comar, où il est question de tuer la Fille-Héritière. Parvenu jusqu'à la souveraine, il découvre que l'inconnu n'est autre que Gaebril. Il donne la lettre mais tait son identité et son secret car Morgase semble très éprise de Gaebril. De retour à l'auberge de *La Bénédiction de la Reine* que tient Basel Gill, partisan de Morgase, il raconte à Thom et à Maître Gill ce qu'il a entendu. Il se prépare à reprendre avec Thom le chemin de Tear où se rendent Élayne, Egwene et Nynaeve.

Elles y sont déjà. Voulant éviter les auberges que l'Ajah Noire surveille sûrement, Nynaeve déniche la maison d'une

Sagette, Ailhuin Guenna, qui sera pour elles l'hôtesse idéale. Elle leur présente un « preneur-de-larrons », Juilin Sandar, susceptible de retrouver pour elles les Aes Sedai félonnes.

Fermement décidé à devancer Comar, l'assassin envoyé par Gaebril, Mat est servi par sa fameuse chance et le trouve dans une auberge. Dans un affrontement aux dés qui se transforme en duel, Comar se brise la nuque et meurt non sans avoir pu révéler qu'il n'est pas le seul à pourchasser Élayne.

Moiraine et ses compagnons entrent aussi à Tear où – ils le savent – le Réprouvé Be'lal veut s'emparer de *Callandor* pour tuer le Dragon Réincarné à l'instant où celui-ci aura pris en main l'Épée qui n'est pas une Épée et deviendra selon la Prophétie le Dragon Réincarné. La forteresse de Tear, la Pierre, est le lieu vers lequel tous convergent. Et sera le théâtre de terribles confrontations.

Liandrin et ses compagnes de l'Ajah Noire, plus rapides que Nynaeve, l'ont surprise avec Élayne et Egwene chez la Mère Guenna. Cependant que les trois jeunes filles souffrent emprisonnées dans la Pierre, Mat cherche à s'y introduire pour les délivrer, assisté de Juilin Sandar – celui-là même par qui Liandrin a découvert leur présence à Tear. Dans l'ombre des cheminées et des toits de Tear, il rencontre les Aiels venus chercher Celui-qui-Vient-avec-l'Aube. Autrement dit, Rand, qui grimpe le long de la muraille à pic et qui accomplit la Prophétie, saisissant *Callandor*, acclamé par les Aiels.

Ainsi s'achève *Le Jeu des Ténèbres*, où s'affrontent les magies, les ambitions et la chance, mais la partie n'est pas encore gagnée, les talismans pas encore récupérés et l'Ajah Noire pas encore maîtrisée...

1.

Prémices de l'Ombre

La Roue du Temps tourne, les Ères se succèdent, laissant des souvenirs qui deviennent légende. La légende se fond en mythe, et même le mythe est depuis longtemps oublié quand revient l'Ère qui lui a donné naissance. Au cours d'une Ère que d'aucuns ont appelée la Troisième, une Ère encore à venir, une Ère passée depuis longtemps, du vent se leva sur la grande plaine nommée les Prairies de Caralain. Ce vent n'était pas le commencement. Il n'y a ni commencement ni fin dans les révolutions de la Roue du Temps. C'était pourtant *un* commencement.

Venant du nord ouest, ce vent souffla dès les premières lueurs du soleil sur des étendues sans bornes d'ondulations herbues ponctuées de bosquets épars, il souffla par-delà le cours rapide de la rivière Luan et le long du croc brisé du Mont-Dragon, montagne légendaire qui dominait de sa masse la lente houle de la plaine ondoyante, si haute que les nuages l'entouraient à mi-chemin de son sommet fumant. Mont-Dragon, où le Dragon était mort – et l'Ère des Légendes avec lui selon ce que disaient certains –, où la prophétie annonçait qu'il renaîtrait. Ou y était né de nouveau. Venant du nord-ouest, ce vent traversa des villages – Jualdhe, Darein, Alindaer – où des ponts pareils à de la dentelle de pierre s'arquaient vers les Remparts Étincelants, les majestueuses murailles blanches de ce que beaucoup proclamaient la plus belle ville du monde. Tar Valon. Une ville à peine effleurée chaque soir par l'ombre longue du Mont-Dragon.

À l'intérieur de ces remparts, des bâtiments dus aux Ogiers datant de bien plus de deux mille ans paraissaient jaillir du sol telles des plantes plutôt que d'avoir été édifiés bloc par bloc, ou être l'œuvre du vent et de l'eau plutôt que de mains même aussi célèbres que celles des tailleurs de pierre ogiers. Certains faisaient penser à des oiseaux prenant leur essor, ou à de gigantesques coquillages provenant de mers lointaines. Des tours élancées, évasées à la base ou cannelées ou à spirales, étaient reliées entre elles à des centaines de pas en l'air par des ponts souvent dépourvus de garde-fous. Seuls les gens installés de longue date à Tar Valon pouvaient réussir à ne pas béer d'admiration comme des campagnards qui n'ont jamais quitté leur ferme.

La plus grande de ces tours, la Tour Blanche dominait la ville, luisant au soleil comme de l'os poli. *La Roue du Temps tourne autour de Tar Valon*, assurait-on dans la cité, *et Tar Valon tourne autour de la Tour*. Le premier aperçu qu'avaient de Tar Valon les voyageurs avant que leurs chevaux arrivent en vue des ponts, avant que les capitaines des bateaux sillonnant le fleuve signalent l'île, c'était la Tour réfléchissant le soleil comme un phare. Guère étonnant donc que l'énorme place entourant les murs ceignant le parc où se dressait la Tour ait l'air plus petite qu'elle n'était en regard de la Tour massive, les gens qui s'y trouvaient réduits aux dimensions d'insectes. Cependant la Tour Blanche aurait-elle été la plus petite de Tar Valon, le fait qu'elle était le cœur de la puissance des Aes Sedai en aurait encore imposé à la cité insulaire.

Si nombreuse qu'elle fût, la foule était loin d'occuper l'ensemble de la place. Sur ses pourtours, les gens se coudoyaient dans une multitude fourmillante, chacun allant à ses affaires, mais à mesure que diminuait la distance jusqu'aux limites du domaine de la Tour on comptait de moins en moins de passants, tant et si bien que sur une largeur jamais inférieure à cinquante pas une bande de dalles entourait les hauts murs blancs sans être foulée par personne. Les Aes Sedai étaient respectées à Tar Valon évidemment, et mieux encore, et la Souveraine d'Amyrlin gouvernait la cité comme elle gouvernait les Aes Sedai, mais peu souhaitaient se rapprocher plus que nécessaire du pouvoir des Aes Sedai. Il existe une différence entre être fier de posséder chez soi une cheminée somptueuse et se placer au milieu des flammes.

À peine une poignée de gens s'avançaient davantage – jusqu'au vaste perron qui menait à la Tour, jusqu'à la porte aux sculptures complexes, assez large pour que douze personnes la franchissent de front. Elle était ouverte à deux battants, accueillante. Il y avait toujours quelqu'un en quête d'aide ou d'une réponse qu'il pensait les Aes Sedai seules capables de donner, et l'on venait de loin aussi souvent que de près, de l'Arafel et du Ghealdan, de la Saldaea et de l'Illian. Beaucoup trouveraient à l'intérieur secours ou conseil, bien que souvent pas ce qu'ils avaient cru ou espéré.

Min gardait rabattu sur sa tête le grand capuchon de sa mante, dissimulant sa figure dans l'ombre de ses profondeurs. En dépit de la chaleur du jour, ce vêtement était assez léger pour ne pas susciter de commentaires, pas sur une jeune femme aussi visiblement timide. Et beaucoup étaient intimidés quand ils venaient à la Tour. Rien sur elle n'attirait l'attention. Ses cheveux bruns étaient plus longs que lorsqu'elle avait habité à la Tour la dernière fois, bien que ne tombant pas tout à fait jusqu'à ses épaules, et sa robe, d'un bleu uni à part d'étroites bandes de dentelle blanche de Jaerecruz au col et aux poignets, aurait convenu à la fille d'un riche fermier, portant ses habits des jours de fête pour se rendre à la Tour exactement comme les autres femmes se dirigeant vers le vaste perron. Min espérait du moins avoir la même allure. Elle dut se forcer à cesser de les examiner pour vérifier si elles marchaient ou se tenaient différemment. *Je peux m'en tirer*, se dit-elle.

Elle n'avait certes pas parcouru tout ce chemin pour s'en retourner maintenant. La robe était un bon déguisement. Quiconque dans la Tour se souvenait d'elle se rappelait une jeune femme aux cheveux coupés court, toujours en tunique et chausses de garçon, jamais avec une jupe. Il fallait que le déguisement soit efficace. Elle n'avait pas le choix concernant ce qu'elle devait faire. En réalité, non.

Son estomac se crispa davantage à mesure qu'elle

approchait de la Tour, et elle resserra sa prise sur le ballot qu'elle pressait contre sa poitrine. Ses vêtements habituels étaient dedans, avec ses bottes solides, ainsi que toutes ses possessions, à part le cheval qu'elle avait laissé dans une auberge à proximité de la place. La chance aidant, elle serait de nouveau sur le hongre dans quelques heures, chevauchant en direction du pont d'Ostrein et de la route partant vers le sud.

Elle n'envisageait pas vraiment avec plaisir de remonter à cheval aussi vite, pas après des semaines passées en selle sans jamais un jour de repos, mais elle mourait d'envie de partir d'ici. Elle n'avait jamais trouvé la Tour Blanche hospitalière et, présentement, la Tour lui semblait presque aussi terrible que la prison du Ténébreux dans le Shayol Ghul. Elle frissonna et regretta d'avoir pensé au Ténébreux. *Je me demande si Moiraine croit que je suis venue simplement parce qu'elle me l'a demandé ? Que la Lumière m'assiste, je me conduis comme une sotte. Faisant des choses stupides à cause d'un imbécile !*

Elle gravit péniblement les marches – chacune était assez profonde de giron pour exiger deux enjambées avant d'atteindre la suivante – et au contraire de la plupart des autres elle ne s'arrêta pas pour contempler avec une admiration respectueuse les hauteurs claires de la Tour. Elle voulait en finir.

À l'intérieur, des arcades entouraient presque entièrement la grande entrée ronde, mais les solliciteurs s'agglutinaient les uns contre les autres, traînant les pieds sous un plafond en voûte aplatie. Le sol en dalles de pierre blanche avait été usé et poli par d'innombrables pieds nerveux au cours des siècles. Personne ne pensait à autre chose qu'à l'endroit où il était et pourquoi il y était. Un fermier et son épouse vêtus de lainages grossiers, leurs mains calleuses étroitement unies, côtoyaient une négociante en habit de soie à taillades de velours, une servante sur ses talons étreignant une petite cassette en argent travaillé, sans doute une offrande de sa maîtresse à la Tour. Ailleurs, la négociante aurait regardé de son haut des paysans qui la frôlaient d'aussi près, et ils auraient porté la main à leur front et se seraient reculés en s'excusant. Pas maintenant. Pas ici.

Peu d'hommes se trouvaient parmi les solliciteurs, ce qui ne surprit pas Min. La plupart éprouvaient de la crainte en présence d'Aes Sedai. Tout le monde savait que c'étaient des Aes Sedai masculins, quand il en existait encore, qui avaient provoqué la Destruction du Monde. Trois mille ans n'avaient pas estompé ce souvenir, même si le temps écoulé en avait altéré de nombreux détails. Les enfants étaient encore effrayés par les récits d'hommes capables de canaliser le Pouvoir Unique, d'hommes voués à devenir fous à cause de la souillure du Ténébreux sur le *Saidin*, la moitié virile de la Vraie Source. Le pire récit concernait Lews Therin Telamon, le Dragon, Lews Therin Meurtrier-des-Siens, qui avait commencé la Destruction. D'ailleurs, ces histoires effrayaient aussi les adultes. La Prophétie annonçait que le Dragon renaîtrait à l'heure du plus grand péril couru par l'humanité, pour lutter contre le Ténébreux lors de la Tarmon Gai'don, l'Ultime Bataille, mais cela ne changeait guère le point de vue de la plupart des gens concernant le lien entre les hommes et le Pouvoir. N'importe quelle Aes Sedai traquerait sans merci un homme capable de canaliser, à l'heure actuelle ; des sept Ajahs, la Rouge ne s'occupait guère d'autre chose.

Certes, rien de cela n'avait de rapport avec demander de l'aide aux Aes Sedai, néanmoins rares étaient les hommes qui se sentaient à l'aise à l'idée d'avoir un lien quelconque avec les Aes Sedai et le Pouvoir. Rares, c'est-à-dire excepté les Liges, mais chaque Lige était lié à une Aes Sedai, les Liges ne pouvaient guère être comptés parmi le commun des hommes. Un dicton circulait : « Un homme se coupera la main pour se débarrasser d'une écharde avant de recourir aux Aes Sedai. » Les femmes l'employaient comme commentaire sur l'entêtement stupide des hommes, mais Min avait entendu certains hommes déclarer que la perte d'une main peut se révéler la meilleure décision.

Elle se demanda quelle serait la réaction de ces gens s'ils étaient au courant de ce qu'elle savait. S'enfuir en hurlant peut-être. Et s'ils connaissaient la raison de sa présence ici, elle risquait de ne pas survivre jusqu'à ce que les gardes de la Tour s'emparent d'elle pour la jeter dans un cachot. Elle avait des amis dans la Tour, certes, mais aucun avec pouvoir ou influence. Si son but était découvert, les chances qu'ils soient en mesure de lui prêter assistance seraient bien moindres que celles qu'elle les entraîne à sa suite vers la corde de la potence ou la hache du bourreau. Ce qui impliquait qu'elle vive jusqu'à ce qu'elle passe en jugement, bien sûr ; plus probablement, on lui fermerait la bouche de façon permanente longtemps avant qu'il y ait procès.

Elle se dit de cesser de penser à ça. *Je réussirai à entrer et je réussirai à ressortir. Que la Lumière réduise en cendres Rand al'Thor pour m'avoir fourrée dans cette situation !*

Trois ou quatre Acceptées, contemporaines de Min ou peut-être un peu plus âgées, circulaient dans la salle ronde, s'adressant à voix basse aux solliciteurs. Leur robe blanche n'avait aucun ornement à part sept bandes de couleur dans le bas, une bande pour chaque Ajah. De temps en temps, une novice, une femme ou une jeune fille encore plus jeune tout en blanc, venait pour emmener quelqu'un dans les profondeurs de la Tour. Les solliciteurs suivaient toujours les novices avec un curieux mélange d'empressement joyeux et de réticence à mettre un pied devant l'autre.

Les mains de Min se crispèrent sur son baluchon quand une des Acceptées s'arrêta devant elle. « Que la Lumière vous illumine, dit d'un ton de politesse purement formelle cette jeune femme aux cheveux bouclés. Je m'appelle Faolaine. En quoi la Tour peut-elle vous aider ? »

Le visage rond au teint foncé de cette Faolaine exprimait la patience de qui accomplit une tâche fastidieuse alors qu'elle préférerait s'occuper à autre chose. Étudier, probablement, d'après ce que Min savait des Acceptées. Apprendre à être une Aes Sedai. Plus important, toutefois, était que l'expression dans les yeux de l'Acceptée prouvait qu'elle ne l'avait pas reconnue ; les deux jeunes femmes s'étaient rencontrées quand Min avait séjourné à la Tour, bien que brièvement.

Néanmoins, Min baissa la tête avec une feinte timidité. Cela n'avait rien d'anormal ; bon nombre de gens de la campagne ne comprenaient pas vraiment l'énorme distance qui sépare l'Acceptée de l'Aes Sedai en titre. Masquant ses traits derrière le bord de sa capuche, elle détourna son regard de Faolaine.

« J'ai une question que je dois poser à la Souveraine d'Amyrlin », commença-t-elle, puis elle se tut brusquement car trois Aes Sedai venaient de s'arrêter pour jeter un coup d'œil dans la salle d'accueil, deux sous la même arcade et une sous une autre.

Acceptées et novices esquissaient une révérence quand leur tournée les amenait à proximité de l'une de ces Aes Sedai, mais à part cela continuaient leur mission, peut-être avec un petit peu plus de diligence. Simplement. Il n'en était pas de même pour les solliciteurs. Ils donnaient l'impression de retenir tous ensemble leur respiration. Loin de la Tour Blanche, loin de Tar Valon, ils auraient seulement pris ces Aes Sedai pour trois femmes dont ils ne parvenaient pas à deviner l'âge, trois femmes dans l'éclat de leur jeunesse, avec pourtant plus de maturité que ne le suggéraient leurs joues lisses. Dans la Tour, par contre, il n'y avait pas à hésiter. La femme qui manipule depuis très longtemps le Pouvoir Unique n'est pas affectée par le passage des années comme les autres femmes. Dans la Tour, nul n'avait besoin de voir un anneau d'or au Grand Serpent pour comprendre qu'il s'agissait d'une Aes Sedai.

Une vague de révérences provoqua une ondulation dans le groupe serré, ainsi que les saluts des quelques hommes qui s'inclinaient dans un mouvement brusque. Deux ou trois personnes tombèrent même à genoux. La riche négociante avait l'air effrayée ; le couple de paysans à côté d'elle ouvrait de grands yeux comme devant les personnages de légende se matérialisant en chair et en os. Comment se conduire en présence d'Aes Sedai n'était que des ouï-dire pour la plupart ; il y avait peu de chances que quiconque ici, à part ceux qui résidaient à Tar Valon, ait déjà rencontré une Aes Sedai, et probablement même les habitants de Tar Valon ne s'en étaient pas trouvés aussi près.

Cependant ce n'était pas les Aes Sedai elles-mêmes qui avaient paralysé la langue de Min. Parfois, pas souvent, elle distinguait des choses quand elle regardait des gens, des images et des auras qui d'ordinaire apparaissaient et disparaissaient en quelques instants. De temps à autre, elle savait ce qu'elles signifiaient. Cela se produisait rarement, cette intuition – beaucoup plus rarement même que les visions – mais quand Min savait elle avait toujours raison.

Au contraire de la plupart des gens, les Aes Sedai – et leurs Liges – avaient toujours des images et des auras, quelquefois dansant et se modifiant en si grand nombre qu'elles faisaient tourner la tête de Min. Le nombre n'influait toutefois pas sur leur interprétation ; Min comprenait ce qu'elles annonçaient aussi rarement que pour les autres gens, mais cette fois-ci elle comprit davantage qu'elle ne le souhaitait, et elle en eut le frisson.

Une svelte jeune femme aux cheveux noirs tombant jusqu'à sa taille, la seule des trois qu'elle reconnaissait – son nom était Ananda ; elle appartenait à l'Ajah Jaune – était entourée d'un halo brun terreux, ratatiné et fendu par des fissures pourrissantes dont les bords tombaient à l'intérieur et qui s'élargissaient à mesure qu'elles se désintégraient. La petite Aes Sedai blonde à côté d'Ananda était de l'Ajah Verte, à en juger par son châle. La Flamme Blanche de Tar Valon qui l'ornait apparut un instant quand elle tourna le dos. Et sur son épaule, comme niché parmi les sarments de vigne et les branches de pommiers fleuris brodés sur le châle, il y avait un crâne humain. Un petit crâne de femme, complètement décharné et blanchi par le soleil. La troisième, une jolie femme bien en chair, juste en face, ne portait pas de châle ; la plupart des Aes Sedai ne l'utilisaient que pour les cérémonies. La façon dont elle levait le menton et carrait les épaules exprimait force et orgueil. Elle semblait jeter sur les solliciteurs un regard froid de ses yeux bleus à travers les lambeaux d'un rideau de sang, des ruisseaux rouges coulant sur son visage.

Le sang, le crâne et le halo disparurent dans la danse d'images autour du trio, réapparurent et s'effacèrent de nouveau. Les solliciteurs regardaient avec une crainte révérencielle, ne voyant que trois femmes qui pouvaient entrer en contact avec la Vraie Source et canaliser le Pouvoir Unique. Nul sauf Min ne percevait le reste. Nul sauf Min ne savait que ces trois femmes allaient mourir. Exactement le même jour.

« L'Amyrlin ne peut pas recevoir tout le monde, déclara Faolaine avec une impatience mal dissimulée. Sa prochaine audience publique n'aura pas lieu avant dix jours. Expliquez-moi ce que vous désirez et je prendrai les dispositions nécessaires pour que vous vous adressiez à la Sœur la mieux en mesure de vous aider. »

Le regard de Min plongea vers le baluchon dans ses bras et y demeura posé, en partie pour ne plus revoir ce qu'elle avait déjà vu. *Les trois à la fois ! Ô Lumière !* Quelle chance y avait-il que trois Aes Sedai meurent le même jour ? Mais elle en était certaine. Certaine.

« J'ai le droit de parler au Trône d'Amyrlin. En personne. » C'était un droit rarement exigé – qui oserait ? – mais il existait. « N'importe quelle femme a ce droit et je le revendique.

— Croyez-vous que le Trône d'Amyrlin en personne a le temps de recevoir chaque individu qui se présente à la Tour Blanche ? Une autre Aes Sedai peut sûrement vous assister. » Faolaine insistait lourdement sur les titres comme pour subjuguer Min. « Maintenant dites-moi sur quel sujet porte votre question. Et donnez-moi votre nom, pour que la novice sache qui elle doit venir chercher.

— Mon nom est... Elmindreda. » Min tiqua malgré elle. Elle avait toujours détesté ce nom, mais l'Amyrlin était un des rares êtres vivants à l'avoir jamais entendu. Si seulement elle s'en souvenait. « J'ai le

44

droit de parler à l'Amyrlin. Et ma question est pour elle uniquement. J'ai le droit. »

L'Acceptée haussa un sourcil. « Elmindreda ? » Sa bouche frémit dans une esquisse de sourire amusé. « Et vous réclamez vos droits. Très bien. Je vais prévenir la Gardienne des Chroniques que vous désirez vous entretenir directement avec le Trône d'Amyrlin, Elmindreda. »

Min l'aurait volontiers giflée à cause de la façon dont elle accentua cet « Elmindreda », mais elle se força à murmurer : « Merci.

— Ne me remerciez pas encore. Sans doute faudra-t-il des heures avant que la Gardienne trouve le temps de répondre et ce sera sûrement que vous pourrez poser votre question lors de la prochaine audience publique de la Mère. Attendez avec patience, Elmindreda. » Elle dédia à Min un sourire pincé, presque railleur, en se détournant.

Grinçant des dents, Min prit son baluchon pour aller s'appuyer le dos contre le mur entre deux des arches, où elle s'efforça de se confondre avec la paroi blanche. *Ne vous fiez à personne, et évitez qu'on vous remarque jusqu'à ce que vous soyez en présence de l'Amyrlin,* lui avait recommandé Moiraine. Moiraine était une Aes Sedai en qui elle avait confiance. La plupart du temps. Le conseil était bon quoi qu'il en soit. Elle avait seulement à arriver jusqu'à l'Amyrlin, et ce serait fini. Elle pourrait remettre ses vêtements habituels, dire bonjour à ses amies et s'en aller. Plus besoin de se dissimuler.

Elle fut soulagée de constater que les Aes Sedai

étaient parties. Trois Aes Sedai mourant le même jour. Impossible ; c'était le seul terme qui convenait. Pourtant cela se produirait. Quoi qu'elle dise ou fasse n'y changerait rien – quand elle comprenait ce que signifiait une image, cela se réalisait – mais il lui fallait en parler à l'Amyrlin. C'était peut-être même aussi important que les nouvelles qu'elle apportait de la part de Moiraine, bien que ce fût difficile à croire.

Une autre Acceptée vint en remplacer une qui se trouvait déjà là et, aux yeux de Min, des barreaux flottaient devant son visage aux joues vermeilles, comme une cage. Sheriam, la Maîtresse des Novices, examina la salle – après un coup d'œil, Min fixa son regard sur la pierre où reposaient ses pieds ; Sheriam ne la connaissait que trop bien – et le visage de l'Aes Sedai à la chevelure rousse semblait meurtri par des coups. Ce n'était qu'une vision, certes, mais Min dut néanmoins se mordre la lèvre pour étouffer un hoquet de stupeur. Sheriam, avec sa calme autorité et son assurance, était aussi indestructible que la Tour. Sûrement rien de mal ne pouvait arriver à Sheriam. Pourtant cela se produirait.

Une Aes Sedai inconnue de Min, portant le châle de l'Ajah Brune, raccompagnait jusqu'à la porte une femme corpulente en vêtements de laine rouge finement tissée. La forte femme marchait avec une légèreté de jeune fille, le visage radieux, presque riant de plaisir. La Sœur Brune souriait aussi, mais son aura faiblissait comme la flamme d'une chandelle qui coule.

Mort. Blessures, captivité et mort encore. Pour Min,

c'était pratiquement comme si c'était inscrit sur une page.

Elle fixa les yeux sur ses pieds. Elle n'avait pas envie d'en voir davantage. *Qu'elle se rappelle*, songea-t-elle. Pas un instant elle n'avait éprouvé de désespoir au cours de sa longue chevauchée depuis les Montagnes de la Brume, pas même les deux fois où quelqu'un avait essayé de lui voler son cheval, mais elle en ressentait maintenant. *Ô Lumière, faites qu'elle se rappelle ce fichu nom.*

« Maîtresse Elmindreda ?

Min sursauta. La novice aux cheveux noirs qui se tenait devant elle avait à peine l'âge de quitter son foyer, peut-être quinze ou seize ans, en dépit de ses grands efforts pour montrer de la dignité. « Oui ? Je suis... C'est mon nom.

— Je suis Sahra. Si vous voulez bien m'accompagner... – la voix flûtée de Sahra prit un accent émerveillé – le Trône d'Amyrlin va vous recevoir maintenant dans son bureau. »

Min poussa un soupir de soulagement et la suivit avec empressement.

La profonde capuche de sa mante dissimulait toujours ses traits mais ne l'empêchait pas de voir, et plus elle voyait plus elle avait hâte de se trouver en présence de l'Amyrlin. Il n'y avait pas grand monde dans les vastes couloirs qui s'élevaient en spirale, avec leur carrelage aux couleurs éclatantes, leurs tapisseries sur les murs et leurs lampadaires dorés – la Tour avait été construite pour accueillir beaucoup plus de gens qu'elle n'en abritait à présent – mais presque chaque personne qu'elle apercevait en montant portait une image ou une aura lui parlant de violence et de danger.

Des Liges passaient rapidement près d'elles deux en leur jetant à peine un coup d'œil, des hommes qui se déplaçaient avec l'allure de loups chassant une proie, leurs épées un simple ajout à leur mine redoutable, mais ils semblaient avoir du sang sur la figure ou des blessures béantes. Des épées et des lances dansaient autour de leurs têtes, menaçantes. Leurs auras flamboyaient follement, scintillant sur le fil tranchant de la mort. Elle vit des hommes morts en marche, comprit qu'ils mourraient le même jour que les Aes Sedai de la salle d'accueil ou, au plus, un jour après. Même quelques-uns des serviteurs, des hommes et des femmes avec le blason de la Flamme de Tar Valon sur la poitrine, s'empressant d'accomplir leurs tâches, avaient sur eux des traces de violence. Une Aes Sedai aperçue au croisement d'un couloir paraissait avoir des chaînes en l'air autour d'elle, et une autre qui traversa le couloir devant Min et son guide donnait l'impression pendant ces quelques pas de porter autour du cou un collier d'argent. Ce qui coupa le souffle de Min ; elle eut envie de hurler.

« C'est très impressionnant, peut-être, pour quelqu'un qui entre ici pour la première fois », dit Sahra en s'efforçant d'avoir l'air de juger la Tour aussi ordinaire que son village natal, s'y efforçant et n'y réussissant pas, « mais vous êtes en sécurité ici. Le Trône d'Amyrlin arrangera les choses. » Sa voix devint plus aiguë quand elle mentionna l'Amyrlin.

« Veuille la Lumière qu'elle le fasse », marmotta

Min. La novice lui adressa un sourire qui se voulait rassurant.

Lorsqu'elles arrivèrent dans le vestibule précédant les appartements de l'Amyrlin, l'estomac de Min était en révolution et elle marchait presque sur les talons de Sahra. Seule la nécessité de feindre de venir là pour la première fois l'avait retenue de s'élancer en avant depuis longtemps.

Un des battants de la porte donnant sur les appartements de l'Amyrlin s'ouvrit et un jeune homme aux cheveux blond ardent sortit à grands pas, manquant de peu heurter Min et son guide. Grand, droit comme un I, vigoureux dans sa tunique bleue rebrodée abondamment de fils d'or sur les manches et au col, Gawyn de la Maison de Trakand, fils aîné de la Reine Morgase d'Andor, était l'image même du jeune seigneur dans toute l'acception du terme. Un jeune seigneur furieux. Elle n'avait plus le temps de baisser la tête ; le regard de Gawyn plongeait dans sa capuche, jusqu'à son visage.

Il eut les yeux qui s'arrondirent de surprise puis se rétrécirent en étroites fentes de glace bleue. « Vous voici donc de retour. Savez-vous où sont allées ma sœur et Egwene ?

— Elles ne sont pas ici ? » Sous le coup d'un flot montant de panique, Min perdit la notion de tout. Avant de s'en rendre compte, elle l'avait agrippé par les manches et forcé à reculer d'un pas, le fixant avec une expression pressante. « Gawyn, elles se sont mises en route pour la Tour il y a des mois ! Élayne et

Egwene et Nynaeve aussi. Avec Vérine Sedai et...
Gawyn, je... je...

— Calmez-vous, dit-il en desserrant avec douceur
ses doigts crispés sur sa tunique. Par la Lumière, je
n'avais pas l'intention de vous terrifier à ce point-là.
Elles sont arrivées saines et sauves. Et n'ont pas voulu
souffler mot de l'endroit où elles s'étaient rendues ni
de la raison de leur expédition. Pas à moi. Je suppose
qu'il n'y a guère d'espoir que vous le ferez ? » Elle
pensait être restée de marbre, mais il lui jeta un coup
d'œil et commenta : « Je me doutais que non. Cette
Tour dissimule plus de secrets que... Elles ont disparu
de nouveau. Et Nynaeve également. » Le nom de
Nynaeve était une addition presque désinvolte ; elle
était peut-être une amie de Min, mais elle ne comptait
pas pour lui. Sa voix redevint âpre, de seconde en
seconde plus tendue. « De nouveau sans un mot. Pas
un ! Elles sont censées être dans une ferme quelque
part en punition pour s'être enfuies, mais je ne peux
pas découvrir où. L'Amyrlin se refuse à me donner
une réponse précise. »

Min tressaillit ; l'espace d'un instant, des traînées
de sang séché avaient transformé sa figure en masque
sinistre. C'était comme de recevoir un double coup de
masse. Ses amies étaient parties – savoir qu'elles y
étaient lui avait rendu plus plaisant son voyage jusqu'à
la Tour – et Gawyn allait être blessé le jour où les Aes
Sedai mourraient.

En dépit de tout ce qu'elle avait vu depuis qu'elle
était entrée dans la Tour, en dépit de ses craintes, rien
de tout cela ne l'avait réellement touchée personnelle-

ment jusqu'à présent. Le désastre qui s'abattrait sur la Tour s'étendrait bien au-delà de Tar Valon, toutefois elle n'était pas de la Tour et ne pourrait jamais en être. Par contre, Gawyn était quelqu'un qu'elle connaissait, quelqu'un pour qui elle avait de l'affection, et il serait frappé davantage que ne l'annonçait ce sang, frappé en quelque sorte plus profondément que par des blessures dans sa chair. Elle s'avisa subitement que si une catastrophe advenait à la Tour, non seulement des Aes Sedai qui ne lui étaient rien en subiraient les conséquences, des femmes dont elle ne pourrait jamais se sentir proche, mais ses amies aussi. Elles étaient de la Tour, elles.

En un sens, elle fut contente qu'Egwene et les autres ne soient pas là, contente d'être dans l'impossibilité de les regarder et peut-être de voir des signes annonciateurs de mort. Pourtant elle avait envie de regarder, pour se rassurer, pour regarder ses amies et ne rien voir, ou voir qu'elles vivraient. Où donc, au nom de la Lumière, se trouvaient-elles ? Pourquoi étaient-elles parties ? Connaissant ces trois-là, elle estima possible que si Gawyn l'ignorait c'était parce qu'elles ne désiraient pas qu'il le sache. Oui, bien possible.

Soudain elle se rappela où elle était et pourquoi, et aussi qu'elle n'était pas seule avec Gawyn. Sahra semblait avoir oublié qu'elle amenait Min à l'Amyrlin ; elle semblait avoir tout oublié sauf le jeune seigneur, qu'elle contemplait d'un air énamouré auquel il ne prêtait pas attention. Même ainsi, inutile de continuer à feindre qu'elle n'avait jamais mis les pieds à la Tour.

Elle se tenait à la porte de l'Amyrlin ; plus rien ne l'arrêterait maintenant.

« Gawyn, je ne sais pas où elles sont mais, si elles accomplissent une pénitence dans une ferme, elles sont probablement couvertes de sueur, avec de la boue jusqu'aux hanches et vous êtes le dernier par qui elles auront envie d'être vues. » Elle n'était pas beaucoup moins inquiète de leur absence que Gawyn, à la vérité. Trop de choses s'étaient produites, trop de choses se produiraient, trop liées à elles et à elle-même. Toutefois il n'y avait rien d'impossible à ce qu'elles aient été envoyées là-bas en punition. « Vous ne servirez pas leur cause en irritant l'Amyrlin.

— Je ne sais pas qu'elles sont effectivement dans une ferme. Ou même vivantes. Pourquoi tout ce mystère et ces réponses évasives si elles s'occupent seulement à arracher des mauvaises herbes ? Qu'il arrive quoi que ce soit à ma sœur... ou à Egwene... » Il fronça les sourcils en contemplant la pointe de ses bottes. « Je suis censé veiller sur Élayne. Comment puis-je la protéger quand j'ignore où elle se trouve ? »

Min soupira. « Croyez-vous qu'elle ait besoin que l'on veille sur elle ? Sur l'une ou l'autre ? » Seulement, si l'Amyrlin les avait dépêchées quelque part, peut-être qu'elles en avaient besoin. L'Amyrlin était capable d'envoyer une femme dans la tanière d'un ours rien qu'avec une baguette, pour peu que cela serve ses desseins. Et elle s'attendrait à ce que cette femme revienne avec la dépouille de cet ours, ou l'ours en laisse, comme instruction lui en avait été donnée. Cependant expliquer cela à Gawyn ne ferait qu'attiser sa colère et ses inquiétudes. « Gawyn, elles se sont engagées envers la Tour. Elles ne vous remercieraient pas d'intervenir.

— Je sais qu'Élayne n'est plus une enfant, répliqua-t-il avec patience, bien qu'elle passe son temps alternativement à s'enfuir comme une gamine et à revenir jouer à être une Aes Sedai, mais c'est ma sœur et, en plus, elle est Fille-Héritière d'Andor. Elle sera reine, après ma mère. Andor a besoin d'elle saine et entière pour prendre le trône, pas d'une autre Succession. »

Jouer à être une Aes Sedai ? Apparemment, il ne se rendait pas compte de l'étendue du talent de sa sœur. Les Filles-Héritières d'Andor étaient envoyées à la Tour pour y être formées depuis que l'Andor existait, mais Élayne était la première assez douée pour être élevée au rang d'Aes Sedai, et une puissante Aes Sedai par-dessus le marché. Très probablement, il ne savait pas non plus qu'Egwene était aussi forte.

« Alors vous la protégerez, qu'elle le veuille ou non ? » Elle le dit d'un ton neutre, destiné à lui indiquer qu'il commettait une erreur, mais il ne perçut pas la mise en garde et acquiesça d'un signe de tête.

« C'est mon devoir depuis le jour de ma naissance. Mon sang versé avant le sien ; ma vie donnée avant la sienne. J'ai prononcé ce serment alors que je pouvais tout juste voir par-dessus le bord de son berceau ; Gareth Bryne a été obligé de m'expliquer ce qu'il signifiait. Je ne vais pas y manquer à présent. L'Andor a davantage besoin d'elle que de moi. »

Il parlait avec une calme certitude, l'acceptation de

quelque chose de naturel et de juste, qui la fit frémir. Elle avait toujours pensé à lui comme à un gamin rieur et taquin, mais maintenant il était une espèce d'étranger. Elle songea que le Créateur devait être fatigué quand était venu le moment de fabriquer les hommes ; parfois ils semblaient à peine humains. « Et Egwene ? Quel serment avez-vous prononcé à son sujet ? »

Son expression ne varia pas, mais il passa d'un pied sur l'autre, sur ses gardes. « Je suis inquiet pour Egwene, bien sûr. Et pour Nynaeve. Ce qui arrive aux compagnes d'Élayne risque d'arriver à Élayne. Je présume qu'elles sont encore ensemble ; quand elles étaient ici, je les ai rarement vues les unes sans les autres.

— Ma mère m'a toujours dit d'épouser un menteur maladroit, et vous remplissez bien cette condition. Si ce n'est que je pense que quelqu'un d'autre a priorité sur moi.

— Il y a des choses destinées à arriver, répondit-il à mi-voix, et d'autres qui ne se produiront jamais. Galad a le cœur navré parce qu'Egwene est partie. » Galad était son demi-frère, envoyé avec lui à Tar Valon pour s'entraîner sous la tutelle des Liges. Cela aussi, c'était une tradition de l'Andor. Galadedrid Damodred s'appliquait à agir avec une rectitude excessive aux yeux de Min, mais Gawyn le jugeait parfait. Et il n'avouerait jamais ses sentiments pour une jeune fille dont Galad s'était entiché.

Elle avait envie de le secouer, de lui insuffler de force un peu de bon sens, mais elle n'en avait pas le temps maintenant. Pas alors que l'Amyrlin attendait, pas avec ce qui attendait d'être annoncé à l'Amyrlin. Certainement pas avec Sahra présente là, levant ou non vers Gawyn des yeux adorateurs. « Gawyn, je suis convoquée par l'Amyrlin. Où puis-je vous trouver quand elle en aura fini avec moi ?

— Je serai dans la cour d'exercice. Les seuls moments où je cesse de me ronger, c'est quand je travaille l'épée avec Hammar. » Hammar était un maître ès armes et le Lige qui enseignait le maniement de l'épée. « Pratiquement tous les jours, je reste là-bas jusqu'au coucher du soleil.

— Très bien. Je vous rejoindrai dès que je pourrai. Et prenez garde à ce que vous dites. Si vous irritez l'Amyrlin contre vous, Élayne et Egwene risquent d'en pâtir aussi.

— Cela, je ne peux pas le promettre, répliqua-t-il avec fermeté. Quelque chose ne va pas dans le monde. Il y a la guerre civile au Cairhien. Pareil et pire au Tarabon et dans l'Arad Doman. Des faux Dragons. Des troubles et des rumeurs de troubles partout. Je ne sais pas si la Tour en est secrètement responsable, mais même ici les choses ne sont pas ce qu'elles devraient être, ou ce qu'elles semblent. La disparition d'Élayne et d'Egwene n'en est qu'une partie. Toutefois, c'est la partie qui me concerne. Je veux découvrir où elles se trouvent. Et s'il leur est advenu du mal... si elles sont mortes... »

Il eut une expression menaçante et, pendant un instant, son visage fut de nouveau ce masque ensanglanté. Plus encore : une épée se dressait dans le vide au-dessus de sa tête et une bannière flottait derrière.

L'épée à longue garde, comme celles dont se servaient la plupart des Liges, avait un héron gravé sur sa lame légèrement incurvée, symbole d'un maître ès armes, et Min se sentit incapable de déterminer si cette épée appartenait à Gawyn ou si elle le menaçait. La bannière portait l'emblème de Gawyn, le Sanglier Blanc chargeant, mais sur un champ vert au lieu du rouge de l'Andor. Aussi bien l'épée que la bannière s'estompèrent conjointement avec le sang.

« Méfiez-vous, Gawyn. » Son avertissement était à double sens. Qu'il surveille sa langue et qu'il se défie également – elle-même ne pouvait pas préciser de quoi. « Il faut que vous soyez très prudent. »

Il scruta ses traits comme s'il pressentait le fond de sa pensée. « Je... j'essaierai », finit-il par répondre. Il arbora un sourire, presque le sourire dont elle se souvenait, mais l'effort qu'il faisait était visible. « Mieux vaut, je suppose, m'en retourner à la cour d'exercice si je compte être au même niveau que Galad. J'ai réussi deux touches sur cinq contre Hammar ce matin, mais Galad en a remporté trois la dernière fois qu'il s'est donné la peine d'aller s'exercer. » Soudain il parut la voir réellement pour la première fois et son sourire devint spontané. « Vous devriez porter des robes plus souvent. Cela vous va bien. N'oubliez pas, je serai là-bas jusqu'au crépuscule. »

Tandis qu'il s'éloignait d'une démarche très proche de la grâce menaçante d'un Lige, Min se rendit compte qu'elle lissait sa jupe sur sa hanche et cessa aussitôt. *Que la Lumière réduise tous les hommes en cendres !*

Sahra exhala un long souffle comme si elle avait

retenu son haleine. « Il a bien belle mine, n'est-ce pas ? dit-elle d'un ton rêveur. Pas autant que le Seigneur Galad, naturellement. Et vous le connaissez vraiment. » Ce qui était à moitié une question, mais seulement à moitié.

Min soupira à son tour. La novice parlerait à ses amies dans leur dortoir. Le fils d'une reine est un sujet de conversation naturel, surtout quand il est beau garçon et possède la prestance du héros des contes de ménestrel. Une femme inconnue était un aliment supplémentaire pour nourrir des hypothèses intéressantes. Cependant, c'était sans remède. En tout cas, cela ne pouvait guère avoir d'inconvénient à présent.

« Le Trône d'Amyrlin doit se demander pourquoi nous ne sommes pas arrivées. »

Sahra redescendit sur terre avec un sursaut, les yeux écarquillés, en ravalant bruyamment sa salive. Agrippant d'une main la manche de Min, elle bondit pour ouvrir un des battants de la porte, tirant Min à sa suite. Dès qu'elles furent entrées, la novice s'inclina vivement dans une révérence et s'écria d'une voix oppressée par la panique : « Je l'ai amenée, Leane Sedai. Maîtresse Elmindreda. Le Trône d'Amyrlin désire la voir ? »

La grande femme au teint cuivré qui se trouvait dans l'anti-chambre portait l'étole large d'une main, insigne de la Gardienne des Chroniques, bleue pour indiquer qu'elle appartenait à l'Ajah Bleue quand elle avait été élevée à ce rang. Les poings sur les hanches, elle attendit que la jeune fille achève sa phrase, puis la renvoya d'un ton bref : « Vous a pris assez long-

temps, petite. Retournez à vos travaux maintenant. »
Sahra plongea dans une nouvelle révérence et sortit
aussi précipitamment qu'elle était entrée.

Min garda les yeux baissés, sa capuche toujours
tirée en avant autour de sa figure. Commettre une
imprudence devant Sahra suffisait – du moins la
novice ignorait-elle son nom – mais Leane la connaissait mieux que quiconque dans la Tour à l'exception
de l'Amyrlin. Min avait la conviction que cela n'aurait
pas de conséquence à présent, toutefois après l'incident du vestibule elle avait la ferme intention de s'en
tenir aux instructions de Moiraine jusqu'à ce qu'elle
soit seule avec l'Amyrlin.

Cette fois, ses précautions ne servirent à rien. Leane
avança de deux pas, rabattit la capuche en arrière et
poussa une exclamation étouffée comme si elle avait
reçu un coup dans l'estomac. Min redressa la tête et
la regarda à son tour droit dans les yeux hardiment,
s'efforçant de feindre qu'elle n'avait pas tenté de passer sans attirer son attention. Des cheveux lisses et
noirs à peine plus longs que les siens encadraient le
visage de la Gardienne ; l'expression de l'Aes Sedai
était un mélange de surprise et de mécontentement
d'être surprise.

« Ainsi vous êtes Elmindreda, hein ? » dit Leane
rondement. Elle se montrait toujours vive. « Je dois
avouer que vous en avez davantage l'air dans cette
robe que dans votre... accoutrement habituel.

— Rien que Min, Leane Sedai, s'il vous plaît. »
Min parvint à se maîtriser, mais elle eut du mal à ne
pas laisser voir son irritation. La voix de la Gardienne

exprimait trop d'amusement. Si sa mère avait eu à lui trouver un nom d'après un personnage de conte, pourquoi avait-il fallu que ce soit celui d'une femme qui semblait passer la plupart de son temps à soupirer après des hommes, quand elle ne les encourageait pas à composer des chansons sur ses yeux ou son sourire ?

« D'accord, Min. Je ne demanderai pas où vous étiez ni pourquoi vous êtes revenue habillée en robe, apparemment désireuse de poser une question à l'Amyrlin. Pas maintenant, du moins. » Toutefois, elle avait visiblement l'intention de le faire plus tard et d'obtenir des réponses. « Je suppose que la Mère connaît qui est Elmindreda ? Naturellement. J'aurais dû m'en douter quand elle a ordonné de vous envoyer sans délai auprès d'elle, et seule. Il n'y a que la Lumière pour comprendre pourquoi elle vous supporte. » Elle s'interrompit, l'air soucieux. « Que se passe-t-il, mon petit ? Êtes-vous souffrante ? »

Min rasséréna avec soin ses traits. « Non. Non, je vais bien. » Pendant un instant, la Gardienne lui avait paru regarder à travers un masque transparent de son propre visage, un masque hurlant. « Puis-je entrer maintenant, Leane Sedai ? »

Leane l'examina encore un moment, puis elle indiqua d'un mouvement brusque du menton la salle suivante. « Allez-y. » Min obéit avec une rapidité qui aurait contenté l'autorité la plus tyrannique.

Le bureau de l'Amyrlin avait été occupé au cours des siècles par nombre de femmes prestigieuses et puissantes, et des rappels du fait se voyaient partout dans la pièce, depuis la haute cheminée tout en marbre doré du Kandor, où aucun feu ne brûlait à présent, jusqu'aux lambris en bois clair curieusement veinés, durs comme du fer et pourtant sculptés d'animaux prodigieux et d'oiseaux au plumage bizarre. Ces lambris avaient été apportés plus de mille ans auparavant des pays mystérieux situés au-delà du Désert des Aiels, et la cheminée était deux fois plus ancienne. Le grès rouge poli du sol provenait des Montagnes de la Brume. De hautes portes-fenêtres en arc brisé donnaient sur un balcon. La pierre irisée formant le cadre des fenêtres luisait comme des perles et avait été récupérée dans les ruines d'une cité engloutie par la mer des Tempêtes au cours de la Destruction du Monde ; personne n'avait jamais vu son pareil.

Par contre, l'occupante actuelle, Siuan Sanche, était fille d'un pêcheur de Tear et l'ameublement qu'elle avait choisi était simple, encore que soigné de fabrication et bien ciré. Elle était assise dans un fauteuil robuste derrière une grande table assez dépourvue de recherche pour convenir à une salle de ferme. Le seul autre siège de la pièce, également modeste d'aspect et en général placé de côté, se trouvait présentement devant la table, sur un petit tapis de Tear, sobre, aux tons bleu, marron et or. Çà et là, une demi-douzaine de livres ouverts reposaient sur de hauts lutrins. Un dessin était accroché au-dessus de la cheminée : de toutes petites barques de pêche s'activant au milieu des roseaux dans les Doigts du Dragon, exactement comme le faisait le bateau de son père.

À première vue, en dépit de ses traits lisses d'Aes Sedai, Siuan Sanche elle-même semblait aussi simple que son mobilier. Elle était vigoureuse et imposante plutôt que belle et le seul signe d'ostentation dans son habillement était la large étole du Trône d'Amyrlin qu'elle portait, avec une bande de couleur pour chacune des sept Ajahs. Son âge était indéfinissable comme chez toutes les Aes Sedai ; pas un fil gris n'apparaissait dans sa chevelure brune. Cependant ses yeux bleus annonçaient qu'elle n'admettait pas les sottises et les lignes fermes de sa mâchoire dénotaient la détermination de la femme la plus jeune qui ait jamais été élue Trône d'Amyrlin. Depuis plus de dix ans, Siuan Sanche avait été en mesure de convoquer des chefs d'État, et les puissants du monde, et ils étaient venus, même s'ils haïssaient la Tour et redoutaient les Aes Sedai.

Tandis que l'Amyrlin contournait à grands pas la table, Min déposa par terre son baluchon et commença à exécuter une révérence maladroite, murmurant avec irritation entre ses dents d'y être obligée. Non pas qu'elle eût l'intention de se montrer irrespectueuse – cela ne venait à l'esprit de personne en présence d'une femme comme Siuan Sanche – mais l'inclination de la tête et du buste en forme de salut qui lui était habituelle paraissait ridicule pour quelqu'un vêtu d'une robe, et elle n'avait qu'une idée assez vague de la façon dont on fait la révérence.

À demi courbée, sa jupe déjà déployée, elle se figea comme un crapaud accroupi. Siuan Sanche se dressait là avec un port de reine et, pendant un instant, elle était aussi allongée sur le sol, nue. En dehors d'être à l'état de nature, son image d'elle avait quelque chose de bizarre, mais elle s'effaça avant que Min capte ce que c'était. La vision la plus forte jamais eue, et elle n'avait aucune idée de sa signification.

« Vous voyez de nouveau des choses, n'est-ce pas ? dit l'Amyrlin. Eh bien, j'ai certes de quoi utiliser cette aptitude. J'en aurais eu besoin tout au long des mois de votre absence. Bah, nous ne parlerons pas de cela. Ce qui est fait est fait. La Roue tisse selon son bon plaisir. » Elle eut un sourire bref. « Mais si vous recommencez, je prendrai votre peau pour fabriquer des gants. Redressez-vous, mon petit. Leane m'impose assez de cérémonie en un mois pour combler pendant un an n'importe quelle femme de bon sens. Je n'ai pas de temps à perdre avec ça. Pas à présent. Bon, que venez-vous de voir ? »

Min se releva lentement. C'était un soulagement de se retrouver avec quelqu'un au courant de son don, même si c'était le Trône d'Amyrlin en personne. Elle n'avait pas à cacher ce qu'elle voyait à l'Amyrlin. Bien au contraire. « Vous étiez... Vous ne portiez aucun vêtement. Je... je ne comprends pas ce que cela signifie, ma Mère. »

Siuan Sanche eut un rire sec sans joie. « Sans doute que je vais prendre un amant. Seulement je n'ai pas de temps à perdre pour cela non plus. On n'a pas le temps d'adresser des clins d'œil aux hommes quand on s'affaire à écoper la barque.

— Peut-être », répliqua Min avec lenteur. La possibilité existait que ce soit la bonne interprétation, mais elle en doutait. « Je ne sais pas. Seulement, ma Mère, j'ai eu des visions à l'instant où j'ai pénétré dans la

Tour. Quelque chose de mauvais va se produire, quelque chose de terrible. »

Elle commença par les Aes Sedai dans la salle d'accueil et raconta tout ce qu'elle avait vu, ainsi que tout ce que cela impliquait quand elle en avait la certitude. Elle s'abstint néanmoins de répéter ce qu'avait dit Gawyn, ou du moins la majeure partie ; inutile de lui recommander de ne pas irriter l'Amyrlin si elle s'en chargeait pour lui. Le reste, elle le décrivit aussi véridiquement qu'elle l'avait vu. Un peu de la peur qu'elle ressentait transparut à mesure qu'elle revivait tout ce qu'elle extirpait de sa mémoire ; elle avait la voix tremblante quand elle eut fini.

L'expression de l'Amyrlin ne changea pas. « Donc vous vous êtes entretenue avec le jeune Gawyn, commenta-t-elle après que Min s'était tue. Bah, je pense pouvoir le convaincre de se taire. Et si je me souviens bien de Sahra, cette jeune fille se porterait mieux de travailler quelque temps à la campagne. Elle ne répandra pas de commérages en sarclant un carré de légumes.

— Je ne comprends pas, répliqua Min. Pourquoi Gawyn devrait-il se taire ? À quel sujet ? Je ne lui ai rien dit. Et Sahra... ? Mère, il se peut que je ne me sois pas montrée assez claire. Des Aes Sedai et des Liges vont mourir. Cela signifie qu'il y aura une bataille. Et à moins que vous n'envoyiez un grand nombre d'Aes Sedai et de Liges quelque part – et des serviteurs aussi ; j'ai vu également des serviteurs morts et blessés – à moins que vous ne fassiez cela, cette bataille aura lieu ici ! À Tar Valon !

— Avez-vous vu cela ? demanda impérieusement l'Amyrlin. Une bataille ? Le savez-vous grâce à votre talent ou est-ce une déduction ?

— De quoi d'autre pourrait-il s'agir ? Au moins quatre Aes Sedai sont pratiquement mortes, Mère. Je n'ai posé les yeux que sur neuf d'entre vous depuis mon retour et quatre vont mourir ! Et les Liges... Qu'est-ce que cela serait, alors ?

— Plus de choses qu'il ne me plaît de penser, riposta amèrement Siuan. Quand ? Combien de temps avant qu'advienne cet... événement ? »

Min secoua la tête. « Je l'ignore. La majeure partie se produira en l'espace d'une journée, peut-être deux, mais cela peut se produire demain ou dans un an. Ou dans dix.

— Prions pour que ce soit dix. S'il survient demain, je n'ai guère le moyen d'y mettre un terme. »

Les traits de Min se crispèrent dans une grimace. Seules deux Aes Sedai en dehors de Siuan Sanche étaient au courant de ce dont elle était capable : Moiraine et Vérine Mathwin, qui avaient essayé de l'analyser. Elles n'en savaient pas plus que Min sur cette faculté, à part qu'elle n'avait aucun rapport avec le Pouvoir. Peut-être était-ce la raison pour laquelle Moiraine seule était disposée à admettre que, lorsque Min en décelait la signification, ses visions se révélaient prémonitoires.

« Il s'agit peut-être des Blancs Manteaux, ma Mère. Il y en avait partout dans Alindaer quand j'ai traversé le pont. » Elle ne pensait pas que les Enfants de la Lumière avaient le moindre rapport avec ce qui allait arriver, mais elle répugnait à dire ce qu'elle croyait. Ce qu'elle croyait, pas ce qu'elle savait ; toutefois, cette hypothèse-là était déjà assez catastrophique.

Mais l'Amyrlin avait commencé à secouer la tête avant qu'elle achève sa phrase. « Ils tenteraient quelque chose s'ils le pouvaient, je n'en doute pas – ils adoreraient porter des coups à la Tour – mais Eamon Valda ne bougerait pas ouvertement sans les ordres du Seigneur Capitaine Commandant, et Pedron Niall n'attaquera pas à moins qu'il ne nous suppose mal en point. Il connaît trop bien notre puissance pour agir bêtement. Depuis mille ans, les Blancs Manteaux sont comme ça. Des brochets argentés tapis au milieu des roseaux guettant l'odeur du sang des Aes Sedai dans l'eau. Mais nous ne leur avons pas encore offert cette opportunité, et nous ne la leur donnerons pas si c'est en mon pouvoir.

— Cependant, si Valda s'avisait d'agir de sa propre initiative... »

Siuan l'interrompit. « Il n'a pas plus de cinq cents hommes à proximité du Tar Valon, mon petit. Voilà des semaines qu'il a envoyé le reste causer des troubles ailleurs. Les Remparts Étincelants ont tenu à distance les Aiels. Et aussi Artur Aile-de-Faucon. Valda n'entrera jamais de force dans Tar Valon à moins que la cité ne soit déjà en train de se désintégrer de l'intérieur. » Elle poursuivit d'un ton qui n'avait pas changé. « Vous désirez vivement me persuader que les ennuis viendront des Blancs Manteaux. Pourquoi ?

— Parce que, moi, je désire le penser », marmotta Min. Elle s'humecta les lèvres et prononça les mots qu'elle n'avait pas envie de dire. « Le collier d'argent que j'ai vu sur cette Aes Sedai. Ma Mère, il ressemblait... Il était comme un des colliers que les... les Seanchanes utilisent pour... pour faire obéir les femmes capables de canaliser. » Sa voix s'affaiblit tandis que la bouche de Siuan se crispait de dégoût.

« Horribles objets, commenta l'Amyrlin d'un ton réprobateur. C'est aussi bien que la plupart des gens ne croient pas un quart de ce qu'ils entendent raconter sur les Seanchanes, mais il y a plus de chances que ce soit les Blancs Manteaux. Si les Seanchanes débarquent de nouveau, n'importe où, je l'apprendrai par pigeons voyageurs, et la route est longue de la mer à Tar Valon. Si vraiment les Seanchanes se représentent, j'en serai amplement informée. Non, je crains que ce que vous voyez soit bien pire que les Seanchanes. Je crains que ce ne puisse être que l'Ajah Noire. Nous sommes seulement une poignée à connaître son existence, et je ne goûte guère la perspective de ce qui se passera quand tout le monde sera au courant, mais dans l'immédiat ce sont les membres de l'Ajah Noire le plus grand danger qui menace la Tour. »

Min se rendit compte qu'elle serrait sa jupe si fort qu'elle en avait mal aux mains ; sa bouche était sèche. La Tour Blanche avait toujours froidement nié l'existence d'une Ajah cachée, vouée au Ténébreux. Rien que mentionner cette existence était le plus sûr moyen d'irriter une Aes Sedai. Que le Trône d'Amyrlin en personne entérine la réalité de l'Ajah Noire avec tant de détachement donna froid dans le dos à Min.

Comme si elle n'avait rien dit sortant de l'ordinaire,

l'Amyrlin continua à parler. « Mais vous n'avez pas parcouru tout ce chemin pour avoir vos visions. Quelles nouvelles de Moiraine ? Je sais que le chaos règne depuis l'Arad Doman jusqu'au Tarabon, pour le moins. » C'était bien le moins, en vérité ; des hommes soutenant le Dragon Réincarné se battaient contre ceux qui s'opposaient à lui et avaient entraîné les deux pays dans la guerre civile alors que ces pays continuaient à s'affronter pour conquérir la maîtrise de la Plaine d'Almoth. Le ton de Siuan laissait entendre qu'elle considérait cela comme un détail. « Mais je ne sais plus rien de Rand al'Thor depuis des mois. Il est le centre de tout. Où se trouve-t-il ? Qu'est-ce que Moiraine lui fait faire ? Asseyez-vous, mon petit. Asseyez-vous. » Elle désigna du geste le fauteuil devant la table.

Min s'approcha du siège sur des jambes flageolantes et y tomba plus qu'elle ne s'y posa. *L'Ajah Noire ! Oh, Lumière !* Les Aes Sedai sont censées soutenir la Lumière. Même si elle ne leur accordait pas totalement sa confiance, il y avait toujours cela. Les Aes Sedai et toute la puissance des Aes Sedai défendaient la cause de la Lumière contre l'Ombre. Seulement maintenant l'axiome n'était plus vrai. Elle s'entendit à peine répondre : « Il est en route pour Tear.

— Tear ! Alors, c'est *Callandor.* Moiraine veut qu'il sorte de la Pierre de Tear l'Épée-qui-ne-peut-pas-être-touchée. Je jure que je vais la suspendre au soleil jusqu'à ce qu'elle sèche ! Je lui ferai regretter de ne plus être une novice ! Impossible qu'il soit déjà prêt pour cela !

— Moiraine n'y... » Min s'interrompit pour s'éclaircir la gorge. « Moiraine n'y est pour rien. Rand est parti
en pleine nuit, tout seul. Les autres ont suivi et Moiraine
m'a envoyée vous avertir. Ils sont peut-être à Tear à présent. Pour autant que je le sache, il détient déjà peut-être
Callandor.

— Qu'il soit réduit en cendres ! riposta Siuan d'un
ton cassant. À présent, il est peut-être mort ! Je voudrais qu'il n'ait jamais entendu un mot des Prophéties
du Dragon. Si c'était en mon pouvoir de l'empêcher
d'en entendre un autre, cela ne manquerait pas.

— Mais ne doit-il pas accomplir les Prophéties ? Je
ne comprends pas. »

L'Amyrlin s'adossa à sa table avec lassitude.
« Comme si quelqu'un en comprenait même la
majeure partie ! Les Prophéties ne sont pas ce qui le
transforme en Dragon Réincarné ; il n'a qu'à admettre
qu'il l'est et c'est ce qui a dû se passer s'il est allé
chercher *Callandor*. Les Prophéties ont pour but d'annoncer au monde qui il est, de le préparer à ce qui
vient, de préparer le monde pour lui. Si Moiraine peut
conserver une certaine emprise sur lui, elle le guidera
dans le sens des Prophéties dont nous sommes sûres
– quand il sera prêt à les affronter ! – et pour le reste
nous comptons que ce qu'il fait suffit. Nous l'espérons. Pour autant que je sache, il a déjà accompli des
Prophéties que personne d'entre nous ne comprend. La
Lumière veuille que cela s'arrête là.

— Ainsi donc vous avez l'intention de le tenir en
lisière. Il disait que vous tenteriez de vous servir de
lui, mais c'est la première fois que je vous entends

le reconnaître. » Min se sentait glacée intérieurement. Avec colère, elle ajouta : « Vous n'avez pas tellement bien réussi jusqu'à présent, Moiraine et vous. »

La lassitude de Siuan sembla glisser de ses épaules. Elle se redressa et resta debout à regarder Min de son haut. « Vous seriez plus sage d'espérer que nous en sommes capables. Pensiez-vous que nous pouvions le laisser agir à sa fantaisie ? Volontaire, obstiné, sans formation, sans préparation, peut-être déjà en train de devenir fou. Croyez-vous que nous pouvions nous fier au Dessin, à *sa destinée*, pour le garder en vie, comme dans un conte ? Ceci n'est pas un conte, il n'est pas un héros invincible et si son fil est détaché du Dessin d'un coup de ciseaux, la Roue du Temps ne s'apercevra pas de sa disparition et le Créateur ne réalisera pas de miracles pour nous sauver. Si Moiraine ne parvient pas à prendre des ris dans ses voiles, il risque fort d'être tué et alors où en serons-nous ? La prison du Ténébreux n'est plus sûre. De nouveau il pèsera sur le monde ; ce n'est qu'une question de temps. Si Rand al'Thor n'est pas là pour s'opposer à lui dans l'Ultime Bataille, si cette jeune tête brûlée meurt avant, le monde est condamné. La Guerre du Pouvoir recommencera, sans Lews Therin et ses Cent Compagnons. Alors ce sera à jamais le feu et l'ombre. » Elle s'interrompit subitement, en examinant la figure de Min. « C'est de ce côté-là que souffle le vent, hein ? Vous et Rand. Je ne m'y attendais pas. »

Min secoua la tête avec énergie, sentit ses joues s'empourprer. « Bien sûr que non ! J'étais... C'est l'Ultime Bataille. Et le Ténébreux. Par la Lumière, rien qu'imaginer le Ténébreux en liberté a de quoi geler un Lige jusqu'à la moelle. Et l'Ajah Noire...

— N'essayez pas de me jeter de la poudre aux yeux, dit sèchement Amyrlin. Croyez-vous que c'est la première fois que je rencontre une femme craignant pour la vie de son homme ? Vous pourriez aussi bien l'admettre. »

Min s'agita sur son siège. Le regard de Siuan plongeait dans le sien, compréhensif et impatient. « D'accord, murmura-t-elle finalement. Je vais tout vous dire et nous en serons bien avancées l'une et l'autre. La première fois que j'ai aperçu Rand, j'ai remarqué trois visages de femmes et l'un d'eux était le mien. Je n'ai jamais rien vu me concernant ni avant ni après, mais j'ai compris ce que cela signifiait. J'allais tomber amoureuse de lui. Toutes les trois le serions.

— Trois. Les deux autres. Qui sont-elles ? »

Min lui adressa un sourire amer. « Les visages étaient flous ; je ne sais pas qui elles sont.

— Rien n'annonçait qu'il vous aimerait en retour ?

— Rien ! Il ne m'a jamais regardée deux fois. Je pense qu'il me considère comme... comme une sœur. Aussi ne pensez pas que vous pouvez m'utiliser à la façon d'une laisse attachée à son cou, parce que cela ne marchera pas !

— Cependant vous l'aimez.

— Je n'ai pas le choix. » Min s'efforça d'adoucir son ton morose. « J'ai cherché à traiter cela sur le mode de la plaisanterie, mais je n'ai plus le cœur à rire. Vous ne me croyez peut-être pas mais, quand je sais ce que la vision signifie, elle se réalise. »

L'Amyrlin se tapota les lèvres du bout d'un doigt en regardant Min d'un air méditatif.

Cet air inquiéta Min. Elle n'avait pas eu l'intention de se mettre en avant à ce point ni d'en dire autant. Elle n'avait pas tout dit, mais elle n'ignorait pas qu'elle aurait dû apprendre depuis belle lurette à ne pas donner un levier à une Aes Sedai, même si la façon dont il serait utilisé ne sautait pas aux yeux. Les Aes Sedai étaient expertes à lui découvrir des usages. « Ma Mère, j'ai transmis le message de Moiraine et j'ai exposé tout ce qu'à ma connaissance mes visions signifient. Il n'y a aucune raison maintenant que je ne puisse enfiler mes vêtements habituels et m'en aller.

— Aller où ?

— À Tear. » Après avoir parlé à Gawyn, pour tâcher de s'assurer qu'il ne fera pas de bêtises. Elle aurait aimé oser demander où se trouvaient Egwene et les deux autres mais, si l'Amyrlin refusait de renseigner le frère d'Élayne, les chances qu'elle le dise à Min étaient quasi nulles. Et Siuan Sanche avait toujours dans les yeux cette expression calculatrice. « Ou à n'importe quel endroit où est Rand. C'est peut-être une sottise de ma part, mais je ne suis pas la première à me conduire comme une sotte pour un homme.

— La première à se conduire comme une imbécile pour le Dragon Réincarné. Ce sera dangereux d'être auprès de Rand al'Thor une fois que le monde aura découvert qui il est, ce qu'il est. Et, en supposant qu'il soit maintenant en possession de *Callandor*, le monde l'apprendra bien assez tôt. La moitié des gens voudra le tuer de toute façon, s'imaginant qu'en le tuant ils empêcheront la Dernière Bataille, empêcheront le Ténébreux de se libérer. Beaucoup mourront, auprès de lui. Mieux vaudrait peut-être que vous restiez ici. »

L'Amyrlin avait un ton compatissant, mais Min ne s'y laissa pas prendre. Elle ne croyait pas Siuan Sanche capable de compassion. « J'en courrai le risque ; peut-être suis-je en mesure de l'aider. Avec ce que je vois. Ce n'est même pas comme si la Tour offrait beaucoup plus de sécurité, pas tant que restera ici une seule Sœur Rouge. Elles verront un homme qui canalise et oublieront la Dernière Bataille et les Prophéties du Dragon.

— De même que de nombreuses autres personnes, ajouta calmement Siuan. Se défaire d'anciennes habitudes de penser est difficile, pour les Aes Sedai autant que pour n'importe qui d'autre. »

Min lui lança un coup d'œil déconcerté. Elle paraissait adopter maintenant le point de vue de Min. « Ce n'est pas un secret que je suis liée d'amitié avec Egwene et Nynaeve, et pas un secret qu'elles sont originaires du même village que Rand. Pour l'Ajah Rouge, ce sera une relation suffisante. Quand la Tour découvrira ce qu'il est, je serai probablement arrêtée avant la fin de la journée. Ainsi qu'Egwene et Nynaeve, si vous ne les avez pas cachées quelque part.

— Il ne faut donc pas que l'on vous reconnaisse. On n'attrape pas de poissons, s'ils voient le filet. Je suggère que vous ne pensiez plus pour quelque temps à votre tunique et à vos chausses. » L'Amyrlin souriait comme un chat qui sourirait à une souris.

« Quels poissons vous attendez-vous à attraper avec

moi ? » demanda Min d'une voix éteinte. Elle pensait le deviner, et espérait de toutes ses forces s'être trompée.

Un espoir qui n'empêcha pas l'Amyrlin de dire : « L'Ajah Noire. Treize d'entre elles ont filé, mais je crains qu'il n'en reste. Je me demande à qui accorder confiance ; pendant une certaine période, je n'osais me fier à personne. Vous n'êtes pas une Amie du Ténébreux, je le sais, et votre don particulier pourrait être d'un certain secours. Du moins serez-vous une autre paire d'yeux fiables.

— Vous avez projeté ceci depuis que je suis entrée, n'est-ce pas ? C'est pourquoi vous voulez que Gawyn et Sahra ne bavardent pas. » La colère s'amassait en Min comme la vapeur dans une bouilloire. Cette femme criait « Grenouille ! » et comptait que les gens bondissent. Qu'ils obéissent habituellement aggravait encore les choses. Elle n'était pas une grenouille, pas plus qu'une marionnette dansant au bout d'un fil. « Est-ce ce que vous avez fait d'Egwene, d'Élayne et de Nynaeve ? Vous les avez envoyées à la recherche de l'Ajah Noire ? Cela ne m'étonnerait pas de vous !

— Occupez-vous de vos filets, mon petit, et laissez ces jeunes filles s'occuper des leurs. En ce qui vous concerne, elles accomplissent une pénitence en travaillant dans une ferme. Suis-je claire ? »

Devant ce regard fixe, Min changea de position avec malaise sur son siège. C'était facile de défier l'Amyrlin – jusqu'à ce qu'elle se mette à vous fixer avec ces yeux bleus au regard pénétrant et froid. « Oui, ma Mère. » La soumission de sa réponse lui pesait, mais un coup d'œil à l'Amyrlin l'avait convaincue de ne pas insister. Elle pinça entre deux doigts le fin drap de laine de sa robe. « Je suppose que cela ne me tuera pas de porter ça un peu plus longtemps. » Soudain Siuan parut amusée ; Min se sentit se hérisser.

« J'ai peur que ce ne soit pas suffisant. Min en robe est encore Min habillée d'une robe pour quiconque y regarde de près. Vous ne pouvez pas toujours porter une mante avec le capuchon tiré sur la tête. Non, vous devez changer tout ce qui peut l'être. Pour commencer, vous continuerez à vous appeler Elmindreda. C'est votre nom, après tout. » Min tiqua. « Vos cheveux sont presque aussi longs que ceux de Leane, assez longs pour être frisés. Quant au reste... je n'ai jamais eu l'usage du rouge, de la poudre et des fards, mais Leane se rappelle comment s'en servir. »

Depuis la mention des frisures, les yeux de Min s'étaient écarquillés de plus en plus. « Oh, non, s'exclama-t-elle d'une voix étranglée.

— Personne ne vous prendra pour Min qui porte des chausses une fois que Leane vous aura transformée en une parfaite Elmindreda.

— Oh, NON !

— Quant au pourquoi de votre séjour à la Tour – une raison appropriée pour une jeune femme coquette qui n'a aucune ressemblance avec Min dans son aspect et sa manière de se conduire. » L'Amyrlin fronça pensivement les sourcils, sans se préoccuper des tentatives de Min pour intervenir. « Oui, je vais laisser courir le bruit que Maîtresse Elmindreda a trouvé moyen d'encourager deux soupirants au point qu'elle a dû chercher refuge loin d'eux dans la Tour jusqu'à ce qu'elle puisse choisir entre eux. Quelques femmes demandent encore asile chaque année, et parfois pour des raisons aussi ridicules. » Son expression se durcit et son regard devint plus sévère. « Si vous pensez encore à vous rendre à Tear, réfléchissez. Estimez si vous pouvez être plus utile à Rand là-bas qu'ici. À supposer que l'Ajah Noire abatte la Tour ou, pire, en prenne le contrôle, il perd le peu d'assistance que je peux lui apporter. Bien. Êtes-vous une femme ou une gamine qui se languit d'amour ? »

Prise au piège. Min le voyait aussi nettement qu'un fer autour de sa jambe. « Imposez-vous toujours votre volonté aux gens, ma Mère ? »

Le sourire de l'Amyrlin était encore plus froid, cette fois-ci. « Habituellement, mon enfant. Habituellement. »

* * *

Rajustant son châle à franges rouges, Élaida considérait pensivement la porte donnant sur le bureau de l'Amyrlin, par laquelle les deux jeunes filles venaient de disparaître. La novice revint presque aussitôt, jeta un coup d'œil au visage d'Élaida et poussa un petit bêlement de mouton effrayé. Élaida avait l'impression qu'elle ne lui était pas inconnue, mais n'arrivait pas à se rappeler son nom. Pour employer son temps, elle avait des occupations plus importantes que de faire la leçon à de minables enfants.

« Votre nom ?

— Sahra, Élaida Sedai. » La réponse de la jeune fille fusa comme un murmure essoufflé. Élaida ne s'intéressait peut-être pas aux novices, mais celles-ci étaient au courant de son existence et aussi de sa réputation.

Elle se souvenait de cette jeune fille, à présent. Une espèce de songe-creux aux dons moyens qui n'atteindraient jamais une puissance réelle. C'était peu probable qu'elle en sache plus qu'Élaida n'avait déjà vu ou entendu – ou se rappelle davantage que le sourire de Gawyn, d'ailleurs. Une sotte. Élaida la congédia d'un bref geste de la main.

La jeune fille plongea dans une révérence tellement profonde que sa figure toucha presque les dalles, puis elle s'enfuit à toutes jambes.

Élaida ne la vit pas partir. La Sœur Rouge s'était détournée, oubliant déjà la novice. Tandis qu'elle longeait majestueusement le couloir, pas une ride ne déparait ses traits lisses, mais ses pensées bouillonnaient. Elle ne remarquait même pas les servantes, les novices et les Acceptées qui s'écartaient précipitamment de son chemin, en effectuant des révérences sur son passage. Une fois, elle faillit heurter une Sœur Brune qui avait le nez dans une liasse de notes. La Sœur Brune rondelette recula d'un bond en émettant un petit cri de surprise qu'Élaida n'entendit pas.

Vêtue ou non d'une robe, elle savait qui était la jeune fille entrée chez l'Amyrlin. Min, qui avait passé tellement de temps avec l'Amyrlin lors de son premier séjour à la Tour, encore que pour une raison ignorée de tout le monde. Min, qui était une amie intime d'Élayne, d'Egwene et de Nynaeve. L'Amyrlin cachait le lieu où se trouvaient ces trois-là. Élaida en était certaine. Toutes les nouvelles selon lesquelles elles accomplissaient une pénitence dans une ferme provenaient de Siuan Sanche et étaient colportées et déformées, suffisamment pour masquer la vérité sans avoir à mentir. Sans compter que tous les efforts considérables d'Élaida pour découvrir cette ferme n'avaient abouti à rien.

« Que la Lumière la brûle ! » Pendant un instant, la colère se peignit ouvertement sur ses traits. Elle n'était pas sûre de songer à Siuan Sanche ou à la Fille-Héritière. Cela s'adressait aussi bien à l'une qu'à l'autre. Une svelte Acceptée l'entendit, jeta un coup d'œil à son visage et devint aussi blanche que sa robe ; Élaida passa à côté d'elle sans la voir.

En dehors du reste, elle était furieuse de ne pouvoir trouver Élayne. Élaida avait parfois le don de Prophétie, la faculté de prévoir des événements futurs. Si ce don se manifestait rarement et vaguement, c'était encore plus que n'avait possédé une Aes Sedai depuis Gitara Moroso, morte depuis vingt ans. La toute première chose qu'Élaida avait prévue, encore au rang d'Acceptée – et avait eu déjà assez d'expérience pour la garder par-devers elle – était que la lignée royale d'Andor aurait un rôle décisif dans la défaite infligée au Ténébreux lors de la Dernière Bataille. Elle s'était attachée à Morgase dès qu'il avait été clair que Morgase monterait sur le trône, elle avait développé patiemment son influence année après année. Et voilà que tous ses efforts, tous ses sacrifices – elle aurait pu être elle-même l'Amyrlin si elle n'avait pas concentré son énergie sur l'Andor – risquaient de n'aboutir à rien parce qu'Élayne avait disparu.

Dans un sursaut, elle se contraignit à ramener ses pensées sur ce qui était important pour le moment. Egwene et Nynaeve venaient du même village que cet étrange jeune homme, Rand al'Thor. Et Min le connaissait aussi, en dépit de ses tentatives pour dissimuler le fait. Rand al'Thor se trouvait au cœur de l'affaire.

Élaida ne l'avait rencontré qu'une fois, ce garçon censé être un berger des Deux Rivières, en Andor, mais le portrait craché d'un Aiel. La prémonition lui était venue en le voyant. Il était *Ta'veren*, un de ces rares spécimens humains qui, au lieu d'être tissés dans le Dessin selon la volonté de la Roue du Temps, forcent le Dessin à se modeler autour d'eux, du moins pour une certaine période. Et Élaida avait vu le chaos tourbillonner autour de lui, la division et les conflits pour l'Andor, peut-être même pour une plus grande partie du monde. Toutefois l'unité de l'Andor devait être maintenue, quoi qu'il arrive ; cette première vision prophétique l'en avait convaincue.

Il y avait d'autres fils, suffisamment pour capturer Siuan dans sa propre toile. S'il fallait en croire les rumeurs, ils étaient trois à être *Ta'veren*, pas seulement un. Tous les trois du même village, ce Champ d'Emond, et tous les trois à peu près du même âge, coïncidence assez curieuse pour susciter bon nombre de commentaires dans la Tour. Et lors du voyage de

Siuan au Shienar, voilà près d'un an maintenant, elle les avait vus, s'était même entretenue avec eux. Rand al'Thor. Perrin Aybara. Matrim Cauthon. C'était dit simple coïncidence. Rien qu'une circonstance fortuite. C'est ce qui était dit. Les personnes qui le disaient ignoraient ce que savait Élaida.

Quand Élaida avait posé pour la première fois les yeux sur le jeune al'Thor, c'est Moiraine qui l'avait fait disparaître. Moiraine qui l'avait accompagné, avec les deux autres *Ta'veren*, au Shienar. Moiraine Damodred, qui avait été la meilleure amie de Siuan Sanche au temps où elles étaient novices ensemble. Élaida aurait-elle été d'un naturel parieur, elle aurait gagé qu'elle était la seule dans la Tour à se souvenir de cette amitié. Du jour où elles avaient été élevées au rang d'Aes Sedai, à la fin de la Guerre des Aiels, Siuan et Moiraine s'étaient éloignées l'une de l'autre et ensuite s'étaient conduites presque comme si elles ne se connaissaient pas. Par contre, Élaida avait été une des Acceptées chargées de ces deux novices, elle leur avait donné des cours et les avait fustigées pour s'être relâchées dans l'exécution de leurs corvées, et elle se rappelait. Elle avait du mal à croire que leur complot pouvait remonter à une période aussi lointaine – al'Thor ne devait pas être né bien longtemps avant – pourtant c'était le premier chaînon qui les reliait tous. Pour elle, cela suffisait.

Quel que soit le but de Siuan, il fallait lui barrer la route. L'agitation et le chaos se multipliaient partout. Le Ténébreux allait sûrement s'évader de sa prison – à cette seule pensée, Élaida frissonna et serra plus étroitement son châle autour d'elle – et la Tour devait se distancier des luttes ordinaires pour affronter cela. Il fallait qu'elle soit dégagée de toute entrave pour tirer les fils qui maintenaient unies les nations, débarrassée des troubles que susciterait Rand al'Thor. D'une manière ou d'une autre, on devait l'empêcher de détruire l'Andor.

Elle n'avait dit à personne ce qu'elle connaissait d'al'Thor. Elle avait l'intention de régler son sort discrètement, si possible. L'Assemblée de la Tour avait déjà parlé d'observer, même de guider, ces *Ta'veren* ; elle n'admettrait pas de les éliminer, d'éliminer celui-là en particulier comme il devait l'être. Pour le plus grand bien de la Tour, pour le plus grand bien du monde.

Elle émit un bruit de gorge, proche d'un feulement. Siuan avait toujours été volontaire, même étant novice, avait toujours eu une haute opinion de sa valeur, encore que fille d'un pêcheur pauvre, mais pouvait-elle être assez folle pour mêler la Tour à ceci sans en avertir l'Assemblée ? Elle était au courant comme tout le monde de ce qui se préparait. La seule chose susceptible d'empirer la situation serait que...

Brusquement, Élaida s'arrêta, le regard perdu dans le vide. Serait-ce que cet al'Thor soit capable de canaliser ? Ou l'un des autres ? Plus probablement ce serait al'Thor. Non. Sûrement pas. Pas même Siuan ne prendrait contact avec un de ceux-là. Elle ne le pouvait pas. « Qui sait de quoi cette femme est capable ? dit-elle entre ses dents. Elle n'a jamais été digne d'être le Trône d'Amyrlin. »

« Vous parlez toute seule, Élaida ? Je sais que vous, les Rouges, vous n'avez jamais d'amies en dehors de votre Ajah, mais vous en avez sûrement parmi les vôtres avec qui bavarder. »

Élaida tourna la tête pour considérer Alviarin. L'Aes Sedai au cou de cygne lui rendit regard pour regard avec l'intolérable froideur qui était le trait distinctif de l'Ajah Blanche. Rouges et Blanches ne s'aimaient guère ; elles occupaient des côtés opposés dans la Chambre de l'Assemblée de la Tour depuis mille ans. Les Blanches soutenaient les Bleues, et Siuan avait été une Bleue. Par contre, les Blanches s'enorgueillissaient d'être d'une logique imperturbable.

« Accompagnez-moi », dit Élaida. Alviarin hésita, puis se mit à marcher auprès d'elle.

Pour commencer, la Sœur Blanche haussa un sourcil méprisant en écoutant ce qu'Élaida avait à dire concernant Siuan mais, avant qu'elle eût terminé, Alviarin fronçait les sourcils dans une mimique dénotant la concentration. « Vous n'avez pas de preuve de quoi que ce soit de... contraire à la règle, commenta-t-elle quand Élaida se tut enfin.

— Pas encore », répliqua Élaida d'un ton ferme. Elle se permit un sourire pincé quand Alviarin hocha la tête. C'était un commencement. D'une manière ou d'une autre, Siuan serait empêchée d'agir avant d'avoir pu détruire la Tour.

Bien dissimulé dans un peuplement de hauts lauréoles au-dessus de la rive nord de la Taren, Dain Bornhald rejeta en arrière sa cape blanche, avec son soleil d'or rayonnant sur la poitrine et leva jusqu'à son œil le tube de cuir raide d'une lunette d'approche. Un nuage de minuscules bitèmes vrombissaient autour de sa figure, mais il ne s'en préoccupait pas. Dans le village de Taren-au-Bac, de l'autre côté de la rivière, de hautes maisons de pierre se dressaient sur des fondations élevées afin d'être à l'abri des inondations qui se produisaient chaque printemps. Des villageois se penchaient à leur fenêtre ou restaient sur leur perron et regardaient les trente cavaliers aux manteaux blancs en selle sur leurs chevaux, dans leurs hauberts et leurs armures à plates qui luisaient. Une délégation d'hommes et de femmes du village était venue s'entretenir avec les cavaliers. Plus précisément, elle écoutait Jaret Byar, d'après ce que voyait Bornhald, ce qui était de beaucoup préférable.

Bornhald entendait presque la voix de son père. *Laisse-leur croire qu'ils ont une chance, et un imbécile essaiera de la tenter. Alors il faudra tuer et un autre imbécile voudra venger le premier, de sorte qu'il y aura encore des tueries. Insuffle-leur dès le début la crainte de la Lumière, préviens-les que personne ne courra de risques s'ils font ce qu'on leur dit, et tu n'auras pas d'ennuis.*

Ses mâchoires se crispèrent à la pensée de son père, mort maintenant. Il allait agir à ce sujet, et sans tarder. Il était sûr que seul Byar savait pourquoi il s'était précipité pour accepter ce commandement, dans une région quasi oubliée au fin fond de l'Andor, et Byar tiendrait sa langue. Byar avait été aussi dévoué qu'un chien au père de Bornhald et il avait transféré en entier cette allégeance à Dain. Bornhald n'avait pas hésité à nommer Byar son second quand Eamon Valda lui avait donné ce commandement.

Byar fit tourner son cheval et s'en alla remonter sur le bac. Aussitôt, les passeurs larguèrent les amarres et commencèrent à haler le bateau vers l'autre côté au moyen d'un gros cordage lancé au-dessus du cours rapide de l'eau. Byar jeta un coup d'œil aux hommes qui avaient les mains sur le cordage ; ils le regardaient avec nervosité en avançant lourdement sur toute la longueur du bac, puis revenaient au pas de gymnastique saisir de nouveau le câble. Il fut satisfait.

« Seigneur Bornhald ? »

Bornhald abaissa la longue-vue et tourna la tête. L'homme aux traits durs qui était apparu près de son épaule se tenait dans une posture rigide, le regard fixant l'horizon sous un heaume conique. Même après le rude trajet depuis Tar Valon – et Bornhald avait maintenu une allure rapide tout le long du chemin – son armure reluisait avec autant de netteté que sa cape d'un blanc de neige avec son soleil rayonnant doré.

« Oui, Enfant Ivon ?

— Le Centurion Farran m'envoie, mon Seigneur. Ce sont les Rétameurs. Ordeith a parlé à trois d'entre eux, mon Seigneur, et maintenant aucun des trois n'est trouvable.

— Sang et cendres ! » Bornhald pivota sur le talon de sa botte et s'enfonça à grands pas sous les arbres, Ivon derrière lui.

Hors de vue de la rivière, des cavaliers à cape blanche occupaient les espaces libres entre les lauréoles et les pins, la lance tenue négligemment d'un geste familier ou l'arc placé en travers du pommeau de la selle. Les chevaux tapaient du sabot avec impatience et fouettaient l'air de leur queue. Les cavaliers attendaient plus flegmatiquement ; ceci n'était pas leur première traversée de rivière pour entrer en territoire étranger, et cette fois personne ne tenterait de les en empêcher.

Dans une vaste clairière derrière les cavaliers, il y avait une caravane des Tuatha'ans, le Peuple Voyageur. Les Rétameurs. Près de cent chariots tractés par des chevaux, pareils à de petites maisons carrées sur roues, offraient un mélange de couleurs qui choquaient la vue, du rouge, du vert, du jaune et toutes les teintes imaginables dans des combinaisons que seul pouvait apprécier l'œil d'un Rétameur. Les gens eux-mêmes portaient des vêtements auprès desquels leurs roulottes paraissaient ternes. Ils formaient un grand rassemblement, assis sur le sol, regardaient les cavaliers avec un malaise étrangement placide ; les pleurs aigus d'un enfant étaient promptement apaisés par sa mère. Non loin de là, des cadavres de mâtins étaient entassés en un monticule déjà bourdonnant de mouches. Les Rétameurs ne levaient jamais la main même pour se défendre, et les chiens avaient été principalement une démonstration, mais Bornhald n'avait pas voulu courir de risques.

Six hommes étaient tout ce qu'il avait jugé nécessaire pour surveiller les Rétameurs. Même avec leurs traits impassibles, ils avaient l'air gênés. Aucun ne regardait le septième homme à cheval près des roulottes, un petit homme osseux avec un grand nez, vêtu d'une tunique gris foncé qui semblait trop grande en dépit de l'habileté de sa coupe. Farran, un homme barbu pareil à un bloc de roche et pourtant agile en dépit de sa haute taille et de sa corpulence imposante, les observait tous les sept du même regard indigné. Le centurion salua en portant à son cœur une main protégée par un gantelet mais laissa la parole à Bornhald.

« Un mot avec vous, Maître Ordeith », dit Bornhald d'une voix calme. L'homme osseux pencha la tête de côté, dévisagea Bornhald un long moment avant de mettre pied à terre. Farran grommela, mais Bornhald garda son ton modéré. « Trois des Rétameurs restent introuvables, Maître Ordeith. Avez-vous peut-être donné suite à votre propre suggestion ? » Les premiers mots sortis de la bouche d'Ordeith quand il avait vu les Rétameurs avaient été : « Tuez-les. Ils ne servent à rien. » Bornhald avait tué sa part d'hommes, mais il n'avait jamais égalé l'indifférence avec laquelle le petit homme avait parlé.

Ordeith frotta d'un doigt le côté de son gros nez. « Voyons, pourquoi les tuerais-je ? Et après que vous m'avez assaisonné rien que pour l'avoir suggéré. » Son accent du Lugard était très prononcé, ce jour-là ; il s'accentuait et disparaissait sans qu'Ordeith paraisse s'en rendre compte, encore une particularité de cet homme qui inquiétait Bornhald.

« Alors, vous les avez laissés s'échapper, hein ?

— Eh bien, quant à ça, j'en ai bien emmené quelques-uns à l'écart où je pouvais voir ce qu'ils savaient. Sans être dérangé, vous comprenez.

85

— Ce qu'ils savaient ? Par la Lumière, qu'est-ce que des Rétameurs peuvent savoir qui soit d'une utilité quelconque pour nous ?

— Comment l'apprendre à moins de le demander, n'est-ce pas le seul moyen, non ? répliqua Ordeith. Je ne leur ai pas fait grand mal et leur ai dit de retourner à leurs roulottes. Qui aurait pensé qu'ils auraient l'audace de s'enfuir alors que vous avez tant d'hommes alentour ? »

Bornhald s'aperçut qu'il grinçait des dents. Il avait reçu l'ordre de presser au maximum l'allure pour rejoindre ce drôle de compagnon, qui aurait d'autres ordres à lui transmettre. Cela n'avait nullement plu à Bornhald, même si les deux séries d'ordres comportaient le sceau et la signature de Pedron Niall, Seigneur Capitaine Commandant des Enfants de la Lumière.

Trop d'éléments étaient restés dans l'imprécision, y compris le statut exact d'Ordeith. Le petit homme était là pour conseiller Bornhald, et Bornhald devait coopérer avec Ordeith. Qu'Ordeith avait été placé sous son commandement n'était pas formulé explicitement, et la nette implication qu'il devrait suivre les avis d'Ordeith ne lui plaisait pas. Même la raison pour l'envoi d'un si fort contingent des Enfants dans ce pays perdu était obscure. Exterminer les Amis du Ténébreux, naturellement, et répandre la Lumière ; cela allait de soi. Par contre, près d'une demi-légion sur le sol andoran sans autorisation... l'ordre exposait à un grand danger si la nouvelle parvenait à la Reine à Caemlyn. Un trop grand danger pour contrebalancer les quelques réponses obtenues par Bornhald.

Tout ramenait à Ordeith. Bornhald ne comprenait pas comment le Seigneur Capitaine Commandant pouvait accorder confiance à cet homme, avec son sourire hypocrite, ses sautes d'humeur noire et ses regards arrogants si bien que l'on n'était jamais sûr à quel genre d'homme on s'adressait. Sans parler de son accent qui changeait au milieu d'une phrase. Les cinquante Enfants qui avaient accompagné Ordeith formaient la bande la plus morose et la plus renfrognée à qui Bornhald avait eu affaire dans sa vie. Il pensait qu'Ordeith avait dû les choisir lui-même pour avoir réuni tant de mines sèches et revêches, et qu'il ait recruté ce genre d'hommes était assez révélateur de son caractère. Même son nom, Ordeith, signifiait « absinthe » dans l'Ancienne Langue. Toutefois, Bornhald avait ses raisons personnelles pour vouloir être où il était. Il coopérerait avec cet homme, puisqu'il le devait. Mais pas davantage qu'il n'y était obligé.

« Maître Ordeith, déclara-t-il d'un ton soigneusement égal, ce bac est le seul moyen d'entrer dans le district des Deux Rivières ou d'en sortir. » Ce n'était pas tout à fait la vérité. D'après la carte en sa possession, il n'y avait pas d'autre endroit pour franchir la Taren, et le cours supérieur de la Manetherendrelle, bordant la région au sud, ne comportait pas de gués. À l'est, il y avait des fondrières et des marais. Même ainsi, une issue vers l'ouest, à travers les Montagnes de la Brume, existait sûrement, mais sa carte s'arrêtait aux contreforts de la chaîne. Au mieux, toutefois, ce serait une traversée pénible à laquelle bon nombre de ses hommes risquaient de ne pas survivre, et il n'avait pas l'intention de mettre Ordeith au courant même de cette petite possibilité. « Quand le moment de partir viendra, si je trouve des soldats d'Andor sur cette berge, vous irez avec les premiers qui traverseront. Cela vous intéressera de voir de près la difficulté qu'il y a à franchir une rivière de cette largeur, non ?

— C'est votre premier commandement, n'est-ce pas ? » Il y avait une pointe de moquerie dans le ton d'Ordeith. « Ce terrain fait peut-être partie de l'Andor sur la carte, mais Caemlyn n'a pas envoyé un percepteur d'impôts aussi loin à l'ouest depuis des générations. Même si ces trois parlent, qui croira trois Rétameurs ? Si vous estimez le danger trop grand, rappelez-vous quel sceau est apposé sur vos ordres. »

Farran jeta un coup d'œil à Bornhald, esquissa un geste pour prendre son épée. Bornhald fit de la tête un léger mouvement négatif et Ferran laissa retomber sa main. « J'ai l'intention de traverser la rivière, Maître Ordeith. Je la traverserai quand bien même la prochaine nouvelle qui me parvient est que Gareth Bryne et les Gardes de la Reine seront ici au coucher du soleil.

— Naturellement, dit Ordeith d'une voix soudain apaisante. Il y aura à gagner ici autant de renommée qu'à Tar Valon, je vous l'assure. » Ses yeux noirs enfoncés dans l'orbite devinrent comme vitreux, contemplèrent quelque chose dans le lointain. « Tar Valon aussi recèle des choses que je veux. »

Bornhald secoua la tête. *Et je dois coopérer avec lui.*

Jaret Byar arriva et sauta à bas de sa selle près de Farran. Aussi grand que le centurion, Byar était un homme au visage long, avec des yeux caves aux iris sombres. Il donnait l'impression d'avoir été mis à bouillir jusqu'à ce qu'il ait perdu sa dernière once de graisse. « Le village est cerné, mon Seigneur. Lucellin veille à ce que personne n'en sorte. Les habitants ont failli souiller leurs chausses quand j'ai mentionné les Amis du Ténébreux. Aucun dans leur village, à ce qu'ils affirment. Toutefois, d'après eux, les gens plus au sud sont du genre à être Amis du Ténébreux.

— Plus au sud, hein ? dit Bornhald avec énergie. Nous verrons. Envoyez-en trois cents de l'autre côté de la rivière, Byar. Les hommes de Farran d'abord. Que le reste suive après que les Rétameurs auront passé. Et assurez-vous qu'aucun autre d'entre eux ne s'échappe, oui ?

— Nous allons purifier les Deux Rivières », s'ex clama Ordeith. Sa figure étroite grimaçait ; des bulles de salive s'échappaient de ses lèvres. « Nous allons les flageller et les écorcher, et leur brûler l'âme au fer rouge ! Je le lui ai promis ! Il viendra à moi, alors ! Il viendra ! »

Bornhald ordonna d'un signe de tête à Byar et à Farran d'exécuter ses ordres. *Un fou*, pensa-t-il. *Le Seigneur Capitaine Commandant m'a lié à un fou. Mais du moins trouverai-je le chemin jusqu'à Perrin des Deux Rivières. Quoi qu'il en coûte, je veux venger mon père !*

Du haut d'une terrasse à colonnade au sommet d'une colline, la Puissante Dame Suroth contemplait le vaste bassin asymétrique du Port de Cantorin. Les côtés rasés de son crâne laissaient une large crête de cheveux noirs qui retombaient le long de son dos. Ses mains reposaient légèrement sur une balustrade de pierre polie aussi blanche que sa tunique impeccable avec ses centaines de plis. Un faible cliquetis rythmé résonnait comme elle tambourinait machinalement du bout de ses doigts aux ongles d'une longueur démesurée, les deux premiers de chaque main recouverts d'une couche de laque bleue.

Une petite brise de mer soufflait de l'océan d'Aryth, apportant dans sa fraîcheur plus qu'un simple avant-goût de sel. Deux jeunes femmes agenouillées contre le mur derrière la Haute et Puissante Dame tenaient prêts des éventails de plumes blanches pour le cas où la brise tomberait. Deux autres femmes et quatre jeunes hommes complétaient la ligne de silhouettes ramassées sur elles-mêmes dans l'attente de servir. Pieds nus, tous les huit portaient des tuniques transparentes, pour satisfaire le sens esthétique de la Haute et Puissante Dame par les lignes pures de leurs membres et la grâce de leurs mouvements. À ce moment, en vérité, Suroth ne voyait pas les serviteurs, pas plus que l'on ne voit des meubles.

Ce qu'elle voyait, c'étaient les six gardes des Vigiles de la Mort à chaque extrémité de la colonnade, raides comme des statues avec leurs lances ornées de houppes noires et leurs boucliers laqués de noir. Les gardes des Vigiles de la Mort ne servaient que l'Impératrice et ceux qu'elle avait choisis pour la représenter, et ils tuaient ou mouraient avec une ferveur égale, selon ce qui était nécessaire. Un dicton avait cours : « Sur les hauteurs, les voies sont pavées de poignards. »

Ses ongles cliquetèrent sur la balustrade de pierre. Ô combien étroit le fil du rasoir sur lequel elle marchait.

Le port intérieur derrière la digue était rempli de vaisseaux des Atha'ans Mierre, le Peuple de la Mer, même les plus grands paraissant trop étroits pour leur longueur. Le gréement sectionné faisait pencher leurs vergues et leurs bômes tout de guingois. Leurs ponts étaient déserts, leurs équipages à terre et sous bonne garde, comme quiconque dans ces îles savait naviguer en haute mer. Des quantités de grands navires scanchans à la proue renflée étaient massés dans l'avant-port et ancrés au large de la sortie du port. L'un d'eux, ses voiles nervurées [1] gonflées par le vent, escortait un essaim de petits bateaux de pêche qu'il ramenait vers le port de l'île. Si ces embarcations s'égaillaient, quelques-unes pouvaient s'échapper, mais le navire scanchan transportait une *damane* et une seule démonstration du pouvoir d'une *damane* avait réprimé toute velléité de ce genre. La carcasse carbonisée et brisée du bateau du Peuple de la Mer gisait toujours sur un banc de vase près de l'entrée du port.

Combien de temps réussirait-elle à maintenir les autres membres du Peuple de la Mer – et les maudits

1. Des lattes maintiennent rigides les voiles selon des lignes parallèles donnant l'impression de nervures. Telles celles des jonques. (*N.d.T.*)

continentaux – dans l'ignorance qu'elle s'était emparée de ces îles, Suroth ne le savait pas. *Ce sera suffisamment longtemps*, se dit-elle. *Il faut que cela suffise.*

Elle avait quasiment réalisé un miracle en ralliant la majeure partie des armées seanchanes après la débâcle où les avait entraînées le Puissant Seigneur Turak. Tous les vaisseaux qui s'étaient échappés de Falme, à part quelques-uns, étaient sous son commandement, et personne ne contestait son droit à prendre la tête des *Hailènes*, les Avant-Courriers [1]. Si son miracle perdurait, personne sur le continent ne se douterait de leur présence ici. Guettant l'heure de reprendre les terres que l'Impératrice les avait envoyés reconquérir, guettant l'heure d'accomplir le *Corenne*, le Retour. Ses agents éclairaient déjà la voie. Ce serait inutile de retourner à la Cour des Neuf Lunes présenter à l'Impératrice des excuses pour un échec dont elle n'était même pas responsable.

L'idée d'avoir à s'excuser devant l'Impératrice la fit frémir. Une telle démarche était toujours humiliante et généralement pénible, mais ce qui provoquait ses frissons, c'était le risque de se voir à la fin refuser la mort, d'être forcée de continuer comme si rien ne s'était passé alors que tous, gens du commun et membres du Sang, étaient au courant de sa dégradation. Un serviteur jeune et beau s'élança auprès d'elle, apportant une longue robe vert pâle brodée d'oiseaux-de-délices au plumage brillant. Elle étendit les bras

1. Les *Hailènes* : les Avant-Courriers ou encore Ceux-qui-arrivent-les-premiers.

pour enfiler le vêtement sans prêter plus d'attention au serviteur qu'à une motte de terre près de son escarpin vert.

Pour échapper à ces excuses, elle devait récupérer ce qui avait été perdu mille ans auparavant. Et pour y parvenir, elle devait mater cet homme qui, disaient ses espions sur le continent, prétendait être le Dragon Réincarné. *Si je ne peux pas trouver un moyen d'en avoir raison, le déplaisir de l'Impératrice sera le cadet de mes soucis.*

Se détournant d'un mouvement souple, elle pénétra dans la longue pièce qui donnait sur la terrasse, sa façade tout en portes et hautes fenêtres pour capter les moindres brises. Les lambris de bois clair des murs, lisses et luisants comme du satin, plaisaient à Suroth, mais elle avait enlevé le mobilier du vieux propriétaire, l'ancien gouverneur Atha'an Mierre de Cantorin, et l'avait remplacé par quelques hauts paravents, la plupart peints d'oiseaux ou de fleurs. Deux étaient différents. L'un s'ornait d'un grand félin tacheté des Sen T'joro, aussi gros qu'un petit cheval, l'autre d'un aigle de montagne noir, la crête érigée comme une couronne claire et les ailes aux extrémités d'un blanc de neige déployées sur toute leur envergure d'une toise. Ce genre de paravent était considéré comme vulgaire, mais Suroth aimait les animaux. Dans l'impossibilité d'emporter sa ménagerie avec elle sur l'océan d'Aryth, elle avait fait faire ces paravents à l'image de ses deux favoris. Elle n'avait jamais aimé être contrecarrée en quelque domaine que ce soit.

Trois femmes l'attendaient telles qu'elle les avait

quittées, deux à genoux, une prosternée sur le sol nu ciré, marqueté d'incrustations de bois clair et foncé. Les femmes agenouillées portaient la robe bleu foncé des *sul'dams*, avec des panneaux rouges brodés d'éclairs fourchus sur la poitrine et les côtés de leurs jupes. L'une des deux, Alwhin, une femme au visage en lame de couteau, aux yeux bleus, avait le côté gauche de la tête rasé. Le reste de sa chevelure pendait jusqu'à son épaule en tresse châtaine.

La bouche de Suroth se pinça momentanément à la vue d'Alwhin. Aucune *sul'dam* n'avait jamais jusqu'à présent été élevée au rang des *so'jhin*, les grands serviteurs héréditaires du Sang, moins encore auprès d'une Voix du Sang. Toutefois, il y avait eu des raisons dans le cas d'Alwhin. Alwhin en savait trop.

Néanmoins, c'est sur la femme gisant face contre terre, entièrement vêtue de gris sombre, que Suroth fixa son attention. Un large collier de métal argenté entourait le cou de cette femme, relié par une laisse brillante à un bracelet du même métal passé au poignet de la seconde *sul'dam*, Taisa. Au moyen de cette laisse et de ce collier, l'*a'dam*, Taisa pouvait obtenir obéissance de la femme en gris. Et celle-ci devait être contrainte à l'obéissance. Elle était *damane*, une femme capable de canaliser et donc trop dangereuse pour qu'on lui permette de rester libre. Les souvenirs des Armées de la Nuit étaient encore vifs au Seanchan mille ans après leur anéantissement.

Les yeux de Suroth se détournèrent avec malaise le temps d'un éclair vers les deux *sul'dams*. Elle ne se fiait plus à aucune *sul'dam* et pourtant elle n'avait pas

94

d'autre choix que de leur faire confiance. Personne d'autre ne pouvait maîtriser les *damanes* et sans les *damanes*... L'idée même était impensable. Le pouvoir du Seanchan, le pouvoir proprement dit du Trône de Cristal, était fondé sur les *damanes* soumises. Le choix manquait à Suroth dans trop de domaines pour lui convenir. Alwhin, par exemple, qui se tenait là à regarder comme si elle avait été *so'jhin* toute sa vie. Non. Comme si elle appartenait au Sang même, et s'agenouillait parce qu'elle le voulait bien.

« Pura. » La *damane* avait eu un autre nom quand elle était une de ces Aes Sedai exécrées, avant de tomber entre les mains des Seanchans, mais Suroth ne l'avait jamais su et ne s'en souciait pas. La femme en gris se tendit, mais ne leva pas la tête ; sa formation avait été particulièrement dure. « Je vais poser de nouveau la question, Pura. Comment la Tour Blanche commande-t-elle cet homme qui se prétend le Dragon Réincarné ? »

La *damane* remua légèrement la tête, assez pour lancer un coup d'œil effrayé à Taisa. Si sa réponse déplaisait, la *sul'dam* pouvait lui infliger de la souffrance sans remuer un doigt, au moyen de l'*a'dam*. « La Tour ne tenterait pas de commander un faux Dragon, Puissante Dame, répondit Pura d'une voix essoufflée. Elle le capturerait et le neutraliserait. »

Taisa adressa un regard interrogateur indigné à la Puissante Dame. La réponse avait esquivé la teneur de la question de Suroth, avait peut-être même impliqué qu'une personne du Sang avait proféré une contrevérité. Suroth esquissa de la tête un signe négatif, le mouvement d'un côté à l'autre le plus infinitésimal – elle n'avait pas envie d'attendre que la *damane* se remette de la correction – et Taisa inclina la sienne en marque d'acquiescement.

« Une fois encore, Pura, que savez-vous de l'assistance que les Aes Sedai... » – la bouche de Suroth se crispa sous la souillure de ce nom ; Alwhin émit un grognement de dégoût – « ... que les Aes Sedai prêtent à cet homme ? Je vous avertis. Nos soldats ont combattu des femmes de la Tour, des femmes canalisant le Pouvoir, à Falme, alors ne tentez pas de le nier.

— Pura... Pura ne sait pas, Puissante Dame. » Il y avait un accent de sollicitation pressante dans la voix de la *damane*, et d'incertitude ; elle lança un autre coup d'œil affolé à Taisa. C'était visible qu'elle souhaitait désespérément être crue. « Peut-être... Peut-être que l'Amyrlin, ou l'Assemblée de la Tour... Non, elles ne le voudraient pas. Pura ne sait pas, Puissante Dame.

— L'homme peut canaliser », dit sèchement Suroth. La femme prosternée gémit, bien qu'elle eût entendu déjà Suroth prononcer ces mêmes mots. Les répéter noua l'estomac de Suroth, mais elle n'en laissa rien voir sur son visage. Peu de ce qui s'était produit à Falme avait été l'œuvre de femmes qui canalisaient ; une *damane* pouvait déceler cela, et la *sul'dam* portant son bracelet savait toujours ce que ressentait sa *damane*. Cela signifiait que ce devait être le fait de l'homme. Cela signifiait aussi qu'il était d'une puissance incroyable. Si puissant que Suroth se surprit une ou deux fois à se demander, avec une sensation de malaise, s'il n'était pas réellement le Dragon Réincarné. *Cela ne se peut pas*, se dit-elle avec fermeté. De toute manière, cela ne changeait rien à ses plans. « Il est impossible de croire que même la Tour Blanche laisserait un tel homme agir en toute liberté. Comment le dirige-t-on ? »

La *damane* gisait là en silence, le visage tourné vers le sol, les épaules secouées de tremblements, en train de pleurer.

« Répondez à la Puissante Dame ! » ordonna Taisa d'un ton cassant. Taisa ne bougea pas, mais Pura eut un hoquet de surprise, tressaillant comme si elle avait été frappée aux hanches. Un coup asséné par l'intermédiaire de l'*a'dam*.

« P-Pura n-ne sait pas. » La *damane* allongea une main avec hésitation dans un geste semblant destiné à toucher le pied de Suroth. « Je vous en prie. Pura a appris à obéir. Pura ne dit que la vérité. S'il vous plaît, ne punissez pas Pura. »

Suroth recula d'un pas souple, sans rien montrer de son irritation. D'avoir été contrainte à se déplacer par une *damane*. D'avoir failli être effleurée par quelqu'un capable de canaliser. Elle éprouvait le besoin de prendre un bain, comme si le contact avait été réellement établi.

Les yeux noirs de Taisa s'exorbitèrent d'indignation devant l'effronterie de la *damane* ; ses joues étaient pourpres de honte que ceci soit arrivé pendant qu'elle portait le bracelet de cette femme. Elle paraissait écartelée entre le désir de se prosterner à côté de la *damane* pour implorer pardon et celui de punir la *damane* illico. Alwhin, lèvres pincées, arborait un air de dédain, tous les traits de son visage exprimant que jamais ne survenait pareil incident quand elle-même portait un bracelet.

Suroth leva à peine un doigt, dans un petit geste que tout *so'jhin* connaissait depuis l'enfance, une indication d'avoir simplement à se retirer.

Alwhin hésita avant de le comprendre, puis tenta de masquer sa faute en s'en prenant avec âpreté à Taisa. « Emmenez cette... créature hors de la présence de la Haute et Puissante Dame Suroth. Et quand vous l'aurez punie, allez dire à Surela que vous avez autant d'autorité sur les personnes dont vous avez la charge que si vous n'aviez jamais encore porté le bracelet. Dites-lui qu'il faut vous... »

Suroth ferma son esprit à la voix d'Alwhin. Rien de tout cela n'avait été son ordre à l'exception du congé, mais les querelles entre *sul'dams* n'étaient pas dignes de son attention. Elle aurait aimé savoir si Pura réussissait à dissimuler quelque chose. Ses agents rapportaient des propos affirmant que les femmes de la Tour Blanche ne pouvaient pas mentir. Il avait été impossible de forcer Pura à proférer même un simple mensonge, à dire qu'une écharpe blanche était noire, cependant ce n'était pas assez pour être concluant. D'aucuns admettaient peut-être les larmes de la *damane*, ses protestations d'incapacité quoi que fasse la *sul'dam*, mais nul parmi ceux-là ne se serait levé pour mener à bien le Retour. Il se pouvait que Pura ait encore une réserve de volonté, soit assez intelligente pour essayer de se servir de la conviction qu'elle était incapable de mentir. Aucune des femmes à qui avait

été passé le collier sur le continent n'était foncièrement obéissante, digne de confiance, comme les
damanes amenées du Seanchan. Qui saurait dire quels
secrets se cachaient dans le sein de quelqu'un qui se
qualifiait d'Aes Sedai ?

Pas pour la première fois, Suroth regretta de ne pas
avoir l'autre Aes Sedai qui avait été capturée sur la
Pointe de Toman. Avec deux à questionner, les
chances de déceler mensonges et dérobades auraient
été meilleures. C'était un regret inutile. L'autre était
peut-être morte, noyée en mer, ou exposée à la Cour
des Neuf Lunes. Certains des navires que Suroth
n'était pas parvenue à rassembler devaient avoir réussi
la traversée de retour de l'autre côté de l'océan, et l'un
d'eux transportait peut-être bien cette femme.

Elle-même avait dépêché un navire porteur de rap-
ports soigneusement rédigés, depuis près de six mois
à présent, dès qu'elle avait affermi son autorité sur les
Avant-Courriers, avec un capitaine et un équipage
issus de familles qui avaient servi la sienne depuis que
Luthair Paendrag s'était proclamé empereur, près de
mille ans auparavant. Faire partir ce navire avait été
un coup risqué, car l'Impératrice pouvait renvoyer
quelqu'un pour la remplacer. Ne pas faire partir ce
navire en aurait été un plus risqué encore, cependant ;
seule une victoire totale, écrasante, l'aurait alors sauvée. Et peut-être même pas. L'Impératrice était donc
au courant de Falme, au courant du désastre qui avait
frappé Turak et de l'intention qu'avait Suroth de poursuivre leur mission. Mais que pensait-elle de ces nouvelles, et que faisait-elle à leur sujet ? C'était un sujet

d'inquiétude bien plus grand qu'aucune *damane*, quoi qu'elle ait été avant qu'on lui mette un collier.

Toutefois, l'Impératrice n'était pas au courant de tout. Le pire ne pouvait être confié à un messager, si loyal qu'il soit. Il ne devait être transmis que par les lèvres de Suroth directement à l'oreille de l'Impératrice, et Suroth avait pris ses précautions pour que cela reste ainsi. Il ne demeurait que quatre encore en vie qui connaissaient ce secret, et deux sur ces quatre n'en parleraient jamais à quiconque, pas de leur plein gré. *Seules trois morts pourraient le celer plus sûrement.*

Suroth se rendit compte qu'elle avait murmuré cette dernière phrase de façon audible seulement lorsqu'Alwhin commenta : « Et cependant la Puissante Dame a besoin de ces trois en vie. » Cette femme avait dans sa posture une humble souplesse appropriée, jusqu'à cette astuce d'avoir les yeux baissés de telle façon qu'ils parvenaient à guetter le moindre signe de Suroth. Sa voix était humble, aussi. « Qui sait, Puissante Dame, ce que l'Impératrice – puisse-t-elle vivre à jamais ! – déciderait si elle était mise au courant d'une tentative pour lui cacher un tel renseignement ? »

Au lieu de répondre, Suroth esquissa de nouveau le minuscule geste signifiant qu'il fallait se retirer. De nouveau, Alwhin hésita – cette fois, ce devait être simple répugnance à se retirer ; pour qui se prend-elle ! – avant de s'incliner profondément et de sortir à reculons hors de la présence de Suroth.

Avec un effort, Suroth retrouva son calme. La *sul'dam* et les deux autres représentaient un problème qu'elle ne pouvait pas présentement résoudre, mais la patience était une nécessité pour le Sang. Ceux qui en manquaient risquaient fort de finir dans la Tour aux Corbeaux.

Sur la terrasse, les serviteurs agenouillés se penchèrent insensiblement en avant pour être prêts quand elle apparut de nouveau. Les soldats continuèrent leur surveillance pour qu'elle ne soit pas dérangée. Suroth reprit sa place devant la balustrade, cette fois les yeux tournés vers le large, vers le continent qui se trouvait à des centaines de milles à l'est.

Être celle qui menait avec succès les Avant-Courriers, celle qui commençait le Retour, attirerait beaucoup d'honneurs. Peut-être même une adoption dans la famille de l'Impératrice, encore que ce soit un honneur non dépourvu de complications. Être aussi celle qui a capturé ce Dragon, qu'il soit faux ou réel, avec les moyens de maîtriser son pouvoir inimaginable...

Mais si – mais quand je le prendrai, le donnerai-je à l'Impératrice ? Voilà la question.

Ses ongles longs recommencèrent leur cliquetis rythmé sur la large tablette de pierre de la balustrade.

2.

Tourbillons dans le Dessin

Il soufflait vers l'intérieur des terres son haleine brûlante, le vent nocturne, traversant en direction du nord l'immense delta appelé les Doigts du Dragon, labyrinthe sinueux de chemins d'eau larges ou étroits, certains obstrués par des cultellaires, ces herbes coupantes en forme de lame de couteau. De vastes plaines de roseaux séparaient des groupes d'îles basses couvertes d'arbres aux racines en partie aériennes semblables à des pattes d'araignée que l'on ne trouvait nulle part ailleurs. Finalement le delta s'ouvrait à ce qui l'avait créé, le fleuve Érinin, dont l'imposante étendue était piquetée de lumières émanant des lampes fixées à l'avant de petites barques pratiquant la pêche à feu, la pêche au lamparo. De temps en temps, barques et lumières oscillaient soudain follement dans une danse inattendue et des vieux pêcheurs parlaient entre leurs dents de choses malfaisantes passant dans la nuit. Les jeunes riaient, mais ils remontaient les filets avec plus de vigueur aussi, pressés de rentrer chez eux et de ne pas rester dans le noir. Les récits disaient que le mal ne peut franchir votre seuil à moins que vous ne l'invitiez à entrer. C'est ce que prétendaient les récits. Mais dehors dans l'obscurité...

La dernière senteur de sel avait disparu quand le vent atteignit la grande cité de Tear, juste au bord du fleuve, où des boutiques et des auberges au toit de tuiles côtoyaient les tours de hauts palais qui luisaient au clair de lune. Toutefois, aucun palais n'était moitié aussi grand que la masse monumentale, presque une montagne, qui s'étendait du cœur de la ville jusqu'au bord de l'eau. La Pierre de Tear, forteresse de légende, la plus ancienne citadelle de l'humanité, érigée dans les derniers jours de la Destruction du Monde. Tandis que nations et empires naissaient et tombaient, étaient remplacés et disparaissaient de nouveau, la Pierre tenait bon. C'était le roc sur lequel des armées avaient brisé leurs lances, leurs épées et leur cœur pendant trois mille ans. Et tout au long de cette période jamais elle n'avait cédé devant les armes d'envahisseurs. Jusqu'à présent.

Les rues de la ville, les tavernes et les auberges étaient quasiment vides dans l'obscurité chaude et humide, les gens restant prudemment dans leurs propres murs. Qui était maître de la Pierre était maître de Tear, ville et nation. Ainsi en avait-il toujours été, et les citoyens de Tear l'acceptaient toujours. De jour, ils acclamaient leur nouveau seigneur avec enthousiasme comme ils avaient acclamé l'ancien ; de nuit, ils se serraient les uns contre les autres, secoués de frissons en dépit de la chaleur quand le vent balayait leurs toits dans un mugissement pareil aux voix de mille pleureurs en train de se lamenter. D'étranges espoirs nouveaux s'agitaient dans leurs têtes, des espoirs que nul dans Tear n'avait osé nourrir depuis cent générations, des espoirs mêlés de peurs aussi anciennes que la Destruction.

Le vent cinglait la longue bannière blanche reflétant le clair de lune au-dessus de la Pierre comme s'il essayait de l'arracher. Sur toute sa longueur ondulait majestueusement une silhouette ressemblant à un serpent doté de pattes, avec une crinière dorée de lion et des écailles écarlates et or, qui avait l'air insensible au vent. Bannière de prophétie, espérée et redoutée. Bannière du Dragon. Du Dragon Réincarné. Annonciatrice du salut du monde et présage d'une autre Destruction à venir. Comme dépité par un tel défi, le vent se ruait contre les rudes murailles de la Pierre. La Bannière du Dragon flottait dans la nuit sans s'en soucier, attendant de plus furieuses tempêtes.

Dans une chambre située plus qu'à mi-hauteur de la face sud de la Pierre, Perrin était assis sur le coffre au pied de son lit à baldaquin et regardait la jeune fille brune aller et venir comme un ours en cage. Il y avait une trace de circonspection dans ses yeux dorés. D'habitude, Faile badinait avec lui, parfois tournait un peu en ridicule avec gentillesse ses manières posées ; ce soir, elle n'avait pas prononcé dix mots depuis qu'elle avait franchi le seuil de la porte. Il sentait le parfum des pétales de rose qui avaient été disséminés dans ses vêtements après leur nettoyage, ainsi que l'odeur qui émanait d'elle-même. Et dans le très faible relent de fraîche transpiration il décelait de la nervosité. Faile n'était presque jamais nerveuse. Se demander pourquoi elle l'était maintenant lui déclencha entre les épaules une démangeaison qui n'avait rien à voir avec la chaleur de la nuit. Les panneaux étroits de sa jupe divisée en deux faisaient un doux frou-frou à chacune de ses enjambées.

Il gratta avec irritation sa barbe de deux semaines. Elle était encore plus bouclée que les cheveux sur sa tête. Et aussi elle lui tenait chaud. Pour la centième fois, il songea à se raser.

« Elle te va bien », dit soudain Faile en s'arrêtant brusquement.

Mal à l'aise, il haussa ses épaules qu'avaient puissamment musclées de longues heures de travail dans une forge. Cela arrivait à Faile parfois, de sembler connaître ce qu'il pensait. « Elle me démange », murmura-t-il, et il regretta de n'avoir pas parlé avec plus d'assurance. C'était sa barbe ; il pouvait la raser quand il en avait envie.

Elle le dévisagea, la tête penchée de côté. Son nez proéminent et ses pommettes hautes donnaient l'impression d'un examen impitoyable, un contraste avec la voix douce dont elle dit : « La barbe te va bien »

Perrin soupira et haussa de nouveau les épaules. Elle ne lui avait pas demandé de garder cette barbe et elle ne le ferait pas. Pourtant, il savait qu'il remettrait encore à plus tard de s'en débarrasser. Il se demanda comment son camarade d'enfance Mat se sortirait de cette situation. Probablement avec un pinçon, un baiser et quelque remarque qui la ferait rire jusqu'à ce qu'il l'ait amenée à être de son avis. Toutefois, Perrin était conscient de ne pas avoir comme Mat la manière avec les jeunes filles. Jamais Mat ne se retrouverait suant sous une barbe simplement parce qu'une femme estimait qu'il devrait avoir du poil sur la figure. À moins peut-être que la femme ne soit Faile. Perrin avait dans l'idée que son père éprouvait sûrement un profond regret qu'elle ait quitté son foyer, et pas seulement parce qu'elle était sa fille. C'était le plus important négociant en fourrures de la Saldaea, d'après ce qu'elle avait dit, et Perrin devinait qu'elle obtenait chaque fois le prix qu'elle voulait.

« Il y a quelque chose qui te tracasse, Faile, et ce n'est pas ma barbe. De quoi s'agit-il ? »

L'expression de Faile devint neutre. Elle regarda partout sauf vers lui, examinant avec dédain l'ameublement de la chambre.

Des sculptures de léopards et de lions, de faucons plongeant vers leur proie et de scènes de chasse décoraient tout depuis la haute armoire et les colonnes du lit grosses comme la jambe de Perrin jusqu'au banc rembourré devant la cheminée de marbre où aucun feu n'était allumé. Quelques-uns des animaux avaient des grenats pour représenter les yeux.

Il avait tenté de convaincre la majhere qu'il souhaitait une chambre simple, mais elle n'avait pas paru comprendre. Non pas qu'elle était bête ou lente d'esprit. La majhere dirigeait une armée de serviteurs dont le nombre était plus important que celui des Défenseurs de la Pierre ; quel que fût celui qui commandait la Pierre, celui qui défendait ses murs, elle réglait les problèmes quotidiens pour y assurer la bonne marche de la vie. Seulement, elle regardait le monde avec les yeux d'un natif du Tear. En dépit de ses vêtements, Perrin devait être davantage que le jeune campagnard dont il avait l'apparence, parce que des gens du peuple n'étaient jamais hébergés dans la Pierre – à part les Défenseurs et les serviteurs, bien entendu. De plus, il appartenait à l'entourage de Rand, en tant qu'ami ou compagnon d'armes ou d'une certaine façon, en tout cas, proche du Dragon Réincarné. Pour la majhere, cela le mettait au minimum au rang d'un Seigneur du Pays, sinon d'un Puissant Seigneur. Elle avait déjà été assez scandalisée de l'installer ici, sans même un salon ; il pensait qu'elle se serait peut-être évanouie s'il avait insisté pour avoir une chambre encore plus simple. En admettant que ces chambres existent ailleurs que dans les locaux réservés aux serviteurs ou aux Défenseurs. Du moins rien ici n'était doré, excepté les chandeliers.

L'opinion de Faile, par contre, n'était pas la sienne. « Tu devrais être logé mieux que ça. Tu y as droit. Tu peux parier jusqu'à ton dernier sou de cuivre que Mat a mieux.

— Mat aime le faste, dit-il simplement.

— Tu es trop modeste. »

Il n'émit pas de commentaires. Ce n'était pas son logement qui provoquait chez Faile cette odeur de malaise, pas plus que sa barbe.

Au bout d'un moment, elle reprit : « Le Seigneur Dragon semble avoir cessé de s'intéresser à toi. Tout son temps est pris par les Puissants Seigneurs, maintenant. »

Le picotement entre ses épaules s'aggrava ; il savait à présent ce qui la tracassait. Il s'efforça de prendre un ton léger. « Le Seigneur Dragon ? Tu parles comme les gens du Tear. Son nom est Rand.

— Il est ton ami, Perrin Aybara, pas le mien. Si un homme comme ça a des amis. » Elle prit une profonde aspiration et continua d'une voix plus modérée. « J'ai envisagé de quitter la Pierre. De quitter le Tear. Je ne crois pas que Moiraine essaiera de m'en empêcher. La nouvelle concernant le... concernant Rand circule hors de la ville depuis maintenant deux semaines. Elle ne peut pas espérer garder le secret à son sujet plus longtemps. »

Perrin retint de justesse un autre soupir. « Je ne le crois pas non plus. À mon avis, elle te considère plutôt comme une complication. Elle te donnera probablement de l'argent pour faciliter ton départ. »

Plantant les poings sur ses hanches, elle s'avança et le dévisagea de son haut. « Tu ne trouves rien à dire d'autre ?

— Que veux-tu que je dise ? Que je tiens à ce que tu restes ? » Il fut surpris par l'accent de colère de sa propre voix. Il était fâché contre lui-même, pas contre elle. Contrarié parce qu'il n'avait pas prévu que les choses prendraient cette tournure, contrarié parce qu'il ne savait pas comment réagir. Il aimait pouvoir réfléchir posément au moindre aspect d'une question. On a vite blessé les gens sans le vouloir quand on parle à la légère. C'est ce qu'il avait fait présentement. Les yeux sombres de Faile s'étaient dilatés sous le choc. Il tenta d'adoucir ses paroles. « Je souhaite que tu restes, Faile, seulement peut-être devrais-tu partir. Je sais que tu n'es pas couarde, mais le Dragon Réincarné, les

Réprouvés... » Non pas qu'une réelle sécurité existe quelque part – pas pour longtemps, pas à l'heure actuelle – cependant il y avait des endroits plus sûrs que la Pierre. Pendant un temps, en tout cas. Et non pas qu'il soit assez stupide pour le lui dire en propres termes.

Mais elle ne parut pas se soucier des termes qu'il employait. « Rester ? La Lumière m'illumine ! N'importe quoi vaut mieux que d'être ici immobile comme un rocher, mais... » Elle s'agenouilla devant lui d'un mouvement gracieux, posant les mains sur les genoux de Perrin. « Perrin. Je n'aime pas me demander quand un des Réprouvés va surgir devant moi au détour d'un couloir, et je n'aime pas me demander quand le Dragon Réincarné nous tuera jusqu'au dernier. En somme, c'est ce qu'il a fait lors de la Destruction du Monde. Il a tué quiconque était proche de lui.

— Rand n'est pas Lews Therin Meurtrier-des-Siens, protesta Perrin. Comprends-moi, il est bien le Dragon Réincarné, mais il n'a pas... il ne voudrait pas... » Il laissa sa voix s'éteindre, ne sachant pas comment finir. Rand était Lews Therin Telamon né de nouveau ; c'est ce que cela signifiait d'être le Dragon Réincarné. Mais cela impliquait-il que Rand était condamné au sort de Lews Therin ? Pas seulement devenir fou – n'importe quel homme qui canalisait se savait voué à ce destin, et à une mort par pourrissement de son être – mais aussi tuer les gens qui l'aimaient ?

« J'ai parlé à Baine et à Khiad, Perrin. »

Ce n'était pas une surprise. Elle passait un temps

considérable avec les Aielles. Cette amitié n'allait pas sans inconvénient pour elle, mais elle semblait avoir autant de sympathie pour les Aielles qu'elle avait de mépris pour les nobles dames de la Pierre originaires du Tear. Toutefois, il ne voyait pas le lien avec ce dont ils parlaient et il le dit.

« Elles racontent que Moiraine demande quelquefois où tu es. Ou Mat. Ne vois-tu pas ? Elle n'y serait pas obligée si elle était capable de te surveiller grâce au Pouvoir.

— Me surveiller au moyen du Pouvoir ? » répétat-il d'une voix faible. L'idée ne lui en était jamais venue.

« Elle ne peut pas. Accompagne-moi, Perrin. Nous serons à huit ou dix lieues de l'autre côté du fleuve avant qu'elle s'aperçoive de notre absence.

— Impossible », répliqua-t-il tristement. Il essaya de la détourner vers d'autres sujets par un baiser, mais elle se releva d'un bond et recula si vite qu'il faillit tomber sur le nez. C'était inutile de la suivre. Elle avait croisé les bras sous ses seins comme une barrière.

« Ne me dis pas que tu as peur d'elle à ce point-là. Je sais qu'elle est Aes Sedai et que vous vous mettez tous à danser quand elle remue vos fils. Peut-être a-t-elle le... Rand... attaché si solidement qu'il ne réussit pas à se dégager, et la Lumière sait qu'Egwene et Élayne, et même Nynaeve, n'en ont pas envie, mais tu pourrais rompre ses liens si tu essayais.

— Cela n'a rien à voir avec Moiraine. C'est ce que j'ai à faire. Je... »

Elle lui coupa la parole. « N'aie pas l'audace de me débiter un de ces boniments de fier-à-bras comme quoi un homme doit faire son devoir. Je sais ce que c'est que le devoir aussi bien que toi, et tu n'as aucun devoir en la circonstance. Tu es peut-être *Ta'veren*, même si je ne m'en rends pas compte, mais c'est lui le Dragon Réincarné et pas toi.

— Est-ce que tu veux m'écouter ? » cria-t-il, l'air furieux, et elle sursauta. Il n'avait encore jamais crié contre elle, pas de cette façon. Elle redressa le menton et carra les épaules, mais elle demeura silencieuse. Il poursuivit. « Je pense appartenir en quelque sorte au destin de Rand. Mat aussi. Je pense que Rand ne peut pas faire ce qu'il doit sans que nous fassions, nous aussi, ce que nous devons faire. C'est cela le devoir. Comment puis-je m'en aller quand cela risque de signifier que Rand échouera ?

— Risque ? » Il y avait un soupçon d'accent impérieux dans la voix de Faile, mais un soupçon seulement. Il se demanda s'il ne pourrait pas se forcer à lui rabattre le caquet plus souvent « Est-ce cela que t'a dit Moiraine, Perrin ? Tu devrais depuis le temps savoir écouter attentivement ce que dit une Aes Sedai.

— Je l'ai déduit tout seul. Je crois que les *Ta'veren* sont attirés les uns vers les autres. Ou peut-être que Rand nous tire à lui, Mat et moi à la fois. Il est censé être le plus puissant *Ta'veren* depuis Artur Aile-de-Faucon, peut-être depuis la Destruction du Monde. Mat se refuse même à admettre qu'il est *Ta'veren*, mais de quelque manière qu'il essaie de s'en aller, il finit toujours par être ramené vers Rand. Loial dit qu'il n'a jamais entendu parler de trois *Ta'veren*, tous du même âge et tous du même village. »

Faile émit un reniflement dédaigneux audible. « Loial ne possède pas une science universelle. Il n'est pas très âgé pour un Ogier.

— Il a plus de quatre-vingt-dix ans », répliqua Perrin d'un ton défensif, et elle lui adressa un sourire ironique. Pour un Ogier, quatre-vingt-dix ans c'était n'être guère plus âgé que Perrin. Ou peut-être plus jeune. Il ne connaissait pas grand-chose sur les Ogiers. En tout cas, Loial avait lu plus de livres que Perrin n'en avait vu ou même entendu parler ; il songeait parfois que Loial avait lu tous les livres jamais imprimés. « Et il en sait plus que toi ou moi. Il estime que je suis peut-être tombé juste. Et Moiraine également. Non, je ne le lui ai pas demandé, mais pourquoi d'autre me surveillerait-elle ? T'imaginais-tu qu'elle tenait à moi pour que je lui forge un couteau de cuisine ? »

Elle resta silencieuse un instant et, quand elle parla, ce fut avec un accent de compassion. « Pauvre Perrin. J'ai quitté la Saldaea pour aller au-devant de l'aventure et maintenant que je me trouve au cœur d'une aventure, la plus grande depuis la Destruction, tout ce que je souhaite c'est aller ailleurs. Tu ne demandes qu'à être un forgeron, et tu vas finir dans les récits légendaires, que tu le veuilles ou non. »

Il détourna les yeux, bien que le parfum de Faile fût encore présent dans sa tête. Il ne pensait pas probable d'être le sujet de récits quelconques, pas à moins que son secret ne soit divulgué bien au-delà des rares personnes déjà au courant. Faile croyait tout connaître de lui, mais elle était dans l'erreur.

Une hache et un marteau étaient appuyés contre le mur en face de lui, chacun fonctionnel et simple d'aspect, avec un manche aussi long que son avant-bras. La hache était une dangereuse lame en demi-lune équilibrée par une pique épaisse, conçue pour la violence. Avec le marteau, il pouvait créer des objets, il avait fabriqué des objets, dans une forge. La tête du marteau pesait plus de deux fois plus que la lame de la hache, mais c'était la hache qui lui paraissait – et de loin – la plus lourde chaque fois qu'il la prenait en main. Avec la hache, il avait... Il se rembrunit, peu désireux de penser à cela. Faile avait raison. Tout ce qu'il souhaitait, c'était être un forgeron, rentrer chez lui et revoir les siens. Mais cela ne se réaliserait pas ; il en était conscient.

Il se leva le temps d'aller chercher le marteau, puis se rassit. Le tenir avait quelque chose de réconfortant. « Maître Luhhan dit toujours que l'on ne peut pas échapper à ce qui doit être fait. » Il continua précipitamment, se rendant compte que cette remarque se rapprochait un peu trop de ce que Faile avait appelé des boniments de fier-à-bras. « C'est le forgeron de chez moi, celui dont j'étais l'apprenti. Je t'en ai parlé. »

À sa surprise, elle ne saisit pas l'occasion de souligner qu'il avait quasiment répété la même chose. Elle ne dit rien, se contenta de le regarder, attendant la suite. Au bout d'un moment, il sut quoi.

« Alors, tu pars ? » demanda-t-il.

Elle se redressa en lissant sa jupe. Pendant un long moment, elle garda le silence comme si elle réfléchissait à ce qu'elle répondrait. « Je me le demande, finit-elle par dire. C'est un drôle de pétrin où tu m'as entraînée.

— Moi ? Qu'est-ce que j'ai fait ?

— Eh bien, si tu ne le sais pas, je ne vais certainement pas te le dire. »

Se grattant de nouveau la barbe, il regarda fixement le marteau dans son autre main. Mat devinerait probablement ce qu'elle voulait dire. Ou même le vieux Thom Merrilin. Le ménestrel à la tête blanche prétendait que personne ne comprenait les femmes mais, quand il sortait de sa petite chambre dans le ventre de la Pierre, il ne tardait pas à être entouré d'une demi-douzaine de damoiselles assez jeunes pour être ses petites-filles qui soupiraient en l'écoutant jouer de la harpe et conter de merveilleuses aventures et idylles. Faile était la seule femme que Perrin voulait mais, parfois, il se sentait comme un poisson essayant de comprendre un oiseau.

Il savait ce qu'elle voulait qu'il demande. Il savait au moins ça. Elle lui répondrait ou ne lui répondrait pas, mais il était censé poser la question. Il demeura obstinément bouche close. Cette fois, il avait l'intention de se taire jusqu'à ce qu'elle parle.

Au-dehors, dans l'obscurité, un coq chanta.

Faile frissonna et serra ses bras autour d'elle. « Ma nourrice avait coutume de dire que c'était signe de mort. Non pas que j'y croie, bien sûr. »

Il s'apprêtait à admettre que c'étaient des bêtises,

bien qu'ayant frissonné lui aussi, mais sa tête tourna brusquement comme résonnaient un crissement et un choc sourd. La hache était tombée sur le sol. Il n'eut que le temps de froncer les sourcils en se demandant ce qui avait pu la faire choir quand elle bougea de nouveau sans avoir été touchée, puis s'élança sur lui.

Il para instinctivement avec le marteau. Le métal sonnant contre le métal noya le cri de Faile ; la hache vola à travers la pièce, rebondit contre le mur du fond et fonça droit sur lui, lame en avant. Il eut l'impression que tous les poils de son corps tentaient de se hérisser.

Quand la hache fila devant elle, Faile plongea et attrapa son manche à deux mains. La hache se retourna entre ses doigts serrés, s'abattant vers sa figure aux yeux agrandis. Juste à temps, Perrin se dressa d'un bond, lâchant le marteau pour saisir la hache, empêchant la lame en demi-lune d'atteindre la chair de Faile. Il pensa qu'il mourrait si la hache – sa hache – blessait Faile. Il l'écarta de la jeune fille avec un geste si brusque que la lourde pique faillit s'enfoncer dans sa poitrine. Il aurait jugé cette solution parfaite si elle avait empêché la hache de faire du mal à Faile, mais il commença à se rendre compte avec un serrement de cœur que cela risquait de ne pas pouvoir se réaliser.

L'arme se débattait comme quelque chose de vivant, quelque chose doué d'une volonté malveillante. Elle voulait Perrin – il en était persuadé comme si elle le lui avait crié mais elle luttait avec astuce. Quand il tirait la hache à lui pour l'écarter de Faile, elle se servait de son propre mouvement pour lui porter un coup ; quand il la forçait à reculer, elle tentait d'atteindre Faile, comme si elle savait qu'il cesserait de la repousser. Si serré qu'il tenait le manche, elle tournait dans ses mains, attaquant avec pique ou lame courbe. Ses mains étaient déjà endolories par l'effort et ses bras puissants peinaient, les muscles crispés. La sueur coulait sur sa figure. Il se demandait s'il tiendrait encore longtemps avant que la hache se libère et lui échappe. C'était une scène de folie, de folie pure, sans pause pour réfléchir.

« Sors, ordonna-t-il entre ses dents serrées. Sors de cette pièce, Faile ! »

Elle avait le visage exsangue, mais elle secoua la tête et continua sa lutte avec la hache. « Non ! Je ne veux pas te quitter !

— Elle va nous tuer tous les deux ! »

Elle secoua de nouveau la tête.

Avec un grondement de gorge, il lâcha d'une main la hache – son bras tremblait de l'effort de la tenir d'une seule main ; le manche qui tournait dans sa main lui brûlait la paume – et força d'une bourrade Faile à reculer. Elle glapit quand il la bouscula en direction de la porte. Sans se laisser perturber par ses cris et ses coups de poing, il la coinça d'une épaule contre le mur jusqu'à ce qu'il ait ouvert la porte et l'ait précipitée dans le couloir.

Claquant la porte derrière elle, il s'y adossa, faisant glisser d'un coup de hanche la clenche en place dans le mentonnet tandis qu'il empoignait de nouveau la hache à deux mains. La lourde lame, scintillante et tranchante, tremblait tout près de son visage. Il la repoussa péniblement à bout de bras. Les cris de Faile s'entendaient, étouffés, à travers la porte épaisse et il sentait qu'elle la martelait, mais il n'y prêtait guère attention. Ses yeux dorés semblaient luire, comme s'ils reflétaient la moindre parcelle de clarté se trouvant dans la pièce.

« Rien que toi et moi, dit-il d'une voix grondante à la hache. Sang et cendres, comme je te déteste ! » Intérieurement, une partie de lui-même était à la limite d'avoir une crise de fou rire. *C'est Rand qui est censé perdre la tête et me voilà en train de parler à une hache ! Rand ! Que la Lumière le brûle !*

L'effort lui faisant retrousser les lèvres sur les dents, il contraignit la hache à s'écarter de la porte à la distance d'une bonne enjambée. L'arme vibrait, luttant pour atteindre la chair ; il pouvait pratiquement éprouver la soif de la hache pour son sang. Avec un rugissement, il attira soudain la lame courbe vers lui, se rejeta en arrière. La hache aurait-elle été vivante, il était sûr qu'il aurait entendu un cri de triomphe quand elle fila comme l'éclair vers sa tête. À la dernière seconde, il se détourna, obligeant la hache à continuer sa course sans le toucher. La lame s'enfonça dans la porte avec un « vlan » retentissant.

Il sentit la vie – il ne voyait pas comment l'appeler autrement – s'échapper de l'arme emprisonnée. Il la lâcha avec lenteur. La hache demeura où elle était, de nouveau plus rien que de l'acier et du bois. Néanmoins, la porte semblait un bon endroit où la laisser pour le moment. Il s'essuya la figure d'une main tremblante. *De la folie. La folie passe partout où se trouve Rand.*

Brusquement, il se rendit compte qu'il n'entendait plus les cris de Faile, ni son tambourinement sur la porte. Repoussant la clenche, il tira vivement le battant pour l'ouvrir. Un arc d'acier luisant saillait à l'extérieur du panneau épais, brillant dans la lumière des lampes disposées de loin en loin le long du couloir tendu de tapisseries.

Faile était là, les poings dressés, figée dans le geste de taper sur la porte. Les yeux dilatés, le regard incrédule, elle toucha l'extrémité de son nez. « À un doigt près, dit-elle d'une voix étouffée, et... »

Dans un élan subit, elle se jeta contre lui, l'étreignit farouchement, inonda de baisers son cou et sa barbe entre des murmures incohérents. Tout aussi rapidement, elle s'écarta et passa avec anxiété les mains sur sa poitrine et ses bras. « As-tu mal quelque part ? Es-tu blessé ? Est-ce qu'elle... ?

— Je vais bien, lui dit-il. Mais toi ? Je ne voulais pas t'effrayer. »

Elle le dévisagea attentivement, tête levée. « Réellement ? Tu n'as aucune blessure ?

— Totalement indemne. Je... » La gifle assénée de toute la force de son bras résonna dans la tête de Perrin comme un marteau sur une enclume.

« Espèce de grand dadais velu ! Je te croyais mort ! J'avais peur qu'elle t'ait tué ! Je croyais... ! » Elle s'interrompit comme il stoppait sa deuxième gifle à mi-parcours.

« Je te prie de ne pas recommencer ça », dit-il à mi-voix. La marque cuisante de la main de Faile lui brûlait la joue, et il se dit que la mâchoire lui ferait mal le restant de la nuit.

Il serrait son poignet aussi doucement que s'il avait capturé un oiseau mais, malgré les efforts de Faile pour se libérer, sa main resta inébranlable. En comparaison du travail à la forge où il agrippait un marteau toute la journée, la retenir n'était qu'un jeu, même après son combat contre la hache. Subitement, Faile parut décider de se désintéresser de cette main qui la retenait prisonnière et le regarda droit dans les yeux ; ni les yeux noirs ni les yeux d'or ne cillèrent. « J'aurais pu t'aider. Tu n'avais pas le droit...

— J'avais parfaitement le droit, répliqua-t-il d'un ton ferme. Tu n'aurais pas pu m'aider. Si tu étais restée, nous serions morts tous les deux. Je n'aurais pas réussi à me battre – pas comme j'y étais obligé – et garantir aussi ta sécurité. » Elle ouvrit la bouche, mais il éleva la voix et poursuivit : « Je sais que tu détestes ce mot. J'essaierai de mon mieux de ne pas te traiter comme de la porcelaine mais, si tu me demandes de te regarder mourir, je t'attacherai comme un agneau qu'on mène au marché et je t'enverrai à Maîtresse Luhhan. Elle ne supporte pas ce genre de sottise. »

Tâtant une dent avec sa langue et se demandant si elle branlait, il regretta presque de ne pas voir Faile tenter de traiter de haut Alsbet Luhhan. L'épouse du forgeron gardait la haute main sur son époux sans guère plus d'effort que sur sa maison. Même Nynaeve avait surveillé sa langue acérée dans les parages de

119

Maîtresse Luhhan. La dent était encore solidement enracinée, conclut-il.

Faile éclata de rire, d'un doux rire de gorge. « Et tu le ferais, n'est-ce pas ? Ne va pas t'imaginer, par contre, que tu ne danserais pas avec le Ténébreux même si tu ne le voulais pas. »

Perrin fut tellement surpris qu'il la lâcha. Il ne voyait aucune différence foncière entre ce qu'il venait de dire et ce qu'il avait dit auparavant, mais la première fois l'avait mise en colère tandis que là elle l'avait pris... affectueusement. Non pas qu'il fût certain que la menace de le tuer ait été entièrement une façon de parler. Faile portait des poignards cachés sur sa personne et elle savait s'en servir.

Elle se massa le poignet avec ostentation et marmotta quelque chose. Il saisit les mots « espèce de bœuf velu » et se promit de raser jusqu'au dernier poil de cette barbe ridicule. Il n'y manquerait pas.

À haute voix, elle dit : « La hache. C'était lui, n'est-ce pas ? Le Dragon Réincarné qui voulait nous tuer.

— Ce devait être Rand. » Il insista sur le nom. Il n'aimait pas penser à Rand sous l'autre aspect. Il préférait se rappeler le Rand avec qui il avait grandi au Champ d'Emond. « Toutefois, il ne voulait pas nous tuer, pas lui. »

Elle lui adressa un sourire sarcastique, qui ressemblait plutôt à une grimace. « S'il n'a pas essayé, j'espère qu'il ne le fera jamais.

— Je ne sais pas ce qu'il faisait, mais j'ai l'intention de lui dire d'arrêter ça et tout de suite.

— Je me demande vraiment pourquoi je m'inquiète

pour quelqu'un qui prend tellement soin de sa propre sécurité », murmura-t-elle.

Il haussa les sourcils à son adresse, d'un air perplexe, s'interrogeant sur la signification de cette réflexion, mais Faile se contenta de passer le bras sous le sien. Il s'interrogeait encore quand ils s'engagèrent dans le dédale de la Pierre. La hache, il l'abandonna où elle était ; fichée dans la porte, elle ne nuirait à personne.

Les dents serrées sur le long tuyau d'une pipe, Mat entrouvrit un peu plus son bliaud et s'efforça de se concentrer sur les cartes posées à l'envers devant lui, ainsi que sur les pièces de monnaie éparpillées au milieu de la table. Il avait fait tailler ce bliaud rouge vif selon un modèle andoran, dans du drap de laine de la plus belle qualité, brodé de volutes au fil d'or qui s'enroulaient autour des parements au bas des manches et autour du long col mais, jour après jour, il rappelait à Mat combien plus au sud de l'Andor était situé le Tuar. La sueur coulait sur sa figure et lui collait sa chemise sur le dos.

Aucun de ses compagnons assis à la table n'avait l'air incommodé par la chaleur, en dépit des vêtements qui paraissaient encore plus lourds que le sien, avec de grosses manches bouffantes, tout en soieries matelassées, en brocart et bandes de satin rapportées. Deux hommes en livrée rouge et or veillaient à maintenir pleins de vin les hanaps d'argent des joueurs et offraient des plateaux d'argent garnis d'olives, de fromages et de noix. La chaleur ne semblait pas non plus affecter les serviteurs, encore que l'un d'eux bâillât de temps en temps derrière sa main quand il pensait que personne ne regardait. La soirée n'en était pas à son début.

Mat se retint de soulever de nouveau ses cartes pour les vérifier. Elles n'auraient pas changé. Trois Maîtres, les plus hautes cartes dans trois des cinq couleurs, suffisaient déjà pour gagner la plupart des parties.

Il se serait senti plus à l'aise avec un cornet à dés ; on trouvait rarement un paquet de cartes dans les endroits qu'il fréquentait d'ordinaire, où l'argent changeait de mains au cours de cinquante jeux de dés différents, mais ces jeunes petits seigneurs de Tear auraient préféré endosser des guenilles plutôt que de jouer aux dés. Ce sont les paysans qui jouent aux dés ; toutefois, ils se gardaient bien de le dire devant lui. Ils craignaient non pas sa colère mais ceux qu'ils croyaient être ses amis. Ce jeu appelé troc était celui auquel ils jouaient heure après heure, soir après soir, utilisant des cartes peintes à la main et laquées par un artisan de la cité que ces gars-là et des compères de leur acabit avaient rendu prospère. Il n'y avait que les femmes ou les chevaux pour les tenir éloignés de la table de jeu, mais ni les unes ni les autres pour longtemps.

Néanmoins, il avait compris assez vite la marche à suivre et, si sa chance n'était pas aussi grande qu'aux dés, elle suffisait. Une bourse rebondie était posée à côté de ses cartes et une autre encore plus pleine se nichait au fond de sa poche. Une fortune, voilà ce qu'il aurait pensé naguère, dans son village du Champ d'Emond, de quoi vivre dans le luxe jusqu'à la fin de ses jours. Ses idées sur le luxe avaient changé depuis qu'il avait quitté son pays des Deux Rivières. Les jeunes seigneurs empilaient avec négligence leurs pièces de monnaie en tas brillant, mais il avait de vieilles habitudes qu'il n'avait pas l'intention de changer. Dans les tavernes et les auberges, c'était parfois nécessaire de partir rapidement. Surtout si sa chance le servait.

Dès qu'il aurait suffisamment pour vivre selon ses goûts, il quitterait la Pierre sans attendre une seconde de plus. Avant que Moiraine sache ce qu'il avait en tête. Il aurait dû être parti depuis des jours, s'il avait suivi son idée. Seulement, de l'or était à ramasser ici. Une soirée à cette table pouvait le faire gagner davantage qu'en une semaine de parties de dés dans des tavernes. Pour autant que la chance veuille lui sourire.

Il plissa légèrement le front et tira d'un air soucieux sur sa pipe, affectant d'être incertain que ses cartes soient assez bonnes pour continuer à jouer. Deux des jeunes seigneurs avaient aussi une pipe entre les dents, mais ornée d'argent avec un bout en ambre. Dans l'air chaud immobile, leur tabac parfumé sentait comme le feu dans le cabinet de toilette d'une dame. Non pas que Mat ait jamais mis les pieds dans un cabinet de toilette de dame. Une maladie qui avait failli le tuer avait laissé sa mémoire avec autant de trous que la plus belle dentelle, cependant il était sûr qu'il se serait rappelé ce détail. *Pas même le Ténébreux ne serait mesquin au point de me faire oublier cela.*

« Un navire du Peuple de la Mer a accosté aujourd'hui », marmotta Reimon sans desserrer les dents autour de sa pipe. La barbe de ce jeune seigneur à l'imposante carrure était huilée et taillée en une pointe parfaite. C'était la dernière mode chez les cadets des seigneurs, et Reimon suivait les modes les plus récentes avec autant d'assiduité qu'il courait après les femmes. C'est-à-dire avec à peine un peu moins de diligence qu'il s'adonnait au jeu. Il jeta une couronne d'argent sur le tas au centre de la table pour avoir une autre carte. « Un rakeur. Ce qu'il y a de plus rapide comme voiliers, les rakeurs, paraît-il. Vont plus vite que le vent. J'aimerais voir ça. Que brûle mon âme, c'est ce que j'aimerais. » Il ne prit pas la peine de regarder la carte qui lui avait été distribuée ; il ne vérifiait jamais avant d'avoir une main complète.

L'homme replet aux joues roses placé entre Reimon et Mat émit un gloussement de rire amusé. « Vous avez envie de voir le navire, Reimon ? Vous voulez dire les jeunes filles, n'est-ce pas ? Les femmes. Les beautés exotiques du Peuple de la Mer, avec leurs anneaux, leurs colifichets et leur démarche onduleuse, hein ? » Il déposa une couronne dans le pot et ramassa sa carte, avec une grimace quand il y jeta un coup d'œil. Cela ne signifiait rien ; à en croire son expression, les cartes d'Edorion étaient toujours basses et désassorties. Pourtant, il gagnait davantage qu'il ne perdait. « Bah, peut-être serai-je plus heureux avec les filles du Peuple de la Mer. »

De l'autre côté de Mat, le donneur, un homme grand et svelte dont la barbe en pointe avait encore plus de sombre luxuriance que celle de Reimon, posa un doigt le long de son nez. « Vous croyez avoir votre chance avec ces femmes-là, Edorion ? À leur manière de se tenir sur la réserve, vous pourrez vous féliciter si vous captez une bouffée de leur parfum. » Il brassa l'air du geste, inhalant profondément avec un soupir, et les autres petits seigneurs rirent, même Edorion.

Un tout jeune homme aux traits quelconques nommé Estean riait plus fort que les autres, passant la main dans ses cheveux plats qui ne cessaient de retomber sur son front. Que son élégant bliaud soit remplacé par du drap de laine de couleur terne, et on l'aurait pris pour un fermier au lieu du fils d'un Puissant Seigneur possédant les plus riches domaines du Tear et étant de son propre chef le plus fortuné de ceux assis autour de la table. Il avait aussi bu beaucoup plus de vin que tous les autres.

Se penchant en vacillant par-devant son voisin, un bellâtre nommé Baran au nez pointu qui arborait perpétuellement un air dédaigneux, Estean enfonça un doigt pas trop ferme dans le torse du donneur. Baran se rejeta en arrière, sa bouche esquissant une grimace dégoûtée autour de sa pipe comme s'il craignait qu'Estean lui vomisse dessus.

« Ah, c'est bon, ça, Carlomin, approuva Estean en gloussant. Vous êtes aussi de cet avis, Baran ? Edorion n'en aspirera pas une bouffée. S'il veut tenter sa chance... prendre un pari... il devrait courtiser les donzelles des Aiels comme Mat, ici. Toutes ces lances et tous ces poignards. Que brûle mon âme. Comme d'inviter un lion à danser. » Un silence de mort tomba autour de la table. Estean continua à rire seul, puis cligna des paupières et recommença à fourrager dans ses cheveux. « Qu'est-ce qui se passe ? Ai-je dit quelque chose de déplacé ? Oh ! Oh, oui. Celles-là. »

Mat retint de justesse un froncement de sourcils. Fallait-il que cet imbécile mette les Aielles sur le tapis ! Pas pire sujet à part les Aes Sedai ; ils préféreraient presque avoir des Aiels en train de parcourir les couloirs en faisant baisser les yeux aux natifs de Tear qu'ils croisaient au passage plutôt que même une seule Aes Sedai, et ces gars-là pensaient en avoir au moins quatre. Du bout des doigts, il sortit de sa bourse qui était sur la table une couronne d'Andor en argent et la fit glisser jusqu'à la cagnotte. Carlomin servir la carte avec lenteur.

Mat la souleva précautionneusement du bout de l'ongle de son pouce et ne s'autorisa même pas un clignement de paupières. Le Maître des Hanaps, un Puissant Seigneur de Tear. Dans un jeu, les atouts variaient suivant le pays où les cartes étaient fabriquées, le Maître des hanaps empruntant toujours les traits du souverain de la nation concernée, la plus haute carte de sa couleur. Ces cartes étaient vieilles. Il avait déjà vu des jeux récents avec la tête de Rand ou quelque chose lui ressemblant sur la carte du Maître des hanaps, y compris la bannière du Dragon. Rand, le Maître du Tear ; cela semblait encore à Mat d'un risible à avoir envie de se pincer. Rand était un berger, un bon compagnon avec qui s'amuser quand il ne prenait pas ses grands airs sérieux et chargés de responsabilité. Rand le Dragon Réincarné, maintenant ; cela lui rappela qu'il était complètement stupide d'être assis là, où Moiraine pouvait mettre la main sur lui à n'importe quel moment, attendant de voir quelle nouvelle décision prendrait Rand. Peut-être Thom Merrilin l'accompagnerait-il. Ou Perrin. Seulement Thom semblait s'être installé dans la Pierre comme s'il n'avait plus jamais l'intention d'en partir et Perrin n'allait nulle part à moins que Faile ne lui ait fait signe du doigt. Eh bien, Mat était prêt à voyager seul s'il le fallait.

Toutefois, il y avait de l'argent au milieu de la table et de l'or devant les petits seigneurs et, s'il recevait le cinquième Maître, pas un jeu ne pourrait le battre au troc. Non pas qu'il en ait réellement besoin. Il avait senti soudain la chance s'imposer à son esprit. Elle ne s'annonçait pas à grand fracas comme aux dés, bien sûr, mais il était déjà certain que personne n'allait surclasser quatre Maîtres. Les natifs de Tear avaient parié sans retenue toute la soirée, la valeur de dix fermes s'échangeant pour les jeux qui s'abattaient le plus vite.

Néanmoins, Carlomin méditait sur la donne qu'il avait en main au lieu de prendre une cinquième carte, et Baran tirait follement sur sa pipe en empilant les pièces qu'il avait devant lui comme s'il s'apprêtait à les fourrer dans ses poches. Reimon masquait derrière sa barbe un air renfrogné et Edorion examinait ses ongles d'un air soucieux. Seul Estean semblait comme d'ordinaire ; il souriait vaguement à la ronde, regrettant peut-être déjà ce qu'il avait dit. D'ordinaire, ils réussissaient à garder à peu près bonne figure quand il était question des Aiels, mais l'heure était tardive et le vin avait coulé à flots.

Mat se creusa la tête pour trouver un moyen de les empêcher de s'esquiver avec leur or avant qu'il joue ses cartes. Un coup d'œil à leurs expressions suffit à l'avertir que changer de sujet ne suffirait pas. Par contre, il y avait une autre solution. S'il s'arrangeait pour qu'ils se gaussent des Aiels... *Cela vaut-il la peine qu'ils se gaussent aussi de moi ?* Mâchonnant le tuyau de sa pipe, il s'efforça de dénicher une autre idée.

Baran ramassa une pile d'or dans chaque main et s'apprêta à les glisser dans ses poches.

« Je me demande si je ne serais pas plus avisé d'aller voir du côté des femmes du Peuple de la Mer », dit vivement Mat en prenant sa pipe pour ponctuer son propos. « Il arrive des choses curieuses quand on court après les Aielles. Très curieuses. Comme le jeu qu'elles appellent le Baiser des Vierges. » Il avait capté leur attention, mais Baran n'avait pas posé les pièces et Carlomin ne donnait toujours aucun signe qu'il s'apprêtait à se payer une nouvelle carte.

Estean éclata d'un gros rire aviné. « Un baiser administré par de l'acier entre vos côtes, je suppose. Des Vierges de la Lance, vous comprenez. De l'acier. Une lance dans la poitrine. Que brûle mon âme. » Aucun autre ne rit. Par contre, ils écoutaient.

« Pas exactement. » Mat réussit à sourire. *Que je brûle, j'en ai déjà tant dit, je pourrais aussi bien raconter le reste.* « Rhuarc m'avait expliqué que, si je tenais à m'entendre avec les Vierges, je devrais leur demander comment on jouait au Baiser des Vierges. Il affirmait que c'était le meilleur moyen de connaître ce qu'elles étaient. » Cela ressemblait toujours à l'un des jeux se terminant par un baiser qui se jouaient au pays, comme *Entrez dans la ronde et embrassez qui vous voulez*. Il n'avait jamais pris le chef de clan aiel pour un plaisantin. Il se montrerait plus prudent la prochaine fois. Il se força à sourire plus largement. « Alors je suis parti à la recherche de Baine et... »

– Reimon fronça les sourcils avec impatience. Aucun d'eux ne connaissait le nom des Aiels à part celui de Rhuarc, et aucun d'eux n'en avait envie. Mat laissa tomber les noms et poursuivit vivement – « ... je suis donc parti comme un pauvre abruti et je leur ai demandé de me montrer. » Il aurait dû se douter de quelque chose en voyant s'épanouir les larges sourires sur leurs visages. Comme des chats invités à danser par une souris. « Je n'ai pas eu le temps de me rendre compte de ce qui se passait que j'avais une poignée de lances autour de mon cou comme un collier. J'aurais pu me raser rien qu'en éternuant. »

Les autres autour de la table éclatèrent de rire, du sifflement asthmatique de Reimon au braiment de sac-à-vin d'Estean.

Mat les laissa rire. Il avait presque l'impression de sentir encore les pointes des lances, le piquant si seulement il bougeait un doigt. Baine, qui ne cessait de s'esclaffer, lui avait dit qu'elle n'avait jamais entendu un homme demander pour de bon à jouer au Baiser des Vierges.

Carlomin se caressa la barbe et profita du silence de Mat pour parler. « Vous ne pouvez pas en rester là. Continuez. Quand cela s'est-il passé ? Avant-hier soir, je gage. Quand vous n'êtes pas venu vous joindre au jeu et que personne ne savait où vous étiez.

— Je jouais aux mérelles avec Thom Merrilin, ce soir-là, répliqua vivement Mat. C'est arrivé il y a pas mal de temps. » Il se réjouit de pouvoir mentir sans ciller. « Chacune a eu un baiser. Voilà tout. Si elle jugeait le baiser satisfaisant, elles écartaient légèrement les lances. Sinon, elles les appuyaient davantage, à titre d'encouragement en quelque sorte. Rien de plus. Vous voulez que je vous dise ? J'ai eu moins d'écorchures que quand je me rase. »

Il replanta sa pipe entre ses dents. S'ils avaient envie d'en savoir plus, ils n'avaient qu'à demander eux-mêmes à jouer à ce jeu. Il espérait presque qu'il y en ait parmi eux d'assez bêtes pour ça. *Ces sacrées Aielles et leurs sacrées lances.* Il n'avait regagné son lit qu'au lever du jour.

« C'est plus qu'il ne m'en faut, déclara Carlomin d'un ton sardonique. Que la Lumière me réduise en cendres si ce n'est trop pour moi. » Il jeta une couronne en argent au centre de la table et se distribua une autre carte. Le Baiser des Vierges. Il tressautait d'amusement et une autre vague de rires courut autour de la table.

Baran paya pour sa cinquième carte et Estean extirpa d'une main tâtonnante une pièce du tas répandu devant lui, plissant les paupières pour déchiffrer sa valeur. Ils ne s'interrompraient plus à présent.

« Des sauvages, marmotta Baran sans ôter sa pipe de sa bouche. Des sauvages ignorants. Ils ne sont pas autre chose, que brûle mon âme. Z'habitent des cavernes, là-bas dans le Désert. Des cavernes ! Personne sauf un sauvage ne réussirait à vivre dans le Désert. »

Reimon hocha la tête. « Du moins servent-ils le Seigneur Dragon. Sans cela, je prendrais cent Défenseurs et les chasserais de la Pierre. » Baran et Carlomin acquiescèrent d'un grognement enthousiaste.

Mat n'eut pas de peine à rester de marbre. Il avait déjà entendu des propos de ce genre. Se vanter est facile quand nul ne s'attend à ce que vous passiez aux actes. Cent Défenseurs ? Même si Rand se retirait à l'écart pour une raison quelconque, les quelque cent Aiels qui tenaient la forteresse étaient probablement capables de la garder contre n'importe quelle armée que le Tear pourrait lever. Non pas que leur intention soit apparemment de rester maîtres de la Pierre, en réalité. Mat avait l'impression qu'ils se trouvaient là uniquement parce que Rand y était. Il ne pensait pas qu'aucun de ces petits seigneurs s'en était rendu compte – ils s'évertuaient dans la mesure du possible à vivre comme si les Aiels n'existaient pas mais il doutait qu'ils en auraient été soulagés au cas où ils l'auraient compris.

« Mat. » Estean disposait ses cartes en éventail dans une main, les réarrangeant comme s'il ne parvenait pas à décider dans quel ordre elles devaient se succéder. « Mat, vous parlerez au Seigneur Dragon, n'est-ce pas ?

À quel sujet ? » questionna prudemment Mat. Ces gens de Tear étaient trop nombreux pour son goût à savoir que Rand et lui avaient grandi ensemble et ils semblaient persuadés qu'il marchait bras dessus bras dessous avec Rand chaque fois qu'il était hors de leur vue. Pas un ne se serait approché de son propre frère si celui-ci avait été capable de canaliser. Il se demandait pourquoi ils le prenaient pour plus stupide qu'eux.

« Je ne l'ai pas dit ? » Le jeune homme aux traits quelconques plissa les yeux en regardant ses cartes et se gratta la tête, puis son visage s'éclaira. « Oh, oui. Sa proclamation, Mat. La proclamation du Seigneur Dragon. La dernière. Où il déclare que les roturiers ont le droit de citer en justice les seigneurs. Qui a jamais entendu parler de seigneur convoqué devant un magistrat ? Et pour des paysans ! »

La main de Mat se resserra sur sa bourse au point que les pièces à l'intérieur crissèrent les unes contre les autres. « Quel dommage, répliqua-t-il d'une voix mesurée, si vous étiez jugé et condamné rien que pour avoir usé de la fille d'un pêcheur selon votre bon plaisir sans lui avoir demandé son avis, ou pour avoir fait bâtonner un fermier qui aurait éclaboussé de boue votre manteau. »

Les autres qui avaient discerné le fond de sa pensée remuèrent avec malaise, mais Estean hocha la tête à plusieurs reprises si énergiquement qu'elle eut l'air sur le point de se décrocher. « Exactement. Mais cela n'en viendrait pas là, bien sûr. Un seigneur comparaître devant un magistrat ? Naturellement non. Pas en réalité. » Il adressa à ses cartes un rire d'ivrogne. « Pas de filles de pêcheur. Puent le poisson, vous comprenez, quelque soin que vous preniez de les faire laver. Une paysanne rondelette, voilà ce qu'il y a de mieux. »

Mat se dit qu'il était là pour jouer. Il se dit de ne

132

pas prêter attention aux sottises que débitait cet imbécile, se remémora tout l'or qu'il pouvait extraire de la bourse d'Estean. Toutefois, sa langue n'écouta pas. « Qui sait à quoi cela pourrait aboutir ? À des pendaisons, peut-être. »

Edorion lui adressa du coin de l'œil un regard circonspect et gêné. « Sommes-nous obligés de parler de... de gens du commun, Estean ? Et les filles du vieil Astoril ? Avez-vous déjà choisi laquelle vous épouserez ?

— Quoi ? Oh. Oh, je jouerai ça à pile ou face, je suppose. » Estean regarda ses cartes en fronçant les sourcils, en déplaça une, fronça de nouveau les sourcils. « Medore a deux ou trois jolies servantes. Peut-être Medore. »

Mat porta longuement son hanap d'argent à ses lèvres pour s'empêcher de frapper cet homme en plein sur sa figure de fermier. Il en était encore à son premier hanap ; les deux serviteurs avaient renoncé à tenter de le resservir. S'il tapait sur Estean, aucun d'eux ne lèverait la main pour l'arrêter. Pas plus qu'Estean lui-même. Parce que lui, Mat, était l'ami du Seigneur Dragon. Il regrettait de ne pas être dans une taverne quelque part en ville, où il risquerait qu'un ouvrier du port prenne sa chance pour de la triche et que seule la promptitude de sa langue, ou de ses pieds ou de ses mains lui permettrait de s'en tirer avec la peau intacte. Alors, ça, c'était une pensée idiote.

Edorion jeta de nouveau un coup d'œil à Mat, étudiant son humeur. « J'ai entendu une rumeur, aujourd'hui. J'ai entendu que le Seigneur Dragon va nous mener à la guerre contre l'Illian. »

Mat s'étrangla avec son vin. « La guerre ? bredouilla-t-il.

— La guerre, confirma gaiement Reimon sans ôter sa pipe de sa bouche.

— En êtes-vous certain ? » dit Carlomin, et Baran ajouta : « Je n'ai eu vent de rien.

— Cela m'est parvenu juste aujourd'hui de trois ou quatre bouches. » Edorion semblait absorbé par ses cartes. « Qui peut dire ce qu'il y a de vrai ?

— Cela doit l'être, déclara Reimon. Avec le Seigneur Dragon pour nous conduire, *Callandor* à la main, nous n'aurons même pas à nous battre. Il dispersera leurs armées et nous entrerons tout droit dans la capitale. Dommage, en un sens. Oui, que brûle mon âme. J'aurais aimé avoir une chance de croiser le fer avec les hommes d'Illian.

— Vous n'aurez pas cette chance avec le Seigneur Dragon comme chef, répliqua Baran. Ils tomberont à genoux dès qu'ils verront la bannière du Dragon.

— Et s'ils ne le font pas, compléta Carlomin en éclatant de rire, le Seigneur Dragon les foudroiera sur place.

— L'Illian d'abord, proclama Reimon. Et ensuite... ensuite nous partirons à la conquête du monde pour le Seigneur Dragon. Vous lui répéterez ce que j'ai dit, Mat. Le monde entier. »

Mat secoua la tête. Un mois plus tôt, ils auraient été horrifiés par la seule idée d'un homme capable de canaliser, un homme condamné à devenir fou et à périr d'une mort affreuse. À présent, ils étaient prêts à suivre Rand au combat et à se fier à son pouvoir de vaincre pour eux. À se fier au Pouvoir Unique, bien qu'il y eût peu de chances qu'ils le formulent de cette façon. Cependant il supposa qu'ils avaient besoin de se raccrocher à quelque chose. La Pierre invincible était aux mains des Aiels. Le Dragon Réincarné était dans ses appartements cent pieds au-dessus de leurs têtes, et *Callandor* était avec lui. Trois mille ans de croyances et d'histoire du Tear n'existaient plus, et le monde se retrouvait à l'envers. Mat se demanda s'il s'en était mieux sorti ; son propre monde avait été complètement bouleversé en un peu plus d'un an. Il roula une couronne d'or de Tear sur le dos de ses doigts. Quelle que soit sa réussite, il ne retournerait pas là-bas.

« Quand nous mettrons-nous en marche, Mat ? questionna Baran.

— Je ne sais pas, répondit-il lentement. Je ne crois pas que Rand déclencherait une guerre. » À moins qu'il ne soit déjà fou. Cette idée-là, mieux valait ne pas s'y attarder.

Les autres le regardaient comme s'il leur avait affirmé que le soleil ne se lèverait pas le lendemain.

« Nous sommes tous dévoués au Seigneur Dragon, naturellement. » Edorion considérait ses cartes en fronçant les sourcils. « Par contre, dans les campagnes... je me suis laissé dire que certains des Puissants Seigneurs, un petit nombre, ont essayé de lever une armée pour reprendre la Pierre. » Soudain plus personne ne se tournait vers Mat, seul Estean avait toujours l'air de chercher à déchiffrer ses cartes. « Quand le Seigneur Dragon nous emmènera à la guerre, bien sûr, ces tentatives disparaîtront comme neige au soleil. En tout cas, nous sommes loyaux, ici dans la Pierre. Les Puissants Seigneurs aussi, j'en suis certain. C'est uniquement cette poignée dans les campagnes. »

Leur loyauté ne durerait pas plus longtemps que leur peur du Dragon Réincarné. Pendant un instant, Mat eut l'impression de vouloir abandonner Rand dans une fosse remplie de vipères. Puis il se rappela ce qu'était Rand. Ce serait plutôt comme abandonner une belette dans un poulailler. Rand avait été un ami. Le Dragon Réincarné, par contre... Qui pouvait être l'ami du Dragon Réincarné ? *Je n'abandonne personne. Il ferait probablement s'écrouler la forteresse sur leurs têtes, si cela lui chantait. Sur la mienne aussi.* Il songea une fois de plus qu'il était temps de partir.

« Pas de filles de pêcheur, marmonna Estean. Parlez-en au Seigneur Dragon.

— C'est à vous, Mat », dit Carlomin d'un ton anxieux. Il semblait à moitié effrayé, bien que déterminer ce qu'il craignait – qu'Estean irrite de nouveau Mat ou que la conversation revienne sur le sujet de la loyauté – fût impossible. « Voulez-vous acheter la cinquième carte ou passer votre tour ? »

Mat s'aperçut que son attention avait dérivé. Tous sauf lui et Carlomin avaient cinq cartes, quoique Reimon eût placé les siennes en tas bien net à l'envers près de la cagnotte pour signifier qu'il ne jouait pas.

Mat hésita, feignant de réfléchir, puis soupira et expédia une autre pièce de monnaie vers le pot.

Tandis que la couronne d'argent rebondissait en tournant sur elle-même, il sentit soudain la chance se transformer de ruisselet en raz de marée. Chaque cliquetis de l'argent contre le bois de la table tintait clairement dans sa tête ; il aurait pu énoncer face ou sceau et savoir sur quel côté la pièce atterrirait à chaque bond. Exactement comme il savait ce que serait sa prochaine carte avant que Carlomin la pose devant lui.

Rassemblant d'une glissade les cartes sur la table, il les disposa en éventail dans une main. La Maîtresse des Flammes le dévisageait près des quatre autres, le Trône d'Amyrlin portant une flamme en équilibre sur sa paume, encore qu'elle ne ressemblât aucunement à Siuan Sanche. Quels que fussent les sentiments éprouvés par les gens du Tear à l'égard des Aes Sedai, ils reconnaissaient la puissance de Tar Valon, même si les Flammes étaient la couleur la moins forte.

Que signifiait le fait de se voir distribuer en totalité les cinq atouts ? La chance le servait mieux quand le hasard était du jeu, comme aux dés ; mais peut-être commençait elle à s'appliquer un peu plus aux cartes. « Que la Lumière me réduise les os en cendres si ce n'est pas le cas », marmonna-t-il. Ou du moins est-ce ce qu'il avait l'intention de dire.

« Ah, tenez, s'exclama presque à tue-tête Estean. Ne le niez pas, cette fois-ci. C'était de l'Ancienne Langue. Quelque chose à propos d'os brûlés. » Il sourit largement à tous autour de la table. « Mon précepteur serait fier. Je devrais lui envoyer un cadeau. Si j'arrive à trouver où il est parti. »

Les nobles étaient censés être capables de parler l'Ancienne Langue, bien qu'en réalité rares étaient ceux qui la parlaient mieux qu'Estean. Les jeunes seigneurs se mirent à discuter sur le sens exact de ce qu'avait dit Mat. Ils avaient l'air de croire que c'était un commentaire sur la chaleur.

La chair de poule hérissa la peau de Mat tandis qu'il essayait de se rappeler les mots qui venaient de lui sortir de la bouche. Du charabia et pourtant il avait quasiment l'impression de le comprendre. *Que brûle Moiraine ! Si elle m'avait laissé tranquille, je n'aurais pas de trous dans la mémoire assez grands pour qu'y passe une charrette attelée et je ne dégoiserais pas cette espèce de bon sang de ce que c'est !* Il serait aussi en train de traire les vaches de son père au lieu de parcourir le monde avec des poches pleines d'or, mais il avait l'art d'oublier cet aspect-là de la situation.

« Êtes-vous ici pour jouer, dit-il d'un ton bourru, ou pour caqueter comme des vieilles femmes occupées à tricoter ?

— Pour jouer, répliqua sèchement Baran. Trois couronnes, en or ! » Il lança les pièces sur le tas de la cagnotte.

« Et trois en plus par-dessus le marché. » Estean hoqueta et ajouta six couronnes d'or au pot.

Réprimant un sourire, Mat oublia l'Ancienne Langue. Ce fut assez facile ; il n'avait pas envie d'y penser. D'ailleurs s'ils se mettaient à jouer aussi gros jeu, il gagnerait peut-être assez avec les cartes qu'il avait en main pour s'esquiver au matin. *Et si Rand est assez fou pour déclencher une guerre, je m'en irai quand bien même devrais-je partir à pied.*

Au-dehors dans le noir, un coq chanta. Mat changea de position avec malaise et se dit de ne pas être stupide. Personne n'allait mourir.

Son regard s'abaissa sur ses cartes – et ses paupières battirent. La flamme de l'Amyrlin avait été remplacée par un poignard. Tandis qu'il pensait être fatigué et avoir des visions, elle plongea la lame minuscule dans le dos de sa main.

Avec un cri rauque, il lança les cartes loin de lui et se rejeta en arrière, renversant son siège et frappant la table des deux pieds dans sa chute. L'air sembla prendre la consistance du miel. Tout se déplaçait comme si le temps avait ralenti mais simultanément tout paraissait se produire à la fois. D'autres cris répondaient au sien, des cris sourds résonnant dans une caverne. Lui et son siège descendaient lentement ; la table s'élevait.

La Maîtresse des Flammes dressée entre sol et plafond augmentait de taille et le fixait avec un sourire cruel. À présent presque grandeur nature, elle s'apprêtait à sortir de la carte ; elle était toujours une forme peinte, sans épaisseur, mais elle cherchait à l'atteindre avec sa lame, rougie par son sang comme si elle avait déjà été plongée dans son cœur. À côté d'elle, le Maître des hanaps commençait à croître, le Puissant Seigneur de Tear dégainant son épée.

Mat flottait ; cependant, sans trop savoir comment, il réussit à extirper le poignard dissimulé dans sa manche gauche et à le lancer du même mouvement, droit vers le cœur de l'Amyrlin. Si cette chose avait un cœur. Le second poignard surgit sans à-coup dans sa main gauche et en partit aussi souplement. Les deux lames voguaient dans l'air comme du duvet de chardon. Il voulait crier, mais ce premier hurlement de stupeur et de furie emplissait encore sa bouche. La Maîtresse des Masses se développait à côté des deux premières cartes, la souveraine d'Andor agrippant la masse comme une matraque, ses cheveux d'or roux encadrant le rictus d'une folle.

Mat tombait toujours, poussant toujours ce hurlement qui n'en finissait plus. L'Amyrlin s'était dégagée de sa carte, le Puissant Seigneur sortait de la sienne, l'épée en main. Les silhouettes plates se déplaçaient presque aussi lentement que lui. Presque. Il avait la preuve que l'acier qu'ils tenaient pouvait couper – et sans doute la masse pouvait fendre un crâne. Son crâne.

Les poignards qu'il avait lancés bougeaient comme s'ils s'enfonçaient dans de la gelée. Il était sûr que le coq avait chanté pour lui. Quoi qu'en ait dit son père, le présage était véridique. Mais il n'avait pas l'intention de baisser les bras et de mourir. Tant bien que mal, il éjecta de son bliaud deux autres poignards, un dans chaque main. S'efforçant de se retourner en l'air, pour se remettre à la verticale, il projeta un des poignards sur la figure à la chevelure d'or armée du gourdin. L'autre, il le garda en essayant de se redresser pour atterrir les pieds sur le sol, prêt à affronter...

Dans une secousse le monde reprit sa marche normale et Mat atterrit gauchement sur le flanc, assez rudement pour avoir le souffle coupé. Avec l'énergie du désespoir, il se redressa, tirant un autre poignard de dessous ses vêtements. On n'en porte jamais trop sur soi, proclamait Thom. Mat n'eut besoin ni du premier ni du second.

Pendant un instant, il crut que cartes et figures avaient disparu. Ou peut-être qu'il avait tout imaginé. Peut-être que c'était lui qui devenait fou. Puis il vit les cartes à jouer, redevenues de taille normale, épinglées sur un des lambris de bois sombre par ses poignards qui vibraient encore. Il prit une profonde aspiration saccadée.

La table gisait sur le côté, les pièces de monnaie tournoyant encore sur le sol où petits seigneurs et serviteurs étaient accroupis au milieu des cartes éparses. Ils regardaient bouche bée Mat et ses poignards, ceux dans ses mains et ceux dans la paroi, avec des yeux pareillement écarquillés. Estean saisit un pichet d'argent qui avait échappé on ne sait comment à la culbute générale et se mit à se verser du vin dans le gosier, le surplus dégoulinant sur son menton et le long de sa poitrine.

« Ce n'est pas parce que vous n'avez pas les cartes pour gagner, dit Edorion d'une voix enrouée, qu'il faut... » Il s'interrompit en frissonnant.

« Vous l'avez vu aussi. » Mat rangea les poignards dans leurs fourreaux. Un mince filet de sang coulait de la minuscule blessure sur le dos de sa main. « Ne prétendez pas être devenu aveugle !

— Je n'ai rien vu, répliqua Reimon avec entête-

141

ment. Rien ! » Il commença à ramper sur le sol pour ramasser l'or et l'argent, se concentrant sur les pièces comme si elles étaient ce qu'il y a de plus important au monde. Les autres agissaient de même, sauf Estean qui courait de-ci de-là, d'un pichet renversé à un autre, en quête d'un qui contiendrait encore du vin. Un des serviteurs cachait son visage dans ses mains ; l'autre, les yeux fermés, récitait apparemment une prière d'une voix basse, plaintive et haletante.

Murmurant un juron, Mat se dirigea à grandes enjambées vers ses poignards clouant les cartes sur le lambris. Elles étaient de nouveau de simples cartes à jouer, rien que du papier rigide dont le vernis transparent était craquelé. Par contre, la figure de l'Amyrlin tenait toujours un poignard au lieu d'une flamme. Mat perçut sur sa langue le goût du sang et se rendit compte qu'il suçait la coupure dans le dos de sa main.

Il libéra précipitamment ses poignards, déchirant chaque carte en deux avant de rengainer la lame. Au bout d'un moment, il chercha parmi les cartes qui jonchaient le sol jusqu'à ce qu'il trouve le Maître des pièces de monnaie et le Maître des Vents, et il les déchira aussi. Il se sentit un peu ridicule – c'était fini ; les cartes étaient redevenues juste des cartes – mais il ne pouvait pas s'en empêcher.

Aucun des jeunes seigneurs qui se traînaient à quatre pattes ne tenta de l'arrêter. Ils s'écartaient précipitamment devant lui, sans même lui jeter un coup d'œil. Il n'y aurait plus de jeu ce soir, et peut-être pas non plus pendant quelques soirées suivantes. Du moins pas avec lui. Quel que soit ce qui s'était passé, il en avait visiblement été la cible. Et encore plus clairement, cela avait dû être fait au moyen du Pouvoir Unique. Ils ne voulaient pas être mêlés à ça.

« Puisses-tu brûler, Rand ! dit-il entre ses dents. Abandonne-toi à la folie si tu y es obligé, mais ne m'entraîne pas avec toi ! » Sa pipe gisait en deux morceaux, le tuyau tranché net. Il ramassa avec humeur sa bourse qui était par terre et sortit de la pièce à pas rapides.

* * *

Dans sa chambre obscurcie, Rand s'agitait nerveusement sur un lit assez large pour cinq personnes. Il rêvait.

Dans une forêt sombre, Moiraine l'aiguillonnait avec un bâton pointu en direction de l'endroit où attendait l'Amyrlin, assise sur une souche tenant dans ses mains un licol destiné à son cou. De vagues formes s'entrevoyaient entre les arbres, le suivant furtivement, lui donnant la chasse ; ici, une lame de poignard étincelait dans la clarté crépusculaire, là-bas il apercevait des liens prêts pour le ligoter. Svelte, lui arrivant juste à l'épaule, Moiraine avait une expression qu'il ne lui avait jamais vue. Un air apeuré. La sueur au front, elle le piquait plus fort, essayant de l'entraîner en toute hâte vers le licol de l'Amyrlin. Des Amis du Ténébreux et les Réprouvés dans l'ombre, la laisse de la Tour Blanche devant et Moiraine derrière. Esquivant le bâton de Moiraine, il s'enfuit.

143

« C'est trop tard pour t'enfuir », cria-t-elle derrière lui, mais il devait s'en retourner. D'où il venait.

Marmonnant, il se débattit sur le lit, puis resta immobile, respirant plus librement pendant un instant.

Il se trouvait dans le Bois Humide, au pays natal, et les rayons obliques du soleil passant à travers les arbres scintillaient sur l'étang devant lui. Il y avait de la mousse verte sur les rochers à cette extrémité de l'étang et trente pas plus loin, à l'autre bout, une petite arche de fleurs sauvages. C'était là que, dans son enfance, il avait appris à nager.

« Vous devriez prendre un bain à présent. »

Il eut un sursaut et se retourna. Min était là, lui souriant dans sa tunique et ses chausses de garçon, et près d'elle Élayne, aux boucles d'or roux, vêtue d'une robe en soie verte convenant pour le palais de sa mère.

C'est Min qui avait parlé, mais Élayne ajouta : « L'eau a l'air tentante, Rand. Personne ne nous dérangera ici.

— Je ne sais pas », commença-t-il lentement. Min l'interrompit en nouant ses doigts derrière sa nuque et en se dressant sur la pointe des pieds pour l'embrasser.

Elle répéta la phrase d'Élayne dans un doux murmure. « Personne ne nous dérangera ici. » Elle se recula et se débarrassa de sa tunique, puis s'attaqua aux lacets de sa chemise.

Rand écarquilla les yeux, ébahi plus encore quand il se rendit compte que la robe d'Élayne gisait sur le sol moussu. La Fille-Héritière était penchée en avant, les bras se croisant, relevant le bas de sa chemise.

« Qu'est-ce que vous faites ? s'exclama-t-il d'une voix étranglée.

— Nous nous préparons à nous baigner avec vous », répliqua Min.

Élayne lui décocha un sourire et souleva la chemise par-dessus sa tête.

Il tourna le dos précipitamment, bien qu'à demi à contrecœur. Et se retrouva face à Egwene dont les grands yeux noirs lui renvoyèrent un regard triste. Elle pivota sur ses talons sans dire un mot et disparut au milieu des arbres.

« Attends ! lui cria-t-il. Je vais t'expliquer. »

Il se mit à courir ; il lui fallait la rejoindre. Toutefois, quand il atteignit la lisière des arbres, la voix de Min l'incita à s'arrêter.

« Ne partez pas, Rand. »

Élayne et elle étaient déjà dans l'eau, seules leurs têtes émergeant tandis qu'elles nageaient paresseusement au centre de l'étang.

« Revenez, appela Élayne en levant un bras mince pour lui faire signe. Ne méritez-vous pas ce que vous désirez, pour changer ? »

Il passa d'un pied sur l'autre, ayant envie de s'élancer mais incapable de choisir dans quel sens. Ce qu'il désirait. Ces mots paraissaient bizarres. Que désirait-il ? Il porta une main à sa figure, pour essuyer ce qui donnait l'impression d'être de la sueur. La chair gonflée et suppurante oblitérait presque le héron marqué au feu sur sa paume ; de l'os blanc se voyait par des trous aux bords rouges.

Il se réveilla en sursaut, frissonnant dans l'obscurité

étouffante. Son caleçon était trempé par la transpiration, ainsi que le drap de toile sous son dos. Son côté le brûlait, à l'endroit où une ancienne blessure ne s'était jamais complètement refermée. Il passa le doigt sur la marque rugueuse, un cercle de près d'un pouce de diamètre, encore sensible après tout ce temps. Même le Pouvoir Guérisseur d'Aes Sedai de Moiraine n'avait pas réussi à la cicatriser complètement. *Mais je ne suis pas encore en train de pourrir. Et je ne suis pas fou non plus. Pas encore.* Pas encore. Cela disait tout. Il eut envie de rire, et se demanda si cela signifiait qu'il était déjà un peu fou.

Rêver de Min et d'Élayne, rêver d'elles de cette façon... Ma foi, ce n'était pas de la folie, mais sûrement de la bêtise. Ni l'une ni l'autre ne l'avait jamais considéré sur ce plan-là quand il était éveillé. Egwene, il avait été pratiquement fiancé à elle depuis leur enfance. Les paroles consacrées n'avaient jamais été prononcées devant le Cercle des Femmes, mais tout un chacun dans le Champ d'Emond et ses alentours savait qu'ils se marieraient un jour.

Ce jour-là ne viendrait jamais, bien sûr ; pas maintenant, pas avec le destin qui était le lot d'un homme qui canalisait. Egwene devait s'en être rendu compte aussi. Elle devait. Elle ne pensait plus qu'à devenir Aes Sedai. N'empêche, les femmes sont bizarres ; elle s'imaginait peut-être qu'elle pouvait être une Aes Sedai et l'épouser quand même, qu'il canalise ou non. Comment lui dire qu'il ne voulait plus se marier avec elle, qu'il l'aimait comme une sœur ? Mais le lui dire ne serait pas nécessaire, il en était sûr. Il pouvait se dissimuler derrière ce qu'il était. Elle aurait à comprendre ça. Quel homme pouvait demander à une femme de l'épouser quand il savait n'avoir, s'il était chanceux, que quelques années seulement à vivre avant de devenir fou, avant de commencer à pourrir tout vif ? Il frissonna en dépit de la chaleur.

J'ai besoin de sommeil. Les Puissants Seigneurs seraient de retour au matin, intriguant pour gagner ses bonnes grâces. Pour les bonnes grâces du Dragon Réincarné. *Peut-être ne rêverai-je pas cette fois-ci.* Il commença à se retourner, en quête d'une place sèche sur le drap – et se figea, écoutant de faibles bruissements dans le noir. Il n'était pas seul.

L'Épée qui n'est pas une Épée se trouvait de l'autre côté de la chambre, hors de sa portée, sur un présentoir pareil à un trône que lui avaient offert les Puissants Seigneurs, sans doute dans l'espoir qu'il garderait *Callandor* loin de leurs yeux. *Quelqu'un qui veut voler Callandor.* Une deuxième pensée s'imposa. *Ou tuer le Dragon Réincarné.* Les mises en garde que lui chuchotait Thom n'étaient pas nécessaires pour qu'il sache que les déclarations de loyauté indéfectible des Puissants Seigneurs étaient seulement des discours de circonstance.

Il fit abstraction de toute pensée et sentiment, épousant le Vide ; cela, il le réalisa sans effort. Planant dans son froid vide intérieur, pensée et émotion à l'extérieur, il chercha à atteindre la Vraie Source. Cette fois, il entra en contact aisément, ce qui n'était pas toujours le cas.

Le *Saidin* l'envahit comme un torrent de chaleur et

de clarté blanche, l'enflammant de vie, l'écœurant par la fétidité de la souillure du Ténébreux, comme de l'écume d'eaux-vannes flottant à la surface d'eau douce et pure. Ce torrent menaça de l'emporter, de le réduire en cendres, de l'engloutir.

Luttant contre ce raz de marée, il le maîtrisa par un simple effort de volonté et roula à bas du lit, canalisant le Pouvoir Unique en même temps qu'il posait les pieds à terre dans la posture pour mettre en œuvre la parade appelée Pétales-de-fleur-de-pommier-épar-pillés-par-le-vent. Ses ennemis ne devaient pas être nombreux, sinon ils auraient fait plus de bruit ; cette figure d'escrime était prévue pour se défendre contre plus d'un assaillant.

Quand ses pieds se plaquèrent sur le tapis, il y avait dans ses mains une épée, avec une longue poignée et une lame légèrement incurvée coupante seulement d'un côté. Elle donnait l'impression d'avoir été forgée dans une flamme, cependant elle n'était même pas tiède. La forme d'un héron apparaissait noire sur le rouge orangé de la lame. Au même instant, toutes les chandelles et lampes dorées s'allumèrent, de petits miroirs derrière elles augmentant l'illumination. De plus grands miroirs sur les murs et deux miroirs sur pied augmentaient la clarté de leurs reflets, si bien qu'il aurait pu lire aisément n'importe où dans la vaste salle.

Callandor reposait tranquillement, épée apparemment en verre, garde et lame, sur un présentoir haut comme un homme et aussi large, en bois ornementé de sculptures, d'or et de pierres précieuses qui y étaient serties. Les meubles aussi étaient tout dorés et surchargés de gemmes – lit, sièges et bancs, armoires, coffres et table de toilette. Le broc et la cuvette étaient en porcelaine dorée du Peuple de la Mer, mince comme des feuilles. Le grand tapis du Tarabon, aux volutes pourpre, or et bleu, aurait nourri un village entier pendant des mois. Presque toutes les surfaces horizontales supportaient d'autres objets en délicate porcelaine du Peuple de la Mer, ou encore des hanaps, des coupes et ornements en or avec des applications d'argent ou en argent rehaussé d'or. Sur le large manteau en marbre de la cheminée, deux loups d'argent aux yeux de rubis tentaient d'abattre un cerf en or d'au moins trois pieds de haut. Des rideaux de soie écarlate où des broderies au fil d'or représentaient des aigles étaient pendus devant les étroites fenêtres, remuant légèrement sous le souffle d'une brise en train de tomber. Partout où il y avait de la place se voyaient des livres, reliés en cuir, reliés en bois, certains très abîmés et encore couverts de la poussière des rayonnages situés au plus profond de la bibliothèque de la Pierre.

Pour lors, là où Rand pensait découvrir des assassins, ou des voleurs, une belle jeune femme se tenait au centre du tapis, hésitante et surprise, sa chevelure noire tombant en vagues brillantes sur ses épaules. Sa mince robe de soie blanche soulignait plus qu'elle ne masquait. Berelain, souveraine de l'état-cité de Mayene, était la dernière personne à laquelle il s'attendait.

Après un sursaut d'étonnement, elle plongea dans une gracieuse et profonde révérence qui tendit l'étoffe

149

de ses vêtements. « Je n'ai pas d'arme, mon Seigneur Dragon. Je me soumets à votre fouille, si vous doutez de ma parole. » Le sourire de Berelain lui rappela soudain avec gêne qu'il ne portait que son caleçon.

Que je brûle si je me mets à courir de-ci de-là pour essayer de m'habiller à cause d'elle. Cette pensée traversa le Vide. *Je ne lui ai pas demandé de venir me surprendre.* S'introduire comme une voleuse ! La colère et l'embarras glissèrent aussi à la lisière du Vide, mais néanmoins son visage s'empourpra ; il s'en rendit compte vaguement et cette prise de conscience accentua l'afflux du sang à ses joues. Si froidement calme à l'intérieur du vide ; à l'extérieur... Il sentait chaque petite goutte de sueur qui glissait sur sa poitrine et sur son dos. Il lui fallut un réel effort de volonté obstinée pour rester là debout sous ses yeux. *La fouiller ? Que la Lumière m'assiste !*

Relâchant sa garde, il laissa l'épée disparaître mais conserva le flux étroit le reliant au *Saidin*. C'était comme de boire à un trou dans une digue quand toute la longue levée de terre ne demande qu'à céder, l'eau aussi plaisante que du vin auquel a été mélangé du miel et aussi vomitive qu'un ruisselet passant à travers du fumier.

Il ne savait pas grand-chose de cette femme, à part qu'elle se déplaçait dans la forteresse comme si c'était son palais de Mayene. Thom disait que la Première de Mayene posait constamment des questions, à tout le monde. Des questions le concernant. Ce qui pouvait être naturel, étant donné ce qu'il était, mais cela ne lui rendait pas l'esprit plus tranquille. Et elle n'était pas rentrée à Mayene. Ce n'était pas normal. Elle avait été retenue pratiquement captive sauf de nom pendant des mois jusqu'à son arrivée, coupée de son trône et du gouvernement de sa petite nation. La plupart des gens auraient sauté sur la première occasion de fuir un homme capable de canaliser.

« Qu'est-ce que vous faites ici ? » Il se rendit compte qu'il parlait avec rudesse, et cela lui était égal. « Il y avait des Aielles qui gardaient cette porte quand je me suis endormi. Comment avez-vous franchi leur barrage ? »

Les lèvres de Berelain se retroussèrent un peu plus ; Rand eut soudain l'impression que la température avait monté dans la pièce. « Elles m'ont autorisée à passer immédiatement quand j'ai dit que j'avais été convoquée par le Seigneur Dragon.

— Convoquée ? Je n'ai convoqué personne. » *Arrête*, se dit-il. *C'est une reine ou du rang qui en approche le plus. Tu en connais autant sur les habitudes des reines que tu t'y connais pour voler dans les airs.* Il s'efforça de se montrer courtois, seulement il ignorait comment s'adresser à la Première de Mayene. « Ma dame... » Cela devrait aller. « ... pourquoi vous convoquerais-je à cette heure de la nuit ? »

Elle eut un doux et chaud rire de gorge ; même enveloppé de vide impassible, il sentit ce rire lui chatouiller la peau et hérisser ses poils sur ses bras et ses jambes. Soudain il s'avisa comme pour la première fois de la façon dont les vêtements de Berelain lui collaient au corps et il se sentit de nouveau rougir. *Elle ne veut pas dire... Ou bien si ? Par la Lumière, je ne lui ai pas adressé deux mots jusqu'à présent.*

« Peut-être suis-je désireuse de parler, mon Seigneur Dragon. » Elle laissa choir sur le sol sa robe blanche, apparaissant dans un vêtement de soie blanche encore plus fine qu'il ne pouvait appeler autrement que chemise de nuit. De laquelle émergeaient complètement ses épaules satinées et dont le décolleté exposait une portion notable de poitrine claire. Il se retrouva en train de se demander machinalement ce qui la maintenait en place, cette chemise. C'était difficile d'en détacher les yeux. « Vous êtes loin de chez vous, comme moi. Les nuits semblent particulièrement solitaires.

— Demain, je serai heureux de m'entretenir avec vous.

— Mais, pendant la journée, des gens vous entourent. Des solliciteurs. Des Puissants Seigneurs. Des Aiels. » Elle frissonna ; il songea qu'il devrait vraiment regarder ailleurs, toutefois il aurait aussi bien pu s'arrêter de respirer. Il n'avait encore jamais été aussi conscient de ses propres réactions quand il était au sein du Vide. « Les Aiels m'effraient et je n'aime les Seigneurs du Tear d'aucune sorte. »

En ce qui concernait les gens du Tear, il la croyait volontiers, mais il ne pensait pas que quoi que ce soit effrayait cette femme. *Que je sois réduit en cendres ! Elle se trouve dans la chambre à coucher d'un inconnu au milieu de la nuit, seulement à demi vêtue, et c'est moi qui suis nerveux comme un chat dans un chenil, en dépit du Vide.* Le moment était venu de mettre fin à cette situation avant qu'elle dépasse les bornes.

« Mieux vaudrait que vous retourniez dans votre chambre, ma dame. » Une fraction de lui-même avait bonne envie d'ordonner à Berelain d'enfiler aussi un manteau. Un manteau épais. Oui, une fraction. « Il... il est vraiment trop tard pour tenir une conversation. Demain. Dans la journée. »

Elle lui lança du coin de l'œil un regard mutin. « Avez-vous déjà assimilé les façons compassées du Tear, mon Seigneur Dragon ? Ou cette réticence provient-elle de vos Deux Rivières ? Nous ne sommes pas aussi... collet monté à Mayene.

— Ma dame... » Il s'efforça de prendre un ton solennel ; si elle n'aimait pas les cérémonies, voilà ce qu'il voulait. « Je suis fiancé à Egwene al'Vere, ma dame.

— Vous faites allusion à l'Aes Sedai, mon Seigneur Dragon ? Si elle est réellement une Aes Sedai. Elle est très jeune – peut-être trop jeune pour porter l'anneau et le châle. » Berelain s'exprimait comme si Egwene était une enfant alors qu'elle-même ne devait pas avoir plus d'un an de plus que Rand, au maximum, et lui était âgé d'à peine deux ans de plus qu'Egwene. « Mon Seigneur Dragon, je n'ai pas l'intention de m'immiscer entre vous. Épousez-la, si elle est de l'Ajah Verte. Je n'aspire aucunement à me marier avec le Dragon Réincarné en personne. Pardonnez-moi si je pèche par audace, mais je vous ai dit que nous n'étions pas si... pointilleux à Mayene. Puis-je vous appeler Rand ? »

Rand eut un soupir de regret et en fut surpris. Il y avait eu un éclair dans les yeux de Berelain, un léger changement d'expression, vite disparue, quand elle avait mentionné un mariage avec le Dragon Réincarné. Si elle ne l'avait pas envisagé avant, elle y avait songé à présent. Le Dragon Réincarné, pas Rand al'Thor ; l'homme de la prophétie, pas le berger des Deux Rivières. Il n'en était pas mortifié à proprement parler ; dans son village, il y avait des jeunes filles qui s'amourachaient de quiconque se révélait le plus rapide ou le plus fort aux jeux de Bel Tine et du dimanche et, de temps à autre, une femme jetait son dévolu sur l'homme possédant les champs les plus fertiles ou les plus grands troupeaux. Ç'aurait été plaisant de penser qu'elle désirait Rand al'Thor. « Il est temps pour vous de partir, ma dame », dit-il d'une voix calme.

Elle se rapprocha. « Je sens vos yeux sur moi, Rand. » Sa voix vibrait de chaleur voilée. « Je ne suis pas une gamine de la campagne pendue aux jupons de sa mère, et je sais que vous voulez...

— Me croyez-vous en pierre, femme ? » Elle sursauta à cette interruption qui résonna comme un rugissement mais, l'instant d'après, elle avançait sur le tapis vers lui, ses yeux des lacs noirs capables d'attirer un homme dans leurs profondeurs.

« Vos bras ont l'air durs comme de la pierre. Si vous estimez que vous devez vous montrer rude avec moi, alors soyez rude, pour autant que vous m'enlacez. » Ses mains effleurèrent le visage de Rand ; des étincelles semblaient jaillir de ses doigts.

Sans réfléchir, il canalisa les flux encore reliés à lui et, soudain, elle recula en trébuchant, les yeux écarquillés de stupeur, comme si une muraille d'air la repoussait. C'était de l'air, il s'en rendait compte ; il faisait des choses de façon impulsive plus souvent que consciente. Du moins, une fois que c'était fini, il se rappelait généralement comment les refaire.

La muraille invisible et mouvante provoquait des ondulations dans le tapis en le raclant, balayant au passage la robe abandonnée par Berelain, une botte qu'il avait jetée de côté en se déshabillant et un tabouret à l'assise en cuir rouge sur laquelle était posé un volume ouvert de *L'Histoire de la Pierre de Tear* d'Eban Vandès, les poussant en même temps qu'elle forçait Berelain à reculer presque jusqu'au mur, l'encerclant. À bonne distance de lui. Il lia le flux – c'était la seule définition qui lui venait à l'esprit pour qualifier ce qu'il faisait – et n'eut plus besoin de maintenir lui-même ce bouclier. Il étudia pendant un instant ce qu'il avait fait, jusqu'à ce qu'il fût sûr de pouvoir le refaire. Cela semblait utile, surtout le liage.

Ses yeux noirs toujours dilatés, Berelain repérait avec des mains tremblantes les limites de sa prison invisible. Son visage était presque aussi blanc que sa peu couvrante chemise de soie. Tabouret, botte et livre gisaient à ses pieds, emmêlés dans sa robe de chambre.

« Bien que je le regrette, lui dit-il, nous ne nous reparlerons plus sauf en public, ma dame. » Il le regrettait réellement. Quels que soient ses mobiles, elle était belle. *Que je brûle, je suis vraiment un imbécile !* À quoi appliquait-il cette constatation, il ne le savait pas trop – parce qu'il songeait à sa beauté ou parce qu'il la renvoyait. « En fait, le mieux sera d'organiser votre voyage de retour à Mayene dès que possible. Je vous promets que le Tear n'inquiétera plus la Mayene. Vous avez ma parole. » Une promesse qui valait seulement pour autant qu'il vivrait, peut-être seulement pour autant qu'il resterait dans la forteresse, mais il devait lui offrir quelque chose. Un pansement pour sa blessure d'orgueil, un cadeau pour empêcher son esprit d'être en proie à la peur.

Mais sa peur était déjà maîtrisée, en tout cas extérieurement. Son expression respirait la franchise et la loyauté, tout effort de séduction disparu. « Pardonnez-moi. Je ne m'y suis pas bien prise. Je n'avais pas l'intention de vous offenser. Dans mon pays, une femme peut exprimer librement ce qu'elle pense à un homme, et réciproquement. Rand, il faut que vous sachiez que vous êtes un bel homme, grand et fort. C'est moi qui serais de pierre si je ne le voyais pas et n'admirais. Je vous en prie, ne me renvoyez pas loin de vous. Je vous en supplierai, si vous le souhaitez. » Elle s'agenouilla avec souplesse, comme un mouvement de danse. Son expression disait encore qu'elle était franche, confessant tout, mais d'autre part, en s'agenouillant, elle s'était arrangée pour tirer sur sa chemise déjà en grand risque de choir au point que cette chemise paraissait vraiment prête à s'affaler par terre. « Je vous en prie, Rand ? »

Même à l'abri du vide comme il l'était, il la contemplait avec stupeur, et cela n'avait rien à voir avec sa beauté ou sa quasi-nudité. Oh, tout au moins en partie.

Si les Défenseurs de la Pierre avaient été moitié aussi résolus, moitié aussi déterminés que cette femme, dix mille Aiels n'auraient jamais réussi à s'emparer de la Pierre.

« Je suis flatté, ma dame, répliqua-t-il diplomatiquement. Croyez-le, je le suis. Toutefois, ce ne serait pas équitable vis-à-vis de vous. Je ne puis vous donner ce que vous méritez. » *Qu'elle comprenne donc ce qu'elle veut.*

Au-dehors dans l'obscurité, un coq chanta.

À la surprise de Rand, le regard de Berelain se dirigea soudain au-delà de lui, ses yeux grands comme des soucoupes. Sa bouche s'ouvrit brusquement et des tendons saillirent sur sa gorge élancée sous l'effort d'un cri qui refusait de sortir. Il pivota sur lui-même, l'épée d'un rouge tirant sur le jaune étincelant dans ses mains.

À l'autre bout de la pièce, une des psychés lui renvoya son reflet, un grand jeune homme à la chevelure nuancée de roux et aux yeux gris, portant seulement un caleçon de lin blanc et tenant une épée faite de feu. Le reflet descendit du cadre du miroir sur le tapis, brandissant son épée.

Je suis devenu fou. Sa pensée flottait à la limite du Vide. *Non ! Elle l'a vu. C'est réel.*

Il surprit du coin de l'œil un mouvement sur sa gauche. Il se tourna d'instinct, relevant l'épée dans la posture de La Lune-se-lève-sur-l'eau. La lame taillada la forme – sa forme – qui descendait d'un miroir sur le mur. La forme vacilla, s'éparpilla comme des atomes de poussière flottant dans les airs, disparut. Le

157

reflet de Rand réapparut dans le miroir mais, simultanément, posa les mains sur le cadre de la psyché. Rand prit conscience de mouvements dans les miroirs tout autour de la chambre.

Avec l'énergie du désespoir, il enfonça l'épée dans celui qu'il avait devant lui. Le verre argenté vola en éclats, par contre l'image donna l'impression de s'être pulvérisée la première. Rand crut entendre un cri lointain résonner dans sa tête, sa propre voix hurlant, s'éteignant. En même temps que tombaient les fragments de miroir, il frappa avec le Pouvoir Unique. Toutes les glaces de la chambre explosèrent en silence, déversant un jaillissement de verre sur le tapis. Le cri mourant qui avait résonné dans sa tête se répéta à l'infini, lui faisant passer des frissons dans le dos. C'était sa voix ; il avait du mal à croire que ce n'était pas lui qui émettait ces sons.

Voulant affronter le reflet qui était sorti du miroir, il virevolta juste à temps pour parer son attaque. Déployer-l'Éventail afin de contrer les Pierres-dévalant-le-Flanc-de-la-Montagne. L'image recula d'un bond et, subitement, Rand se rendit compte qu'elle n'était pas seule. Quelque rapidité avec laquelle il avait brisé les miroirs, deux autres reflets s'en étaient évadés. À présent, ils étaient campés devant lui, trois doubles de lui-même jusqu'à la cicatrice ronde plissée sur son côté, tous le dévisageant avec une avidité étrange, les traits déformés par une expression de haine et de mépris. Seuls leurs regards étaient vides, sans vie. Avant qu'il ait eu le temps de reprendre son souffle, ils foncèrent sur lui.

Rand se déplaça de côté, des fragments de glace cassée lui entaillant les pieds, encore et encore de côté, passant de posture en posture et de parade en attaque, tâchant de n'avoir à combattre qu'un adversaire à la fois. Il utilisa tout ce que Lan, le Lige de Moiraine, lui avait appris sur le maniement de l'épée au cours de leurs exercices quotidiens.

Si les trois avaient combattu ensemble, s'ils s'étaient soutenus les uns les autres, il serait mort dès la première minute, mais chacun le combattait seul, comme si les autres n'existaient pas. Même ainsi, il ne parvenait pas à bloquer totalement leurs coups d'épée ; en quelques instants, du sang lui coulait le long de la figure, de la poitrine, des bras. L'ancienne blessure se rouvrit brutalement, ajoutant au ruissellement qui tachait de rouge son caleçon. Ils possédaient son adresse en même temps que les traits de son visage, et ils étaient trois contre lui seul. Les sièges et les tables se renversèrent ; les porcelaines hors de prix du Peuple de la Mer s'écrasèrent sur le tapis.

Il sentit ses forces décroître. Aucune de ses estafilades n'était grave à proprement parler, excepté la vieille blessure, mais toutes ensemble... Il ne songea pas une seconde à appeler à l'aide les Aiels qui se trouvaient de l'autre côté de sa porte. Les murs épais étoufferaient même un hurlement de mort. Ce qu'il fallait faire, il devait le faire seul. Il se battit enveloppé dans la froide impassibilité du Vide, mais la peur égratignait la surface de ce cocon d'impassibilité comme des branches secouées par le vent cinglent une vitre dans la nuit.

Son épée esquiva l'épée antagoniste et traça une balafre en travers d'un visage juste sous les yeux – il ne put s'empêcher de tiquer ; c'était son visage – mais celui qui possédait ce visage s'était reculé juste assez pour éviter une entaille mortelle. Du sang jaillit de la coupure, voilant de rouge foncé bouche et menton, et pourtant la face abîmée ne changea pas d'expression et ses yeux vides ne cillèrent pas une fois. L'autre le voulait mort à la façon dont un affamé veut de la nourriture.

Quelque chose peut-il les tuer ? Tous les trois perdaient du sang par les blessures qu'il était parvenu à infliger, mais saigner ne paraissait pas les rendre plus lents comme il savait en être lui-même freiné. Ils s'efforçaient d'éviter son épée mais ne paraissaient pas se rendre compte qu'ils avaient été blessés. *S'ils l'ont été,* songea-t-il lugubrement. *Par la Lumière, s'ils saignent, ils peuvent l'être ! Ils doivent l'être !*

Il avait besoin d'un répit, d'un peu de temps pour retrouver son souffle, pour se reprendre. Soudain il s'écarta d'eux, sautant d'un bond sur le lit, le traversant dans sa largeur en roulant sur lui-même. Il sentit plus qu'il ne vit des lames tailladant les draps, manquant de peu sa chair. Il atterrit sur ses pieds, chancela, se rattrapa à une petite table pour garder son équilibre. La brillante coupe en argent ornée d'or posée sur la table vacilla. Un de ses doubles avait grimpé sur le lit ravagé et avançait avec circonspection à pas silencieux qui faisaient jaillir des plumes d'oie, l'épée prête. Les deux autres contournaient lentement le lit, chacun ne tenant toujours aucun compte de ses compagnons, uniquement préoccupé de lui, Rand. Leurs yeux miroitaient comme du verre.

Rand frissonna en éprouvant une douleur vive dans sa main posée sur la table. Une image de lui-même, haute de pas plus de six pouces, en retirait sa petite épée. Instinctivement, il agrippa l'homuncule avant qu'il le frappe de nouveau. Le petit être se tordit dans son étreinte, lui montrant les dents. Rand prit alors conscience de mouvements tout autour de la pièce, d'une foule de minuscules reflets sortant d'objets en argent poli. Sa main commença à s'engourdir, à se refroidir, comme si cette chose suçait la chaleur de son corps. L'ardeur du *Saidin* monta en lui ; une vague lui envahit la tête et la chaleur afflua dans sa main glacée.

L'homuncule explosa soudain comme une bulle et Rand sentit quelque chose se répandre en lui – émanant de l'explosion – une petite portion de sa force perdue. De menus élans de vitalité lui donnèrent l'impression de s'abattre sur lui telle une averse de grêle.

Quand il leva la tête – se demandant pourquoi il n'était pas mort – les minuscules reflets entraperçus avaient disparu. Les trois plus grands chancelaient, comme si l'accroissement de ses forces leur en avait retiré. Toutefois, tandis qu'il les examinait, ils se raffermirent sur leurs jambes et s'avancèrent, encore que plus prudemment.

Il recula, réfléchissant à toute allure, son épée menaçant tantôt l'un tantôt l'autre. S'il continuait à les combattre de cette façon, ils le tueraient tôt ou tard. Il le savait aussi sûrement qu'il savait perdre son sang. Mais quelque chose reliait ces reflets. Absorber l'homoncule – cette pensée à l'arrière-plan de son esprit lui donnait mal au cœur, mais c'était bien ce qui s'était passé – n'avait pas seulement entraîné les autres avec lui, cela avait aussi affecté les plus grands, du moins pour un instant. S'il pouvait faire de même avec l'une de ces grandes formes toutes les trois seraient peut-être détruites.

Rien que penser à les absorber lui fit vaguement prendre conscience d'une envie de vomir, mais il ne connaissait pas d'autre moyen. *Je ne connais pas ce moyen-là. Comment m'y suis-je pris ? Ô Lumière, qu'est-ce que j'ai fait ?* Il devait lutter corps à corps avec une des trois, au moins en toucher une ; il en avait en quelque sorte la certitude. Cependant s'il tentait de s'approcher aussi près, il aurait trois épées à travers le corps le temps d'autant de battements de cœur. *Des reflets. Jusqu'à quel point s'agit-il encore de reflets ?*

Espérant qu'il n'était pas un imbécile – auquel cas, il serait probablement un imbécile mort – il laissa disparaître son épée. Il était prêt à la rappeler instantanément mais, quand sa lame forgée dans le feu cessa d'être, celles des autres aussi. Pendant un instant, le désarroi se peignit sur les traits de trois copies de son visage, l'une une masse sanglante. N'empêche, avant qu'il ait eu le temps d'empoigner l'une d'elles, elles sautèrent sur lui, tous les quatre s'écroulant sur le sol dans un méli-mélo de membres qui s'empoignaient, roulant sur le tapis jonché de débris de verre.

Le froid s'infiltra à l'intérieur de Rand. L'engourdissement s'insinua dans ses membres jusqu'à ses os, au point qu'il avait à peine conscience que les débris des miroirs, les éclats de porcelaine s'incrustaient dans sa chair. Une sensation proche de la panique traversa comme un éclair le vide qui l'entourait. Peut-être avait-il commis une erreur fatale. Ces reflets étaient plus grands que celui qu'il avait absorbé et ils soutiraient de lui davantage de chaleur. Et pas seulement de la chaleur. À mesure qu'il se refroidissait, les yeux gris vitreux qui plongeaient dans les siens se mettaient à vivre. Avec une certitude glaçante, il sut que, s'il mourait, cela ne terminerait pas la lutte. Les trois se retourneraient les uns contre les autres jusqu'à ce qu'un seul reste – et celui-là aurait sa vie, ses souvenirs, *serait* lui.

Il s'obstina à se battre, luttant d'autant plus farouchement qu'il devenait plus faible. Il appela à lui le *Saidin*, essayant de se remplir de sa chaleur. Même la souillure qui lui retournait l'estomac était la bienvenue, car plus il en était conscient plus il absorbait de *Saidin*. Si son estomac pouvait se rebeller, alors il vivait toujours et, s'il vivait, il pouvait se battre. *Mais comment ? Comment ? Qu'est-ce que j'ai fait tout à l'heure ?* Le *Saidin* accourait en lui comme un raz de marée au point qu'il eut l'impression que s'il survivait à ses assaillants, ce serait seulement pour être consumé par le Pouvoir. *Comment y ai-je réussi ?* Il ne pouvait qu'attirer à lui le *Saidin* et essayer... se tendre vers son but... s'évertuer...

Un des trois disparut – Rand le sentit se glisser en lui ; c'était comme s'il était tombé d'une hauteur, à plat sur un sol rocheux – puis les deux autres ensemble. L'impact le précipita à plat dos, où il demeura étendu le regard fixé sur le plafond de staff avec ses reliefs en ronde bosse dorés, jouissant avec délice du fait qu'il respirait encore.

Le Pouvoir montait toujours dans chaque fissure de son être. Il avait envie de vomir tous les repas qu'il avait jamais mangés. Il se sentait tellement vivant que, par comparaison, l'existence qui n'était pas imprégnée de *Saidin* n'avait pas plus de substance que des ombres. Il percevait la cire d'abeille des chandelles et l'huile dans les lampes. Il percevait chaque fibre du tapis sur son dos. Il percevait chaque coupure dans sa chair, chaque entaille, chaque écorchure, chaque meurtrissure. Mais il continua à retenir le *Saidin*.

Un des Réprouvés avait tenté de le tuer. Ou tous. Ce devait être cela, à moins que le Ténébreux ne soit déjà libre, auquel cas il ne pensait pas qu'il aurait eu à affronter quelque chose d'aussi facile ou d'aussi simple que cela. Il persista donc à maintenir son lien avec la Vraie Source. *À moins que je ne l'aie fait moi-même. Haïrais-je assez ce que je suis pour essayer de me suicider ? Sans même m'en rendre compte ? Par la Lumière, il faut que j'apprenne à le maîtriser. Il le faut.*

Il se redressa péniblement. Laissant des empreintes de pied sanglantes sur le tapis, il se dirigea en boitant vers le présentoir où reposait *Callandor*. Il était couvert de sang provenant de centaines d'estafilades. Il souleva l'épée dont la transparence de cristal fut illuminée sur toute sa longueur par le Pouvoir qui affluait en elle. L'épée qui n'était pas une épée. Cette lame, apparemment en verre, était aussi tranchante que le plus bel acier, pourtant *Callandor* n'était pas vraiment une épée, c'était un vestige de l'Ère des Légendes, un *sa'angreal*. Avec l'aide de l'un des relativement rares *angreals* connus pour être sortis indemnes de la Guerre de l'Ombre et de la Destruction du Monde, c'était possible de canaliser des afflux du Pouvoir Unique qui, sans lui, auraient réduit en cendres le canaliseur. Un de ces *sa'angreals*, plus rares encore, permettait d'accroître l'afflux de Pouvoir obtenu grâce à un *angreal* dans les mêmes proportions qu'un *angreal* l'augmentait par rapport au simple canalisage. Et *Callandor*, utilisable seulement par un homme, reliée au Dragon Réincarné par trois mille ans de légendes et de prophéties, était l'un des plus puissants *sa'angreals* jamais élaborés. Quand il tenait *Callandor* dans ses mains, il pouvait raser d'un seul coup les remparts d'une cité. *Callandor* en main, il était capable d'affronter même un des Réprouvés. *C'étaient eux. Ce devait être eux.*

Tout à coup, il s'avisa qu'il n'avait pas entendu un son provenant de Berelain. Craignant à demi de la voir morte, il se retourna.

Toujours agenouillée, elle esquissa un sursaut de recul. Elle avait remis sa robe de chambre et la serrait autour d'elle comme une armure d'acier, ou des murailles de pierre. La figure pâle comme la neige, elle s'humecta les lèvres. « Lequel êtes... ? » Elle avala sa salive et reprit : « Lequel... ? » Elle fut incapable d'achever sa phrase.

« Je suis le seul qui existe, dit-il avec douceur. Celui

que vous traitiez comme si nous étions fiancés. » Il avait choisi cette réponse pour l'apaiser, peut-être la faire sourire – assurément, une femme aussi forte qu'elle s'était montrée pouvait sourire, même en face d'un homme couvert de sang – mais elle se pencha en avant et appuya son visage sur le sol.

« Je présente mes humbles excuses pour vous avoir très gravement offensé, Seigneur Dragon. » Sa voix essoufflée avait réellement un ton humble – et un accent effrayé. Ne lui ressemblant absolument pas. « Je vous prie d'oublier mon offense et de pardonner. Je ne vous importunerai plus. Je le jure, mon Seigneur Dragon. Sur le nom de ma mère et devant la Lumière, je le jure. »

Il dénoua le flot ; le mur invisible la retenant prisonnière devint un bref courant d'air qui agita sa robe. « Il n'y a rien à pardonner », répliqua-t-il avec lassitude. Il se sentait très fatigué. « Allez où vous voulez. »

Elle se releva avec hésitation, allongea une main et poussa un « ah » de soulagement quand cette main ne rencontra rien. Rassemblant les plis de sa robe, elle commença à s'éloigner avec précaution sur le tapis jonché de débris de verre, dont les éclats crissaient sous ses escarpins de velours. Près de la porte, elle s'arrêta, se retourna face à lui avec un effort visible. Ses yeux ne parvenaient pas à affronter les siens. « Je vous enverrai les Aielles, si vous le désirez. Je pourrais demander que l'on aille quérir une des Aes Sedai pour soigner vos blessures. »

À présent, elle aimerait autant se trouver dans une chambre avec un Myrddraal ou le Ténébreux en per-

sonne, cependant ce n'est pas une poule mouillée.
« Merci, répondit-il à mi-voix, mais non. Je vous saurais gré de ne dire à personne ce qui s'est passé ici. Pas tout de suite. Je m'occuperai de ce qui est nécessaire. » *C'était probablement les Réprouvés.*

« Comme l'ordonne mon Seigneur Dragon. » Elle lui adressa une brève révérence et sortit précipitamment, craignant peut-être qu'il change d'avis et ne la laisse pas partir.

« Autant se trouver en compagnie du Ténébreux en personne », murmura-t-il comme la porte se refermait sur elle.

Il se dirigea en boitillant vers le pied du lit, se laissa choir sur le coffre qui était là et plaça *Callandor* en travers de ses genoux, ses mains ensanglantées posées sur la lame étincelante. Avec elle dans ses mains, même un des Réprouvés aurait peur de lui. Dans un moment, il ferait chercher Moiraine pour Guérir ses blessures. Dans un moment, il parlerait aux Aielles qui étaient au-dehors devant sa chambre et redeviendrait le Dragon Réincarné. Mais, à présent, tout ce qu'il voulait c'était rester assis et se remémorer un berger nommé Rand al'Thor.

3.

Réflexion

En dépit de l'heure, bon nombre de gens se hâtaient dans les larges couloirs de la Pierre, un défilé continu d'hommes et de femmes vêtus du noir et or des serviteurs de la Pierre ou portant la livrée de l'un ou l'autre des Puissants Seigneurs. De temps en temps, un Défenseur ou deux apparaissaient, tête nue et sans armes, certains avec leur tunique défaite. Les serviteurs adressaient à Perrin et à Faile un salut ou une révérence s'ils passaient à proximité, puis continuaient leur chemin vivement pour ainsi dire presque sans s'être arrêtés. La plupart des soldats sursautaient en les voyant. Certains s'inclinaient avec raideur une main sur le cœur, mais tous tant qu'ils étaient précipitaient l'allure comme s'ils étaient pressés d'être ailleurs.

Une lampe sur trois ou quatre seulement était allumée. Dans les sections obscures entre leurs hauts socles, des ombres brouillaient le dessin des tapisseries pendues aux murs et masquaient les coffres placés çà et là contre les parois. Pour les yeux autres que ceux de Perrin, en tout cas. Les siens luisaient comme de l'or poli dans ces portions de couloir ténébreuses. Il marchait vivement d'une lampe à l'autre et maintenait son regard baissé jusqu'à ce qu'il arrive en pleine lumière. La plupart des gens de la Pierre étaient au courant de l'étrange couleur de ses yeux, d'une façon ou de l'autre. Personne n'en parlait, évidemment. Même Faile paraissait croire que cette couleur faisait partie de ce qui le reliait à une Aes Sedai, quelque chose qui existait simplement, qui devait être accepté mais jamais expliqué. Même ainsi, un picotement lui parcourait le dos chaque fois qu'il se rendait compte que quelqu'un qu'il ne connaissait pas avait vu ses yeux briller dans le noir. Quand ces étrangers se gardaient d'émettre un commentaire, leur silence accentuait sa sensation d'isolement.

« J'aimerais que l'on ne me considère pas comme cela, marmotta-t-il alors qu'un Défenseur grisonnant qui avait le double de son âge se mettait pratiquement à courir aussitôt qu'il l'avait dépassé. Comme si on avait peur de moi. On ne réagissait pas ainsi, avant ; pas de cette façon. Pourquoi tous ces gens ne sont-ils pas dans leur lit ? » Une femme portant un balai à franges et un seau esquissa une petite révérence et s'en fut vivement, la tête baissée.

Son bras passé sous le sien, Faile lui lança un bref regard. « Je dirais que les soldats ne sont pas censés se trouver dans cette partie de la Pierre à moins qu'ils ne soient de service. Le bon moment pour peloter une domestique sur le siège d'un seigneur et peut-être jouer à être le seigneur et sa dame tandis que dame et seigneur dorment. Ils s'inquiètent probablement à l'idée que tu pourrais les signaler à leurs chefs. Et les serviteurs accomplissent la majeure partie de leur tâche la nuit. Qui voudrait les avoir dans leurs jambes, à balayer, essuyer la poussière et astiquer, pendant la journée ? »

Perrin acquiesça d'un signe de tête, un peu dubitatif. Il supposait qu'elle avait acquis la connaissance de ces choses-là dans la maison de son père. Un marchand prospère a vraisemblablement des domestiques et des gardes pour ses chariots. Du moins les gens d'ici n'étaient-ils pas hors de leur lit parce que ce qui lui était arrivé leur était arrivé à eux aussi. Si ç'avait été le cas, ils seraient sortis de la Pierre et probablement courraient encore. Mais pourquoi avait-il été une cible, avait-il été choisi, à ce que cela semblait ? Affronter Rand ne le réjouissait pas, mais il avait besoin de savoir. Faile dut allonger le pas pour rester à sa hauteur.

Quelle que fût sa splendeur, tout son or, ses belles sculptures et ses incrustations, l'intérieur de la Pierre avait été conçu pour la guerre autant que son extérieur. Le plafond était percé de meurtrières à chaque croisement de couloirs. Des archières jamais utilisées s'ouvraient sur les couloirs à des endroits où elles commandaient toute leur longueur. Perrin et Faile gravirent d'étroits escaliers en colimaçon qui se succédaient, tous aménagés dans les murs ou bien renfermés derrière une cloison, avec d'autres archières plongeant dans le couloir au-dessous. Aucun de ces dispositifs protecteurs n'avait arrêté les Aiels, bien sûr, les premiers ennemis qui aient jamais pénétré en deçà des murailles extérieures.

Alors qu'ils montaient d'un pas vif un des escaliers en colimaçon – Perrin ne se rendait pas compte qu'ils marchaient à une allure accélérée, encore qu'il aurait adopté une allure plus rapide s'il n'avait pas donné le bras à Faile – il perçut une bouffée de vieille sueur et un léger relent de parfum douceâtre, mais ils ne s'enregistrèrent qu'à l'arrière-plan de son esprit. Il était préoccupé par ce qu'il dirait à Rand. *Pourquoi as-tu tenté de me tuer ? Deviens-tu déjà fou ?* Il n'y avait pas de moyen simple de poser la question, et il n'escomptait pas de réponses simples.

Débouchant dans un couloir sombre presque au sommet de la Pierre, il se retrouva les yeux posés sur le dos d'un Puissant Seigneur et de deux des gardes personnels du noble personnage. Seuls les Défenseurs étaient autorisés à porter une armure à l'intérieur de la forteresse, mais ces trois avaient une épée au côté. Ce n'était pas inhabituel, certes, par contre leur présence ici, à cet étage, dans l'obscurité, observant intensément la clarté éclatante à l'autre extrémité du couloir, ou n'était pas courant du tout. Cette clarté provenait du vestibule précédant l'appartement attribué à Rand. Ou que Rand avait choisi. Ou peut-être été poussé à occuper par Moiraine.

Perrin et Faile n'avaient pas pris de précaution pour monter sans bruit l'escalier, mais les trois hommes étaient tellement absorbés par leur surveillance que pas un d'entre eux ne remarqua immédiatement leur arrivée. Puis l'un des gardes du corps en uniforme bleu remua la tête comme pour soulager une crampe de son cou ; sa bouche béa quand il les aperçut. Étouffant un juron, le gaillard virevolta face à Perrin, tirant au clair une longueur de lame haute comme la main. L'autre ne fut plus lent que d'une seconde. Les deux étaient tendus, sur leurs gardes, mais leurs yeux se déplaçaient avec malaise, évitant ceux de Perrin. D'eux émanait une aigre odeur de crainte. Du Puissant Seigneur aussi, encore qu'il tînt la bride haute à sa peur.

Le Puissant Seigneur Torean, du blanc striant sa barbe noire en pointe, se déplaçait languissamment, comme au bal. Sortant de sa manche un mouchoir imprégné d'une senteur trop entêtante, il en tapota un nez bossué qui ne paraissait nullement grand en comparaison de ses oreilles. Un beau bliaud de soie aux revers de satin rouge ne faisait qu'accentuer l'aspect quelconque de son visage. Il contempla fixement les manches de chemise de Perrin et se tamponna de nouveau le nez avant d'incliner légèrement la tête. « Que la Lumière vous illumine », dit-il poliment. Son regard croisa le regard doré de Perrin et se déroba, bien que son expression ne changeât pas. « Vous allez bien, j'espère ? » Presque trop poliment.

Le ton de cet homme laissait Perrin indifférent, à la vérité, mais la façon dont Torean toisa Faile, avec une sorte d'intérêt désinvolte, lui fit serrer les poings. Il réussit néanmoins à parler d'une voix égale. « La Lumière vous illumine, Puissant Seigneur Torean. Je suis heureux de vous voir aider à veiller sur le Seigneur Dragon. Il y a des hommes qui, à votre place, s'irriteraient de sa présence ici. »

Les minces sourcils de Torean remuèrent brièvement. « La Prophétie a été accomplie et le Tear a tenu la place qui était la sienne dans cette prophétie. Peut-être le Dragon Réincarné conduira-t-il le Tear vers une destinée encore plus glorieuse. Quel homme s'en offusquerait ? Mais il est tard. Bonne nuit à vous. » Il toisa de nouveau Faile, en pinçant la bouche, et s'éloigna dans le couloir d'une démarche un peu trop énergique, dans la direction opposée aux lumières du vestibule. Ses gardes du corps lui marchaient sur les talons comme des chiens bien dressés.

« Tu n'avais nul besoin d'être discourtois, s'exclama Faile d'un ton crispé dès que le Puissant Seigneur fut hors de portée de voix. On aurait cru que ta langue était du fer gelé. Si tu as l'intention de rester ici, mieux vaudrait que tu apprennes à t'entendre avec les Seigneurs.

— Il te regardait comme s'il avait envie de te faire danser sur ses genoux. Et je ne veux pas dire comme un père. »

Elle écarta cette notion d'un reniflement de dédain. « Il n'est pas le premier à m'avoir détaillée. S'il avait trouvé l'audace d'essayer davantage, je l'aurais remis à sa place d'un froncement de sourcils et d'un coup d'œil. Ce n'est pas nécessaire que tu prennes ma défense, Perrin Aybara. » Cependant, elle ne paraissait pas tout à fait mécontente.

Se grattant la barbe, il suivit des yeux Torean, regardant le Puissant Seigneur et ses gardes disparaître derrière un lointain tournant. Il se demanda comment les seigneurs du Tear se débrouillaient pour ne pas transpirer à mort. « As-tu remarqué, Faile ? Ses chiens couchants n'ont pas ôté la main de leur épée avant qu'il soit à dix pas de nous. »

En fronçant les sourcils, elle regarda Perrin, puis les trois dans le couloir, et hocha lentement la tête. « Tu as raison, mais je ne comprends pas. Ils ne se confondent pas en révérences comme pour *lui*, par contre tout un chacun se tient à carreau en ta présence et celle de Mat comme en présence de l'Aes Sedai.

— Peut-être qu'être ami du Dragon Réincarné n'offre plus autant de protection que naguère. »

Elle ne suggéra pas encore une fois de partir, pas en paroles, mais son regard était éloquent. Perrin éluda avec plus de succès cette suggestion muette que lorsqu'elle était formulée à haute voix.

Avant qu'ils atteignent le bout du couloir, Berelain surgit soudain du brillant halo de clarté du vestibule, plaquant de ses deux bras autour d'elle une mince robe blanche. Si la Première de Mayene était allée plus vite, elle aurait couru.

Pour démontrer à Faile qu'il savait être aussi courtois qu'elle pouvait le souhaiter, Perrin s'inclina dans un salut que même Mat, il le pariait, n'aurait pas mieux réussi. Un contraste avec la révérence de Faile qui fut le plus léger hochement de tête, le plus faible ploiement de genou. Perrin le remarqua à peine. Alors que Berelain passait en coup de vent près d'eux sans leur prêter attention, une odeur de peur, forte et âpre comme d'une blessure putrescente, lui fit pincer les narines. En comparaison, la peur de Torean n'était rien. Celle-ci était une peur panique tenue en bride par une corde effilochée. Il se redressa lentement, la suivant du regard.

« Tu te rinces l'œil ? » susurra Faile.

Absorbé par Berelain, se demandant ce qui l'avait frappée de terreur à ce point-là, il parla sans réfléchir. « Elle sentait... »

Là-bas dans le couloir, Torean sortit soudain d'un couloir transversal et saisit le bras de Berelain. Il l'abreuvait d'un flot de discours, mais Perrin n'en discernait que des bribes par-ci par-là – dans son orgueil elle avait outrepassé les bornes et aussi quelque chose d'autre qui semblait vouloir dire que Torean lui offrait sa protection. Sa réponse fut brève, sèche et encore moins audible, proférée le menton haut. Se dégageant avec brusquerie, la Première de Mayene s'éloigna, le dos droit, apparemment davantage maîtresse d'elle-même. Sur le point de s'élancer derrière elle, Torean s'aperçut que Perrin l'observait. Se tapotant le nez avec son mouchoir, le Puissant Seigneur disparut dans le couloir transversal.

« Peu m'importe qu'elle conte l'Essence de l'Aube, commenta Faile, sarcastique. Celle-là, chasser l'ours ne l'intéresse pas, si décorative que serait sa peau étalée sur un mur. Elle chasse le soleil. »

Il la regarda en fronçant les sourcils. « Le soleil ? Un ours ? De quoi parles-tu ?

— Continue tout seul. Finalement, je pense que je vais aller me coucher.

— Si c'est ce que tu veux, dit-il lentement, mais je croyais que tu étais aussi désireuse que moi de découvrir ce qui s'est passé.

— Ma foi non. Je ne prétendrais pas souhaiter rencontrer le... Rand... pas après avoir évité cette éventualité jusqu'à maintenant. Et à présent surtout je ne le désire pas. Nul doute que vous aurez tous deux une bonne conversation sans moi. Particulièrement s'il y a du vin.

— Ce que tu racontes n'a pas de sens, marmonnat-il en fourrageant dans ses cheveux. Si tu as envie d'aller te coucher, eh bien d'accord, mais j'aimerais que tu dises quelque chose que je comprenne. »

Pendant un long moment, elle étudia son visage, puis se mordit soudain la lèvre. Il eut l'impression qu'elle se retenait de rire. « Oh, Perrin, parfois je crois que c'est ta candeur qui me réjouit l'âme plus que le reste. » À coup sûr, des vibrations de rire donnaient à sa voix des sonorités argentines. « Pars rejoindre ton... ton ami et tu m'en parleras demain. Autant que le cœur t'en dit. » Elle lui abaissa la tête pour effleurer ses lèvres d'un baiser et, aussi rapide que le baiser, elle repartit en courant dans l'autre sens le long du couloir.

Il la suivit des yeux en secouant la tête jusqu'à ce qu'elle parvienne à l'escalier sans que Torean se soit montré. Parfois, c'était comme si elle parlait une autre langue. Il prit la direction de l'endroit éclairé.

Le vestibule était une pièce ronde de cinquante pas ou plus de diamètre. Cent lampes dorées étaient suspendues à son haut plafond par des chaînes d'or. Des colonnes de grès rouge poli formaient un cercle intérieur, et le sol se révéla une seule et immense dalle de marbre noir strié d'or. Ce vestibule avait été l'antichambre du roi, à l'époque où le Tear avait des rois, avant qu'Artur Aile-de-Faucon réunisse tout sous une seule autorité depuis l'Échine du Monde jusqu'à l'océan d'Aryth. Les rois n'étaient pas revenus quand l'empire d'Aile-de-Faucon s'était écroulé et, pendant mille ans, les seuls habitants de cet appartement avaient été des souris trottinant dans la poussière. Aucun Puissant Seigneur n'avait jamais eu assez de prestige pour oser revendiquer de s'y installer.

Cinquante Défenseurs postés en cercle montaient la garde dans une attitude rigide, hauberts et casques à bord luisants, lances inclinées chacune exactement selon le même angle que les autres. Faisant face à toutes les directions, ils étaient censés tenir les intrus à l'écart du Seigneur de la Pierre qui en était maître pour l'heure. Leur chef, un capitaine reconnaissable aux deux courtes plumes blanches de son casque, avait un maintien à peine moins raide. Il était campé une main sur la poignée de son épée, l'autre sur sa hanche, pénétré de son devoir. De tous émanait une odeur de peur et d'incertitude, comme des hommes vivant sous une falaise qui s'effrite et qui ont presque réussi à se convaincre qu'elle ne s'effondrerait jamais. Ou du moins pas ce soir. Pas dans l'heure qui venait.

Perrin passa à côté d'eux, le martèlement des talons de ses bottes éveillant des échos. L'officier eut un mouvement pour s'avancer vers lui, puis hésita comme Perrin ne s'arrêtait pas pour être interrogé. Il savait qui était Perrin, évidemment ; du moins en connaissait-il autant que le commun des gens de Tear. Compagnon de route d'une Aes Sedai, ami du Seigneur Dragon. Pas un homme qu'un simple officier

177

des Défenseurs de la Pierre pouvait se permettre d'interpeller. Certes, c'était son devoir manifeste de protéger le repos du Seigneur Dragon, mais bien qu'il ne l'admettrait probablement pas même en son for intérieur, l'officier devait savoir que lui et sa vaillante parade d'armures étincelantes n'étaient que cela, une parade. Les vrais gardes étaient ceux que Perrin rencontra quand il dépassa les colonnes et approcha de la porte ouvrant sur l'appartement de Rand.

Ces gardes étaient restés assis dans une telle immobilité derrière les colonnes qu'ils semblaient se fondre dans la pierre, encore que leurs tuniques et leurs chausses – dans des tons de gris et de brun pour dissimuler leur présence dans le Désert – tranchaient ici sur le décor dès qu'ils esquissaient un geste. Six Vierges de la Lance, des Aielles qui avaient choisi une existence de guerrier de préférence à la vie au foyer, s'interposèrent entre lui et la porte dans un mouvement fluide de leurs bottes souples lacées jusqu'au genou. Elles étaient grandes pour des femmes, la plus grande à peine d'une main plus petite que lui, bronzées par le soleil, avec des cheveux coupés court, couleur d'or ou de feu ou d'une teinte intermédiaire. Deux tenaient des arcs en corne courbée avec une flèche encochée, même si l'arc n'était pas bandé. Les autres avaient chacune de petits boucliers en peau et trois ou quatre lances courtes – courtes mais avec un fer assez long pour transpercer le corps d'un homme et dépasser de quelques pouces.

« Je ne crois pas que je peux vous laisser entrer », dit une femme à la chevelure d'un roux de flamme, souriant légèrement pour atténuer ce que les mots avaient de désagréable. Les Aiels ne souriaient pas à belles dents autant que d'autres gens, ni d'ailleurs n'extériorisaient beaucoup leurs sentiments. « Je pense qu'il ne veut voir personne, ce soir. »

« J'entre, Baine. » Sans s'arrêter à ses lances, il la saisit par le haut des bras. C'est là que feindre de ne pas voir les lances devint impossible, puisqu'elle réussit à appuyer une pointe de lance contre le côté de sa gorge. Aussi bien, une jeune femme un peu plus blonde nommée Khiad plaça soudain une de ses lances de l'autre côté, comme si les deux fers de lance devaient se rejoindre quelque part au milieu de son cou. Les autres femmes se contentaient de regarder, sûres que Baine et Khiad étaient en mesure de faire ce qu'il y avait à faire. Toutefois, Perrin s'efforça de tirer le meilleur parti de la situation. « Je n'ai pas le temps de discuter avec vous. Non pas que vous écoutiez les gens qui discutent, à ce que je me rappelle. J'entre. » Avec toute la douceur possible, il souleva Baine et la déposa hors de son chemin.

Il aurait suffi que Khiad souffle sur sa lance pour que le sang jaillisse mais, une fois surmontée la surprise qui avait écarquillé les yeux bleu sombre de Baine, celle-ci retira brusquement sa lance et eut un grand sourire. « Aimeriez-vous apprendre un jeu appelé le Baiser des Vierges, Perrin ? Vous le joueriez bien, je présume. À tout le moins, vous apprendriez quelque chose. » Une de ses compagnes éclata de rire. La pointe de la lance de Khiad s'écarta de son cou.

Il reprit profondément haleine, espérant qu'elles

n'avaient pas remarqué que c'était la première fois depuis que les lances s'étaient posées sur lui. Elles n'avaient pas voilé leurs visages – leurs *shoufas* étaient enroulées autour de leurs cous comme des écharpes noires – mais il ignorait si les Aiels y étaient obligés avant de tuer, il savait seulement que se voiler signifiait qu'ils y étaient prêts.

« Une autre fois, peut-être », répliqua-t-il poliment. Elles arborèrent toutes de grands sourires comme si Baine avait dit quelque chose d'amusant, et qu'il ne l'ait pas compris ajoutait au comique. Thom avait raison. Un homme risquait de devenir fou s'il essayait de comprendre les femmes, de n'importe quelle nation ou position sociale ; c'est ce que Thom affirmait.

Alors qu'il tendait la main vers une poignée en forme de lion d'or cabré, Baine ajouta :

« Que cela retombe sur votre tête. Il a déjà mis à la porte ce que la plupart des hommes considéreraient de beaucoup comme une meilleure compagnie que vous. »

Évidemment, pensa-t-il en tirant le battant pour l'ouvrir, *Berelain. Elle venait d'ici. Ce soir, tout tourne autour...*

La Première de Mayene disparut de ses pensées dès qu'il jeta un coup d'œil dans la pièce. Des miroirs brisés étaient pendus aux murs et du verre cassé jonchait le sol, ainsi que des tessons de porcelaine réduite en morceaux et des plumes provenant du matelas éventré. Des livres ouverts gisaient en désordre parmi des chaises et des bancs renversés. Et Rand était assis au pied de son lit, affaissé contre un des montants les yeux fermés et les mains posées mollement sur *Callandor*, qui était placée en travers de ses genoux. Il avait l'air d'avoir pris un bain de sang.

« Faites venir Moiraine ! » ordonna Perrin avec brusquerie aux Aielles. Rand était-il encore vivant ? Dans ce cas, il avait besoin de la Guérison des Aes Sedai pour le rester. « Dites-lui de se dépêcher ! » Il entendit un « ah » de surprise derrière lui, puis des bottes souples qui couraient.

Rand leva la tête. Son visage était un masque maculé. « Ferme la porte.

— Moiraine sera là bientôt, Rand. Ne t'inquiète pas. Elle...

— Ferme la porte, Perrin. »

Murmurant entre elles, les Aielles se rembrunirent mais reculèrent. Perrin tira la porte à lui, interrompant la question que criait l'officier aux plumes blanches.

Du verre s'écrasa sous ses bottes quand il traversa le tapis en direction de Rand. Déchirant une bande de toile dans un drap réduit en lambeaux, il la roula en un tampon qu'il pressa contre la blessure dans le côté de Rand. Les mains de ce dernier se crispèrent sur l'épée transparente quand Perrin appuya, puis elles se détendirent. Du sang inonda le tampon presque aussitôt. Rand était couvert de la tête à la plante de ses pieds de coupures et d'estafilades ; dans bon nombre d'entre elles scintillaient des éclats de verre. Perrin haussa les épaules dans un geste d'impuissance. Il ne savait que faire d'autre, sinon attendre Moiraine.

« Par la Lumière, qu'est-ce que tu avais comme intention ? Tu as l'air d'avoir voulu t'écorcher vif. Et

181

tu as été bien près de me tuer, par-dessus le marché. »
Il crut pendant un instant que Rand n'allait pas
répondre.

« Pas moi, dit finalement Rand dans ce qui était
presque un murmure. Un des Réprouvés. »

Perrin s'efforça de décrisper des muscles qu'il ne
se rappelait pas avoir tendus. La tentative ne fut que
partiellement couronnée de succès. Il avait parlé des
Réprouvés à Faile, pas exactement de façon détachée
mais dans l'ensemble il avait essayé de ne pas penser
à ce que pourraient manigancer les Réprouvés quand
ils découvriraient où se trouvait Rand. Si l'un d'eux
parvenait à abattre le Dragon Réincarné, lui ou elle
serait dans une situation nettement privilégiée par rapport aux autres lorsque le Ténébreux se serait échappé.
Le Ténébreux libre et la Dernière Bataille perdue
avant d'avoir été livrée.

« En es-tu sûr ? demanda-t-il aussi bas que Rand.

— Il ne peut en être autrement, Perrin. Pas
autrement.

— Si l'un d'eux s'est acharné sur moi comme sur
toi... Où est Mat, Rand ? En admettant qu'il soit vivant
et ait passé par où je suis passé, il a vraisemblablement
eu la même idée que moi. Que tu en étais responsable.
Il devrait être ici à présent en train de t'agonir de
sottises.

— Ou à cheval et à mi-chemin des portes de la
ville. » Rand redressa péniblement le buste. Des
plaques de sang séchées craquèrent et des filets de
sang coulèrent sur sa poitrine et ses épaules. « S'il est
mort, Perrin, le mieux serait que tu partes le plus loin

possible de moi. Je crois que Loial et toi vous avez raison sur ce point. » Il marqua un temps, examinant Perrin. « Mat et toi, vous devez souhaiter que je ne sois jamais né. Ou du moins ne m'avoir jamais vu. »

Aller vérifier n'aurait servi à rien ; si quoi que ce soit était arrivé à Mat, c'était terminé maintenant. Et il avait le sentiment que son pansement de fortune pressé contre le côté de Rand pourrait bien être ce qui le maintiendrait en vie assez longtemps pour que Moiraine vienne. « Qu'il soit vraiment parti n'a pas l'air de te préoccuper. Que la Lumière me brûle, il est important, lui aussi. Qu'est-ce que tu vas faire s'il s'en est allé ? Ou s'il est mort, que la Lumière veuille que non.

— Ce à quoi ils s'attendent le moins. » Les yeux de Rand ressemblaient à la brume matinale qui voile l'aube, d'un bleu gris où transparaissait une flamme fiévreuse. Sa voix était tranchante comme un couteau. « C'est ce que j'ai à faire dans n'importe quel cas. Ce à quoi *tout le monde* s'attend le moins. »

Perrin inspira lentement. Rand avait bien le droit d'être à bout de nerfs. Ce n'était pas un signe de folie naissante. Il devait cesser de guetter des signes de folie. Ces signes se manifesteraient toujours assez tôt et les guetter n'aboutirait qu'à avoir l'estomac continuellement serré. « Ce sera quoi ? » questionna-t-il à mi-voix.

Rand ferma les yeux. « Je sais seulement que je dois les prendre par surprise. Prendre tout le monde par surprise », murmura-t-il d'un ton farouche.

Un des battants s'ouvrit pour laisser entrer un grand

Aiel, la chevelure roux foncé aux reflets gris. Derrière lui, les plumes de l'officier de Tear oscillaient au rythme de sa discussion avec les Vierges ; il argumentait encore quand Baine poussa le battant et referma la porte.

Rhuarc examina la pièce de ses yeux bleus au regard perçant, comme s'il soupçonnait que des ennemis se cachaient derrière une tenture ou un fauteuil renversé. Le chef de clan de l'Aiel Taardad n'avait pas d'autre arme visible que le poignard à forte lame à sa ceinture, mais il manifestait une autorité et une assurance qui avaient valeur d'armes, discrètement mais aussi nettement que si elles avaient été dans un fourreau auprès du poignard. Et sa *shoufa* pendait sur ses épaules ; nul connaissant tant soit peu les Aiels n'en considérait un comme moins dangereux quand il portait de quoi se voiler le visage.

« Cet imbécile d'officier de Tear, là-dehors, a envoyé prévenir son supérieur que quelque chose était arrivé ici, déclara Rhuarc, et des rumeurs prolifèrent comme de la mousse de mort au fin fond d'une caverne. Que la Tour Blanche a tenté de vous tuer, jusqu'à la Dernière Bataille livrée dans cette pièce. » Perrin ouvrit la bouche ; Rhuarc leva la main pour l'empêcher de parler. « J'ai croisé par hasard Berelain qui avait l'air de s'être entendu dire quel jour elle mourrait et elle m'a raconté ce qui s'était passé. Et cela paraît bien être vrai, encore que je ne l'aie pas crue.

— J'ai fait chercher Moiraine », dit Perrin. Rhuarc

hocha la tête. Les Vierges l'avaient évidemment mis au courant de tout ce qu'elles savaient.

Rand eut un éclat de rire douloureux qui ressemblait à un aboiement. « Je lui avais recommandé de garder le silence. Apparemment, le Seigneur Dragon n'a pas de pouvoir sur Mayene. » Il en ressentait plus d'amusement ironique qu'autre chose.

« J'ai des filles plus âgées que cette jeune femme, répliqua Rhuarc. Je ne crois pas qu'elle en parlera à quelqu'un d'autre. Je pense qu'elle aimerait oublier tout ce qui s'est produit ce soir.

— Et, moi, j'aimerais savoir ce qu'il en est », dit Moiraine qui entrait d'une démarche souple. Svelte et menue comme elle l'était, Rhuarc la dominait de sa haute taille autant que l'homme qui la suivait – Lan, son Lige – pourtant c'est l'Aes Sedai dont la présence s'imposait dans la pièce. Elle avait dû courir pour être arrivée si vite, mais à présent elle avait le calme d'un lac gelé. Il en fallait beaucoup pour ébranler la sérénité de Moiraine. Sa robe de soie bleue avait une haute encolure en dentelle et des manches à crevés par où apparaissait du velours plus foncé, mais la chaleur et l'humidité ne paraissaient pas l'affecter. Une petite pierre bleue, suspendue sur son front par une belle chaîne d'or passant dans ses cheveux noirs, scintillait à la lumière, soulignant l'absence du plus léger miroitement de transpiration.

Comme toujours quand ils se croisaient, les regards d'un bleu glacier de Lan et de Rhuarc jetèrent presque des étincelles. Une tresse de cuir maintenait en place les cheveux noirs de Lan, striés de gris aux tempes.

Son visage donnait l'impression d'avoir été sculpté dans le roc, tout en plans et angles durs, et l'épée se posait contre sa hanche comme si elle faisait partie de son corps. Perrin n'aurait pas su dire lequel des deux hommes était le plus redoutable, mais il songea qu'une souris périrait d'inanition si elle n'avait pour se nourrir que la différence. Les yeux du Lige se tournèrent vers Rand. « Je te croyais assez âgé pour te raser sans que quelqu'un te guide la main. »

Rhuarc sourit, d'un petit sourire mais le premier que Perrin lui voyait en présence de Lan. « Il est jeune encore. Il apprendra. »

Lan jeta un coup d'œil à l'Aiel, puis répondit à son sourire par un sourire du même calibre.

Moiraine adressa aux deux hommes un bref regard écrasant. Elle n'avait pas l'air de choisir son chemin quand elle s'avança sur le tapis, mais elle marchait d'un pas si léger, en relevant sa jupe, que pas un éclat de verre ne crissa sous ses escarpins. Elle parcourut la chambre des yeux ; relevant le moindre détail, Perrin en était sûr. Pendant un instant, elle l'examina – il ne soutint pas son regard ; elle en connaissait trop sur lui pour qu'il se sente à l'aise – mais elle fondit sur Rand comme une silencieuse avalanche soyeuse, glaciale et inexorable.

Perrin laissa retomber sa main et s'écarta. Le tampon de toile resta en place sur le côté de Rand, collé par le sang qui se coagulait. De la tête aux pieds, le sang commençait à sécher en plaques et en filets noirs. Les éclats de verre dans sa peau scintillaient à la clarté des lampes. Moiraine effleura du bout des doigts la toile raide de sang, puis retira sa main comme si elle avait changé d'avis et ne voulait plus voir ce qu'il y avait dessous. Perrin se demanda comment l'Aes Sedai pouvait regarder Rand sans sourciller, mais son visage lisse ne changea pas d'expression. D'elle émanait une fragrance de savon parfumé à la rose.

« Du moins es-tu en vie. » Elle avait une voix musicale, présentement d'une harmonie froide, irritée. « Ce qui s'est passé peut attendre. Essaie d'atteindre la Vraie Source.

— Pourquoi ? demanda Rand d'une voix lasse. Je ne peux pas me Guérir moi-même, saurais-je comment on Guérit. Personne ne le peut. Je sais au moins cela. »

Le temps d'un souffle, Moiraine parut sur le point de laisser exploser sa colère, si étrange que cela aurait été, mais le temps d'un autre souffle elle était de nouveau enveloppée d'un calme trop profond pour que quoi que ce soit l'entame. « Une part seulement de la force nécessaire pour Guérir vient du Guérisseur. Le Pouvoir a la faculté de remplacer ce qui provient du Guéri. Sans lui, tu pourrais demain couché sur le dos et peut-être aussi le jour suivant. Bon, attire à toi le Pouvoir, si tu peux, mais ne l'utilise pas. Contente-toi de le capter. Sers-toi de ceci, au besoin. » Elle n'eut pas à se courber beaucoup pour toucher *Callandor*.

Rand écarta l'épée de la main de Moiraine. « Me borner à le capter, dites-vous. » Il semblait sur le point d'éclater de rire. « Très bien. »

Rien ne se produisit que Perrin put voir, encore qu'il ne s'y soit pas attendu. Rand restait assis là comme le survivant d'une bataille perdue, les yeux fixés sur

Moiraine. Celle-ci clignait à peine des paupières. Par deux fois, elle s'essuya les doigts sur ses paumes dans un geste apparemment machinal.

Au bout d'un moment, Rand soupira. « Je ne peux même pas atteindre le Vide. Je ne parviens pas à me concentrer. » Un bref sourire fit craquer le sang qui se coagulait en croûtes sur sa figure. « Je ne comprends pas pourquoi. » Un épais filet rouge descendit en serpentant le long de son œil gauche.

« Alors, je vais procéder comme j'en ai l'habitude », dit Moiraine, qui prit la tête de Rand dans ses mains, sans se préoccuper du sang qui coulait sur ses doigts.

Rand se dressa en vacillant, avec un râle qui résonna à la façon d'un rugissement comme si tout l'air était pressé hors de ses poumons, le dos arqué au point que sa tête faillit s'arracher aux mains de Moiraine. Un bras se jeta de côté, les doigts de sa main en éventail et recourbés en arrière à croire qu'ils allaient se briser ; l'autre main se crispa sur la poignée de *Callandor*, les muscles de ce bras-là visiblement noués par des crampes. Son corps était secoué telle une étoffe prise dans une tempête. Des écailles noires de sang séché tombèrent et les débris de verre tintèrent sur le coffre et le sol, refoulés hors des entailles qui se refermaient et se ressoudaient.

Perrin frissonna comme si ce vent de tempête grondait autour de lui. Il avait déjà vu pratiquer la Guérison, sur cela et davantage, sur des cas plus étendus et plus graves, mais il ne pouvait jamais voir utiliser le Pouvoir en toute quiétude d'esprit, savoir qu'il était utilisé, même pour cet usage. Les récits concernant les Aes Sedai, relatés par les gardes et les conducteurs de chariots des marchands, s'étaient imprimés dans son esprit longtemps avant qu'il ait rencontré Moiraine. De Rhuarc émanait une odeur très vive de malaise. Seul Lan prenait cela comme allant de soi. Lan et Moiraine.

Ce fut fini presque aussitôt que commencé. Moiraine ôta ses mains et Rand s'affaissa, agrippant le montant du lit pour rester debout. Difficile de dire ce qu'il serrait avec le plus de ténacité, du montant ou de *Callandor*. Quand Moiraine voulut prendre l'épée pour la replacer sur l'élégant présentoir près du mur, il l'éloigna de l'Aes Sedai avec fermeté, et même avec rudesse.

Sa bouche se pinça un bref instant, mais elle se contenta de retirer de son flanc le tampon de toile, s'en servant pour nettoyer quelques-unes des macules qui l'entouraient. La vieille blessure était redevenue une cicatrice douloureuse. Les autres entailles avaient simplement disparu. La plupart du sang séché qui le couvrait encore aurait pu provenir de quelqu'un d'autre.

Moiraine fronça les sourcils. « Elle ne réagit toujours pas, murmura-t-elle à demi pour elle-même. Elle ne guérira pas complètement.

— C'est celle qui me tuera, n'est-ce pas ? lui demanda-t-il à mi-voix, puis il cita : *"Son sang sur les rochers du Shayol Ghul, faisant disparaître l'Ombre dans son flot, sacrifice pour le salut des hommes"*.

— Tu lis trop, rétorqua sèchement Moiraine, et n'en comprends pas assez.

189

— Comprenez-vous davantage ? Dans ce cas, instruisez-moi.

— Il essaie seulement de trouver son chemin, dit soudain Lan. Nul n'aime s'élancer à l'aveuglette en courant quand on sait qu'il y a un à-pic quelque part devant soi. »

Perrin eut un léger sursaut de surprise. Lan était rarement en désaccord avec Moiraine, ou du moins pas lorsqu'on pouvait les entendre. Toutefois, lui et Rand avaient passé beaucoup de temps ensemble à s'exercer à l'épée.

Les yeux noirs de Moiraine étincelèrent, mais ce qu'elle dit fut : « Il lui faut se coucher. Veux-tu demander que de l'eau chaude soit apportée et une autre chambre préparée ? Celle-ci a besoin d'un nettoyage à fond et d'un matelas neuf. » Lan acquiesça d'un signe et passa la tête dans le vestibule pendant un instant, parlant à voix basse.

« Je dormirai ici, Moiraine. » Lâchant le montant du lit, Rand se redressa avec difficulté, enfonçant la pointe de *Callandor* dans le tapis jonché de débris et posant les deux mains sur la poignée. Il s'appuya peut-être un peu sur l'épée, mais cela ne se voyait pas beaucoup. « Je ne me laisserai plus être pourchassé. Même pas chassé d'un lit.

— *Tai'shar Manetheren* », murmura Lan.

Cette fois, même Rhuarc parut surpris et pourtant, si Moiraine avait entendu le Lige complimenter Rand, elle n'en témoigna rien. Elle dévisageait Rand, les traits paisibles mais des nuées d'orage dans les yeux.

Rand souriait d'un petit sourire interrogateur, l'air de se demander ce qu'elle allait tenter ensuite.

Perrin se dirigea discrètement vers la porte. Si Rand et l'Aes Sedai avaient l'intention de se livrer à un duel de volontés, il préférait être ailleurs. Lan ne paraissait pas s'émouvoir, c'était difficile à dire avec cette manière de se tenir qu'il avait, à la fois rigide et décontractée. Il pouvait aussi bien s'ennuyer au point de dormir debout qu'être prêt à dégainer son épée ; son attitude suggérait l'une ou l'autre hypothèse, ou les deux. Rhuarc donnait une impression à peu près similaire, mais il regardait également la porte.

« Ne bougez pas ! » Moiraine ne détournait pas les yeux de Rand, et son doigt tendu était pointé à mi-chemin entre Perrin et Rhuarc, néanmoins les pieds de Perrin s'immobilisèrent. Rhuarc haussa les épaules et croisa les bras.

« Entêté », marmotta Moiraine. Cette fois, le mot était à l'adresse de Rand. « Très bien. Si tu as l'intention de demeurer comme ça jusqu'à ce que tu tombes par terre, tu peux utiliser le temps qui reste à me raconter ce qui s'est passé avant que tu t'affales sur le nez. Je ne peux rien t'apprendre mais, si tu me mets au courant, peut-être verrai-je quelles erreurs tu as commises. La chance est mince, cependant il est possible que je le puisse. » Sa voix devint coupante. « Il faut que tu apprennes à le contrôler et je ne l'entends pas à cause d'incidents de ce genre. Si tu n'apprends pas à contrôler le Pouvoir, il te tuera. Tu le sais. Je te l'ai répété assez souvent. Tu dois te former tout seul. Tu dois trouver la méthode en toi-même.

— Je n'ai rien fait sinon survivre », dit-il sèche-ment. Elle ouvrit la bouche, mais il poursuivit. « Croyez-vous que je puisse canaliser sans le savoir ? Je n'ai pas fait cela dans mon sommeil. Ceci s'est pro-duit quand j'étais éveillé. » Il chancela et se rattrapa en se cramponnant à l'épée.

« Même toi, tu ne pourrais canaliser que l'Esprit dans ton sommeil, répliqua Moiraine avec calme, et ceci n'a évidemment pas été réalisé avec l'Esprit. J'al-lais demander ce qui est arrivé. »

Pendant que Rand le racontait, Perrin sentit ses che-veux se hérisser. La hache avait été assez terrifiante, mais elle était quelque chose de tangible, de réel. Voir son propre reflet jaillir de miroirs pour vous assaillir... Inconsciemment, il déplaça ses pieds, s'efforçant de ne pas les poser sur des morceaux de verre.

Peu après avoir commencé à parler, Rand jeta un coup d'œil derrière lui au coffre, bref comme s'il ne voulait pas que ce coup d'œil soit remarqué. Un ins-tant après, les fragments de verre argenté dispersés sur le couvercle du coffre s'ébranlèrent et glissèrent sur le tapis, donnant l'impression d'être poussés par un balai invisible. Rand échangea un regard avec Moiraine, puis s'assit avec lenteur et continua à parler. Perrin n'aurait pas su dire lequel des deux avait nettoyé le dessus du coffre. Berelain ne fut pas mentionnée dans le récit de Rand.

« Ce devait être un des Réprouvés, conclut-il finale-ment. Peut-être Sammael. Vous avez dit qu'il était à Illian. À moins que l'un d'eux ne soit ici à Tear. Sam-mael pourrait-il atteindre la Pierre depuis Illian ?

— Pas même si c'était lui qui tenait *Callandor*, répondit Moiraine. Il y a des limites. Sammael n'est qu'un homme, il n'est pas le Ténébreux. »

Seulement un homme ? Pas une très bonne description, songea Perrin. Un homme qui pouvait canaliser mais qui pourtant n'était pas devenu fou ; du moins pas encore, pas à la connaissance générale. Un homme peut-être aussi fort que Rand mais, alors que Rand essayait d'apprendre, Sammael connaissait déjà toutes les ressources de ses talents. Un homme qui avait vécu trois mille ans bloqué dans la prison du Ténébreux, un homme qui s'était tourné de son propre gré vers l'Ombre. Non, "seulement un homme" n'était pas un point de départ pour décrire Sammael, ni aucun des Réprouvés, homme ou femme.

« Alors l'un d'eux est ici. Dans la ville. » Rand appuya son front sur ses poignets, puis se redressa aussitôt d'une secousse, dardant un regard étincelant sur les personnes présentes dans la pièce. « Je ne serai plus celui à qui on donne la chasse. Je serai le limier, d'abord. Je le trouverai — ou je le trouverai et je...

— Ce n'est pas un des Réprouvés, l'interrompit Moiraine. Je ne le pense pas. Ceci était trop simple. Et trop complexe. »

Rand reprit la parole avec calme. « Pas d'énigmes, Moiraine. S'il ne s'agit pas des Réprouvés, alors de qui ? Ou de quoi ? »

Le visage de l'Aes Sedai était aussi neutre d'expression qu'une enclume, pourtant elle hésitait, circonspecte. Impossible de déterminer si elle n'était pas sûre de la réponse ou évaluait ce qu'elle devait en révéler.

« Étant donné que les sceaux maintenant close la prison du Ténébreux faiblissent, dit-elle au bout d'un instant, il est peut-être inévitable qu'un... un miasme... s'échappe alors que lui-même est encore prisonnier. Comme des bulles montant de ce qui pourrit au fond d'une mare. Seulement ces bulles flottent à travers le Dessin jusqu'à ce qu'elles se collent à un fil et explosent.

— Ô Lumière ! » L'exclamation échappa à Perrin avant qu'il puisse la retenir. Les yeux de Moiraine se tournèrent vers lui. « Vous voulez dire que ce qui est arrivé à... à Rand va commencer à arriver à tout le monde ?

— Pas à tout le monde. Du moins, pas encore. Au début, je pense qu'il y aura seulement quelques bulles, se faufilant par les fissures grâce auxquelles le Ténébreux peut communiquer avec le monde extérieur. Par la suite, qui sait ? Et de même que les *Ta'veren* courbent vers eux-mêmes d'autres fils du Dessin, je crois que peut-être les *Ta'veren* attireront à eux ces bulles plus puissamment que d'autres. » Dans ses yeux se lisait qu'elle savait que Rand n'était pas le seul à avoir vécu un cauchemar. Une fugitive esquisse de sourire, apparu et disparu presque avant qu'il l'ait remarqué, signifiait qu'il pouvait garder le silence s'il désirait garder le secret vis-à-vis d'autres personnes. Par contre, elle était au courant. « Cependant, dans les mois à venir – ou les années, aurions-nous la chance d'avoir ce délai de grâce devant nous – je crains que bon nombre de gens ne voient des choses qui leur donneront des cheveux blancs, s'ils survivent.

— Mat, demanda Rand. Est-ce que vous savez s'il... ? Est-il... ?

— Je le saurai bien assez tôt, répliqua Moiraine avec calme. Ce qui est fait ne peut être défait, mais nous pouvons espérer. » Toutefois, en dépit du ton qu'elle avait adopté, d'elle émanait une senteur de malaise jusqu'à ce que Rhuarc prenne la parole.

« Il va bien. Ou allait bien. Je l'ai croisé en venant ici.

— Se rendant où ? questionna Moiraine d'une voix légèrement coupante.

— Apparemment vers le logement des domestiques », lui répondit l'Aiel. Il était au courant que les trois étaient *Ta'veren*, encore que moins renseigné sur leur compte qu'il le croyait, et il connaissait assez bien Mat pour ajouter : « Pas en direction des écuries, Aes Sedai. De l'autre côté, celui du fleuve. Et il n'y a pas de bateaux ancrés aux quais de la Pierre. » Il ne broncha pas sur les mots « bateau » et « quai » comme la plupart des Aiels, même si au Désert ces choses-là n'existaient que dans les contes.

Elle acquiesça d'un signe de tête comme si elle ne s'était attendue à rien d'autre. Perrin secoua la sienne ; Moiraine avait tellement l'habitude de dissimuler le fond de sa pensée qu'elle semblait le masquer machinalement.

Soudain, un des battants de la porte s'ouvrit et Baine et Khiad se glissèrent dans la pièce, sans leurs lances. Baine portait une grande cuvette blanche et un gros pichet d'où jaillissait de la vapeur. Khiad avait des serviettes pliées sur le bras.

« Pourquoi est-ce vous qui apportez ceci ? » s'étonna Moiraine sèchement.

Khiad haussa les épaules. « Elle n'a pas voulu entrer. »

Rand eut un éclat de rire rauque. « Même les serviteurs en savent assez pour se tenir à l'écart de moi. Mettez cela n'importe où.

— Ton temps est compté, Rand, dit Moiraine. Les gens de Tear s'habituent à toi, jusqu'à un certain point, et personne ne redoute ce qui est familier autant que ce qui est inconnu. Combien de semaines, ou de jours, avant que quelqu'un essaie de te décocher une flèche dans le dos ou de verser du poison dans tes aliments ? Combien avant qu'un des Réprouvés frappe ou qu'une autre bulle dérive le long du Dessin ?

— N'essayez pas de me harceler, Moiraine. » Il était maculé de sang, à demi nu, plus qu'à moitié appuyé à *Callandor* pour réussir à se maintenir droit en position assise, mais il parvint à insuffler dans ces mots une calme autorité. « Je ne courrai pas pour vous non plus.

— Choisis vite ta voie, reprit-elle. Et, cette fois, informe-moi de tes intentions. Mes connaissances ne peuvent t'être d'aucune utilité si tu refuses d'accepter mon aide.

— Votre aide ? répliqua Rand avec lassitude. Je recevrai votre aide. Par contre, c'est moi qui déciderai, pas vous. » Il regarda Perrin comme s'il tentait de lui dire quelque chose à la muette, quelque chose qu'il ne voulait pas que les autres entendent. Perrin n'avait aucune idée de quoi il s'agissait. Au bout d'un instant,

Rand soupira ; sa tête s'affaissa légèrement. « Je veux dormir. Vous tous, allez-vous-en. Je vous en prie. Nous parlerons demain. » Ses paupières clignèrent encore à l'adresse de Perrin, soulignant ces mots pour lui.

Moiraine alla retrouver de l'autre côté de la chambre Baine et Khiad et les deux Aielles se rapprochèrent en se penchant pour qu'elle parle à leurs seules oreilles. Perrin n'entendit qu'un bourdonnement et se demanda si elle utilisait le Pouvoir afin de l'empêcher de surprendre leurs propos. Elle connaissait la finesse de son ouïe. Il en eut la certitude quand Baine lui répondit dans un murmure dont il ne put rien comprendre non plus. L'Aes Sedai, toutefois, n'avait rien fait contre son odorat. Les Aielles regardaient Rand pendant qu'elles écoutaient, et d'elles émanait une odeur de méfiance. Pas craintive, mais comme si Rand était un gros animal qui risquait d'être dangereux en cas de faux pas.

L'Aes Sedai se retourna vers Rand. « Nous parlerons demain. Tu ne peux pas rester à attendre comme une perdrix le filet du chasseur. » Elle se dirigea vers la porte avant que Rand ait eu le temps de répondre. Lan regarda Rand comme s'il s'apprêtait à dire quelque chose, mais la suivit sans proférer un mot.

« Rand ? demanda Perrin.

— Nous faisons ce que nous avons à faire. » Rand ne leva pas les yeux de la poignée transparente entre ses mains. « Nous tous faisons ce que nous avons à faire. » De lui émanait une odeur de crainte.

Perrin acquiesça d'un hochement de tête et sortit de la chambre derrière Rhuarc. Moiraine et Lan n'étaient visibles nulle part. L'officier de Tear regardait la porte à dix pas de distance, s'efforçant de laisser croire que cette distance était de son choix et n'avait aucun rapport avec les quatre Aielles qui le surveillaient. Les deux autres Vierges de la Lance se trouvaient toujours dans la chambre, Perrin s'en rendit compte. Il entendait des voix provenant de cette pièce.

« Allez-vous-en, disait Rand d'une voix lasse. Posez simplement ça là et partez.

— Si vous êtes capable de tenir debout, répliquait Khiad allègrement, nous partirons. Seulement levez-vous. »

Il y eut le bruit d'eau se déversant dans une cuvette. « Nous avons déjà soigné des blessés, reprenait Baine d'un ton apaisant. Et j'avais l'habitude de faire la toilette de mes frères quand ils étaient petits. »

Rhuarc ferma la porte, ce qui empêcha d'entendre la suite.

« Vous ne le traitez pas de la même façon que les gens de Tear, dit tout bas Perrin. Pas de salamalecs. Je ne crois pas avoir entendu un seul d'entre vous l'appeler Seigneur Dragon.

— Le Dragon Réincarné est une prophétie des Terres Humides, répliqua Rhuarc. La nôtre est Celui-qui-Vient-avec-l'Aube.

— Je les croyais les mêmes. Sinon, pourquoi êtes-vous venu à la Pierre ? Que je brûle, Rhuarc, vous les Aiels, vous êtes le Peuple du Dragon, exactement comme le disent les Prophéties. Vous l'avez pratiquement reconnu, même si vous ne voulez pas l'avouer explicitement. »

Rhuarc ne releva pas cette dernière phrase. « Dans vos Prophéties du Dragon, la chute de la Pierre et la prise de *Callandor* proclament que le Dragon est Réincarné. Notre prophétie se contente d'annoncer que la Pierre doit capituler avant qu'apparaisse Celui-qui-Vient-avec-l'Aube pour nous ramener vers ce qui était nôtre. Ils sont peut-être un seul et même homme mais je doute que même les Sages l'affirment sans équivoque. Si Rand est celui-là, il y a encore des choses qu'il doit faire pour le prouver.

— Quoi ? demanda Perrin d'un ton pressant.

— Si c'est lui, il le saura et les fera. Sinon, notre quête continue. »

Une nuance indéchiffrable dans la voix de l'Aiel éveilla l'attention de Perrin. « Et s'il n'est pas celui que vous cherchez ? Que se passera-t-il, alors, Rhuarc ?

— Dormez bien et dormez tranquille, Perrin. » Les bottes souples de Rhuarc foulaient sans bruit le marbre noir comme il s'éloignait.

L'officier de Tear regardait toujours fixement au-delà des Vierges de la Lance, émettant une odeur de peur, ne réussissant pas à masquer la colère et la haine qui marquaient son visage. Si les Aiels décidaient que Rand n'était pas Celui-qui-Vient-avec-l'Aube... Perrin observa les traits de l'officier de Tear et évoqua en pensée l'absence ici des Vierges de la Lance, la Pierre vide d'Aiels, et il frémit. Il devait s'assurer que Faile décide de partir. Il n'y avait pas d'autre solution. Il fallait qu'elle décide de partir – et sans lui.

4.

Liens

Thom Merrilin saupoudra de sable ce qu'il avait écrit pour sécher l'encre, puis reversa soigneusement le sable dans son flacon qu'il reboucha d'une pichenette. Feuilletant les papiers éparpillés en piles irrégulières sur la table – six chandelles représentaient un réel danger d'incendie, mais il avait besoin de cette clarté – il choisit une page chiffonnée salie par une tache d'encre. Il la compara minutieusement avec ce qu'il avait écrit, après quoi il caressa du pouce une longue moustache blanche en témoignage de satisfaction et s'autorisa un sourire qui détendit son visage tanné. Le Puissant Seigneur Carleon en personne aurait cru que c'était de sa propre main.

Sois prudente. Ton mari a des soupçons.

Seulement ces mots, et pas de signature. Maintenant s'il pouvait s'arranger pour que le Puissant Seigneur Tedosian trouve le message là où son épouse, la dame Alteima, l'aurait laissé par mégarde...

Un coup résonna, frappé à la porte, et il sursauta. Personne ne venait le voir à cette heure de la nuit.

« Un moment, cria-t-il en fourrant à la hâte plumes, encriers et papiers triés dans une vieille écritoire. Un moment, le temps que j'enfile une chemise. »

Refermant l'écritoire, il la poussa sous la table où elle avait des chances d'échapper à un examen superficiel et parcourut du regard sa petite chambre sans fenêtre pour vérifier s'il avait laissé quoi que ce soit qui ne devait pas être vu. Cerceaux et boules de jonglerie jonchaient son lit étroit défait et gisaient parmi son nécessaire de rasage sur une unique étagère avec des baguettes à feu et de petits objets pour des numéros de prestidigitation. Sa cape de ménestrel, couverte de pièces de tissu flottantes de cent couleurs, était accrochée à une patère avec ses habits de rechange et les étuis rigides recouverts de cuir contenant sa harpe et sa flûte. Une écharpe de femme en soie rouge diaphane était nouée autour de la courroie de l'étui de la harpe, mais elle pouvait appartenir à n'importe qui.

Il ne se rappelait plus très bien qui l'avait attachée là ; il s'efforçait de ne pas prêter plus d'attention à une femme qu'à une autre, et le tout avec le cœur léger et le rire aux lèvres. Fais-les rire, fais-les même pleurer, mais évite de te lier sérieusement, voilà sa devise ; il n'avait pas de temps à perdre avec des complications sentimentales. C'est ce qu'il se disait.

« J'arrive. » Il se dirigea vers la porte avec irritation en boitant. Naguère, il avait tiré des *oh* et des *ah* de gens qui avaient du mal à croire, même en le voyant, qu'un vieil homme maigre aux cheveux blancs puisse exécuter un saut arrière, faire le poirier et des culbutes, souple et vif comme un gamin. La boiterie y avait mis un terme et il en était exaspéré. Il souffrait encore plus de sa jambe quand il était fatigué. Il ouvrit avec brusquerie la porte et, surpris, cligna des paupières. « Ah, bah. Entre, Mat. Je croyais que tu t'affairais à alléger la bourse de jeunes seigneurs.

— Ils ne voulaient plus jouer ce soir », répliqua amèrement Mat, en se laissant choir sur le trépied qui servait de second siège. Sa casaque était ouverte et ses cheveux en désordre. Ses yeux bruns examinaient vivement la pièce, ne s'attardant jamais sur un endroit quelconque, mais leur pétillement habituel, suggérant que le petit gars trouvait quelque chose de drôle là où personne d'autre n'en voyait, manquait aujourd'hui.

Thom le regarda, les sourcils froncés, réfléchissant. Mat ne franchissait jamais ce seuil sans une raillerie pour la chambre miteuse. Il avait accepté l'explication de Thom que dormir près du logement des domestiques aiderait les gens à oublier qu'il était arrivé dans l'ombre d'une Aes Sedai, mais Mat laissait rarement passer une chance de plaisanter. S'il se rendait compte que la chambre était aussi une garantie que personne ne penserait à Thom comme ayant le moindre lien avec le Dragon Réincarné, Mat, étant Mat, jugeait probablement cela un désir raisonnable. Il avait fallu à Thom deux bonnes phrases, prononcées en hâte pendant un des rares moments où personne ne regardait, pour faire comprendre à Rand la véritable raison. Tout le monde écoutait un ménestrel, tout le monde le regardait, mais personne ne le voyait vraiment ou ne se rappelait à qui il parlait, aussi longtemps qu'il était un simple ménestrel, avec ses divertissements de plein vent bons pour des paysans et des serviteurs, et peut-être pour amuser les dames. Voilà comment les gens de Tear voyaient la chose. Ce n'était pas comme s'il était un barde, après tout.

Qu'est-ce qui tracassait le garçon pour qu'il vienne ici à cette heure ? Probablement l'une ou l'autre des jeunes femmes, et quelques-unes assez âgées pour savoir à quoi s'en tenir, qui s'étaient laissé prendre au sourire malicieux de Mat. Toutefois, il feindrait de croire que c'était là une des visites habituelles de Mat jusqu'à ce que le petit gars le détrompe.

« Je vais chercher le jeu de mérelles. Il est tard, mais nous avons le temps de faire une partie. » Il ne put s'empêcher d'ajouter : « Aimerais-tu placer un pari dessus ? » Il n'aurait pas parié aux dés avec Mat pour un sou de cuivre, mais les mérelles c'était une autre affaire ; il pensait qu'il y avait trop d'ordre et de schémas dans ce jeu pour l'étrange chance de Mat.

« Quoi ? Oh. Non. Il est trop tard pour jouer. Thom, est-ce que... ? Est-ce qu'il est arrivé... quelque chose ici ? »

Appuyant la planche de jeu contre le pied de la table, Thom extirpa sa blague à tabac et une pipe au long tuyau du fatras qui restait sur le dessus de la table. « Quel genre de chose ? » demanda-t-il en tassant du pouce le tabac dans le fourneau qu'il remplit. Il eut le temps de placer un tortillon de papier dans la flamme d'une des chandelles, d'allumer la pipe et de souffler l'allumette avant que Mat réponde.

« Que Rand devienne fou, voilà le genre. Non, vous n'auriez pas eu à poser la question si c'était arrivé. »

Un picotement incita Thom à remuer les épaules, mais il expulsa une volute de fumée bleu gris avec tout le calme dont il fut capable et s'installa sur son siège, allongeant devant lui sa jambe estropiée. « Que s'est-il passé ? »

Mat respira à fond, puis s'expliqua d'une seule haleine. « Les cartes ont cherché à me tuer. L'Amyrlin, et le Puissant Seigneur, et... Je ne l'ai pas rêvé. C'est pour cette raison que ces choucas bouffis d'orgueil ne veulent plus jouer. Ils craignent que cela se reproduise. Thom, je pense à m'en aller de Tear. »

Le picotement lui donna l'impression d'avoir une brassée d'orties brûlantes [1] fourrées le long de son dos. Pourquoi n'avait-il pas quitté Tear depuis longtemps ? De beaucoup le parti le plus sage. Il y avait ailleurs des centaines de villages qui attendaient qu'un ménestrel les divertisse et les étonne. Et chacun avec une auberge ou deux où trouver plein de vin pour noyer les souvenirs. Seulement, s'il le faisait, Rand n'aurait personne à part Moiraine pour empêcher les Puissants Seigneurs de l'acculer dans un coin et peut-être de lui couper la gorge. Elle en était capable, certes. En utilisant des méthodes différentes des siennes. Il estimait qu'elle le pouvait. C'était une Cairhienine, ce qui signifiait qu'elle avait probablement assimilé le Jeu des Maisons [2] en même temps que le lait de sa mère.

1. De la variété *Urtica urens*, dite aussi petite-ortie et ortie-grièche. (*N.d.T.*)

2. C'est le *Daes Dae'mar*, appelé également le Grand Jeu. (*N.d.T.*)

Et elle nouerait un autre fil sur Rand pour la Tour Blanche pendant qu'elle y était. L'envelopperait dans un filet d'Aes Sedai si solide qu'il ne s'en échapperait jamais. Mais si le garçon était déjà fou...

Imbécile, se dit Thom à lui-même. Un imbécile achevé d'être resté mêlé à cette histoire à cause de quelque chose qui s'était passé il y a quinze ans. Rester ne changerait rien à cela ; ce qui était fait est fait. Il devait avoir avec Rand un entretien face à face, peu importe ce qu'il lui avait dit concernant la nécessité de se tenir à l'écart. Peut-être que personne ne jugerait bizarre qu'un ménestrel demande à chanter pour le Seigneur Dragon, un chant spécialement composé. Il connaissait une chanson kandorienne à juste titre obscure qui louait un seigneur anonyme pour sa magnificence et son courage en termes grandioses qui ne réussissaient jamais à nommer avec précision actions d'éclat ou emplacements. Elle avait probablement été commandée par un seigneur quelconque qui n'avait pas d'actions d'éclat valant la peine d'être mentionnées. Eh bien, elle lui servirait maintenant. À moins que Moiraine ne juge cela étrange. Cela serait aussi catastrophique si les Puissants Seigneurs le remarquaient. *Je suis un imbécile ! Je devrais être hors d'ici ce soir !*

Il se sentait intérieurement en révolution, son estomac brassait de l'acide, mais il avait passé de longues années à apprendre à garder un visage impassible bien avant d'avoir endossé une cape de ménestrel. Il tira de sa pipe trois anneaux de fumée, qui s'imbriquèrent l'un dans l'autre, et dit : « Tu as envie de quitter Tear depuis le jour où tu es entré dans la Pierre. »

Perché au bord du tabouret, Mat lui décocha un regard irrité. « Et j'en ai bien l'intention. Pourquoi ne pas venir avec moi, Thom ? Il y a des villes où l'on pense que le Dragon Réincarné n'a pas encore aspiré son premier souffle, où personne n'a pensé depuis des années aux sacrées Prophéties du sacré Dragon, si jamais on y a pensé. Des endroits où l'on estime que le Ténébreux est un conte de bonne femme et les Trollocs des inventions de voyageurs, et que les Myrddraals chevauchent les ombres pour faire peur aux enfants. Vous pourriez jouer de la harpe et raconter vos histoires, et je trouverais une partie de dés. Nous vivrions comme des seigneurs, voyageant à notre guise, séjournant où nous voulons, sans personne qui essaie de nous tuer. »

C'était trop proche de ce qu'il pensait pour ne pas le troubler. Eh bien, il était un imbécile et voilà tout. « Si tu en as réellement envie, pourquoi ne t'en vas-tu pas ?

— Moiraine me surveille, répliqua amèrement Mat. Et quand ce n'est pas elle, elle en charge quelqu'un d'autre.

— Je sais. Les Aes Sedai n'aiment pas lâcher quelqu'un une fois qu'elles ont mis la main dessus. » C'était plus que cela, il en était sûr, plus que ce qui était connu de tout le monde, mais Mat le niait et personne d'autre au courant n'en parlait, si quelqu'un d'autre était au courant en dehors de Moiraine. Peu importait. Il avait de la sympathie pour Mat – il lui

206

était même redevable, en un sens – mais Mat et ses ennuis étaient de la petite bière en comparaison de Rand. « Pourtant, je ne peux pas croire qu'elle ait réellement chargé quelqu'un de te surveiller du matin au soir.

— Cela revient au même. Elle demande constamment aux gens où je suis, ce que je fais. J'en ai les échos. Connaissez-vous quelqu'un qui refusera de dire à une Aes Sedai ce qu'elle veut savoir ? Moi pas. Cela équivaut à être surveillé.

— Tu pourrais éviter d'être vu si tu t'y appliquais. Je n'ai jamais connu personne d'aussi habile que toi pour se défiler sans qu'on s'en aperçoive. Et de ma part c'est un compliment.

— Quelque chose survient toujours, marmonna Mat. Il y a tant d'or à récolter ici. Et il y a dans les cuisines une jeune fille aux grands yeux qui aime bien les baisers et les taquineries, et une des femmes de chambre a des cheveux pareils à de la soie, lui tombant jusqu'à la taille, avec ce qu'il y a de plus rond... » Il laissa sa voix s'éteindre comme s'il s'était soudain rendu compte du ridicule de ce qu'il disait.

« As-tu envisagé que c'est peut-être parce que...

— Si vous mentionnez le mot *Ta'veren*, Thom, je m'en vais. »

Thom changea ce qu'il s'apprêtait à dire. « ... que c'est peut-être parce que Rand est ton ami et que tu ne veux pas l'abandonner ?

— L'abandonner ! » Le garçon se dressa d'un bond, renversant le tabouret. « Thom, il est ce sacré Dragon Réincarné ! Du moins, c'est ce que lui et Moiraine disent. Peut-être qu'il l'est. Il peut canaliser et il a cette fichue épée qui ressemble à du verre. Les Prophéties ! Je ne sais pas. Par contre, je sais que je serais aussi fou que ces gens de Tear si je restais. » Il marqua un temps. « Vous ne pensez pas... Vous ne pensez pas que Moiraine me retient ici, n'est-ce pas ? Avec le Pouvoir ?

— Je ne crois pas qu'elle le puisse », dit Thom lentement. Il connaissait pas mal de choses sur les Aes Sedai, assez pour avoir une idée de l'étendue de ce qu'il ne connaissait pas, et il estimait ne pas se tromper sur ce point-là.

Mat fourragea des doigts dans ses cheveux. « Thom, je songe à partir tout le temps, mais... j'ai ces impressions bizarres. Presque comme si quelque chose allait se produire. Quelque chose de... D'une importance capitale ; voilà le mot. Comme de savoir qu'il y aura un feu d'artifice, seulement j'ignore ce que j'attends. Chaque fois que je pense trop à partir, c'est ce qui se passe. Et soudain je trouve une raison pour rester un jour de plus. Toujours juste un sacré jour. Cela ne vous paraît-il pas un tour d'Aes Sedai ? »

Thom ravala le mot *Ta'veren* et ôta la pipe d'entre ses dents pour plonger son regard dans le tabac brûlant à l'étouffée. Il ne connaissait pas grand-chose sur les *Ta'veren* mais aussi bien personne n'en savait plus à part les Aes Sedai ou peut-être quelques-uns des Ogiers. « Je n'ai jamais été très habile quand il s'agit d'aider les gens à résoudre leurs problèmes. » *Et moins encore les miens*, se dit-il. « Avec une Aes Sedai à portée de la main, j'engagerais la plupart des gens à la consulter. » *Un conseil que je ne suivrais pas moi-même.*

« Demander à Moiraine !

— Je suppose que c'est hors de question dans le cas présent. Par contre, Nynaeve était sa Sagesse là-bas au Champ d'Emond. Les Sagesses de village ont l'habitude de répondre aux interrogations des gens, de leur prêter assistance dans leurs difficultés. »

Mat émit un rauque éclat de rire de dérision. « Et endurer un autre de ses sermons sur la boisson, le jeu et... ? Thom, elle me traite comme si j'avais dix ans. Parfois, j'ai dans l'idée qu'elle s'imagine que je vais épouser une jeune fille convenable et m'installer dans la ferme de mon père.

— Il y a des hommes qui n'estimeraient pas cela une existence désagréable, répliqua Thom d'un ton uni.

— Eh bien, moi si. Je veux davantage que des vaches, des moutons et du tabac pour le reste de ma vie. Je veux... » Mat secoua la tête. « Tous ces trous dans ma mémoire. Quelquefois, je me dis que si je pouvais les combler je saurais... Que je brûle, je ne sais pas ce que je saurais, mais je sais que j'ai envie de le savoir. C'est une drôle de devinette, hein ?

— Je ne suis pas certain que même une Aes Sedai soit en mesure de fournir un secours quelconque pour cela. Un ménestrel sûrement pas.

— J'ai dit pas d'Aes Sedai ! »

Thom soupira. « Calme-toi, mon garçon. Je ne le suggérais pas.

— Je pars. Dès que je pourrai prendre mes affaires et trouver un cheval. Pas une minute plus tard.

— Au beau milieu de la nuit ? Demain matin suffira. » Il se retint d'ajouter : *Si tu pars pour de bon.* « Assieds-toi. Détends-toi. Nous allons faire une partie de mérelles. J'ai un pichet de vin ici, quelque part. »

Mat hésita, jetant un coup d'œil à la porte. Finalement, il remit en place sa casaque d'un coup sec. « Demain matin ira. » Il semblait indécis, mais il ramassa le tabouret renversé et le posa près de la table. « Mais pas de vin pour moi, ajouta-t-il en s'asseyant. Il y a suffisamment de choses bizarres qui arrivent quand j'ai les idées claires. Je désire voir la différence. »

Thom était songeur quand il déposa le plateau et le sac de palets sur la table. Avec quelle facilité le garçon se laissait détourner de ses projets ! Entraîné par un *Ta'veren* plus puissant nommé Rand al'Thor, voilà comment Thom voyait la chose. L'idée lui vint de se demander s'il n'était pas lié de la même façon. Sa vie ne s'orientait certes pas vers la Pierre de Tear et cette chambre quand il avait rencontré Rand pour la première fois mais, depuis lors, elle avait été tirée dans tous les sens comme une queue de cerf-volant. S'il décidait de partir, mettons que Rand soit réellement devenu fou, trouverait-il des raisons de continuer à repousser son départ ?

« Qu'est-ce que c'est que ça, Thom ? » La botte de Mat était entrée en contact avec l'écritoire sous la table. « Cela ne vous dérange pas si je pousse ce machin de côté ?

— Bien sûr que non. Vas-y. » Il tiqua intérieurement

comme Mat écartait l'écritoire du pied avec brusquerie. Il espéra avoir rebouché solidement les encriers. « Choisis », dit-il en tendant ses poings fermés.

Mat tapa sur le gauche et Thom l'ouvrit, montrant un palet noir lisse, plat et rond. Le garçon gloussa de joie d'être celui qui commençait la partie et plaça le palet sur le plateau strié de lignes obliques. Personne voyant l'expression passionnée qui brillait dans ses yeux n'aurait supposé qu'à peine un instant auparavant il avait été deux fois plus ardemment pressé de s'en aller. Une grandeur qu'il refusait de reconnaître s'attachait à lui, et une Aes Sedai déterminée à le garder parmi ses favoris. Le jeune gars était bel et bien pris au piège.

Si lui-même était pris, conclut Thom, cela valait la peine d'aider au moins un seul homme à se libérer des Aes Sedai. Cela valait le coup, pour s'acquitter en partie de cette dette vieille de quinze ans.

Soudain curieusement content, il plaça un palet blanc. « T'ai-je jamais parlé, dit-il, sa pipe entre les dents, du pari que j'ai fait, une fois, avec une femme de l'Arad Doman ? Elle avait des yeux qui auraient absorbé l'âme d'un homme et un drôle d'oiseau rouge qu'elle avait acheté à un bateau du Peuple de la Mer. Elle prétendait qu'il savait prédire l'avenir. Cet oiseau avait un gros bec jaune presque aussi long que son corps et il... »

5.

Interrogatoire

« Elles devraient être de retour, à l'heure qu'il est. » Egwene agita avec vigueur l'éventail en soie peinte, fort aise que les nuits soient au moins un peu plus fraîches que les journées. Les femmes de Tear jouaient de l'éventail du matin au soir – les nobles, en tout cas, et les riches – mais, pour autant qu'elle pouvait en juger, ces éventails ne servaient à rien sauf quand le soleil était couché, et alors pas à grand-chose. Même les lampes, de grands machins dorés à miroir fixés au mur par des appliques argentées, semblaient ajouter à la chaleur ambiante. « Qu'est-ce qui peut bien les retenir ? » Une heure, leur avait promis Moiraine pour la première fois depuis des jours, puis elle était partie sans explication après juste cinq minutes. « A-t-elle donné une indication concernant la raison pour laquelle on avait besoin d'elle, Aviendha ? Ou qui la demandait, d'ailleurs ? »

Assise en tailleur sur le sol près de la porte, ses grands yeux verts surprenant dans son visage hâlé, l'Aielle haussa les épaules. Vêtue d'une casaque et de chausses, avec des bottes souples, sa *shoufa* pendant autour de son cou, elle semblait ne pas avoir d'armes. « Careen a transmis très bas son message à Moiraine

Sedai. Ce n'aurait pas été convenable de ma part de l'écouter. Je suis désolée, Aes Sedai. »

Éprouvant une certaine confusion, Egwene tâta l'anneau au Grand Serpent sur sa main droite, le serpent d'or se mordant la queue. En tant qu'Acceptée, elle aurait dû le porter sur l'annulaire de sa main gauche, mais laisser les Puissants Seigneurs croire qu'ils avaient quatre Aes Sedai dans la Pierre les obligeait à ne pas manquer aux bonnes manières, ou ce qui passait pour des bonnes manières chez les gens de Tear appartenant à l'aristocratie. Moiraine n'avait pas menti, naturellement ; jamais elle n'avait dit qu'elles étaient d'un rang plus élevé qu'Acceptées. Par contre, elle n'avait jamais dit non plus qu'elles étaient en réalité des Acceptées, et elle avait laissé chacun penser ce qu'il voulait penser, croire ce qu'il pensait voir. Moiraine ne pouvait pas mentir, mais elle pouvait faire passer la vérité par de drôles de chemins.

Ce n'était pas la première fois qu'Egwene et ses compagnes feignaient d'être des Aes Sedai de plein droit depuis qu'elles avaient quitté la Tour, mais elle se sentait de plus en plus gênée de tromper Aviendha. Elle éprouvait de la sympathie pour cette Aielle, elle estimait qu'elles pourraient devenir amies si seulement elles arrivaient un jour à se connaître ; mais cela ne paraissait guère possible aussi longtemps qu'Aviendha pensait qu'Egwene était une Aes Sedai. L'Aielle n'était là que sur l'ordre de Moiraine, donné pour ses fins personnelles dont elle n'avait pas soufflé mot. Egwene soupçonnait que c'était pour leur assurer un garde du corps aiel, comme si elles n'avaient pas appris à se protéger elles-mêmes. N'empêche, même si elle et Aviendha devenaient amies, elle ne pouvait pas lui dire la vérité. Le meilleur moyen de garder un secret est de veiller à ce que personne ne le connaisse qui ne soit dans la nécessité absolue d'être au courant. Autre règle imposée par Moiraine. Parfois, Egwene se surprenait à souhaiter que l'Aes Sedai se trompe, de façon flagrante, juste une fois. Sans que cela cause de désastre, évidemment. C'était ça, le hic.

« Tanchico », dit Nynaeve entre ses dents. Sa tresse sombre, épaisse comme son poignet, pendait dans son dos jusqu'à sa taille tandis qu'elle regardait par une des étroites fenêtres, aux deux battants grands ouverts dans l'espoir de capter une brise nocturne. Au-dessous, sur le large fleuve Érinin dansaient les lanternes de quelques barques de pêche qui ne s'étaient pas aventurées plus loin vers l'aval, mais Egwene doutait qu'elle les voyait. « Pas d'autre solution que d'aller à Tanchico, semble-t-il. » Nynaeve tira inconsciemment sur sa robe verte, avec son vaste décolleté qui dénudait les épaules ; elle le faisait pas mal de fois. Elle aurait nié qu'elle portait cette robe pour Lan, le Lige de Moiraine – elle l'aurait fait si Egwene avait osé le suggérer – mais le vert, le bleu et le blanc semblaient être les couleurs favorites de Lan pour les femmes, et toutes les robes qui n'étaient pas vertes, bleues ou blanches avaient disparu de la garde-robe de Nynaeve. « C'est inévitable. » Elle ne paraissait pas enchantée.

Egwene se surprit à relever d'une secousse vers le haut sa propre robe. Elles étaient singulières, ces robes qui s'accrochaient juste aux épaules. D'autre part, elle ne pensait pas pouvoir supporter d'être plus couverte. Si légère qu'elle fût, la toile de lin rouge clair donnait la sensation d'être en laine. Elle aurait aimé pouvoir se résoudre à endosser les robes transparentes que portait Berelain. Non pas qu'elles étaient convenables à mettre en public, mais elles donnaient, certes, l'impression d'être fraîches.

Cesse de te tracasser à propos d'histoires de confort, se gourmanda-t-elle avec fermeté. *Concentre-toi sur ce que tu as à faire maintenant.* « Peut-être, dit-elle à haute voix. Pour ma part, je ne suis pas convaincue. »

Une longue table étroite, cirée au point de luire, occupait le milieu de la salle. Un haut fauteuil était placé à l'extrémité proche d'Egwene, orné de discrètes sculptures et doré çà et là, tout simple pour Tear, tandis que les chaises sur les côtés avaient des dossiers qui s'abaissaient de l'une à la suivante jusqu'à ce que celles au bas bout de la table ne semblent guère mieux que des tabourets. Egwene n'avait aucune idée de la destination que les gens de Tear donnaient à cette salle. Elle et les autres l'utilisaient pour questionner deux prisonnières capturées lors de la chute de la forteresse.

Elle était incapable de se forcer à se rendre dans les cachots, bien que Rand eût ordonné que soient fondus ou brûlés tous les instruments qui avaient décoré la salle des gardes. Ni Nynaeve ni Elayne n'avaient non plus été désireuses d'y retourner. Par ailleurs, cette salle brillamment éclairée, avec son dallage vert soigneusement balayé et ses lambris sculptés des Trois

215

Croissants de Tear, formait un contraste total avec la sinistre pierre grise des cellules, toutes sombres, humides et sales. Cela devrait avoir un effet adoucissant sur les deux femmes vêtues de l'étoffe au tissage grossier des prisonniers.

Rien que cette robe de bure brune, toutefois, aurait informé la plupart des gens que Joiya Byir, debout derrière la table le dos tourné, était effectivement une prisonnière. Elle avait appartenu à l'Ajah Blanche et n'avait rien perdu de la froide arrogance des Blanches en transférant son allégeance à l'Ajah Noire. Toutes les lignes de son corps proclamaient qu'elle contemplait, sans détourner d'une seconde le regard, le mur en face d'elle de par sa propre volonté et nulle autre raison. Seule une femme sachant canaliser aurait vu les flots d'Air, de l'épaisseur d'un pouce, qui plaquaient les bras de Joiya sur ses côtés et liaient ensemble ses chevilles. Une cage tissée d'Air maintenait ses yeux dans la même direction, droit devant. Même ses oreilles étaient bouchées, de sorte qu'elle n'entende pas ce qu'on disait jusqu'à ce qu'on le veuille.

Une fois de plus, Egwene vérifia l'écran tissé avec l'Esprit qui empêchait Joiya d'atteindre la Vraie Source. Il tenait bon, comme elle savait qu'il le devait. Elle-même avait tissé tous les flots autour de Joiya et les avait noués pour qu'ils restent en place, mais elle ne se sentait pas à l'aise dans la même pièce qu'une Amie du Ténébreux qui avait eu la faculté de canaliser, même si celle-ci était bloquée. Pire qu'une simple Amie du Ténébreux. Un membre de l'Ajah Noire. Le meurtre était le moindre des crimes de Joiya. Elle aurait dû s'écrouler sous le poids de ses serments trahis, des vies détruites et des âmes corrompues.

La compagne de prison de Joiya, sa Sœur dans la communauté de l'Ajah Noire, ne possédait pas sa force. Debout les épaules voûtées à l'autre extrémité de la table, la tête basse, Amico Nagoyin semblait se tasser sous le regard d'Egwene. Inutile d'élever un écran pour elle. Amico avait été désactivée lors de sa capture. Toujours capable de sentir la Vraie Source, elle ne l'atteindrait jamais plus, ne canaliserait jamais plus. Le désir, le besoin de le faire, cela demeurerait aussi intense que le besoin de respirer, et cette perte se ressentirait aussi longtemps qu'elle vivrait, la *Saidar* à jamais hors de portée. Egwene aurait aimé trouver en elle ne serait-ce qu'une once de pitié, mais elle ne le désirait pas avec beaucoup d'ardeur.

Amico murmura quelque chose au plateau de la table.

« Quoi ? questionna Nynaeve impérieusement. Parlez distinctement. »

Amico releva humblement la tête sur son cou gracile. Elle était encore belle, avec de grands yeux noirs, mais elle avait quelque chose de différent qu'Egwene ne parvenait pas à définir. Pas la peur qui lui faisait agripper à deux mains sa robe rêche de prisonnière. Autre chose.

Amico déglutit et dit : « Vous devriez aller à Tanchico.

— Vous nous l'avez seriné vingt fois, répliqua Nynaeve avec rudesse. Cinquante fois. Racontez-nous quelque chose de nouveau. Donnez des noms que nous ne connaissons pas déjà. Qui y a-t-il encore à la Tour Blanche qui appartient à l'Ajah Noire ?

— Je ne sais pas. Vous devez me croire. » Amico paraissait lasse, totalement domptée. Pas du tout comme elle l'avait été lorsqu'elles étaient les prisonnières et elle la geôlière. « Avant que nous quittions la Tour Blanche, je connaissais seulement Liandrin, Chesmal et Rianna. Aucune ne connaissait plus de deux ou trois autres, je crois. Excepté Liandrin. Je vous ai dit tout ce que je savais.

— Alors vous êtes remarquablement ignorante pour une femme qui escomptait gouverner une partie du monde quand le Ténébreux s'évadera », répliqua ironiquement Egwene en refermant d'un coup sec son éventail pour souligner son propos. Elle en était encore stupéfaite, de cette facilité à dire cela maintenant. Son estomac se crispait encore et des doigts glacés lui parcouraient toujours l'échine, mais elle n'avait plus envie de crier ou de s'enfuir en courant. On pouvait s'habituer à tout.

« Une fois, j'ai surpris une conversation entre Liandrin et Temaile à qui elle s'adressait », reprit Amico d'une voix lasse, commençant un récit qu'elle leur avait fait maintes fois. Dans les premiers jours de sa captivité, elle avait essayé d'enjoliver son histoire, mais plus elle ajoutait de détails plus elle s'embrouillait dans ses mensonges. À présent, elle la racontait pratiquement de la même façon, mot pour mot. « Si vous aviez pu voir l'expression de Liandrin quand elle m'a aperçue... Elle m'aurait tuée sur place si elle avait pensé que j'avais entendu quoi que ce soit. Et Temaile aime faire souffrir les gens. Ça lui plaît. Je n'ai presque rien glané avant qu'elles me découvrent. Liandrin déclarait qu'il y avait à Tanchico quelque chose de dangereux pour... pour lui. » Elle voulait dire Rand. Elle était incapable de prononcer son nom et la simple mention du Dragon Réincarné suffisait à déclencher chez elle un déluge de larmes. « Liandrin expliquait que c'était dangereux aussi pour quiconque l'utilisait. Presque aussi dangereux que pour lui... Voilà pourquoi elle n'était pas encore allée le chercher. Et elle disait qu'être capable de canaliser ne le protégerait pas. Elle avait ajouté : "Quand nous trouverons cette chose-là, la maudite faculté qu'il a le tiendra en bride pour nous." » Des gouttes de sueur coulaient sur son visage et pourtant elle était secouée de frissons presque incoercibles.

Pas un mot n'avait changé.

Egwene ouvrit la bouche, mais Nynaeve parla la première.

« J'en ai entendu assez. Voyons si l'autre a quelque chose de neuf à nous raconter. »

Egwene darda sur elle un regard rageur et Nynaeve lui en décocha en retour un aussi dur, ni l'une ni l'autre ne détournant le sien. *Elle croit parfois qu'elle est toujours la Sagesse*, songea Egwene farouchement, *et que je suis encore la petite paysanne à qui il faut enseigner les simples. Il serait temps qu'elle se rende compte que maintenant la situation est différente.* Nynaeve maniait le Pouvoir avec force, davantage de force qu'Egwene, mais seulement quand elle réussissait à canaliser ; ce dont à moins d'être en colère elle était incapable.

Élayne intervenait généralement pour calmer les esprits lors de ces affrontements, qui se produisaient plus souvent qu'à leur tour. Egwene se serait-elle avisée elle-même de vouloir apaiser la tempête en jetant de l'huile sur les eaux qu'elle s'était déjà presque toujours cabrée et avait riposté sur le même ton, donc tenter de se montrer conciliante n'aurait été que battre en retraite. C'est l'interprétation qu'en ferait Nynaeve, elle en était sûre. Elle ne se rappelait pas Nynaeve esquissant le moindre geste pour céder, alors pourquoi elle ? Cette fois, Élayne n'était pas là ; Moiraine avait ordonné d'un mot et d'un geste à la Fille-Héritière de suivre la Vierge de la Lance qui était venue chercher l'Aes Sedai. Sans elle, la tension se prolongea, chacune des Acceptées attendant que l'autre baisse les yeux la première. Aviendha respirait à peine ; elle se tenait rigoureusement à l'écart de leurs affrontements. Nul doute qu'elle jugeait simple prudence de rester à distance.

Bizarrement, c'est Amico qui les sortit de cette impasse, bien que probablement sa seule intention ait été de démontrer sa coopération. Elle se tourna face au mur de l'autre côté de la pièce, attendant avec patience d'être liée.

Le ridicule de la situation frappa soudain Egwene. Elle était l'unique personne dans cette salle qui était capable de canaliser – à moins que Nynaeve ne se mette en colère ou que l'écran autour de Joiya ne perde son efficacité ; elle testa de nouveau le tissage d'Esprit machinalement – et elle se complaisait dans une joute de regards à qui détournerait le sien la dernière tandis qu'Amico attendait d'être liée. À un autre moment, elle aurait ri tout haut d'elle-même. Au lieu de cela, elle s'ouvrit à la *Saidar*, cette chaleur rayonnante jamais vue, toujours ressentie, qui semblait toujours juste au-delà de ce qu'elle apercevait du coin de l'œil. Le Pouvoir Unique l'envahit, comme la vie même délicieusement redoublée, et elle tissa les flots autour d'Amico.

Nynaeve se contenta de pousser un grognement ; il était douteux que sa colère soit assez violente pour qu'elle sente agir Egwene – toutefois, elle pouvait voir Amico se raidir quand les fils d'Air la touchèrent, puis s'affaisser, à demi soutenue par ces fils, comme pour manifester le peu de résistance qu'elle offrait.

Aviendha frissonna, selon son habitude chaque fois qu'elle savait que le Pouvoir était canalisé près d'elle.

Egwene tissa des bouchons pour les oreilles d'Amico – les interroger une par une n'avançait à rien si elles entendaient chacune le récit de l'autre – et se tourna vers Joiya. Elle changea son éventail de main pour essuyer ses paumes sur sa robe et interrompit son geste avec une grimace de déplaisir. Cette transpiration n'était nullement due à la température.

« Son visage », dit Aviendha dans une exclamation soudaine. Et surprenante ; elle ne parlait presque jamais sauf quand Moiraine ou une des autres s'adressait à elle. « Le visage d'Amico. Elle n'a plus le même air qu'avant, comme si les années avaient passé sans l'effleurer. Est-ce parce qu'elle a été... parce qu'elle

221

a été désactivée ? » acheva-t-elle d'une seule haleine haletante. Quelques-unes de leurs façons d'être avaient déteint sur elle à force de se trouver en leur compagnie. Aucune femme de la Tour ne parlait de la désactivation sans un frémissement.

Egwene se déplaça le long de la table jusqu'à un endroit d'où elle verrait de côté la figure d'Amico et resterait néanmoins hors du champ de vision de Joiya. Les yeux de Joiya transformaient toujours son estomac en bloc de glace.

Aviendha avait raison ; c'était là le changement qu'elle-même avait remarqué mais pas compris. Amico avait l'air jeune, peut-être plus jeune que son âge réel, mais ce n'était pas exactement l'éternelle jeunesse des Aes Sedai qui ont œuvré pendant des années avec le Pouvoir Unique. « Vous êtes observatrice, Aviendha, mais je ne sais pas si c'est en rapport avec la désactivation. Toutefois, ce doit être cela, je suppose. Je ne sais pas quoi d'autre pourrait l'avoir causé. »

Elle s'avisa que cette réponse ne ressemblait guère à celles des Aes Sedai qui s'exprimaient généralement comme si elles connaissaient tout ; quand une Aes Sedai disait qu'elle ne savait pas, elle s'arrangeait d'ordinaire pour que sa réponse négative paraisse dissimuler des volumes de science. Tandis qu'elle se raclait la cervelle en quête d'une phrase convenablement ambiguë, Nynaeve vint à sa rescousse.

« Relativement peu d'Aes Sedai ont été brûlées, Aviendha, et bien moins encore désactivées. »

« Brûlées » était le terme usité quand cela se produisait par accident ; officiellement, la désactivation résultait d'un procès et d'une sentence. Egwene ne voyait franchement pas la nécessité de ce distinguo ; c'était comme d'avoir deux mots pour dire que l'on est tombé dans l'escalier, selon que l'on a trébuché ou que l'on a été poussé. Sur ce point-là, la plupart des Aes Sedai semblaient adopter la même optique, sauf quand elles enseignaient à des novices ou des Acceptées. Trois mots, à vrai dire. Les hommes étaient « neutralisés », devaient l'être, avant qu'ils deviennent fous. Seulement à présent il y avait Rand et la Tour n'osait pas le neutraliser.

Nynaeve avait adopté un ton doctoral, nul doute parce qu'elle s'efforçait de parler en Aes Sedai. Elle faisait une imitation de Sheriam devant une classe, Egwene s'en rendit compte, les mains jointes à la taille, souriant légèrement comme si tout cela était très simple quand vous vous appliquiez.

« La désactivation n'est pas le sujet que l'on choisirait volontiers d'étudier, vous comprenez, poursuivit Nynaeve. Elle passe en général pour être irréversible. Ce qui rend une femme capable de canaliser ne peut pas être remplacé une fois supprimé, pas plus qu'une main qui a été tranchée ne peut renaître par la Guérison. » Du moins personne encore n'avait réussi à Guérir la désactivation. Il y avait eu des tentatives. Ce que disait Nynaeve était vrai dans l'ensemble, néanmoins quelques Sœurs de l'Ajah Brune étaient prêtes à étudier presque n'importe quoi si l'occasion s'en présentait, et quelques-unes des Sœurs Jaunes, les meilleures Guérisseuses, essayaient d'apprendre à Guérir n'importe quoi. Cependant il n'existait même pas une rumeur de succès concernant la Guérison d'une femme qui avait été désactivée. « En dehors de ce fait indiscutable, on connaît peu de choses. Les femmes qui sont désactivées vivent rarement plus que quelques années. Elles cessent d'avoir envie de vivre ; elles renoncent. Comme je le disais, c'est un sujet désagréable. »

Aviendha changea de position avec gêne. « Je pensais seulement que ce pouvait être cela », dit-elle à voix basse.

Egwene le croyait vraisemblable aussi. Elle résolut de poser la question à Moiraine. Si jamais elle la voyait sans Aviendha auprès d'elle. Elle songea que leur tromperie les desservait presque autant qu'elle les servait.

« Voyons si Joiya raconte encore la même histoire, elle aussi. » Même alors, elle dut se ressaisir avant de réussir à dénouer les fils d'Air tissés autour de l'Amie du Ténébreux.

Joiya devait être ankylosée après être restée debout dans une telle immobilité aussi longtemps, mais elle se retourna d'un mouvement souple face à elles. La transpiration qui emperlait son front ne diminuait en rien sa dignité et sa présence, pas plus que sa grossière robe brune n'entamait la sensation qu'elle était ici de par son propre choix. C'était une belle femme avec quelque chose de maternel dans les traits en dépit de leur aspect lisse d'éternelle jeunesse, quelque chose de réconfortant. Par contre, les yeux noirs enchâssés dans ce visage rendaient doux en comparaison le regard d'un faucon. Elle leur sourit, d'un sourire qui n'allait pas jusqu'à ces yeux. « Que la Lumière vous illumine. Puisse la main du Créateur vous abriter.

— Je ne veux pas entendre cela de votre part. » La voix de Nynaeve était posée et calme, mais elle fit passer d'une secousse sa natte par-dessus son épaule et en agrippa l'extrémité dans sa main, ce qui était son habitude quand elle était furieuse ou mal à l'aise. Egwene ne pensait pas qu'elle était mal à l'aise ; Joiya ne donnait apparemment pas à Nynaeve la chair de poule comme à Egwene.

« Je me suis repentie de mes péchés, répliqua avec aisance Joiya. Le Dragon est Réincarné et il détient *Callandor*. Les Prophéties sont accomplies. Le Ténébreux doit échouer. Je peux le comprendre à présent. Mon repentir est réel. Nul ne peut marcher si longtemps dans l'Ombre qu'il ne lui soit plus possible de revenir à la Lumière. »

L'expression de Nynaeve s'était rembrunie à chaque mot. Egwene était sûre qu'elle se trouvait maintenant dans un état de fureur suffisant pour canaliser mais, dans ce cas, ce serait probablement pour étrangler Joiya. Egwene n'était pas plus convaincue que Nynaeve du repentir de Joiya, certes, mais ce que disait cette dernière avait des chances d'être réel. Joiya était parfaitement capable d'une décision prise la tête froide, capable d'aller vers ce qu'elle estimait le côté vainqueur. Ou peut-être essayait-elle seulement de gagner du temps, mentant dans l'espoir d'être délivrée.

Mentir n'aurait pas dû être possible pour une Aes Sedai, même une qui avait perdu tout droit à ce nom, pas de purs et simples mensonges. Le tout premier des

Trois Serments, prononcés avec en main la Baguette des Serments, aurait dû l'empêcher. Toutefois, quels que soient les serments prêtés devant le Ténébreux quand on rejoignait l'Ajah Noire, ils semblaient annuler les Trois Serments à la fois.

Ah, bah ! L'Amyrlin les avait envoyées à la recherche de l'Ajah Noire, à la recherche de Liandrin et des douze autres qui avaient commis des meurtres et s'étaient enfuies de la Tour. Et les indices qu'elles avaient à présent en main se réduisaient à ce que ces deux-là pouvaient, ou voulaient, leur indiquer.

« Redites-nous votre histoire, ordonna Egwene. Servez-vous de mots différents, cette fois. Je suis fatiguée d'écouter des récits appris par cœur. » Si Joiya mentait, il y avait plus de chances qu'elle se contredise en la racontant différemment. « Nous vous écouterons jusqu'au bout. » Ceci pour le bénéfice de Nynaeve, laquelle émit un reniflement plus qu'audible, puis hocha brièvement la tête.

Joiya haussa les épaules. « Comme vous voulez. Voyons. Des mots différents. Le faux Dragon, Mazrim Taim, qui a été capturé dans la Saldaea, sait canaliser avec une intensité incroyable. Peut-être autant que Rand al'Thor, ou presque, s'il faut en croire les rumeurs. Avant qu'il soit amené à Tar Valon et neutralisé, Liandrin a l'intention de le libérer. Il sera proclamé le Dragon Réincarné, son nom donné comme étant Rand al'Thor, puis il sera mis à œuvrer pour accomplir des destructions dans des proportions telles que le monde n'en a pas connu depuis la Guerre des Cent Ans.

— C'est impossible, intervint Nynaeve. Le Dessin n'acceptera pas un faux Dragon, plus maintenant que Rand s'est proclamé. »

Egwene soupira. Elles s'étaient déjà expliquées là-dessus, mais Nynaeve discutait toujours la question. Elle n'était pas certaine que Nynaeve admettait au fond du cœur que Rand était le Dragon Réincarné, quoi qu'elle en dise, en dépit des Prophéties, de *Callandor* et de la chute de la Pierre. Nynaeve avait juste assez d'années de plus que lui pour s'en être occupée quand il était enfant, comme elle s'était occupée d'Egwene. Il était né au Champ d'Emond et Nynaeve considérait encore que le premier de ses devoirs était de protéger les gens du Champ d'Emond.

« C'est cela que Moiraine vous a raconté ? demanda Joiya avec un léger accent de mépris. Moiraine a passé peu de temps dans la Tour depuis qu'elle a accédé au rang d'Aes Sedai et guère davantage avec ses Sœurs ailleurs. Je suppose qu'elle est au courant des principes qui règlent la vie dans un village, je suppose même qu'elle a un aperçu des jeux politiques entre les nations, mais elle prétend être certaine de choses apprises seulement par l'étude et la discussion avec ceux qui savent. N'empêche, c'est possible qu'elle ait raison. Mazrim Taim trouverait peut-être des obstacles insurmontables pour se proclamer Dragon, mais si d'autres s'en chargent à sa place, y a-t-il une différence majeure ? »

Egwene souhaitait que Moiraine revienne. Cette femme ne parlerait pas avec autant d'assurance si Moiraine était présente. Joiya savait pertinemment qu'elle et Nynaeve n'étaient que des Acceptées. Cela jouait en leur défaveur.

« Continuez, dit Egwene, presque aussi rudement que Nynaeve. Et rappelez-vous, pas avec les mêmes mots.

— Certes », répliqua Joiya comme si elle répondait à une gracieuse invitation, mais ses yeux étincelèrent comme des fragments d'obsidienne. « Vous pouvez voir le résultat évident. Rand al'Thor sera blâmé pour les déprédations de... Rand al'Thor. La preuve qu'ils ne sont pas le même homme serait aisément réfutée. En somme, qui peut dire de quels tours le Dragon Réincarné est capable ? Par exemple, se trouver dans deux endroits à la fois. Même les gens de la sorte qui s'est toujours ralliée à un faux Dragon hésiteront devant les tueries aveugles et pire encore dont on le rendra responsable. Ceux qui ne reculeront pas devant pareille boucherie rechercheront le Rand al'Thor qui semble se complaire dans le sang. Les nations s'uniront comme lors de la Guerre des Aiels... » Elle dédia à Aviendha un sourire d'excuse, incongru sous ces yeux à l'expression impitoyable. « ... mais sans doute beaucoup plus rapidement. Le Dragon Réincarné en personne ne résistera pas à cela, pas éternellement. Il sera anéanti avant que la Dernière Bataille commence, par ceux-là mêmes qu'il est censé sauver. Le Ténébreux se libérera, le jour de la Tarmon Gai'don viendra et l'Ombre couvrira la terre et retracera le Dessin à jamais. Voilà le plan de Liandrin. » Il n'y avait pas une ombre de satisfaction dans sa voix mais pas d'horreur non plus.

C'était une explication plausible, davantage que le récit d'Amico relatant quelques phrases entendues par surprise, mais Egwene croyait Amico et ne croyait pas Joiya. Peut-être parce qu'elle le désirait. Une vague menace dans Tanchico était plus facile à envisager que ce plan bien établi pour tourner le monde entier contre Rand. *Non*, pensa-t-elle, *Joiya ment. J'en suis certaine*. Cependant elles ne pouvaient pas se permettre d'éliminer l'une ou l'autre de ces versions. Mais elles ne pouvaient pas non plus suivre ces deux pistes en même temps, pas avec le moindre espoir de succès.

La porte se rabattit bruyamment et Moiraine entra à grands pas, avec Élayne à sa suite. La Fille-Héritière fixait le sol devant la pointe de ses pieds d'un air sombre, perdue dans des pensées tristes, mais Moiraine... Pour une fois, la sérénité de l'Aes Sedai s'était évanouie ; la fureur était peinte sur ses traits.

6.

Seuils à franchir

« Rand al'Thor, s'exclama Moiraine à la cantonade sur un ton bas et tendu, est une espèce de tête de mule imbécile aussi malléable qu'une... qu'une pierre ! »

Élayne releva le menton d'un mouvement de colère. Sa nourrice Lini avait coutume de lui dire dans son enfance que l'on tisserait une étoffe de soie avec des poils de porc avant de réussir à faire qu'un homme soit autre chose qu'un homme. Cependant cela n'excusait pas Rand.

« Nous les élevons comme ça dans le pays des Deux Rivières. » Nynaeve était subitement tout sourires à demi réprimés et satisfaction. Elle dissimulait rarement moitié aussi bien qu'elle le croyait son aversion pour l'Aes Sedai. « Les femmes des Deux Rivières n'ont jamais les moindres difficultés avec eux. » D'après le coup d'œil surpris que lui jeta Egwene, c'était un mensonge assez gros pour justifier d'avoir à se laver la bouche avec du savon – vieux châtiment réservé aux menteurs.

Les sourcils de Moiraine se froncèrent comme si elle s'apprêtait à répliquer à Nynaeve plus rudement. Élayne voulut y parer mais ne trouva rien à dire qui évite une querelle. Elle n'avait que Rand en tête. Il n'avait pas le droit ! Mais quel droit avait-elle ?

C'est Egwene qui prit la parole à sa place. « Qu'a-t-il fait, Moiraine ? »

Les yeux de l'Aes Sedai se tournèrent brusquement vers Egwene avec une expression tellement dure que la jeune fille recula d'un pas et déploya son éventail d'un geste sec, l'agitant nerveusement devant sa figure, mais le regard de Moiraine s'arrêta sur Joiya et Amico, l'une l'observant d'un air méfiant, l'autre liée et inconsciente de tout sauf du mur au fond de la salle.

Élayne tressaillit légèrement en se rendant compte que Joiya n'était pas liée. Elle vérifia en hâte l'écran qui empêchait cette femme d'atteindre la Vraie Source. Elle espérait qu'aucune des autres n'avait remarqué son sursaut ; Joiya lui inspirait une terreur quasi mortelle, mais Egwene et Nynaeve n'en avaient pas plus peur que Moiraine. Il était parfois difficile d'être aussi courageuse que devrait l'être la Fille-Héritière d'Andor ; elle s'était avisée souvent qu'elle souhaitait pouvoir réagir aussi bien que ces deux-là.

« Les gardiens, murmura Moiraine comme pour elle-même. Je les ai vus encore dans le couloir et l'idée ne m'est pas venue une minute à l'esprit. » Elle réajusta sa robe, se maîtrisant avec un effort visible. Élayne se dit qu'elle n'avait jamais vu Moiraine aussi hors d'elle que ce soir. Mais aussi l'Aes Sedai avait de bonnes raisons. *Pas meilleures que les miennes. Ou est-ce que je me trompe ?* Elle se surprit à tenter de ne pas croiser le regard d'Egwene.

Aurait-ce été Egwene, Nynaeve ou Élayne qui se

trouvaient avoir perdu leur sang-froid, Joiya aurait sûrement dit quelque chose de subtil et à double sens, calculé pour les bouleverser davantage encore. Si elles avaient été seules, du moins. En présence de Moiraine, elle se contenta d'observer avec inquiétude, en silence.

Moiraine longea la table jusqu'au bout, son calme revenu. Joiya avait près d'une tête de plus qu'elle, pourtant, aurait-elle été également vêtue de soie, il n'y aurait eu aucun doute concernant celle qui maîtrisait la situation. Joiya ne baissa pas pavillon à proprement parler, mais ses mains se crispèrent sur sa jupe pendant un instant avant qu'elle leur impose sa volonté.

« J'ai pris des dispositions, déclara Moiraine d'une voix égale. Dans quatre jours, vous serez emmenées vers l'amont en bateau, à Tar Valon et à la Tour. Là-bas, elles ne seront pas aussi conciliantes que nous. Si vous n'avez pas trouvé la vérité jusqu'à présent, trouvez-la avant d'atteindre le Port-du-Sud ou soyez certaines que vous irez au gibet dans la Cour des Traîtres. Je ne vous verrai plus à moins que vous ne fassiez savoir que vous avez à dire quelque chose de nouveau. Et je me refuse à entendre un mot de vous – même un seul – à moins qu'il ne soit vraiment nouveau. Croyez-moi, cela vous épargnera de la souffrance à Tar Valon. Aviendha, voulez-vous prévenir le capitaine d'envoyer deux de ses hommes ? » Élayne cligna des paupières comme l'Aielle se redressait et disparaissait par la porte ; parfois Aviendha demeurait tellement immobile qu'on oubliait qu'elle était là.

Les traits de Joiya remuèrent comme si elle souhaitait parler, mais Moiraine la dévisagea fixement et, finalement, l'Amie du Ténébreux détourna les yeux. Ils brillaient comme ceux d'un corbeau, exprimant une folle envie de tuer, mais elle tint sa langue.

Pour les yeux d'Élayne, une aura d'or blanc entoura soudain Moiraine, l'aura d'une femme embrassant la *Saidar*. Seule une autre femme entraînée à canaliser pouvait distinguer cette aura. Les flots ligotant Amico se désentortillèrent plus rapidement que n'y aurait réussi Élayne. Elle avait plus de puissance que Moiraine, du moins virtuellement. Dans la Tour, les femmes qui s'occupaient de son entraînement s'étaient montrées presque incrédules devant les promesses de son talent, ainsi que de celles d'Egwene et de Nynaeve. Nynaeve était la plus forte des trois – quand elle parvenait à canaliser. Mais Moiraine possédait l'expérience. Ce qu'elles apprenaient encore à faire, Moiraine était en mesure de le faire à moitié endormie. Pourtant, il y avait des choses qu'Élayne pouvait faire, tout comme les deux autres, dont Moiraine était incapable. C'était une petite satisfaction en regard de la facilité avec laquelle Moiraine domptait Joiya.

Libérée, ayant récupéré la faculté d'entendre, Amico se retourna et prit pour la première fois conscience de la présence de Moiraine. Avec un faible cri aigu, elle plongea dans une révérence aussi profonde qu'une novice de fraîche date. Joiya fixait la porte avec irritation, évitant les yeux de tout le monde. Nynaeve, bras croisés et les jointures blanchies d'avoir les doigts crispés sur sa tresse, dardait sur Moiraine un regard presque aussi meurtrier que celui de Joiya ; Élayne fronçait les sourcils, souhaitant être aussi courageuse qu'Egwene, souhaitant ne pas avoir l'impression d'être en train de trahir son amie. C'est alors qu'entra le capitaine avec sur ses talons deux autres Défenseurs en uniforme noir et or. Aviendha ne les accompagnait pas ; apparemment, elle avait saisi sa chance d'échapper à des Aes Sedai.

L'officier grisonnant, deux courtes plumes blanches sur son casque à rebord, détourna les yeux dès qu'il croisa ceux de Joiya, bien qu'elle ne parût même pas le voir. Son regard ricocha avec incertitude d'une femme à l'autre. L'atmosphère dans la salle était à l'orage et un homme prudent ne tenait pas à essuyer de tempête parmi ce genre de femmes. Les deux soldats étreignaient leurs grandes lances contre eux presque comme s'ils redoutaient d'avoir à se défendre. Peut-être l'appréhendaient-ils réellement.

« Remmenez ces deux-là dans leurs cellules, ordonna Moiraine d'un ton bref à l'officier. Répétez vos instructions. Je ne veux pas d'erreur.

— Oui, Aes... » La gorge du capitaine parut se resserrer. Il aspira une bouffée d'air. « Oui, ma dame », dit-il, l'observant avec anxiété pour s'assurer que cela lui convenait. Comme elle continuait simplement à le regarder, attendant, il poussa un perceptible soupir de soulagement. « Les prisonnières ne doivent parler à personne excepté à moi, pas même entre elles. Vingt hommes dans la salle des gardes et deux postés devant chaque cellule en permanence, quatre si une porte de cellule doit être ouverte pour une raison quelconque. Je dois surveiller en personne la préparation de leurs repas et les leur porter. Tout comme vous l'avez prescrit, ma dame. » Une nuance interrogatrice perçait dans sa voix. Cent rumeurs circulaient dans la Pierre au sujet des prisonnières et de la raison pour laquelle il y avait nécessité de garder aussi étroitement deux femmes. Et des histoires plus sinistres les unes que les autres se chuchotaient sur les Aes Sedai.

« Très bien, conclut Moiraine. Emmenez-les. »

Difficile de discerner qui était le plus pressé de quitter la salle, des prisonnières ou des gardes. Même Joiya marchait vite comme si elle ne pouvait pas supporter de garder le silence une minute de plus en présence de Moiraine.

Élayne était certaine d'avoir conservé un visage calme depuis qu'elle était entrée dans la salle, mais Egwene s'approcha, passa un bras autour d'elle. « Qu'est-ce qu'il y a, Élayne ? Tu as l'air prête à fondre en larmes. »

Le souci dans sa voix donna à Élayne l'envie d'éclater en sanglots. *Par la Lumière !* pensa-t-elle. *Je ne vais pas être aussi sotte. Je ne veux pas ! "Une femme qui pleure est un seau sans fond"* Lini avait en réserve une foule de dictons de ce genre.

« Trois fois... » s'exclama Nynaeve à l'adresse de Moiraine, « ... seulement trois !... vous avez consenti à nous seconder pour les interroger. Cette fois-ci, vous avez disparu avant que nous commencions et maintenant vous annoncez tranquillement que vous les envoyez à Tar Valon ! Si vous ne voulez pas aider, au moins ne vous mêlez de rien !

— Ne présumez pas trop du mandat de l'Amyrlin, répliqua froidement Moiraine. Qu'elle vous ait chargées de rechercher Liandrin, d'accord, mais vous n'êtes encore que des Acceptées et déplorablement ignorantes, quelles que soient vos lettres de créance. Ou aviez-vous l'intention de les interroger éternellement avant d'arriver à une décision ? Vous autres des Deux Rivières semblez vous appliquer à éviter les décisions qui doivent être prises. » Nynaeve ouvrit et referma la bouche, les yeux prêts à lui sortir de la tête, comme si elle se demandait quelle accusation réfuter d'abord, mais Moiraine se tourna vers Egwene et Élayne. « Ressaisissez-vous, Élayne. Comment comptez-vous exécuter les ordres de l'Amyrlin si vous pensez que tous les pays ont les coutumes selon lesquelles vous avez été élevée, je me le demande. Et je ne sais pas pourquoi vous êtes bouleversée à ce point-là. Ne permettez pas à vos sentiments de blesser les autres.

— Que voulez-vous dire ? questionna Egwene. Quelles coutumes ? De quoi parlez-vous ?

— Berelain était dans l'appartement de Rand », répliqua Élayne d'une petite voix avant d'avoir pu s'en empêcher. Ses yeux clignèrent avec confusion en se tournant vers Egwene. Sûrement qu'elle avait dissimulé ses propres sentiments.

Moiraine lui adressa un regard de reproche et soupira. « Je vous aurais épargné cela si je l'avais pu, Egwene. Si Élayne n'avait pas laissé son indignation envers Berelain dominer son bon sens. Les coutumes de Mayene ne sont pas celles que l'une ou l'autre d'entre vous connaissez depuis toujours. Egwene, je sais ce que vous ressentez pour Rand, mais vous devez vous être rendu compte à présent que rien ne peut en sortir. Il appartient au Dessin, et à l'histoire. »

Sourde apparemment à ce que disait l'Aes Sedai, Egwene sondait les yeux d'Élayne. Celle-ci avait envie de les détourner et en était incapable. Soudain, Egwene se rapprocha et chuchota derrière sa main en coupe : « Je l'aime. Comme un frère. Et toi comme une sœur. Je souhaite que tout aille bien entre lui et toi. »

Les yeux d'Élayne s'agrandirent, un sourire s'épanouit lentement sur son visage. Elle répondit à l'étreinte d'Egwene par une étreinte impétueuse. « Merci, murmura-t-elle tout bas. Je t'aime aussi, ma sœur. Oh, merci.

— Elle n'y a rien compris, reprit Egwene à demi pour elle-même, une expression enchantée découvrant toutes ses dents. Avez-vous jamais été amoureuse, Moiraine ? »

Quelle question stupéfiante. Élayne ne parvenait pas à imaginer l'Aes Sedai amoureuse. Moiraine appartenait à l'Ajah Bleue et l'on disait que les Sœurs Bleues consacraient uniquement leurs passions à des causes

Leur svelte vis-à-vis ne fut nullement déconcertée. Pendant un long moment, elle contempla les deux jeunes filles, chacune un bras passé autour de l'autre. Elle finit par déclarer : « Je parierais bien que je sais à quoi ressemble l'homme que j'épouserai mieux que l'une de vous ne connaît le nom de son futur mari. »

Egwene en béa de surprise.

« Qui ? » s'exclama Élayne d'un ton suffoqué.

L'Aes Sedai parut regretter d'avoir parlé. « Peut-être ai-je simplement voulu exprimer que nous

237

partageons une ignorance. Ne cherchez pas à donner trop de signification à quelques mots. » Elle regarda Nynaeve méditativement. « Si jamais je devais choisir quelqu'un – si, notez-le – je ne choisirais pas Lan. Voilà ce que je peux affirmer. »

C'était une déclaration propre à réconforter Nynaeve, mais celle-ci n'eut pas l'air contente de l'entendre. Nynaeve avait ce que Lini aurait appelé « un rude carré de terre à bêcher », puisqu'elle aimait non seulement un Lige mais aussi un homme qui essayait de nier qu'il l'aimait en retour. Fol qu'il était, il parlait de la guerre contre l'Ombre qu'il ne pouvait s'arrêter de mener et ne gagnerait jamais, il disait qu'il refusait d'entraîner Nynaeve à s'habiller en vêtements de veuve pour son festin de noces. Des billevesées de cette sorte. Élayne se demandait comment Nynaeve supportait cela. Elle n'était pas d'une nature très patiente.

« Si vous avez fini de bavarder sur les hommes, s'écria Nynaeve d'un ton acide comme pour prouver la vérité de ce fait, peut-être pouvons-nous en revenir à ce qui est important ? » Serrant sa natte avec vigueur, son débit gagna en rapidité et en force au fur et à mesure, comme une roue de moulin à aubes dont l'engrenage s'est désembrayé. « Comment allons-nous savoir si Joiya ment, ou Amico, si vous les renvoyez ? Ou si les deux mentent, ou ni l'une ni l'autre ? Me montrer irrésolue en cette circonstance ne me réjouit pas, Moiraine, quoi que vous pensiez, mais je suis tombée dans trop de pièges pour désirer choir dans un de plus. Et je n'ai pas envie non plus de courir après un but impossible à atteindre. Je... nous sommes celles que l'Amyrlin a dépêchées sur les traces de Liandrin et de ses affidées. Puisque vous n'avez pas l'air de croire qu'elles sont assez importantes pour perdre plus d'un instant à nous seconder, le moins que vous puissiez faire sera de ne pas nous casser les chevilles d'un coup de balai ! »

Elle semblait sur le point d'arracher cette tresse et d'essayer de s'en servir pour étrangler Moiraine, et Moiraine arborait une froide expression dangereusement déterminée qui suggérait qu'elle était de nouveau prête à lui enseigner la même leçon concernant tenir sa langue qu'elle avait infligée à Joiya. Il était temps, conclut Élayne, qu'elle s'arrête de broyer du noir. Elle ne savait pas comment lui était échu le rôle de médiatrice entre ces femmes – parfois, elle avait envie de les saisir toutes par la peau du cou et de les secouer – mais sa mère disait toujours qu'aucune bonne décision n'est jamais prise dans la colère. « Vous pourriez ajouter à votre liste de ce que vous avez envie de savoir, s'exclama-t-elle, pourquoi nous avons été convoquées auprès de Rand. C'est là que Careen nous a conduites. Il va bien, à présent, naturellement. Moiraine l'a Guéri. » Elle ne put réprimer un frisson en songeant au bref aperçu qu'elle avait eu de sa chambre, mais la diversion opéra comme un charme.

« Guéri ! s'écria Nynaeve d'une voix étranglée. Que lui est il arrivé ?

— Il a failli mourir », répliqua l'Aes Sedai aussi calmement que si elle disait qu'il avait bu une tasse de thé.

Élayne sentit Egwene trembler en écoutant le récit froidement objectif de Moiraine, mais peut-être une partie de ce tremblement émanait-il d'elle-même. Des bulles de Mal se déplaçant dans le Dessin. Des reflets jaillissant de miroirs. Rand une masse de sang et de blessures. Presque comme si elle y pensait après coup, Moiraine ajouta qu'elle était certaine que Perrin et Mat avaient vécu une expérience à peu près semblable mais s'en étaient sortis indemnes. Cette femme devait avoir de la glace en lieu de sang. *Non, elle était assez échauffée par l'obstination de Rand. Et elle n'était pas insensible quand elle parlait mariage, quoi qu'elle ait feint de l'être.* Pourtant, à présent, elle aurait pu aussi bien parler de la couleur d'un rouleau de soie convenant pour une robe.

« Et ces... *manifestations* vont continuer ? demanda Egwene lorsque Moiraine se fut tue. N'y a-t-il rien que vous soyez en mesure de faire pour y mettre fin ? Ou bien Rand ? »

La petite pierre bleue suspendue à la ferronnière dans les cheveux de Moiraine se balança comme elle secouait négativement la tête. « Pas à moins qu'il n'apprenne à maîtriser ses dons. Et peut-être cela ne suffirait-il encore pas. J'ignore s'il sera même assez fort pour repousser les miasmes loin de lui. Toutefois pourtant, il sera mieux armé pour se défendre.

— Ne pouvez-vous l'assister d'une manière ou d'une autre ? s'exclama impérieusement Nynaeve. Vous êtes celle d'entre nous censée tout savoir ou qui en affectez l'air. Ne pouvez-vous le guider ? En partie, du moins ? Et ne citez pas de proverbes sur les oiseaux apprenant aux poissons à voler.

— Vous ne poseriez pas la question si vous aviez assimilé vos études comme vous l'auriez dû, répliqua Moiraine. Vous n'auriez pas à le demander. Vous désirez connaître comment utiliser le Pouvoir, Nynaeve, mais vous ne vous souciez pas d'apprendre *ce qu'est* le Pouvoir. Le *Saidin* n'est pas la *Saidar*. Les flots sont différents et différentes les manières de les tisser. L'oiseau a plus de chances de son côté. »

Cette fois, c'est Egwene qui se chargea de détendre l'atmosphère. « À quel propos Rand s'est-il obstiné, cette fois-ci ? » Et comme Nynaeve ouvrait la bouche, elle ajouta : « Quelquefois, il est aussi inébranlable qu'un rocher. » Nynaeve referma la bouche d'un coup sec ; elles avaient toutes conscience à quel point c'était vrai.

Moiraine les dévisagea, plongée dans ses réflexions. Par moments, Élayne n'était pas certaine que l'Aes Sedai leur accordait pleine et entière confiance. À elles ou à qui que ce soit. « Il doit agir, finit par dire l'Aes Sedai. Au lieu de cela, il reste ici et les gens de Tear commencent déjà à perdre la crainte qu'ils ont de lui. Il reste ici et plus longtemps il restera ici sans broncher, plus les Réprouvés considéreront son inaction comme un signe de faiblesse. Le Dessin bouge et se déploie ; seuls les morts demeurent immobiles. Il doit agir ou il mourra. D'un trait d'arbalète tiré dans le dos, ou de poison mélangé à ses aliments, ou d'un assaut des Réprouvés se liguant ensemble pour lui arracher l'âme du corps. Il doit agir ou périr. » Élayne tressaillit à chaque danger sur la liste ; qu'ils étaient réels rendait les choses encore pires.

« Et vous savez ce qu'il doit faire, n'est-ce pas ? dit Nynaeve d'une voix tendue. Vous avez mis au point cette action. »

Moiraine acquiesça d'un signe de tête. « Préfére-riez-vous qu'il recommence à s'enfuir seul ? Je n'ose pas le risquer. Cette fois, il serait exposé à mourir ou pire avant que je le trouve. »

C'était certes vrai. Rand savait à peine ce qu'il fai-sait. Et Élayne était sûre que Moiraine ne tenait pas à gaspiller le peu de conseils qu'elle lui donnait encore. Le peu qu'il la laissait lui donner.

« Est-ce que vous allez nous communiquer le plan que vous avez prévu pour lui ? » demanda Egwene d'un ton péremptoire. Elle n'aidait évidemment pas maintenant à alléger la tension ambiante.

« Oui, je vous en prie », ajouta Élayne, se surpre-nant elle-même d'avoir imité en écho le ton froid d'Egwene. L'affrontement n'était pas sa méthode favorite quand il pouvait être évité ; sa mère disait tou-jours que mieux valait guider les gens plutôt que de les harceler jusqu'à ce qu'ils adoptent votre point de vue.

Si leur attitude irrita Moiraine, elle n'en témoigna rien. « Pour autant que vous compreniez que vous devez le garder pour vous. Un plan révélé est un plan voué à l'échec. Oui, je me rends compte que vous le comprenez. »

Élayne, en tout cas ; le plan était dangereux, et Moi-raine n'était pas certaine qu'il réussirait.

« Sammael se trouve en Illian, reprit l'Aes Sedai. Les gens du Tear sont toujours aussi prêts à entrer en guerre avec l'Illian que les Illianais à guerroyer avec eux. Ils s'entre-tuent de temps en temps depuis mille ans et ils parlent de leur chance d'en avoir l'occasion comme d'autres du prochain jour de fête. Je doute que même de connaître la présence de Sammael y change quelque chose, pas alors que le Dragon Réincarné est là pour les conduire. Le Tear suivra avec assez d'enthousiasme Rand dans cette entreprise et s'il triomphe de Sammael il...

— Par la Lumière ! s'exclama Nynaeve. Vous ne voulez pas seulement qu'il déclare une guerre, vous voulez qu'il débusque des Réprouvés ! Pas étonnant qu'il se montre obstiné. Il n'est pas idiot, tout homme qu'il est.

— Il doit affronter le Ténébreux en dernier lieu, déclara Moiraine avec calme. Pensez-vous vraiment qu'il peut éviter à présent les Réprouvés ? Quant à la guerre, il y a suffisamment de guerres sans lui, et chacune pire qu'inutile.

— Toutes les guerres sont inutiles », commença Élayne dont la voix s'altéra alors que la compréhension s'imposait à son esprit. Son visage trahissait de la tristesse et du regret aussi, mais à coup sûr de la compréhension. Sa mère lui avait souvent expliqué comment une nation était dirigée et comment elle était gouvernée, deux objectifs très différents mais l'un et l'autre nécessaires. Et parfois des choses devaient être faites pour les deux qui étaient pires que déplaisantes, encore que le prix à payer si on ne les faisait pas fût bien plus pénible.

Moiraine lui adressa un regard de sympathie. « Ce n'est pas toujours agréable, n'est-ce pas ? Vous étiez juste assez âgée pour l'assimiler, je suppose, quand votre mère s'est mise à vous enseigner ce dont vous aurez besoin pour régner après elle. » Moiraine avait grandi dans le Palais Royal de Cairhien, sans être destinée à monter sur le trône mais parente de la famille souveraine, et elle avait sans aucun doute entendu les mêmes leçons. « Pourtant, parfois, l'ignorance semble plus attirante, être une paysanne qui ne connaît rien au-delà des limites de ses champs.

— Encore des devinettes ? commenta dédaigneusement Nynaeve. La guerre était quelque chose dont j'avais entendu parler par les colporteurs, quelque chose d'éloigné que je ne comprenais pas bien. Je sais ce que c'est, maintenant. Des hommes qui tuent des hommes. Des hommes se conduisant comme des bêtes sauvages, réduits à l'état d'animaux. Des villages incendiés, des fermes et des champs brûlés. La faim, la maladie et la mort pour les innocents comme pour les coupables. Qu'est-ce qui rend votre guerre à vous meilleure, Moiraine ? Qu'est-ce qui la rend plus propre ?

— Élayne ? » dit à mi-voix Moiraine.

Celle-ci secoua la tête – elle n'avait pas envie d'être celle qui donnerait les explications – mais elle n'était pas sûre que même sa mère siégeant sur le Trône du Lion aurait été capable de garder le silence sous le regard dominateur impératif des yeux noirs de Moiraine. « La guerre éclatera, que Rand la déclenche ou non », dit-elle à contrecœur. Egwene recula d'un pas, la dévisageant avec une incrédulité non moins vive que celle peinte sur les traits de Nynaeve ; au fur et à mesure qu'elle parlait, leur incrédulité s'effaça. « Les Réprouvés ne vont pas rester les bras croisés à attendre. Sammael n'est sûrement pas le seul à avoir saisi les rênes d'une nation, juste l'unique que nous connaissons. Ils finiront par s'attaquer à Rand, en personne, peut-être mais sûrement avec les armées qu'ils commandent. Et les nations qui sont libres des Réprouvés ? Combien crieront gloire à la bannière du Dragon et le suivront à la Tarmon Gai'don et combien se persuaderont que la chute de la Pierre est un mensonge et Rand seulement un autre faux Dragon qui doit être abattu, un faux Dragon peut-être assez fort pour les menacer s'ils ne prennent pas les devants contre lui ? D'une manière ou d'une autre, il y aura la guerre. » Elle s'interrompit brusquement. Cela ne s'arrêterait pas là, mais elle ne pouvait, ne voulait pas leur en parler.

Moiraine n'était pas si réticente. « Très bien, commenta-t-elle en hochant la tête, mais incomplet. » Le coup d'œil qu'elle lança à Élayne signifiait qu'elle savait que c'était à dessein qu'Élayne avait passé le reste sous silence. Les mains croisées calmement à sa taille, elle s'adressa à Nynaeve et Egwene. « Rien ne rend cette guerre plus justifiée ou plus propre. Sauf qu'elle liera solidement les gens du Tear à Rand, et que les hommes d'Illian finiront par le suivre exactement comme les nobles de Tear maintenant. Comment ne le feraient-ils pas, une fois que la bannière du Dragon flottera sur Illian ? Rien que la nouvelle de sa victoire suffirait à conclure en sa faveur les guerres dans le Tarabon et l'Arad Doman ; voilà des guerres terminées pour vous.

« D'un seul coup, il se rendra si puissant en termes d'hommes et d'épées que seule une coalition *de toutes* les nations restantes depuis ici jusqu'à la Dévastation sera en mesure de lui infliger une défaite et, en même temps, il démontre aux Réprouvés qu'il n'est pas une perdrix grasse perchée sur une branche prête à être prise au filet. Cela les rendra prudents et lui gagnera du temps pour apprendre à se servir de sa force. Il doit être le premier à agir, être le marteau et non le clou. » L'Aes Sedai esquissa une légère grimace, une pointe de sa colère d'avant ébranlant son calme. « Il *doit* agir le premier. Et que fait-il ? Il lit à s'enfoncer jusqu'au cou dans les ennuis. »

Nynaeve paraissait bouleversée, comme si elle était spectatrice de toutes ces batailles et ces morts ; les yeux noirs d'Egwene étaient dilatés par sa prise de conscience horrifiée. Leur expression fit frissonner Élayne. L'une avait vu Rand grandir, l'autre avait grandi avec lui. Et maintenant elles le voyaient déclenchant des guerres. Pas le Dragon Réincarné, mais Rand al'Thor.

Egwene se domina visiblement avec peine, se cramponna à la plus infime partie, la partie tirant le moins à conséquence de ce qu'avait dit Moiraine. « Comment lire peut-il lui attirer des ennuis ?

— Il a décidé de découvrir par lui-même ce que

disent les Prophéties du Dragon. » Le visage de Moiraine demeurait lisse et serein mais soudain sa voix exprima une lassitude presque égale à celle qu'Élayne ressentait. « Même si elles ont été interdites dans Tear, le Bibliothécaire en chef en détient neuf transcriptions différentes dans un coffre fermé à clef. Rand dispose de toutes à présent. J'ai mentionné la stance qui s'applique ici et il me l'a récitée, d'après une vieille traduction kandori.

> *"La Puissance de l'Ombre a éveillé la chair des hommes au tumulte, aux rivalités et à la ruine.*
> *Le Réincarné, marqué et perdant son sang,*
> *danse la danse de l'Épée dans les rêves et la brume,*
> *enchaîne à sa volonté les Séides de l'Ombre, et de la cité, perdue et réprouvée,*
> *conduit de nouveau les lances à la guerre,*
> *brise les lances et leur fait voir la vérité*
> *longtemps dissimulée dans le rêve des temps anciens."* »

Elle esquissa une grimace. « Cela s'adapte aussi bien à la situation présente qu'à n'importe quelle autre. Illian sous Sammael est sans aucun doute une ville méritant d'être exclue. Qu'il conduise les Lances de Tear à la guerre, qu'il enchaîne Sammael, et il a accompli la prédiction. Le rêve ancien du Dragon Réincarné. Mais il ne veut pas le comprendre. Il a même un exemplaire dans l'Ancienne Langue, comme s'il en connaissait deux mots. Il court après des ombres, et Sammael, ou Rahvin ou Lanfear l'auront pris à la gorge avant que je réussisse à le convaincre qu'il se trompe.

— Il est désespéré. » La douceur dans la voix de Nynaeve concernait non pas Moiraine, Élayne en était sûre, mais Rand. « Désespéré et cherchant à trouver sa voie.

— Moi aussi, je suis désespérée, répliqua Moiraine d'un ton ferme. J'ai voué ma vie à le découvrir et je ne le laisserai pas échouer pour autant que c'est en mon pouvoir. J'en suis presque au point de... » Elle s'interrompit, lèvres pincées. « Tenons-nous-en à dire que je ferai ce que je dois.

— Mais ce n'est pas suffisant, riposta sèchement Egwene. Qu'est-ce que vous ferez ?

— Vous avez d'autres occupations auxquelles vous consacrer, dit l'Aes Sedai. L'Ajah Noire...

— Non ! » L'accent d'Élayne était coupant et dominateur, ses jointures d'un blanc pur là où elle agrippait sa souple jupe bleue. « Vous gardez beaucoup de secrets, Moiraine, mais confiez-nous celui-ci. Qu'avez-vous l'intention de lui faire ? » Le temps d'un éclair, elle se vit dans son esprit saisissant Moiraine et la secouant au besoin pour obtenir la vérité.

« À lui ? Rien. Oh, d'accord. Il n'y a pas de raison pour que vous ne soyez pas au courant. Vous avez vu ce que les gens de Tear appellent la Grande Réserve ? »

Curieusement pour des gens qui craignaient autant le Pouvoir, les nobles de Tear détenaient dans la forteresse de la Pierre une collection d'objets dont l'importance ne le cédait qu'à celle de la Tour Blanche.

Élayne, pour sa part, croyait que c'était parce qu'ils avaient été contraints de garder si longtemps *Callandor*, qu'ils l'aient voulu ou non. Même l'Épée qui n'est pas une Épée pouvait paraître moins qu'elle n'était quand elle se trouvait mélangée à d'autres objets. Mais les Seigneurs du Tear n'avaient jamais pu se résoudre à exposer leurs trésors. La Grande Réserve était conservée dans une succession crasseuse de pièces bondées à un niveau encore plus bas que les cachots. Quand Élayne les avait vues pour la première fois, les serrures sur les portes étaient depuis longtemps scellées par la rouille, lorsque les portes mêmes ne s'étaient pas désintégrées sous l'effet de la pourriture sèche.

« Nous avons passé une journée entière en bas, dit Nynaeve. Pour vérifier si Liandrin et ses *amies* avaient prélevé quelque chose. Ce que je ne crois pas. Tout était enfoui sous la poussière et le moisi. Il faudra dix bateaux pour en transporter la totalité par eau jusqu'à la Tour. Peut-être là-bas pourra-t-on en découvrir l'usage ; en ce qui me concerne, je n'ai pas pu » La tentation de lancer une pique à Moiraine était apparemment trop forte pour y résister, car elle ajouta : « Vous seriez au courant si vous nous aviez accordé un peu plus de votre temps. »

Moiraine n'y prêta pas attention. Elle avait le regard comme tourné vers l'intérieur, examinant ses pensées, et elle parla presque pour elle-même. « Il y a un *ter'angreal* spécial dans la Réserve, une chose qui ressemble au chambranle en grès rouge d'une porte, déformé presque imperceptiblement à l'œil nu. Si je ne parviens pas à ce qu'il prenne une décision quelconque, je serais peut-être obligée de le franchir. » La petite pierre bleue sur son front vibra, projetant des étincelles. Apparemment, Moiraine envisageait cette démarche sans enthousiasme.

À la mention d'un *ter'angreal*, Egwene avait porté la main à son corsage. Elle y avait cousu elle-même une petite poche, pour dissimuler l'anneau de pierre qui était présentement dedans. Cet anneau était un *ter'angreal*, puissant à sa façon en dépit de ses dimensions réduites, et Élayne était une des trois seules personnes qui savaient qu'elle le possédait. Moiraine ne figurait pas parmi ces trois-là.

C'étaient d'étranges choses, ces *ter'angreals*, des fragments de l'Ère des Légendes comme les *angreals* et les *sa'angreals*, quoique ceux-là plus nombreux. Les *ter'angreals* utilisaient le Pouvoir Unique au lieu de le renforcer. Chacun avait été apparemment conçu pour accomplir une chose et une exclusivement, mais bien que certains soient encore actuellement en usage, on ne savait pas avec certitude si cet usage était celui auquel il était destiné. La Baguette des Serments sur laquelle une femme prêtait les Trois Serments quand elle était élevée au rang d'Aes Sedai était un *ter'angreal* qui faisait de ces serments une partie de sa chair et de ses os. La dernière épreuve à laquelle une novice était soumise pour devenir une Acceptée se déroulait à l'intérieur d'un autre *ter'angreal* qui décelait ses craintes les plus intimes et leur donnait l'apparence de la réalité – ou peut-être l'emportait dans un endroit où elles *étaient* réelles. Des choses curieuses se produisaient avec les *ter'angreals*. Des Aes Sedai avaient eu leur faculté de canaliser détruire ou avaient été tuées, ou avaient simplement disparu en les étudiant. Et en les utilisant.

« J'ai vu ce chambranle, remarqua Élayne. Dans la dernière salle au bout du couloir. Ma lampe s'était éteinte et je suis tombée trois fois avant de revenir à la porte. » Une légère rougeur d'embarras envahit ses joues. « J'ai eu peur de canaliser là-dedans, même pour rallumer la lampe. La plupart de ce qu'il y avait me paraît être sans valeur – je crois que les Seigneurs du Tear ont simplement raflé n'importe quoi supposé avoir un rapport quelconque avec le Pouvoir – mais je me suis dit que si je canalisais je risquais d'éveiller la puissance de quelque chose qui n'était pas neutre, et alors qui sait ce qui risquait d'arriver.

— Et si vous aviez trébuché dans le noir et passé par ce portail tordu ? répliqua sèchement Moiraine. Il n'y a pas besoin de canaliser pour cela, seulement de le franchir.

— Dans quel but ? questionna Nynaeve.

— Pour obtenir des réponses. Trois réponses, chacune vraie, concernant le passé, le présent ou l'avenir »

La première pensée d'Élayne fut pour le conte de fées *Bili sous la colline*, mais seulement à cause des trois réponses. Une deuxième naquit aussitôt après dans son esprit et pas uniquement dans le sien. Elle parla alors que Nynaeve et Egwene en étaient encore à ouvrir la bouche. « Moiraine, cela résout notre problème. Nous pouvons demander si Joiya ou Amico disent la vérité. Nous pouvons demander où sont Lian-drin et les autres. Les noms de celles de l'Ajah Noire encore dans la Tour...

— Nous pouvons demander ce qu'est cette chose dangereuse pour Rand », coupa Egwene, et Nynaeve ajouta : « Pourquoi ne pas nous en avoir parlé plus tôt ? Pourquoi nous avez-vous laissées écouter les mêmes histoires jour après jour alors que nous aurions pu en avoir terminé maintenant ? »

L'Aes Sedai tiqua et leva les bras au ciel. « Vous trois, vous vous précipitez en aveugles là où Lan et cent Liges s'aventureraient sur la pointe des pieds. Pourquoi croyez-vous que je ne l'ai pas franchi ? Il y a des jours que j'aurais pu demander ce que Rand doit faire pour survivre et triompher, comment il peut vaincre les Réprouvés et le Ténébreux, comment il peut apprendre à maîtriser le Pouvoir et tenir la Folie en échec assez longtemps pour accomplir ce à quoi il est obligé. » Elle attendit, mains sur les hanches, que ce soit bien compris. Aucune d'elles ne pipa mot. « Il y a des règles, reprit-elle, et des dangers. Nul ne peut passer de l'autre côté plus d'une fois. Une fois seule-ment. Vous pouvez poser trois questions, mais vous devez les poser toutes les trois et écouter les réponses avant d'être autorisé à partir. Les questions frivoles entraînent un châtiment, mais il semble aussi que ce qui pourrait paraître sérieux pour une personne soit frivole venant d'une autre. Plus important que tout, les questions concernant l'Ombre ont des conséquences redoutables.

« Si vos interrogations concernent l'Ajah Noire,

vous risquez de revenir à l'état de cadavre ou de folle divaguante, en admettant que vous reveniez. En ce qui concerne Rand... je ne suis pas sûre qu'il soit possible de poser une question sur le Dragon Réincarné qui n'ait pas un rapport quelconque avec l'Ombre. Vous voyez ? Parfois, il y a des raisons de se montrer prudent.

— Comment savez-vous tout cela ? » questionna Nynaeve d'un ton agressif. Elle affronta l'Aes Sedai, les poings plantés sur les hanches. « Les Puissants Seigneurs n'ont sûrement pas laissé des Aes Sedai étudier quoi que ce soit dans la Réserve. D'après la crasse qu'il y a là en bas, rien n'a vu la lumière du soleil depuis cent ans ou plus.

— Davantage, à mon avis, lui répondit calmement Moiraine. Ils ont cessé d'augmenter leur collection voilà près de trois siècles. C'est juste avant d'y renoncer complètement qu'ils ont acquis ce *ter'angreal*. Jusqu'alors, il était la propriété des Premiers de Mayene, qui utilisaient ses réponses pour permettre à Mayene de se soustraire à l'emprise de Tear. Et ils ont autorisé les Aes Sedai à l'étudier. En secret, naturellement ; Mayene n'a jamais osé irriter Tear trop ouvertement.

— S'il était si important pour Mayene, commenta Nynaeve d'une voix soupçonneuse, pourquoi se trouve-t-il ici, dans la Pierre ?

– Parce que les Premiers ont pris de mauvaises décisions autant que de bonnes dans leurs tentatives pour sauvegarder l'indépendance de Mayene par rapport à Tear. Trois cents ans auparavant, les Puissants

Seigneurs avaient projeté de bâtir une flotte pour suivre les bateaux de Mayene et découvrir les bancs de poissons dont on extrait l'huile. Halvar, Premier à cette époque, augmenta le prix de l'huile lampante de Mayene bien au-dessus de celui de l'huile d'olive de Tear et, pour renforcer la conviction des Puissants Seigneurs que Mayene servirait ses propres intérêts après ceux du Tear, il leur a offert en cadeau ce *ter'angreal*. Il s'en était déjà servi, donc il ne lui était plus d'aucune utilité et il était presque aussi jeune que l'est maintenant Berelain, apparemment avec un long règne devant lui et de nombreuses années où il aurait besoin de la bienveillance des Tairens.

— Il était idiot, murmura Élayne. Ma mère n'aurait jamais commis pareille erreur.

— Peut-être que non, répliqua Moiraine, mais aussi l'Andor n'est pas une petite nation acculée par une autre beaucoup plus grande et plus forte. Halvar avait été réellement stupide comme la suite l'a démontré – les Puissants Seigneurs l'ont fait assassiner dans le courant de l'année d'après – mais sa sottise m'offre une chance si j'en ai besoin. Une chance dangereuse, qui vaut toutefois mieux que rien. »

Nynaeve marmonna entre ses dents, peut-être déçue que l'Aes Sedai ne se soit pas mise en contradiction avec elle-même.

« Cela nous laisse, nous autres, au même point qu'avant, dit Egwene avec un soupir. Ne sachant pas laquelle ment ou si elles mentent toutes les deux.

— Interrogez-les de nouveau, si vous le désirez, répliqua Moiraine. Vous en avez le temps jusqu'à ce qu'elles soient embarquées sur le bateau, quoique je doute fort que l'une ou l'autre change de discours maintenant. Mon conscil est de vous concentrer sur Tanchico. Si ce que prétend Joiya est vrai, garder Mazrim Taim va requérir des Aes Sedai et des Liges, pas seulement vous trois. J'ai envoyé un message d'avertissement à l'Amyrlin par pigeon voyageur dès la première fois où j'ai entendu la déclaration de Joiya. En fait, j'ai dépêché trois pigeons, pour m'assurer qu'un arrivera à la Tour.

— Très aimable à vous de nous en tenir informées », murmura froidement Élayne. Il n'y avait pas à dire, cette femme allait son chemin sans s'inquiéter de personne. Qu'elles n'aient pas encore accédé au rang d'Aes Scdai et feignent seulement de l'être n'était pas une raison pour que Moiraine les laisse dans l'ignorance. Somme toute, l'Amyrlin les avait bien chargées, *elles*, de rechercher l'Ajah Noire.

Moiraine inclina brièvement la tête, comme si elle prenait ces remerciements au pied de la lettre. « C'est de bon cœur. Rappelez-vous que vous êtes les limiers que l'Amyrlin a lancés sur la piste de l'Ajah Noire. » Son petit sourire en réponse au sursaut d'Élayne témoignait qu'elle savait parfaitement ce qu'avait pensé celle-ci. « La décision concernant la direction à choisir dépend de vous. Vous me l'avez également indiqué, ajouta-t-elle sèchement. J'aime à croire qu'elle se révélera une décision plus facile que la mienne. Et j'espère que vous dormirez bien, pour ce qui reste de temps à dormir avant l'aube. Bonne nuit à vous.

— Cette femme... » marmotta Élayne quand la porte se fut refermée sur l'Aes Sedai. « Parfois, je me retiens tout juste de l'étrangler. »

Elle se laissa choir sur une des chaises devant la table et contempla ses mains dans son giron, les sourcils froncés. Nynaeve émit un grognement qui pouvait passer pour un acquiescement tandis qu'elle se dirigeait vers une table étroite contre le mur où des gobelets d'argent et des pots d'épices étaient placés à côté de deux pichets. L'un d'eux, plein de vin, était posé dans un récipient luisant qui contenait de la glace maintenant presque complètement fondue, apportée depuis l'Échine du Monde emballée dans des coffres remplis de sciure. De la glace en été pour refroidir la boisson d'un Puissant Seigneur ; Élayne avait du mal à s'imaginer cela possible.

« Une boisson fraîche avant de nous coucher nous fera du bien à toutes », décréta Nynaeve en s'affairant avec le vin, l'eau et les épices.

Élayne leva la tête quand Egwene prit place à côté d'elle. « Pensais-tu ce que tu as dit, Egwene ? Au sujet de Rand ? » Egwene acquiesça d'un signe et Élayne poussa un soupir. « Te rappelles-tu ce que Min avait coutume de répéter, toutes ses plaisanteries sur Rand que nous devions partager ? Je me suis demandé parfois s'il s'agissait d'une vision dont elle ne nous avait pas parlé. Je pensais qu'elle entendait par là que nous l'aimions toutes les deux et qu'elle était au courant. Par contre, c'est toi qui en avais le droit et je me demandais que faire. Je me le demande encore. Egwene, il t'aime.

— Il faudra lui mettre les points sur les *i*, voilà tout, répliqua Egwene avec fermeté. Quand je me marierai, ce sera parce que je le souhaite, pas seulement parce qu'un homme s'attend à ce que je l'aime. Je m'y prendrai en douceur, Élayne, mais quand j'aurai fini il saura qu'il est libre. Qu'il le veuille ou non. Ma mère dit que les hommes sont différents de nous. Elle dit que nous ne demandons qu'à être amoureuses mais seulement de l'homme de notre choix ; un homme a besoin d'aimer, par contre il tombera amoureux de la première femme qui lui attachera un fil au bout du cœur.

— Fort bien, commenta Élayne d'une voix crispée, n'empêche que Berelain se trouvait dans son appartement. »

Egwene eut un reniflement de dédain. « Quelles que soient ses intentions, Berelain ne fixe jamais son esprit sur un homme assez longtemps pour s'en faire aimer. Il y a deux jours, elle coulait des yeux doux en direction de Rhuarc. Dans deux de plus, elle sourira à quelqu'un d'autre. Elle est comme Else Grinwell. Tu te souviens d'elle ? La novice qui passait tout son temps dans les cours d'exercice à battre des cils à l'intention des Liges ?

— Elle ne battait pas juste des cils dans sa chambre, à cette heure-là. Elle portait encore moins de vêtements sur elle que d'habitude, si c'est possible !

— As-tu l'intention de le lui laisser avoir, alors ?

— Non ! » Élayne l'affirma avec véhémence et elle le pensait ; pourtant, la seconde d'après, elle était en proie au désespoir. « Oh, Egwene, je ne sais que faire.

Je l'aime. Je veux me marier avec lui. Par la Lumière !
Que dira maman ? Je préférerais passer une nuit dans
la cellule de Joiya plutôt que d'écouter les sermons
dont maman me gratifiera. » Les nobles d'Andor,
même dans les familles royales, épousaient des roturiers assez souvent pour que cela ne suscite guère de
commentaires – en Andor, du moins – mais Rand
n'était pas précisément un homme du peuple ordinaire.
Sa mère était parfaitement capable d'envoyer Lini en
personne la tirer par l'oreille pour la ramener chez elle.

« Morgase n'aura guère lieu de se gendarmer, s'il
faut en croire Mat, dit Egwene pour la réconforter. Ou
même à ne l'en croire qu'à moitié. Ce Seigneur Gaebril dont s'est entichée ta mère ne paraît guère le choix
d'une femme de tête.

— Je suis sûre que Mat a exagéré », répliqua
Élayne d'un ton pincé. Sa mère était trop clairvoyante
pour se mettre à la remorque de n'importe qui. Si le
Seigneur Gaebril – elle n'avait même jamais entendu
parler de lui avant que Mat prononce son nom – si cet
homme s'imaginait acquérir du pouvoir par l'entre-
mise de Morgase, elle le tirerait rudement de ses
illusions.

Nynaeve apporta sur la table trois gobelets de vin
épicé, des gouttes de condensation coulant le long de
leurs parois brillantes, et des petites nattes de paille
tressée vert et or pour les poser dessus afin que l'humidité ne laisse pas de marque sur la surface luisante de
la table. « Ainsi donc, dit-elle en s'asseyant, vous avez
découvert que vous êtes amoureuse de Rand, Élayne,
et Egwene a découvert qu'elle ne l'est pas. »

Les deux jeunes filles la regardèrent bouche bée, l'une brune et l'autre blonde mais quasiment la même image de la stupeur.

« J'ai des yeux, reprit Nynaeve d'un ton suffisant. Et des oreilles, quand vous ne prenez pas la peine de baisser la voix. » Elle but de petites gorgées de son vin et elle continua d'un ton qui était devenu froid. « Comment avez-vous l'intention de régler la question ? Si cette chipie de Berelain lui a planté ses griffes dedans, ce sera difficile de les arracher. Êtes-vous sûre de vouloir en faire l'effort ? Vous savez ce qu'il est. Vous savez ce qui l'attend, même sans tenir compte des Prophéties. La Folie. La Mort. Combien de temps lui reste-t-il ? Un an ? Deux ? Ou cela commencera-t-il avant la fin de l'été ? C'est un homme qui peut canaliser. » Elle détachait chaque mot implacablement. « Rappelez-vous ce qui vous a été enseigné. Rappelez-vous ce qu'il est. »

Élayne dressa fièrement la tête et rendit à Nynaeve regard pour regard. « Peu importe. Peut-être celui le devrait-il, mais non. Pour que sois-je une sotte, je m'en moque. Je ne peux pas changer mon cœur à volonté, Nynaeve. »

Soudain, Nynaeve sourit. « Il me fallait une certitude, dit-elle avec chaleur. Vous devez être sûre de vous. Aimer un homme n'a rien de facile, mais aimer celui-ci sera plus dur encore. » Son sourire s'effaça tandis qu'elle continuait . « Ma première question attend toujours sa réponse. Quelles sont vos intentions à ce sujet ? Si douce qu'ait l'air Berelain – et elle sait certes bien en persuader les hommes ! – je ne crois pas qu'elle le soit. Elle se battra pour ce qu'elle veut. Et elle est du genre à se cramponner à ce dont elle n'a pas particulièrement envie juste parce que quelqu'un d'autre en a envie aussi.

— J'aimerais la tasser dans un tonneau et la réexpédier par bateau à Mayene, commenta Egwene en serrant son gobelet comme si c'était la gorge de la Première. À fond de cale. »

La tresse de Nynaeve se balança vivement comme elle secouait la tête. « Fort bien dit, mais tâche de donner un avis qui soit utile. Sinon, tais-toi et laisse-la décider comment agir. » Egwene la regarda avec surprise et elle ajouta : « Rand est maintenant l'affaire d'Élayne, pas la tienne. Tu t'es effacée, rappelle-toi. »

Cette remarque aurait dû provoquer un sourire chez Élayne, mais elle n'y réussit pas. « C'était censé être tellement différent. » Elle soupira. « Je pensais que je rencontrerais un homme, que j'apprendrais à le connaître au fil des mois ou des années et que j'en viendrais lentement à me rendre compte que je l'aimais. Voilà comment j'ai toujours cru que cela se passerait. Je connais à peine Rand. Je ne lui ai pas parlé plus d'une demi-douzaine de fois en l'espace d'une année. Pourtant, j'ai compris que je l'aimais cinq minutes après avoir posé les yeux sur lui pour la première fois. » Allons, voilà qui était de la sottise. N'empêche, c'était vrai et elle se moquait que ce soit bête. Elle dirait la même chose à sa mère si elle était là, et à Lini. Ma foi, peut-être pas à Lini. Lini avait des méthodes énergiques pour traiter la bêtise et elle semblait estimer qu'Élayne n'avait pas dépassé l'âge de dix ans. « Les choses étant ce qu'elles sont, par contre, je n'ai même pas le droit d'être en colère contre lui. Ni contre Berelain. » Mais elle l'était. *J'aimerais gifler Rand jusqu'à ce que les oreilles lui tintent pendant un an ! J'aimerais fouetter Berelain à coups de baguette tout le long du chemin jusqu'au navire qui doit la ramener à Mayene !* Seulement, elle n'en avait pas le droit, et cela rendait les choses pires. À sa courte honte, une note plaintive vibra dans sa voix. « Que puis-je faire ? Il ne m'a jamais regardée plus d'une fois.

— Au pays des Deux Rivières, dit lentement Egwene, quand une femme souhaite qu'un homme sache qu'elle s'intéresse à lui, elle lui met des fleurs dans les cheveux à Bel Tine, le festival du printemps, ou le dimanche. Ou elle brode pour lui n'importe quand une chemise de fête. Ou elle prend bien soin de l'inviter à danser, lui et personne d'autre. » Élayne la regarda d'un air incrédule et elle se hâta d'ajouter : « Je ne te suggère pas de lui broder une chemise, mais ce sont des moyens de lui faire connaître tes sentiments.

— Les natifs de Mayene en tiennent pour parler carrément. » La voix d'Élayne était devenue légèrement cassante. « Peut-être est-ce la meilleure solution. Le lui dire tout net. Au moins saura-t-il ce que je ressens. Au moins aurais-je une certaine justification. »

Elle prit brusquement son vin épicé, renversa la tête en arrière, avala. Lui parler carrément ? Comme une *effrontée* de Mayene ! Reposant le gobelet vide sur la petite natte, elle respira à fond et murmura : « *Que dira* maman ?

— Le plus important, remarqua Nynaeve avec douceur, c'est comment vous réagirez quand nous aurons à partir d'ici. Que ce soit pour Tanchico, pour la Tour ou ailleurs, nous partirons, c'est inévitable. Que ferez-vous quand vous viendrez de lui déclarer que vous l'aimez et que vous devez le quitter ? S'il vous demande de rester avec lui ? Si vous le souhaitez ?

— Je partirai. » Il n'y eut pas d'hésitation dans la réplique d'Élayne, par contre y résonna une nuance d'âpreté. L'autre n'aurait pas dû avoir à poser la question. « Si je suis contrainte d'accepter qu'il est le Dragon Réincarné, lui-même l'est d'accepter ce que je suis, d'admettre que j'ai des obligations. Je veux être une Aes Sedai, Nynaeve. Ce n'est pas une distraction passagère. Pas plus que la mission qui nous est dévolue à toutes les trois. Pouvez-vous réellement croire que je vous abandonnerais, Egwene et vous ? »

Egwene s'empressa d'affirmer que cette pensée ne lui avait jamais traversé l'esprit ; Nynaeve également mais avec assez de lenteur pour démentir son assertion.

Élayne reporta son regard de l'une à l'autre. « En toute franchise, je craignais que vous ne me traitiez d'idiote de me tourmenter pour une chose comme ça alors que nous avons à nous préoccuper de l'Ajah Noire. »

Un léger battement de paupières chez Egwene indiqua que l'idée l'avait effleurée, mais Nynaeve déclara : « Rand n'est pas le seul à risquer de mourir l'année prochaine ou le mois prochain. Nous aussi. Les temps ne sont plus ce qu'ils étaient et il en est de même pour nous. Si vous restez assise à languir pour ce que vous désirez, vous ne le verrez peut-être pas de ce côté-ci de la tombe. »

C'était une manière de rassurer plutôt glaçante, mais Élayne hocha la tête. Non, elle ne se conduisait pas comme une idiote. Si seulement l'affaire de l'Ajah Noire pouvait se résoudre aussi aisément ! Elle appuya son gobelet d'argent vide contre son front pour se rafraîchir. Qu'allaient-elles faire ?

7.

Jouer avec le feu

Le lendemain matin, alors que le soleil surgissait juste au-dessus de l'horizon, Egwene se présenta à la porte de l'appartement de Rand, suivie en traînant les pieds par Élayne. La Fille-Héritière portait une robe en soie bleu clair à manches longues, taillée selon la mode de Tear, le décolleté abaissé après une petite discussion de façon à bien dégager le haut du buste. Un collier de saphirs du ton intense d'un ciel matinal et un autre fil de saphirs passé dans ses boucles d'or roux mettaient en valeur le bleu de ses yeux. En dépit de la chaleur humide, Egwene avait drapé autour de ses épaules une simple écharpe rouge foncé aussi grande qu'un châle. Aviendha avait fourni l'écharpe ainsi que les saphirs. Si surprenant que cela paraisse, l'Aielle avait constitué d'une façon ou de l'autre une bonne réserve de ce genre de choses.

Bien que les sachant là, Egwene sursauta quand les Aiels de garde se relevèrent avec une étonnante prestesse. Élayne retint brièvement sa respiration, mais les toisa vite avec cet air royal qu'elle savait si bien prendre. Lequel ne fit manifestement aucun effet sur ces hommes brunis par le soleil. Les six étaient des

Shae'en M'taal, des Chiens de Pierre, et avaient une attitude détendue pour des Aiels, autrement dit don naient l'impression de regarder partout à la fois, d'être prêts à s'élancer dans n'importe quelle direction.

Egwene se redressa de toute sa taille à l'imitation d'Élayne – elle aurait vraiment aimé s'en tirer aussi bien que la Fille-Héritière – et annonça : « Je... nous voulons voir où en sont les blessures du Seigneur Dragon. »

C'était carrément stupide à dire s'ils possédaient de solides notions concernant la Guérison, mais cela ne risquait guère ; peu de gens en avaient et les Aiels probablement moins que la plupart. Elle n'avait pas eu l'intention de justifier sa venue ici – cela suffisait qu'ils la croient une Aes Sedai – toutefois, quand les Aiels avaient quasiment jailli du sol de marbre noir, l'idée avait semblé soudain bonne. Non pas qu'ils aient esquissé le moindre geste pour les arrêter, Élayne et elle, évidemment. Mais ces hommes étaient tellement grands, tellement impassibles, et ils avaient en main ces lances courtes et ces arcs en corne comme si s'en servir était aussi naturel que respirer, et aussi simple. Avec ces yeux clairs qui la considéraient fixement, il n'était que trop facile de se rappeler les récits d'Aiels voilés de noir, sans merci ni miséricorde, de la Guerre des Aiels et des hommes comme ceux-ci qui avaient anéanti toutes les armées envoyées contre eux jusqu'à la dernière, qui avaient repris le chemin de leur Désert seulement après avoir cloué sur leurs positions les nations alliées au bout de trois jours et trois nuits de combats sanglants devant Tar Valon même. Egwene faillit appeler à elle la *Saidar*.

Gaul, le chef des Chiens de Pierre, hocha la tête, en les regardant Élayne et elle avec une nuance de respect. C'était un bel homme, dans le genre rude, un peu plus âgé que Nynaeve, avec des yeux verts translucides comme des pierres précieuses et de longs cils si sombres qu'ils semblaient souligner ses yeux de noir. « Elles le tourmentent peut-être. Il est de mauvaise humeur, ce matin. » Gaul sourit, juste un éclair de dents blanches, témoignant qu'il comprenait dans quelle disposition d'esprit est un blessé. « Il a déjà chassé un groupe de ces Puissants Seigneurs et en a jeté un dehors lui-même. Comment s'appelle-t-il ?

— Torean », répliqua un autre encore plus grand que lui. Il avait une flèche encochée, et tenait son petit arc courbe presque machinalement. Ses yeux gris se posèrent un instant sur les deux jeunes filles, puis recommencèrent à sonder les espaces entre les colonnes du vestibule.

« Torean, oui, dit Gaul. Je pensais qu'il glisserait jusqu'à ces jolies sculptures... » Il désigna de la pointe de sa lance le cercle de Défenseurs figés au garde-à-vous. « ... mais il en a atterri à trois pas. J'ai perdu au profit de Mangin une belle tenture de Tear, tout en faucons au fil d'or. » L'homme plus grand eut un bref sourire satisfait.

Egwene cilla en se représentant mentalement Rand jetant de ses propres mains un Puissant Seigneur à travers la salle. Il n'avait jamais été violent ; loin de là. Jusqu'à quel point avait-il changé ? Elle avait été trop

266

occupée avec Joiya et Amico et lui avec Moiraine, Lan ou les Puissants Seigneurs de Tear, pour autre chose que se parler en passant, échanger quelques mots à propos de leur pays natal çà et là, de la façon dont se serait passée la fête de Bel Tine cette année et à quoi ressemblerait le dimanche. C'était si court. À quel point avait-il changé ?

« Nous devons le voir », dit Élayne, un léger tremblement dans la voix.

Gaul s'inclina, piquant la pointe d'une de ses lances dans le marbre noir. « Bien sûr, Aes Sedai. »

C'est avec une certaine appréhension qu'Egwene pénétra dans l'appartement de Rand, et la mine d'Élayne en disait long sur l'effort requis par ces quelques pas.

Il ne restait pas trace de l'horreur de la nuit, si ce n'est l'absence de miroirs ; des emplacements plus clairs se distinguaient sur les lambris des murs à l'endroit où avaient été enlevées les glaces qui y étaient accrochées. Non pas que la pièce eût l'air le moins du monde en ordre : des livres gisaient partout, sur tout certains ouverts comme abandonnés au milieu d'une page, et le lit n'avait toujours pas été refait. Les fenêtres donnant à l'ouest sur le fleuve qui était l'artère vitale de Tear avaient toutes leurs rideaux pourpres ouverts et *Callandor* scintillait comme du cristal poli sur un énorme présentoir doré d'un mauvais goût sans égal dans son faste. Egwene estima que jamais à sa connaissance objet plus laid n'avait décoré une pièce – jusqu'à ce qu'elle aperçoive les loups d'argent attaquant un cerf en or sur la tablette de la cheminée. De rares bouffées de brise montant du fleuve maintenaient la pièce étonnamment fraîche en comparaison du reste de la forteresse.

Rand, en manches de chemise, était étendu dans un fauteuil, une jambe passée par-dessus l'accoudoir et un livre relié en cuir appuyé sur son genou. Au bruit de leurs pas, il referma le livre brusquement et le laissa choir parmi les autres sur le tapis orné de volutes, se levant d'un bond, prêt à se battre. L'expression menaçante s'estompa sur ses traits quand il comprit qui elles étaient.

Pour la première fois depuis qu'elle était dans la Pierre, Egwene chercha ce qui avait changé chez Rand, et elle trouva.

Avant son arrivée à la forteresse, ils ne s'étaient pas rencontrés depuis combien de mois ? Suffisamment de temps pour que ses traits aient durci, pour que l'expression ouverte qu'ils avaient naguère ait disparu. Il se déplaçait différemment aussi, un peu comme Lan, un peu comme les Aiels. Avec sa haute taille et ses cheveux tirant sur le roux, avec ses yeux tantôt bleus tantôt gris selon l'éclairage, il ressemblait beaucoup trop à un Aiel. Beaucoup trop pour qu'elle se sente à l'aise. Mais avait-il changé intérieurement ?

« Je croyais que vous étiez... quelqu'un d'autre », marmonna-t-il, répartissant entre elles des coups d'œil embarrassés. C'était le Rand qu'elle connaissait, jusqu'à la rougeur qui lui montait aux joues chaque fois qu'il regardait Élayne ou elle, l'une ou l'autre. « Des... gens veulent des choses que je ne peux pas donner. Que je ne veux pas donner. » La suspicion se peignit sur son visage avec une soudaineté bouleversante, et son ton se durcit. « Vous, qu'est-ce que vous voulez ? Est-ce Moiraine qui vous envoie ? Êtes-vous censées me convaincre de faire ce qu'elle veut ?

— Ne sois pas bête, rétorqua Egwene sèchement sans réfléchir. Je ne veux pas que tu déclenches une guerre. »

Élayne ajouta d'une voix suppliante : « Nous sommes venues pour... pour vous aider, si nous pouvons. » C'était une de leurs raisons et la plus facile à énoncer, avaient-elles décidé en prenant leur petit déjeuner.

« Vous connaissez ses plans pour... », commença-t-il brutalement, puis changea subitement de sujet. « M'aider ? Comment ? C'est ce que dit Moiraine. »

Egwene croisa d'un air sévère ses bras sous ses seins, serrant autour d'elle l'écharpe, à la façon dont Nynaeve avait coutume de s'adresser au Conseil du Village quand elle entendait obtenir ce qu'elle voulait, quelque obstinés que se montrent les Conseillers. C'était trop tard pour repartir sur une nouvelle lancée ; la seule solution était de continuer comme elle avait commencé. « Je t'ai dit de ne pas faire l'idiot, Rand al'Thor. Tu as peut-être des gens de Tear qui s'inclinent jusqu'à tes bottes, mais je me rappelle une fois où Nynaeve t'a foucté le postérieur pour t'être laissé entraîner par Mat à voler un flacon d'eau-de-vie de cidre. » Élayne avait soin de garder un visage neutre. Trop soigneusement ; pour Egwene, c'était évident qu'elle avait envie d'éclater de rire.

Rand ne le remarqua pas, naturellement. Les hommes

ne remarquaient jamais ça. Il adressa un large sourire à Egwene, près lui aussi de rire. « Nous venions juste d'avoir treize ans. Elle nous avait découverts endormis derrière l'écurie de ton père, et nous avions tellement mal au crâne que nous n'avons même pas senti ses coups de baguette. » Ce n'était absolument pas le souvenir qu'en avait gardé Egwene. « Pas comme quand tu lui as jeté ce bol à la tête. Tu te rappelles ? Elle t'avait préparé une tisane d'herbe-aux-chiens parce que tu broyais du noir depuis une semaine et dès que tu l'as goûtée, tu l'as atteinte avec son plus joli bol. Ô Lumière, qu'est-ce que tu as piaillé ! Quand était-ce ? Il y aura deux ans dans...

— Nous ne sommes pas ici pour parler des temps passés », répliqua Egwene en rajustant l'écharpe avec irritation. Elle était en laine fine mais encore bien trop chaude. Vraiment, il avait cette habitude bien enracinée de se rappeler les choses les plus désagréables.

Il sourit comme s'il savait ce qu'elle pensait et reprit de meilleure humeur : « Vous êtes ici pour m'aider, dis-tu. À quoi ? Je n'imagine pas que tu saches comment obliger un Puissant Seigneur à tenir sa parole sans que je sois là à regarder par-dessus son épaule. Ou comment mettre un terme à des rêves importuns ? Je ne refuserais certes pas de l'aide pour... » Ses yeux se tournant vivement vers Élayne et revenant à elle, il changea de nouveau brusquement de sujet. « Et l'Ancienne Langue ? En avez-vous appris un peu dans la Tour Blanche ? » Sans attendre de réponse, il commença à fouiller parmi les volumes éparpillés sur le tapis. D'autres se trouvaient sur les sièges, parmi

les couvertures en désordre. « J'ai un exemplaire ici...
quelque part... que...

— Rand. » Egwene força sa voix. « Rand, je ne sais
pas lire l'Ancienne Langue. » Elle lança un coup d'œil
à Élayne, pour l'avertir de ne pas admettre qu'elle
avait ces connaissances-là. Elles n'étaient pas venues
pour lui traduire les Prophéties du Dragon. Les saphirs
dans les cheveux de la Fille-Héritière oscillèrent quand
elle inclina la tête en signe d'acquiescement. « Nous
avions d'autres choses à apprendre. »

Il abandonna les livres et se redressa avec un soupir.
« C'était trop espérer. » Pendant un instant, il parut sur
le point d'ajouter quelque chose, mais baissa les yeux
sur ses bottes. Egwene se demanda comment il se
débrouillait pour s'imposer aux Puissants Seigneurs
confits dans leur arrogance si elle et Élayne le décon-
tenançaient à ce point-là.

« Nous sommes venues t'aider à canaliser, lui dit-
elle. À maîtriser le Pouvoir. » Ce que Moiraine soutenait était censé vrai ; une femme ne pouvait pas enseigner à un homme comment canaliser, pas plus qu'elle
ne pouvait lui enseigner comment mener à bien une
grossesse. Egwene n'en était pas aussi convaincue.
Elle avait senti quelque chose tissé par le *Saidin*, une
fois. Ou plutôt elle n'avait rien senti, elle ne savait
quoi bloquant ses propres flots aussi fermement que la
pierre endigue l'eau. Cependant, elle avait appris au-
dehors de la Tour Blanche autant que dans la Tour ;
dans ses connaissances, il y avait sûrement quelque
chose qu'elle pouvait lui apprendre, un conseil qu'elle
pouvait lui donner.

271

« Si c'est dans nos capacités », ajouta Élayne.

De nouveau, la suspicion se peignit sur ses traits en un éclair. La rapidité avec laquelle changeait son humeur était déconcertante. « J'ai plus de chances de lire l'Ancienne Langue que vous de... Êtes-vous certaines qu'il n'y a pas du Moiraine là-dessous ? Vous a-t-elle envoyées ici ? Elle croit réussir à me persuader d'une manière détournée, n'est-ce pas ? Un plan subtil d'Aes Sedai dont je ne découvrirai le mobile qu'une fois englué dedans ? » Il émit un grognement morose et extirpa de derrière un des sièges une tunique vert sombre qui gisait par terre, l'endossant précipitamment. « J'ai accepté de rencontrer quelques autres des Puissants Seigneurs, ce matin. Si je ne les surveille pas, ils trouvent des moyens de passer outre à ce que je veux. Ils apprendront tôt ou tard. Je dirige le Tear, maintenant. Moi. Le Dragon Réincarné. Je leur ferai comprendre. Vous m'excuserez. »

Egwene avait envie de le secouer. Il dirigeait le Tear ? Eh bien, peut-être que oui, en fin de compte, mais elle se rappelait un garçon avec un agneau blotti à l'intérieur de sa casaque, fier comme un paon parce qu'il avait mis en fuite le loup qui essayait de l'emporter. Il était un berger, pas un roi et, même s'il avait des raisons d'arborer des airs supérieurs, cela ne lui servait à rien.

Elle s'apprêtait à le lui dire mais elle n'en eut pas le temps car Élayne prit la parole avec véhémence. « Personne ne nous a envoyées. Personne. Nous sommes venues parce que... parce que nous avons de l'affection pour vous. Peut-être que cela ne marchera pas, mais vous pouvez essayer. Si je... si nous nous inquiétons assez pour essayer, vous pouvez essayer aussi. Cela vous importe-t-il si peu que vous n'ayez pas une heure à nous accorder ? Pour votre vie ? »

Il cessa de boutonner sa tunique, dévisageant si intensément la Fille-Héritière que pendant un instant Egwene pensa qu'il avait oublié sa présence. Il détourna le regard avec un frisson. Lançant un coup d'œil à Egwene, il passa d'un pied sur l'autre, fixant le sol d'un air sombre. « J'essaierai, marmonna-t-il. Ce sera inutile, mais d'accord... Que voulez-vous que je fasse ? »

Egwene respira profondément. Elle n'avait pas cru que le convaincre serait aussi facile ; il avait toujours été comme un rocher enfoncé dans la boue quand il décidait de s'entêter, ce qui était trop souvent le cas.

« Regarde-moi », dit-elle, embrassant la *Saidar*. Elle laissa le Pouvoir l'envahir aussi complètement que d'habitude, plus complètement, acceptant chaque goutte qu'elle pouvait contenir ; c'était comme si la Lumière se répandait dans toutes les parcelles de son être, comme si la Lumière elle-même emplissait le moindre recoin. La vie semblait exploser en elle comme un feu d'artifice. Elle n'en avait jamais encore accueilli autant. Ce fut un choc de se rendre compte qu'elle ne tremblait pas ; comment donc pouvait-elle supporter cette splendeur magique ? Elle avait envie de s'en délecter, de danser et de chanter, de simplement se coucher et la laisser déferler en elle, sur elle. Elle se força à parler. « Que vois-tu ? Que sens-tu ? Regarde-moi, Rand ! »

Il leva lentement la tête, les sourcils toujours froncés. « Je te vois. Que suis-je censé voir ? Puises-tu à la Source ? Egwene, Moiraine a canalisé autour de moi cent fois et je n'ai jamais rien vu. Sauf ce qu'elle faisait. Cela ne fonctionne pas de cette façon. Même moi, je le sais.

— Je suis plus forte que Moiraine, lui expliqua-t-elle d'un ton ferme. Elle serait en train de gémir par terre, ou inconsciente, si elle tentait d'en absorber autant que moi maintenant. » C'était vrai, bien qu'elle n'eût jamais jusqu'à présent évalué d'aussi près les aptitudes de l'Aes Sedai.

Il réclamait d'être utilisé, ce Pouvoir dont les pulsa-tions la parcouraient avec plus de vigueur que celles du sang. Avec cette abondance, elle pouvait réaliser des choses dont ne rêverait même pas Moiraine. La blessure au côté de Rand que Moiraine n'avait jamais réussi à Guérir complètement. Elle ne connaissait pas l'art de Guérir – c'était considérablement plus complexe que tout ce qu'elle avait jamais fait – mais elle avait observé Nynaeve quand elle Guérissait et peut-être, avec cette vaste réserve de Pouvoir qui l'em-plissait, elle pourrait entrevoir un moyen de Guérir la blessure de Rand. Non pas pour le mettre en œuvre, bien sûr ; seulement pour le connaître.

Avec précaution, elle fila des flots fins comme des cheveux d'Air, d'Eau et d'Esprit, les Pouvoirs servant à Guérir, et tâta la vieille blessure de Rand. Un effleu-rement et elle recula, frissonnante, retira vite son tissa-ge ; son estomac se souleva comme si la totalité des repas qu'elle avait avalés dans sa vie voulaient ressortir. Toute la noirceur du monde semblait s'être rassemblée là dans le flanc de Rand, tout le mal du monde dans une plaie suppurante que recouvrait uniquement un léger tissu cicatriciel fragile. Une chose comme ça absorberait des flots de Guérison comme le sable sec des gouttes d'eau. Comment Rand parvenait-il à supporter cette souffrance ? Pourquoi ne pleurait-il pas ?

De la première pensée à l'action seulement un temps infime s'était écoulé. Secouée et s'efforçant désespérément de le dissimuler, elle poursuivit sans s'arrêter : « Tu es aussi fort que moi. Je le sais ; tu dois l'être. Cherche, Rand. Que ressens-tu ? » *Ô Lumière, qu'est-ce qui peut Guérir ça ? Existe-t-il quoi que ce soit qui le peut ?*

« Je ne sens rien, murmura-t-il en changeant de pied. La chair de poule. Et pas étonnant. Ce n'est pas que je n'ai pas confiance en toi, Egwene, mais je ne peux pas m'empêcher d'être nerveux quand une femme canalise près de moi. Excuse-moi. »

Elle ne se donna pas la peine de lui expliquer la différence entre canaliser et simplement accueillir la Vraie Source. Il en ignorait tant, même en comparaison de ses propres connaissances limitées. Il était un aveugle s'essayant à travailler sur un métier à tisser par le simple contact, sans idée de ce que sont les couleurs ou à quoi ressemblent les fils ou même le métier.

Avec un effort, elle laissa partir la *Saidar*, et c'était un effort. Une partie de son être avait envie de pleurer cette perte. « Je ne touche pas la Source à présent, Rand. » Elle se rapprocha de quelques pas. « As-tu toujours la chair de poule ?

— Non, mais c'est juste parce que tu me l'as dit. »
Il eut un brusque haussement d'épaules. « Tu vois ? Je
commence à y penser et j'ai de nouveau la chair de
poule. »

Egwene eut un sourire de triomphe. Elle n'eut pas
besoin de se tourner vers Élayne pour confirmer ce
qu'elle avait déjà senti, ce sur quoi elles étaient tombées d'accord auparavant concernant cette expérience.
« Tu peux sentir qu'une femme embrasse la Source,
Rand. C'est ce que fait Élayne en ce moment. » Il
regarda du coin de l'œil la Fille-Héritière. « Peu
importe ce que tu vois ou ne vois pas. Tu le sens. C'est
déjà un point d'acquis. Voyons ce que nous pouvons
découvrir d'autre. Rand, appelle la Source. Appelle le
Saidin. » Les mots sortirent rauques, d'une gorge serrée. Elles étaient aussi convenues de cela, elle et
Élayne. Il était Rand, pas un monstre sorti des contes
et elles s'étaient entendues là-dessus, néanmoins
demander à un homme de... L'étonnant, c'est qu'elle ait
réussi à prononcer la phrase. « Vois-tu quelque chose ?
dit-elle à Élayne. Ou sens-tu quoi que ce soit ? »

Rand continuait à adresser équitablement à l'une et
à l'autre un coup d'œil, entre deux contemplations du
sol et parfois un embrasement de ses joues. Pourquoi
était-il donc tellement troublé ? L'examinant avec
attention, la Fille-Héritière secoua la tête. « Il pourrait
simplement rester planté là pour autant que je le sache.
Es-tu sûre qu'il fait quelque chose ?

— Il est têtu mais pas stupide ! Du moins pas stupide la plupart du temps.

— Eh bien, têtu, stupide ou autre, je ne sens rien du tout. »

Egwene regarda Rand en fronçant les sourcils. « Tu as dit que tu ferais ce que nous demanderions, Rand. Le fais-tu ? Si tu as senti quoi que ce soit, je le devrais aussi et je ne... » Elle s'interrompit en étouffant un glapissement. *Quelque chose* lui avait pincé le postérieur. Les lèvres de Rand remuèrent, visiblement luttant contre l'envie de sourire. « Ça, dit-elle d'un ton tranchant, ce n'est pas bien. »

Il tenta de garder un air innocent mais le sourire disparut. « Tu as dit que tu voulais sentir quelque chose et j'ai simplement pensé... » Egwene sursauta comme il poussait soudain un rugissement. Plaquant une main sur sa fesse gauche, il boitilla péniblement en rond. « Sang et cendres, Egwene ! Il n'était pas nécessaire de... » Il continua à proférer des marmottements plus vifs inaudibles qu'Egwene fut tout aussi contente de ne pas comprendre.

Elle sauta sur cette chance d'agiter l'écharpe pour s'éventer un peu et échangea un petit sourire avec Élayne. L'aura autour de la Fille-Héritière se dissipa. Les deux en vinrent bien près de glousser de rire tout en se massant mine de rien. Ça lui apprendrait. Environ cent fois plus fort, estima Egwene.

Se retournant vers Rand, elle prit son air le plus sévère. « Je me serais attendue à ce genre de tour de la part de Mat. Je croyais que toi, au moins, tu étais devenu adulte. Nous sommes venues ici pour t'aider, si c'est possible. Tâche de coopérer. Fais quelque chose avec le Pouvoir, quelque chose qui ne soit pas puéril. Peut-être que nous arriverons alors à le déceler. »

Le dos, voûté, il leur adressera un regard furieux. « Fais quelque chose, marmotta-t-il. Tu n'étais pas obligée... je vais boiter pendant... Tu veux que je fasse quelque chose ? »

Subitement, elle s'éleva en l'air, ainsi qu'Élayne ; elles se dévisagèrent, les yeux écarquillés, tandis qu'elles planaient à un pas au-dessus du tapis. Rien ne les tenait, aucun flot que sente ou voie Egwene. Rien. Sa bouche se pinça. Il n'avait pas le droit de faire ça. Aucun droit, et c'était temps qu'il l'apprenne. La même sorte d'écran d'Esprit qui avait coupé Joiya de la Source l'arrêtait lui aussi ; les Aes Sedai l'utilisaient pour les rares hommes capables de canaliser qu'elles découvraient.

Elle s'ouvrit à la *Saidar* – et son estomac se serra. La *Saidar* était là – elle sentait sa chaleur et sa clarté – pourtant entre elle et la Vraie Source se dressait quelque chose, rien, une absence qui la séparait de la Source comme un rempart de pierre. Elle se sentait vide intérieurement jusqu'à ce que la panique jaillisse et l'envahisse. Un homme canalisait et elle était prise dans ce piège. C'était Rand, bien sûr, mais pendillant là comme un panier, impuissante, la seule chose qu'elle avait en tête était un homme qui canalisait, et la souillure sur le *Saidin*. Elle voulut crier contre lui, mais tout ce qui vint fut un croassement.

« Tu veux que je fasse quelque chose ? » grommela Rand. Deux petites tables courbèrent maladroitement leurs pieds, avec des grincements de bois, et commencèrent à trébucher de-ci de-là dans une maladroite parodie de danse, leur dorure s'écaillant et tombant. « Aimez-vous ça ? » Du feu flamboya dans l'âtre, emplissant la cheminée d'un bout à l'autre, brûlant sur de la pierre où il n'y avait pas de cendres. « Ou ceci ? » Le grand cerf et les loups sur la tablette de la cheminée commencèrent à s'amollir et à s'affaisser. De minces ruisseaux d'or et d'argent coulèrent de cette masse, se réduisant à des fils brillants, serpentant, se tissant entre eux pour former une étroite bande d'étoffe métallique ; la longueur de tissu scintillant restait en l'air tout en s'allongeant, son extrémité toujours reliée au groupe de statuettes qui fondaient lentement sur le manteau de pierre de la cheminée. « Fais quelque chose, dit Rand. Fais quelque chose ! As-tu la moindre idée de ce que c'est que toucher au *Saidin*, de le tenir ? Hein ? Je sens la folie qui guette. Qui s'insinue en moi ! »

Brusquement, les tables qui cabriolaient s'enflammèrent comme des torches en continuant à danser ; des livres tourbillonnèrent en l'air, leurs pages voletant ; le matelas sur le lit entra en éruption, projetant une averse de plumes à travers la chambre comme de la neige. Les plumes qui tombaient sur les tables incandescentes emplirent la pièce de leur entêtante puanteur de brûlé.

Pendant un instant, Rand regarda avec effarement les tables en feu. Puis ce qui tenait Egwene et Élayne disparut, en même temps que l'écran ; leurs talons heurtèrent lourdement le tapis à l'instant où les flammes s'en allèrent comme aspirées dans le bois qu'elles consumaient. La flambée dans l'âtre s'éteignit aussi et les livres s'affalèrent par terre dans un désordre pire qu'avant. La longueur d'étoffe d'or et d'argent s'affaissa également, ainsi que des filets de métal grossièrement fondu, plus liquides ni même brûlants. Seules trois grosses masses, deux d'argent et une d'or, demeuraient sur la tablette de la cheminée, froides et méconnaissables.

Egwene trébucha contre Élayne quand elles reprirent pied par terre. Elles se serraient l'une l'autre pour se soutenir mais Egwene sentit que sa compagne agissait exactement comme elle, embrassant la *Saidar* aussi vite qu'elle le pouvait. En quelques instants, elle eut un écran prêt à lancer autour de Rand si jamais il paraissait canaliser, mais il restait immobile, frappé de stupeur, les yeux fixés sur les tables carbonisées avec des plumes flottant encore autour de lui, mouchetant sa tunique.

Il n'avait pas l'air de représenter un danger à présent, mais la pièce était à coup sûr dans un piètre état. Elle tissa de minuscules flots d'Air pour rassembler toutes les plumes qui planaient, avec aussi celles déjà posées sur le tapis. Après réflexion elle ajouta celles qui étaient sur la tunique de Rand. Le reste, il pouvait charger la majhere de le remettre en ordre ou s'en occuper lui-même.

Rand sursauta quand les plumes défilèrent devant lui pour aller se poser sur les lambeaux du matelas éventré. Ce fut sans effet sur l'odeur, plumes et bois brûlés, mais du moins la chambre avait un aspect plus présentable et les faibles bouffées de brise entrant par les fenêtres ouvertes atténuaient déjà la puanteur.

« La majhere ne voudra peut-être pas m'en donner un autre, dit-il avec un rire contraint. Un matelas par jour excède probablement ce qu'elle est désireuse de... » Il évita de les regarder, Élayne et elle. « Pardonnez-moi. Je n'avais pas l'intention de... Tantôt cela se déchaîne. Tantôt il n'y a rien là quand je cherche à l'atteindre, et tantôt cela fait des choses que je n'ai aucune... Je suis désolé. Peut-être vaudrait-il mieux que vous partiez. J'ai l'impression de dire cela souvent. » Il rougit de nouveau et s'éclaircit la voix. « Je ne suis pas en contact avec la Source, mais ce serait préférable de vous en aller.

— Nous n'avons pas encore terminé », répliqua aimablement Egwene. Avec plus d'amabilité qu'elle n'en ressentait – elle avait envie de le gifler ; quelle idée de la soulever comme ça, de l'isoler dans un écran – comme Élayne – mais il était à deux doigts de quelque chose de redoutable. Quoi, elle ne le savait pas et n'avait pas envie de le découvrir, pas maintenant, pas ici. Si nombreux avaient été les cris d'admiration sur leur puissance – tout le monde disait qu'elle et Élayne seraient parmi les plus puissantes Aes Sedai, sinon les plus puissantes, qui aient existé en mille ans ou davantage – elle avait tenu pour acquis qu'elles étaient aussi fortes que lui. Du moins presque. Elle venait d'être désabusée sans ménagement. Peut-être Nynaeve en approcherait-elle, si elle était suffisamment en colère, mais Egwene savait qu'elle-même n'aurait jamais réussi ce qu'il venait de réaliser.

Œuvrer sur deux flots à la fois était de beaucoup deux fois plus difficile que manipuler un flot de la même ampleur, et en manipuler trois était à son tour deux fois plus complexe qu'en manœuvrer deux. Il devait en avoir manipulé une douzaine. Il ne paraissait même pas fatigué, pourtant la tension de se servir du Pouvoir brûlait de l'énergie. Elle redoutait terriblement qu'il les traite, elle et Élayne aussi, comme des chatons. Des chatons qu'il pourrait décider de noyer, s'il devenait fou.

Pourtant elle ne voulait, ne pouvait pas simplement partir. Cela équivaudrait à baisser les bras, et elle n'était pas de cette étoffe-là. Elle avait la ferme intention de faire ce pour quoi elle était venue – jusqu'au bout – et il n'allait pas la mettre en déroute avant. Pas lui ni personne d'autre.

Les yeux bleus d'Élayne étaient pleins de détermination et dès l'instant où Egwene se tut elle ajouta d'une voix beaucoup plus ferme : « Et nous ne partirons pas avant d'avoir fini. Vous avez dit que vous alliez essayer. Vous devez essayer.

— Je l'ai dit, n'est-ce pas ? murmura-t-il au bout d'un instant. Du moins pouvons-nous nous asseoir. »

Sans un coup d'œil aux tables noircies ou à la bande d'étoffe métallique gisant en tas sur le tapis, il les conduisit, en boitant légèrement, vers des sièges à haut dossier près des fenêtres. Elles durent enlever des livres pour prendre place sur les coussins de soie rouge ; le fauteuil d'Egwene était occupé par le volume douze des *Trésors de la Pierre de Tear*, un livre poussiéreux à la reliure en bois intitulé *Voyages dans le Désert des Aiels, avec diverses observations sur ses habitants sauvages* et un épais volume délabré en cuir appelé *Relations avec le Territoire de Mayene, 500 à 700 de la Nouvelle Ère.* Élayne avait une pile plus importante à déblayer, mais Rand les lui prit précipitamment avec ceux qui encombraient son propre siège et les posa sur le plancher où la pile s'effondra aussitôt. Egwene disposa les siens soigneusement à côté d'eux.

« Qu'est-ce que vous voulez que je fasse, maintenant ? » Il s'était assis au bord de son fauteuil, les mains appuyées sur ses genoux. « Je vous promets de ne faire que ce que vous demandez, cette fois-ci. »

Egwene se mordit la langue pour s'empêcher de rétorquer que cet engagement venait un peu tard. Peut-être avait-elle été un peu vague dans ses réquisitions, mais ce n'était pas une excuse. Toutefois, c'était une question à régler une autre fois. Elle se rendit compte qu'elle le considérait de nouveau simplement comme Rand, mais c'est qu'il avait l'air de venir d'éclabousser sa plus jolie robe et de se tourmenter parce qu'elle refusait de croire à un accident. Cependant elle ne laissa pas aller la *Saidar*, et Élayne non plus. Inutile de prendre bêtement des risques. « Cette fois-ci, déclara-t-elle, nous désirons simplement que tu parles. Comment embrasses-tu la Source ? Explique-nous. Vas-y étape par étape, lentement.

— Cela ressemble plus à un corps-à-corps qu'à un embrassement. » Il émit un *hum*. « Étape par étape ? Eh bien, d'abord je me représente une flamme, puis je fourre tout dedans. La haine, la peur, la nervosité. Tout. Quand c'est entièrement consumé, il y a un creux, un vide dans ma tête. Je suis au milieu, mais je fais partie aussi de ce sur quoi je me concentre.

— Il me semble reconnaître ça, dit Egwene, j'ai entendu ton père parler d'une méthode de concentration qu'il utilise pour gagner les concours de tir à l'arc. Ce qu'il appelle la Flamme et le Vide. »

Rand hocha la tête ; avec tristesse, apparemment. Elle pensa que son foyer lui manquait, et son père. « C'est Tam qui me l'a appris le premier. Et Lan s'en sert aussi, pour l'Épée. Séléné – quelqu'un que j'ai rencontré naguère – appelait cela l'Harmonie. Pas mal de gens en ont la pratique, quelque différents que soient les noms donnés. Pour ma part, j'ai découvert que lorsque je suis à l'intérieur du vide je sens le *Saidin*, comme une lumière devinée en deçà du coin de l'œil dans le vide. Il n'y a que moi et cette lumière. L'émotion, même la pensée sont au-dehors. Je le captais peu à peu, mais il vient d'un seul coup, à présent. La majeure partie, en tout cas. La plupart du temps.

— Le vide, dit Élayne avec un frémissement. Pas d'émotion. Cela ne ressemble pas beaucoup à ce que nous pratiquons.

— Mais si, insista ardemment Egwene. Rand, nous nous y prenons juste un peu différemment, voilà tout. Je m'imagine être une fleur, un bouton de rose, je l'imagine jusqu'à ce que je me sente être ce bouton de rose. C'est comme ton vide, d'une certaine façon. Les pétales du bouton de rose s'ouvrent à la lumière de la *Saidar* et je la laisse entrer en moi, toute la lumière, la chaleur, la vie, l'émerveillement. Je m'y abandonne et, en m'y abandonnant, je la maîtrise. C'est la partie la plus dure à apprendre, en réalité ; comment dominer la *Saidar* en s'y soumettant, mais cela semble si naturel maintenant que je n'y pense même plus. C'est cela, la clef, Rand, j'en suis sûre. Tu dois apprendre à te soumettre... » Il secouait la tête avec énergie.

« Cela n'a aucun rapport avec ce que je fais, protesta-t-il. Le laisser m'envahir ? Je suis obligé d'aller m'emparer du *Saidin*. Parfois, il n'y a rien à portée de moi, rien que je puisse toucher, mais si je ne cherche pas à l'atteindre, je pourrais rester là jusqu'à la fin des temps et rien ne se produirait. Cela m'envahit, d'accord, mais m'y soumettre ? » Il se passa avec vigueur les doigts dans les cheveux. « Egwene, si je m'abandonnais – même une minute – le *Saidin* me consumerait. C'est comme un fleuve de métal en fusion, un océan de feu, toute la lumière du soleil rassemblée en un seul point. Je dois lutter pour l'obliger à exécuter ce que je veux, lutter pour éviter d'être dévoré. »

Il soupira. « Toutefois, je comprends ce que tu veux dire par la vie qui nous envahit, même alors que la souillure me donne des nausées. Les couleurs sont plus vives, les odeurs plus nettes. Tout est en quelque sorte plus réel. Je n'ai pas envie de le laisser aller, une fois que je l'ai, même quand il tente de m'engloutir. Mais le reste... Regarde la réalité en face, Egwene. La Tour a raison sur ce point-là. Accepte-le comme étant la vérité, parce que c'est vrai. »

Elle secoua la tête. « Je l'accepterai quand j'en aurai reçu la preuve. » Sa voix n'était pas aussi ferme qu'elle le désirait, elle n'éprouvait pas autant d'assurance qu'avant. Ce qu'il disait ressemblait à un demireflet déformé de ses propres méthodes, les similitudes ne servant qu'à accentuer les différences. Pourtant similitudes il y avait. Elle ne renoncerait pas. « Peux-tu distinguer les flots les uns des autres ? L'Air, l'Eau, l'Esprit, la Terre, le Feu ?

— Quelquefois, répliqua-t-il lentement. Pas de façon habituelle. Je prends seulement ce dont j'ai besoin pour ce que je veux. Je cherche à tâtons, le plus souvent. C'est très bizarre. Parfois il faut que je fasse quelque chose et je le fais, mais c'est uniquement après que je comprends ce que j'ai fait et comment. C'est presque comme de se souvenir de quelque chose que j'ai oublié. Par contre, je me rappelle comment le refaire. La plupart du temps.

— Cependant tu t'en souviens, insista-t-elle. Comment as-tu mis le feu à ces tables ? » Elle avait envie de demander comment il les avait mises à danser – elle pensait avoir vu un moyen, avec l'Air et l'Eau – mais elle voulait commencer avec quelque chose de simple ; allumer une chandelle et l'éteindre étaient un exercice dont une novice était capable.

Le visage de Rand prit une expression attristée. « Je l'ignore. » Il avait un ton embarrassé. « Quand je veux du feu, pour une lampe ou la cheminée, je me contente de le susciter, mais je ne sais pas *comment*. Je n'ai pas vraiment besoin de réfléchir pour me servir du feu. »

Cela allait à peu près à de soi. Des Cinq Pouvoirs, le Feu et la Terre avaient été les plus puissants chez les hommes dans l'Ère des Légendes, comme l'Air et l'Eau chez les Femmes ; l'Esprit était également réparti. Egwene n'avait pratiquement pas besoin de réfléchir, lorsqu'elle avait appris comment opérer. Cependant cette constatation ne les avançait à rien.

Cette fois, c'est Élayne qui le poussa dans ses retranchements. « Savez-vous comment vous l'avez éteint ? Vous avez paru réfléchir avant que le feu s'éteigne.

— Ça, je m'en souviens, parce que je ne crois pas l'avoir jamais fait jusqu'ici. J'ai ôté la chaleur des tables et je l'ai dispersée sur la pierre de l'âtre ; une cheminée ne s'apercevrait pas d'une telle quantité de chaleur. »

Élayne eut un hoquet de surprise et enveloppa machinalement d'une main protectrice son bras gauche pendant quelques secondes, et Egwene eut une grimace de solidarité. Elle se rappelait quand ce bras avait été une masse de phlyctènes parce que la Fille-Héritière avait fait ce que Rand venait de décrire, et seulement avec la lampe de sa chambre. Sheriam avait menacé de laisser les cloques se guérir d'elles-mêmes ; elle n'avait pas mis la menace à exécution mais elle l'avait proférée. C'était un des avertissements qui étaient prodigués aux novices : ne jamais attirer le feu à l'intérieur. Une flamme pouvait être éteinte à l'aide de l'Air ou de l'Eau, mais utiliser le Feu pour écarter sa chaleur ardente était courir au désastre avec une flamme de n'importe quelle dimension. Ce n'était pas une question de force, Sheriam l'avait dit ; une fois amassée à l'intérieur, la chaleur ne pouvait pas être expulsée, pas même par la femme la plus forte jamais sortie de la Tour Blanche. Des femmes s'étaient effectivement enflammées de cette façon. Des femmes

287

avaient explosé en flammes. Egwene aspira péniblement une bouffée d'air.

« Qu'est-ce qu'il y a ? demanda Rand.

— Je crois que tu viens de me donner la preuve de la différence. » Elle soupira.

« Oh. Cela signifie-t-il que tu es prête à renoncer ?

— Non ! » Elle s'efforça d'adoucir le ton de sa voix. Elle n'était pas en colère contre lui. Pas précisément. Elle ne savait pas très bien à qui allait son irritation. « Mes professeurs avaient peut-être raison, mais il doit y avoir un moyen. Une méthode quelconque. Seulement rien ne me vient à l'idée, juste maintenant.

— Vous avez essayé, dit-il simplement. Je vous en remercie. Ce n'est pas votre faute si cela n'a pas marché.

— Il doit y avoir un moyen », marmonna Egwene, et Élayne murmura : « Nous le trouverons. Certes oui.

— Bien sûr que vous le trouverez, acquiesça-t-il avec un entrain forcé. Seulement pas aujourd'hui. » Il hésita. « Je suppose que vous allez donc partir. » Il paraissait le regretter à demi et en être à demi content. « Il me faut absolument donner des indications aux Puissants Seigneurs sur les impôts, ce matin. Ils s'imaginent apparemment qu'ils peuvent prélever sur un fermier autant d'impôts dans une mauvaise année que dans une bonne sans le réduire à la mendicité. Et je suppose que vous devez retourner interroger ces Amies du Ténébreux. » Il fronça les sourcils.

Il n'avait rien dit, mais Egwene était sûre qu'il aimerait les tenir le plus éloignées possible de l'Ajah Noire. Elle était un peu étonnée qu'il n'ait pas déjà

288

tenté de les renvoyer à la Tour. Peut-être savait-il qu'elle et Nynaeve lui sonneraient les cloches à le rendre sourd jusqu'à la Saint Glinglin s'il s'y essayait.

« Nous irons, répliqua-t-elle d'un ton ferme, mais pas tout de suite. Rand... » Le moment était venu de donner sa deuxième raison pour être ici, mais cela semblait encore plus difficile qu'elle ne s'y était attendue. Cela le blesserait ; ces yeux tristes, méfiants, qu'il avait l'en avaient convaincue. Pourtant force était d'en venir là. Elle se serra frileusement dans l'écharpe ; laquelle l'enveloppait des épaules à la taille. « Rand, je ne peux pas t'épouser.

— Je sais », dit-il.

Elle cligna des paupières. Il ne le prenait pas aussi mal qu'elle s'y attendait. Elle se dit que c'était parfait. « Je ne veux pas te causer de chagrin – franchement, non – mais je ne veux pas me marier avec toi.

— Je comprends, Egwene. Je sais ce que je suis. Aucune femme ne pourrait...

— Espèce d'idiot ! s'exclama-t-elle. Cela n'a rien à voir avec ton caractère. Je ne t'aime pas ! Du moins pas dans le sens où j'aurais envie de t'épouser. »

Rand en fut bouche bée. « Tu ne... m'aimes pas ? » Il avait dans la voix autant de surprise que dans l'expression. Et de la peine aussi.

« Je t'en prie, tâche de comprendre, reprit-elle d'un ton plus doux. Les gens changent, Rand. Les sentiments changent. Quand les gens sont séparés, parfois ils évoluent différemment. Je t'aime comme un frère, peut-être davantage qu'un frère, mais pas pour t'épouser. Peux-tu le comprendre ? »

289

Il esquissa un sourire mélancolique. « Je suis vraiment stupide. Je ne pensais pas au fond de moi que tu pourrais changer aussi, Egwene. Je ne tiens pas non plus à me marier avec toi. Je ne voulais pas changer, je n'ai pas cherché à changer, mais c'est arrivé. Si tu savais combien cela compte pour moi. Ne pas avoir à feindre. Ne pas redouter d'être cause que tu souffres. Je n'ai jamais voulu cela, Egwene. Jamais voulu te blesser. »

Pour un peu, elle aurait souri. Il avait si bonne contenance ; il était presque convaincant. « Je suis contente que tu le prennes aussi bien, lui dit-elle avec douceur. Je ne voulais pas non plus te peiner. Et maintenant il faut vraiment que je m'en aille. » Quittant son siège, elle s'approcha et déposa un baiser rapide sur sa joue. « Tu trouveras quelqu'un d'autre.

— Naturellement, dit-il en se levant, le ton de sa voix trahissant ouvertement son mensonge.

— Mais oui. »

Elle se glissa dehors avec un sentiment de satisfaction et traversa d'un pas pressé le vestibule, laissant aller la *Saidar* tandis qu'elle ôtait l'écharpe de ses épaules. Ce machin était abominablement chaud.

Rand était prêt pour qu'Élayne le recueille comme un chiot perdu si elle le manœuvrait selon la méthode dont elles avaient discuté. Elle pensait qu'Élayne saurait comment en venir à bout maintenant et plus tard. Pour le temps qu'elles auraient après. Il fallait faire quelque chose concernant la maîtrise du pouvoir par Rand. Elle voulait bien admettre que ce qui lui avait été dit était vrai – aucune femme n'était en mesure de le lui enseigner ; les poissons et les oiseaux – mais ce n'était pas la même chose que de renoncer. Il y avait quelque chose à faire, donc il fallait trouver un moyen de le faire. Cette horrible blessure et la folie étaient des problèmes à résoudre par la suite, pourtant ils finiraient par être résolus. D'une manière ou d'une autre. Tout le monde disait que les hommes des Deux Rivières étaient obstinés, mais ce n'était rien en comparaison des femmes des Deux Rivières.

8.

Têtes dures

Élayne n'aurait pas affirmé que Rand se rendait compte qu'elle était encore dans la pièce, à la façon dont il suivait Egwene des yeux avec une expression presque désorientée. De temps en temps, il secouait la tête comme s'il discutait intérieurement ou essayait de s'éclaircir les idées. Elle fut contente d'attendre qu'il en ait fini. Peu importait pour autant que le moment était encore repoussé. Elle s'appliqua à conserver un extérieur plein de sang-froid, dos droit et tête haute, un calme sur le visage qui aurait rivalisé avec ce que Moiraine offrait de mieux. Son estomac en révolution semblait abriter les gambades de papillons gros comme des hérissons.

Pas par peur qu'il canalise. Il avait laissé aller le *Saidin* dès qu'Egwene s'était levée pour s'en aller. Elle désirait lui faire confiance et elle y était obligée. C'était ce qu'elle voulait qui arrive qui lui causait ces palpitations intérieures. Elle devait se concentrer pour ne pas tripoter son collier ou jouer avec le fil de saphirs dans ses cheveux. Son parfum était-il trop fort ? Non. Egwene disait qu'il aimait l'odeur des roses. La robe. Elle avait envie de remonter l'encolure, mais...

Il se retourna – le léger boitillement dans sa démarche provoqua un pincement pensif des lèvres d'Élayne , la vit assise dans son fauteuil et sursauta, les prunelles dilatées par ce qui ressemblait fort à de la panique. Le constater lui donna une certaine satisfaction ; l'effort de maintenir la sérénité de son propre visage avait décuplé dès que le regard de Rand l'avait effleurée. Il avait maintenant les yeux bleus, comme le ciel d'un matin brumeux.

Il se ressaisit aussitôt et s'inclina dans un salut nullement nécessaire, s'essuyant les mains une fois avec nervosité sur sa tunique. « Je ne m'étais pas rendu compte que vous étiez encore... » Il rougit, s'interrompit ; oublier sa présence risquait d'être pris comme une insulte. « Je veux dire... je n'avais pas... C'est que je... » Il respira à fond et recommença. « Je ne suis pas aussi bête qu'il y paraît, ma dame. Ce n'est pas tous les jours que quelqu'un vous déclare ne pas vous aimer, ma dame. »

Elle adopta un ton de feinte sévérité. « Si vous m'appelez encore de cette façon, je vous appellerai mon Seigneur Dragon. Et exécuterai une révérence. Même la Reine d'Andor plierait le genou devant vous, et je ne suis que Fille-Héritière.

— Ô Lumière ! Ne faites pas ça. » Il semblait éprouver une gêne sans commune mesure avec la menace.

« Je m'abstiendrai, Rand, reprit-elle d'une voix plus sérieuse, si vous m'appelez par mon nom. Élayne. Dites-le.

— Élayne. » Il le prononça gauchement, pourtant avec allégresse aussi comme s'il savourait ce nom.

« Bien. » En éprouver un tel contentement était absurde ; somme toute, il s'était borné à dire son nom. Il y avait quelque chose qu'elle avait besoin de connaître avant de pouvoir continuer. « Est-ce que cela vous a été très douloureux ? » Cela pouvait s'interpréter de deux façons, elle s'en aperçut. « Ce qu'Egwene vous a annoncé, j'entends.

— Non. Si. Un peu. Je ne sais pas. En somme, il faut être juste. » Son petit sourire estompa légèrement sa défiance. « J'ai de nouveau l'air stupide, n'est-ce pas ?

— Non. Pas à mes yeux.

— Je lui ai dit la pure vérité, mais je ne pense pas qu'elle m'a cru. Je suppose que je n'avais pas envie non plus de la croire. Pas foncièrement. Si ce n'est pas grotesque, je me demande ce que c'est.

— Répétez encore une fois que vous êtes ridicule et je vais commencer à m'en convaincre. » *Il ne tentera pas de se cramponner à elle ; je n'aurai pas cela à combattre.* Elle avait une voix calme avec un ton assez léger pour qu'il comprenne qu'elle ne parlait pas sérieusement. « J'ai vu le bouffon d'un seigneur du Cairhien, un jour, un homme habillé d'une drôle de casaque rayée, trop grande pour lui, où étaient cousus des grelots. Vous auriez l'air ridicule avec des grelots.

— Oui, j'imagine, répliqua-t-il d'un ton désabusé. Je m'en souviendrai. » Son lent sourire s'élargit, illuminant tout son visage.

Les ailes de papillon la fustigèrent pour qu'elle se

hâte, mais elle s'affaira à lisser sa jupe. Elle devait procéder avec lenteur, et prudence. *Sinon, il jugera que je ne suis qu'une tête à l'évent. Et il aura raison.* Les papillons dans son ventre battaient maintenant des timbales.

« Aimeriez-vous une fleur ? » questionna-t-il brusquement, et elle cligna des paupières, interdite.

« Une fleur ?

— Oui. » Se dirigeant à grands pas vers le lit, il ramassa une double poignée de plumes dans le matelas en lambeaux et les lui tendit. « J'en ai fait une pour la majhere hier soir. On aurait dit que je lui avais donné la Pierre. Mais la vôtre sera beaucoup plus jolie, ajouta-t-il précipitamment. Beaucoup plus jolie. Je le promets.

— Rand, je...

— J'irai avec précaution. Cela ne demande qu'un mince filet du Pouvoir. Un simple fil, et je me montrerai très prudent. »

Avoir confiance. Elle devait se fier à lui. Ce lui fut une légère surprise de se rendre compte qu'effectivement elle avait foi en lui. « J'en serais enchantée, Rand. »

Pendant de longues minutes, il regarda fixement les monticules duveteux dans ses mains, un froncement de sourcils s'amorçant sur son visage. Soudain, il laissa choir les plumes, s'épousseta les paumes. « Des fleurs, dit-il. Ce n'est pas un cadeau digne de vous. » Elle sentit son cœur se gonfler de pitié pour lui ; manifestement, il avait tenté d'embrasser le *Saidin* et avait échoué. Masquant sa déception par l'action, il se

295

dirigea rapidement en boitant vers l'étoffe métallique et commença à la draper sur son bras. « Voilà qui est un cadeau adéquat pour la Fille-Héritière d'Andor. Vous pourriez dire à une couturière... » Il s'embourba dans les considérations de ce qu'une couturière pouvait tirer d'une étoffe d'or et d'argent longue de dix pas et large de moins de deux pieds.

« Je suis sûre qu'une couturière aura des quantités d'idées », lui affirma-t-elle diplomatiquement. Tirant de sa manche un mouchoir elle s'agenouilla un instant pour rassembler dans le carré de soie bleu clair les plumes qu'il avait abandonnées à leur sort.

« Les servantes s'occuperont de ça, dit-il comme elle rangeait soigneusement le petit paquet dans l'aumônière qu'elle portait à la ceinture.

— Bah, c'est déjà ça de fait. » Comment pourrait-il comprendre qu'elle conserverait ces plumes parce qu'il avait voulu les transformer en fleur ? Il passa d'un pied sur l'autre, tenant les plis scintillants comme s'il en était fort embarrassé. « La majhere doit avoir des couturières, lui dit-elle. Je donnerai cela à l'une d'elles. » Il se rasséréna, souriant ; elle ne vit aucune raison de préciser qu'elle l'entendait « donner en cadeau ». Ces papillons furieux se refusaient à ce qu'elle atermoie plus longtemps. « Rand, est-ce que... vous avez de la sympathie pour moi ?

— De la sympathie ? répéta-t-il avec un froncement de sourcils. Bien sûr que j'en ai. Je vous aime beaucoup. »

Fallait-il qu'il ait l'air de ne rien comprendre à rien ? « J'ai de l'affection pour vous, Rand. » Elle fut surprise de l'avoir déclaré avec autant de calme ; son estomac semblait vouloir lui remonter dans la gorge en se tortillant et ses mains et ses pieds lui donnaient l'impression d'être glacés. « Plus que de l'affection. » C'était assez ; elle n'allait pas se rendre ridicule. *Il doit dire « aimer » tout court d'abord.* Elle faillit éclater d'un petit rire nerveux. *Je veux rester maîtresse de moi. Je ne veux pas qu'il me voie me conduire comme une évaporée. Je ne veux pas.*

« J'ai de l'affection pour vous, dit-il lentement.

— Je ne suis pas si hardie, d'habitude. » Non, cela risquait de lui rappeler Berelain. Il avait rougi ; oui, il pensait sûrement à Berelain. Qu'il soit réduit en cendres ! Elle reprit d'une voix douce comme de la soie. « Bientôt je serai obligée de m'en aller, Rand. De quitter Tear. Je ne vous reverrai peut-être pas avant des mois. » *Ou peut-être jamais,* cria une petite voix dans sa tête. Elle fit la sourde oreille. « Je ne pouvais pas partir sans vous mettre au courant de ce que je ressens. Et c'est que je... que j'ai une très profonde affection pour vous.

— Élayne, moi aussi j'ai de l'affection pour vous. J'éprouve... je voudrais... » Les taches rouges augmentèrent sur ses joues. « Élayne, je ne sais que répondre, je ne sais comment... »

Subitement, c'est son visage à elle qui s'enflammait. Il devait penser qu'elle essayait de l'obliger à s'avancer davantage. *N'est ce pas le cas ?* ironisa la petite voix, ce qui ne lui rendit les joues que plus chaudes. « Rand, je ne demande pas... » Lumière, comment le formuler ? « Je désirais seulement que vous connaissiez mes sentiments. Voilà tout. » Berelain n'en serait pas restée là. À l'heure qu'il est, Berelain serait collée à lui. Avec l'idée qu'elle n'allait pas permettre à cette drôlesse demi-nue de lui damer le pion, elle s'approcha, ôta de son bras l'étoffe scintillante et la laissa tomber sur le tapis. Sans qu'elle s'explique bien pourquoi, il lui parut plus grand que jamais. « Rand... Rand, je voudrais que vous m'embrassiez. » Voilà. C'était dit.

« Vous embrasser ? répéta-t-il comme s'il n'avait jamais entendu parler de cette pratique. Élayne, je ne peux pas promettre plus que... comprenez-moi, ce n'est pas comme si nous étions fiancés. Non pas que je suggère que nous devrions l'être. C'est seulement que... j'ai une véritable tendresse pour vous, Élayne. Plus que de la tendresse. Je veux seulement que vous ne pensiez pas que je... »

Elle ne put s'empêcher de se moquer de lui, grave et ardent, empêtré dans ses principes. « J'ignore comment cela se passe dans les Deux Rivières mais, à Caemlyn, on n'attend pas d'être fiancé pour embrasser une jeune fille. Et cela n'implique pas non plus que l'on doit se fiancer. Mais peut-être que vous ne savez pas comment... » Les bras de Rand l'enlacèrent presque avec rudesse et ses lèvres se posèrent sur les siennes. La tête lui tourna ; ses orteils tentèrent de se cabrer dans ses escarpins. Un peu plus tard – elle n'était pas sûre combien de temps plus tard – elle se rendit compte qu'elle était appuyée contre sa poitrine, les genoux tremblants, cherchant à reprendre son souffle.

« Pardonnez-moi de vous avoir interrompue », dit-il. Elle fut contente de discerner une nuance d'essouflement dans sa voix. « Je ne suis qu'un berger obtus des Deux Rivières.

— Vous êtes fruste, murmura-t-elle contre sa chemise, et vous ne vous êtes pas rasé ce matin, mais je ne vous qualifierais pas d'obtus.

— Élayne, je... »

Elle posa la main sur sa bouche. « Je ne veux rien entendre de vous qui ne vienne du fond du cœur, déclara-t-elle avec fermeté. Ni maintenant ni jamais. »

Il hocha la tête, non pas comme s'il avait compris pourquoi mais du moins comme s'il comprenait qu'elle pensait ce qu'elle disait. Rajustant ses cheveux – le fil de saphirs était emmêlé au-delà du réparable sans miroir – elle se dégagea du cercle de ses bras, non sans regret ; ce n'aurait été que trop facile d'y rester et elle avait déjà été plus audacieuse qu'elle n'avait jamais rêvé de l'être. Parler comme ça ; réclamer un baiser. Réclamer ! Elle n'était pas Berelain.

Berelain. Peut être Min avait-elle eu une vision prémonitoire. Ce que Min voyait se produisait, mais elle ne voulait pas partager Rand avec Berelain. Peut-être était ce nécessaire qu'elle soit un peu plus explicite. Explicite de façon indirecte, du moins. « Je m'attends à ce que vous ne manquiez pas de compagnie après mon départ. Rappelez-vous seulement qu'il y a des femmes qui considèrent un homme avec leur cœur, tandis que d'autres ne l'estiment pas plus qu'une babiole dont se parer, pas autrement qu'un collier ou qu'un bracelet. Souvenez-vous que je vais revenir et que je suis quelqu'un qui juge avec son cœur. » Il eut l'air déconcerté, d'abord, puis un peu inquiet. Elle avait trop parlé, trop vite. Elle devait lui changer les idées. « Savez-vous ce que vous ne m'avez pas dit ? Vous n'avez pas tenté de me faire fuir en m'expliquant à quel point vous êtes dangereux. N'essayez pas maintenant. C'est trop tard.

— Je n'y ai pas songé. » Une autre pensée lui vint, toutefois, et ses yeux se plissèrent dans une expression soupçonneuse. « Avez-vous manigancé ceci entre vous deux, Egwene et vous ? »

Elle réussit à combiner l'innocence candide avec un air quelque peu offensé. « Comment pouvez-vous même avoir une idée pareille ? Vous imaginez-vous que nous vous transmettrions de l'une à l'autre comme un paquet ? Vous vous croyez si important. Il existe une chose qui s'appelle l'excès de superbe. » Il avait l'air confus, à présent. Hautement satisfaisant. « Regrettez-vous ce que vous nous avez fait, Rand ?

— Je n'avais pas l'intention de vous effrayer, répliqua-t-il d'un ton hésitant. Egwene m'avait rendu furieux ; elle y réussit toujours sans avoir besoin de se forcer. Ce n'est pas une excuse, je sais. J'ai dit que j'étais désolé et je le suis. Regardez ce que cela m'a valu. Des tables brûlées et un autre matelas ruiné.

— Et pour... le pinçon ? »

Il rougit de nouveau mais néanmoins la regarda bien en face. « Non. Non, je n'ai pas de regret pour ça. Vous deux, parlant par-dessus ma tête comme si j'étais un morceau de bois sans oreilles. Vous le méritiez, toutes les deux, et je ne changerai pas d'avis. »

Pendant un instant, elle le fixa avec intensité. Il se frotta les bras à travers les manches de sa tunique elle avait embrassé brièvement la *Saidar*. Elle ne connaissait pas l'art de Guérir à proprement parler, mais elle avait collecté des bribes de savoir le concernant. Canalisant, elle effaça la douleur qu'elle lui avait infligée en représailles du pinçon. Les pupilles de Rand se dilatèrent de surprise, et il changea d'appui d'un pied sur l'autre comme pour vérifier qu'il n'avait plus mal. « Pour avoir été franc », lui dit-elle simplement.

On toqua à la porte et Gaul se montra. L'Aiel avait la tête baissée mais, après un rapide coup d'œil vers eux, il la releva. Élayne s'empourpra en prenant conscience qu'il avait craint d'interrompre quelque chose qu'il ne devait pas voir. Elle se retint de justesse d'embrasser encore une fois la *Saidar* pour lui donner une leçon.

« Les hommes de Tear sont là, annonça Gaul. Les Puissants Seigneurs que vous attendiez. »

Elle s'adressa à Rand. « Don, je m'en vais. Il faut que vous discutiez avec eux de... d'impôts, n'est-ce pas ? Pensez à ce que j'ai dit. » Elle ne précisa pas « pensez à moi », mais elle était certaine que l'effet serait le même.

Il esquissa un geste comme pour l'arrêter, mais elle l'esquiva. Elle n'avait pas l'intention de se donner en spectacle devant Gaul. C'était un Aiel, mais quelle opinion devait-il avoir d'elle, parfumée et parée de saphirs à cette heure matinale ? Ne pas remonter l'encolure de sa robe lui demanda un effort.

Les Puissants Seigneurs entrèrent comme elle arrivait à la porte, une poignée d'hommes grisonnants à la barbe en pointe, parés de bliauds chamarrés aux couleurs éclatantes. Ils s'écartèrent de son chemin en saluant à contrecœur, leurs visages impassibles et leurs murmures courtois ne masquant pas leur soulagement qu'elle s'en aille.

Une fois le seuil franchi, elle jeta un coup d'œil en arrière. Grand jeune homme à la large carrure dans une tunique verte sans ornement parmi les Puissants Seigneurs dans leurs soies à bandes de satin, Rand avait l'air d'une cigogne parmi des paons, pourtant il avait quelque chose, une présence qui indiquait qu'il commandait ici à bon droit. Les nobles de Tear le reconnaissaient, ils courbaient avec répugnance leur nuque raide. Il croyait probablement qu'ils s'inclinaient juste parce qu'il était le Dragon Réincarné, et peut-être en étaient-ils aussi convaincus. Pourtant elle avait vu des hommes, comme Gareth Bryne, le Capitaine-Commandant des Gardes de sa mère, qui étaient capables de dominer toute une salle même vêtus de loques, sans titre officiel ni nom connu de qui que ce soit. Rand ne le savait peut-être pas, mais il était un de ces hommes. Il n'en avait pas fait partie quand elle l'avait rencontré pour la première fois, mais maintenant si. Elle tira la porte derrière elle et la ferma.

Les Aiels autour de l'entrée lui jetèrent un coup d'œil et le capitaine commandant le cercle de Défenseurs au milieu du vestibule la regarda avec malaise, mais elle les remarqua à peine. C'était accompli. Ou du moins commencé. Elle disposait de quatre jours avant que Joiya et Amico soient embarquées sur ce bateau, quatre jours au maximum pour s'entrelacer si fermement dans les pensées de Rand qu'il n'ait plus de place pour Berelain. Ou sinon assez solidement pour qu'elle lui demeure en tête jusqu'à ce qu'elle ait la chance de pousser son avantage. Elle n'avait jamais cru qu'elle en arriverait à ça, à poursuivre un homme comme une chasseresse suit à la piste un sanglier. Les papillons se démenaient toujours dans son estomac. En tout cas, elle ne lui avait pas laissé voir à quel point elle était nerveuse. Et elle s'avisa qu'elle n'avait pas une seule fois songé à ce que sa mère dirait. À cette idée, les palpitations disparurent. Elle se moquait de ce que dirait sa mère. Morgase devait accepter que sa fille était une femme ; il n'y avait rien de plus à dire.

Les Aiels s'inclinèrent quand elle s'éloigna et elle leur répondit par un signe de tête gracieux dont Morgase aurait été fière. Même le capitaine des Défenseurs de Tear la regarda comme s'il percevait sa nouvelle sérénité. Elle ne pensait pas être désormais tarabustée par des papillons. À cause de l'Ajah Noire, peut-être, mais pas pour Rand.

Sans se préoccuper des Puissants Seigneurs anxieusement alignés en demi-cercle, Rand regarda la porte se refermer derrière Élayne, de l'étonnement dans les yeux. Que des rêves se réalisent, même rien que dans ces limites, le mettaient mal à l'aise. Une baignade dans le Bois Humide était une chose, mais il n'aurait pas prêté foi à un rêve où elle serait venue à lui de cette façon. Elle avait été si calme et si maîtresse d'elle-même, alors que lui s'empêtrait la langue dans les dents. Et Egwene qui lui retournait ses propres pensées et se souciait seulement du risque de le peiner. Pourquoi les femmes perdaient-elles leurs moyens ou s'emportaient pour des détails minimes, et cependant restaient de marbre devant ce qui vous laissait pantois ?

« Mon Seigneur Dragon ? » murmura Sunamon avec encore plus d'hésitation que d'ordinaire. La nouvelle de ce qui s'était passé ce matin devait s'être d'ordinaire. La nouvelle de ce qui s'était passé ce matin devait s'être déjà répandue dans la Pierre ; cette première bande était partie presque en courant et c'était peu probable que Torean représente son visage et ses suggestions dégoûtantes dans un endroit où se trouverait Rand.

Sunamon entreprit d'arborer un sourire engageant, puis le réprima en frottant ses mains potelées quand Rand jeta simplement un coup d'œil de son côté. Les autres feignaient de ne pas voir les tables brûlées ou le matelas déchiré et les livres éparpillés, ou les blocs à demi fondus au-dessus de la cheminée qui avaient été le cerf et les loups. Les Puissants Seigneurs étaient habiles à ne voir que ce qu'ils voulaient voir. Carleon et Teodosian, une fausse allure de discrétion dans toutes les lignes de leur corps massif, ne se rendaient sûrement pas compte qu'il y avait quelque chose de suspect dans le fait qu'ils n'échangeaient jamais un regard. Mais, aussi bien, Rand aurait pu ne jamais le remarquer sans le billet de Thom, trouvé dans la poche d'une tunique juste de retour du nettoyage.

« Le Seigneur Dragon désirait nous voir ? », réussit à demander Sunamon.

Egwene et Élayne auraient-elles combiné cela entre elles ? Non, sûrement pas. Les femmes ne faisaient pas des choses comme ça, pas plus que les hommes. Ou bien si ? Ce devait être une coïncidence. Élayne avait appris qu'il était libre et avait décidé de parler. C'était ça. « Les impôts », dit-il d'un ton sec. Les nobles de Tear ne bougèrent pas, par contre ils donnèrent l'impression de reculer. Comme il détestait avoir affaire à ces hommes-là ; il voulait se replonger dans les livres.

« C'est un mauvais précédent, mon Seigneur Dragon, de baisser les impôts », répondit d'une voix onctueuse un homme maigre aux cheveux gris. Meilan était grand pour un natif de Tear, d'une main seulement plus petit que Rand, et dur comme un Défenseur. Il se tenait courbé en présence de Rand ; ses yeux noirs témoignaient combien il détestait cela. Mais il avait détesté aussi quand Rand leur avait ordonné de cesser leurs courbettes devant lui. Aucun d'eux ne s'était redressé, pourtant Meilan en particulier n'avait pas aimé s'entendre rappeler l'attitude qu'il prenait. « Les paysans ont toujours payé sans difficulté, cependant si nous diminuons leurs impôts, quand viendra le jour où nous les relèverons au taux actuel, ces imbéciles se plaindront aussi amèrement que si nous avions doublé la contribution présente. Il pourrait y avoir des révoltes à ce moment-là, mon Seigneur Dragon. »

Rand traversa la pièce à longues foulées pour se poster devant *Callandor* ; l'Épée de cristal scintillait, éclipsant les dorures et les pierres précieuses qui l'entouraient. Un rappel de ce qu'il était, du pouvoir qu'il était capable d'exercer. Egwene. C'était stupide de se sentir blessé parce qu'elle avait dit qu'elle ne l'aimait plus. Pourquoi attendrait-il d'elle qu'elle éprouve pour lui des sentiments qu'il n'avait plus pour elle ? Néanmoins, c'était pénible. Un soulagement, mais pas agréable. « Vous aurez des émeutes si vous chassez des gens de leurs fermes. » Trois livres étaient entassés presque aux pieds de Meilan. *Les Trésors de la Pierre de Tear, Voyages dans le Désert* et *Relations avec le Territoire de Mayene.* Les clefs se trouvaient dans ces livres-là et dans les diverses traductions du *Cycle de Karaethon,* si seulement il les trouvait et les introduisait dans les bonnes serrures. Il força ses pensées à revenir aux Puissants Seigneurs. « Pensez-vous qu'ils regarderont sans réagir leurs familles mourir de faim ?

— Les Défenseurs de la Pierre ont déjà écrasé des émeutes, mon Seigneur Dragon, répondit Sunamon d'un ton apaisant. Nos propres gardes peuvent maintenir la paix dans les campagnes. Les paysans ne vous dérangeront pas, je vous en donne l'assurance.

— Il y a déjà trop de fermiers. » Carleon tressaillit devant le regard irrité de Rand. « C'est la guerre civile au Cairhien, mon Seigneur Dragon, expliqua-t-il précipitamment. Les Cairhienins n'achètent plus de blé et les entrepôts sont pleins à craquer. La récolte de cette année va déjà être perdue. Et l'an prochain... ? Que brûle mon âme, mon Seigneur Dragon, ce dont nous avons besoin c'est que quelques-uns de ces paysans cessent leurs éternels labourages et semailles. » Il parut se rendre compte qu'il en avait trop dit, bien que ne comprenant manifestement pas pourquoi. Rand se demanda s'il avait la moindre notion de la façon dont la nourriture arrivait sur sa table. Ne voyait-il rien d'autre que l'or et la puissance ?

« Que ferez-vous quand le Cairhien achètera de nouveau du blé ? dit froidement Rand. D'ailleurs, le Cairhien est-il le seul pays qui a besoin de blé ? » Pourquoi Élayne avait-elle parlé de cette façon ? Qu'attendait-elle de lui ? De l'affection, avait-elle dit. Les femmes savaient jouer avec les mots comme les Aes Sedai. Entendait-elle par là qu'elle l'aimait d'amour ? Non, c'était de la pure stupidité. De la superbe au plus haut degré.

« Mon Seigneur Dragon, déclara Meilan, mi-obsé-quieux mi-condescendant comme s'il expliquait quelque chose à un enfant, si les guerres civiles ces-saient aujourd'hui, le Cairhien ne pourrait pas encore acheter plus que quelques cargaisons pendant deux ou même trois ans. Nous avons toujours vendu nos céréales au Cairhien. »

Toujours — c'est à dire les vingt ans qui s'étaient écoulés depuis la Guerre des Aiels. Ils étaient telle-ment attachés à ce qu'ils avaient *toujours* fait qu'ils ne voyaient pas ce qui était si simple. Ou ne voulaient pas le voir. Quand les choux proliféraient comme de mauvaises herbes autour du Champ d'Emond, c'était presque certain que les mauvaises pluies ou que des larves de hanneton avaient ravagé la Tranchée-de-Deven ou la Colline-au-Guet. Quand la Colline-au-Guet avait surabondance de navets, le Champ d'Emond en manquait ou bien la Tranchée-de-Deven.

« Offrez-les à l'Illian », leur rétorqua-t-il. Qu'attend Élayne ? « Ou à l'Altara. » Il l'aimait bien, mais il aimait tout autant Min. Ou du moins il le pensait. Il lui était impossible de définir nettement ses sentiments pour l'une par rapport à l'autre. « Vous avez des navires de haute mer ainsi que des gabares et des barges pour le fleuve, et s'il vous en manque louez-en à Mayene. » Il aimait bien les deux jeunes femmes, mais au-delà de ça... Il avait passé presque toute sa vie à soupirer après Egwene ; il n'allait pas se replonger là-dedans sans être certain. Certain de quelque chose. Sûr et certain. Si l'on pouvait en croire les *Relations avec Mayene... Arrête*, s'ordonna-t-il. *Concentre ton esprit sur ces fouines ou ils trouveront des fissures par où s'introduire et te mordre au passage.* « Payez avec du blé ; je suis certain que la Première sera disposée favorablement, pour un bon prix. Et peut-être un accord signé, un traité... » Voilà un terme bien choisi ; du genre qu'ils utilisaient. « ... garantissant de laisser Mayene en paix en échange de navires. » Il lui devait bien cela.

« Nous commerçons peu avec l'Illian, mon Seigneur Dragon. Ce sont des vautours et des crapules. » Tedosian avait un ton scandalisé, et Meilan de même quand il déclara : « Nous avons toujours eu des relations de force avec Mayene, mon Seigneur Dragon. Jamais en pliant le genou. »

Rand prit une profonde aspiration. Les Puissants Seigneurs se raidirent. On en venait immanquablement là. Il essayait toujours de les raisonner et cela n'aboutissait jamais à rien. Thom décrétait que les Puissants

Seigneurs avaient la tête aussi dure que la Pierre, et il ne se trompait pas. *Qu'est-ce que je ressens pour elle ? J'en rêve. Elle est jolie, c'est indubitable.* Il ne savait pas trop s'il se référait à Élayne ou à Min. *Arrête ! Un baiser n'est qu'un baiser. Arrête !* Repoussant avec fermeté les femmes de ses pensées, il se mit en devoir d'expliquer à ces imbéciles à la cervelle pétrifiée ce qu'ils allaient faire. « D'abord, vous diminuerez des trois quarts les impôts sur les fermiers, et de moitié pour tous les autres. Ne discutez pas ! Contentez-vous de le faire ! Deuxièmement, vous irez trouver Berelain et lui demanderez – demanderez ! – son prix pour louer... »

Les Puissants Seigneurs écoutèrent avec des sourires faux et des grincements de dents, mais ils écoutèrent.

Egwene réfléchissait à Joiya et à Amico quand Mat la rejoignit, marchant à côté d'elle dans le couloir comme s'il se dirigeait par hasard vers le même endroit qu'elle. Il ruminait quelque chose d'un air sombre et ses cheveux réclamaient un coup de brosse, car il avait l'air d'y avoir fourragé avec ses doigts. Une ou deux fois, il lui jeta un coup d'œil mais ne dit rien. Les serviteurs qu'ils croisaient s'inclinaient ou exécutaient une révérence, de même que les Puissants Seigneurs et Dames rencontrés de temps en temps, encore qu'avec beaucoup moins d'enthousiasme. Les façons qu'avait Mat de dévisager ces nobles personnages avec un rictus auraient provoqué du grabuge si elle n'avait pas été là, ami du Seigneur Dragon ou pas.

Ce silence ne lui ressemblait pas, ne ressemblait pas au Mat qu'elle connaissait. À part son riche bliaud rouge – fripé comme s'il avait dormi avec – il ne différait pas du Mat de naguère, néanmoins ils étaient sûrement tous différents maintenant. Son mutisme était inquiétant. « Est-ce que la nuit dernière te préoccupe ? » finit-elle par demander.

Il trébucha. « Tu es au courant de ça ? Ah bah, comment n'y serais-tu pas, évidemment. Ça ne me tracasse pas. N'était pas grand-chose. C'est fini et bien fini, de toute façon. »

Elle feignit de le croire. « Nynaeve et moi, nous ne t'avons pas beaucoup vu. » Ce qui était une sous-estimation flagrante de la réalité.

« J'étais occupé », marmotta-t-il avec un haussement d'épaules gêné, regardant de nouveau partout sauf vers elle.

« À jouer aux dés ? questionna-t-elle avec dédain.

— Aux cartes. » Une servante rondelette, esquissant une révérence avec les bras pleins de serviettes pliées, examina brièvement Egwene et, croyant apparemment qu'elle ne s'intéressait pas à elle, adressa un clin d'œil à Mat. Il lui sourit de toutes ses dents. « J'ai été occupé à jouer aux cartes. »

Les sourcils d'Egwene se haussèrent brusquement. Cette femme avait bien dans les dix ans de plus que Nynaeve. « Je comprends. Cela doit absorber beaucoup de temps. Jouer aux cartes. Trop pour consacrer quelques instants à de vieux amis.

— La dernière fois que je vous ai consacré un moment, à Nynaeve et toi, vous m'avez ligoté avec le Pouvoir comme un goret destiné au marché pour farfouiller dans ma chambre. Des amis ne volent pas leurs amis. » Il eut une grimace. « D'ailleurs, tu es toujours en compagnie de cette Élayne avec son nez en l'air. Ou de Moiraine. Je n'aime pas... » S'éclaircissant la gorge, il lui glissa un regard en coin. « Je n'aime pas te déranger. Tu as fort à faire, à ce que j'ai entendu dire. Interroger des Amies du Ténébreux. Accomplir toutes sortes de choses importantes, j'imagine. Tu sais que ces gens de Tear te croient une Aes Sedai, hein ? »

Elle secoua la tête avec amertume. C'étaient les Aes Sedai qu'il n'aimait pas. Mat avait beau voir du pays, rien ne le changerait. « Ce n'est pas voler que reprendre ce qui était censé être un prêt, répliqua-t-elle.

— Je ne me rappelle pas qu'il ait été question de prêt. Aaah, à quoi me sert une lettre de l'Amyrlin ? Juste à m'attirer des ennuis. N'empêche, vous auriez pu demander. »

Elle se retint de souligner qu'elles l'avaient effectivement réclamée. Elle ne voulait ni d'une discussion ni d'un départ en boudant. Il ne l'aurait pas appelé comme ça, bien sûr. Cette fois-ci, elle le laisserait débiter sa version sans la réfuter. « Eh bien, je suis contente que tu veuilles encore me parler. Était-ce pour une raison particulière aujourd'hui ? »

Il fourra ses doigts dans ses cheveux et murmura quelque chose entre ses dents pour lui-même. Ce dont il avait besoin, c'était que sa mère l'entraîne par l'oreille pour le tancer vertement. Egwene se recommanda la patience. Elle pouvait être patiente quand elle le voulait. Elle ne prononcerait pas un mot avant lui, quand bien même elle en éclaterait.

Le couloir débouchait sur une colonnade de marbre blanc, délimitée par une balustrade, qui donnait sur un des rares jardins de la Pierre. De grandes corolles blanches couvraient quelques petits arbres aux feuilles brillantes comme enduites de cire, et d'elles émanait une odeur encore plus suave que celle des tertres de rosiers rouges et jaunes. Une brise morne ne réussissait pas à remuer les tentures sur le mur du fond, mais elle atténuait réellement la chaleur matinale humide qui augmentait. Mat s'assit sur la large balustrade, le dos appuyé contre une colonne et un pied posé devant lui. Il examina le jardin et finit par dire : « Je... j'ai besoin d'un conseil. »

Il voulait un conseil *d'elle* ? Egwene le regarda en ouvrant de grands yeux. « Tout ce qui est en mon pouvoir pour t'aider », répondit-elle d'une voix faible. Il tourna la tête dans sa direction et elle s'efforça de prendre une expression approchant au mieux le calme des Aes Sedai. « À propos de quoi veux-tu un conseil ?

— Je me le demande. »

Le jardin se trouvait dix pas au-dessous. D'ailleurs, il y avait des hommes en bas qui arrachaient les mauvaises herbes entre les rosiers. Si elle le poussait pour qu'il tombe, il atterrirait peut-être dessus. Sur un jardinier, pas sur un buisson de roses. « Alors, comment suis-je censée te conseiller ? questionna-t-elle d'une voix contenue.

— Je... je cherche à décider quoi faire. » Il avait l'air gêné ; à juste titre, de l'opinion d'Egwene.

« J'espère que tu ne songes pas à essayer de partir. Tu sais à quel point tu es important. Tu ne peux pas te dérober à cette obligation, Mat.

— Tu t'imagines que je l'ignore ? Je ne pense pas pouvoir m'en aller même si Moiraine m'y autorisait. Crois-moi, Egwene, je ne compte pas bouger d'ici. Je désire seulement connaître ce qui va arriver. » Il secoua brusquement la tête et sa voix devint plus tendue. « Qu'est-ce qui se passera ensuite ? Qu'y a-t-il dans ces trous que j'ai dans ma mémoire ? Il y a des portions de ma vie qui n'y sont même pas ; elles n'existent pas, comme si elles ne s'étaient jamais produites ! Pourquoi est-ce que je me retrouve dégoisant du charabia ? Les gens disent que c'est de l'Ancienne Langue, mais pour moi cela n'a pas plus de sens que le cacardage des oies. Je veux savoir, Egwene. Il faut que je sache, avant d'être aussi fou que Rand.

— Rand n'est pas fou », corrigea-t-elle automatiquement. Ainsi Mat ne tentait pas de s'enfuir. C'était une agréable surprise ; il n'avait pas paru croire à la responsabilité. Par contre, il y avait de la souffrance et de l'anxiété dans sa voix. Mat ne se mettait jamais martel en tête ou ne laissait jamais personne s'en apercevoir si c'était le cas. « Je ne connais pas les réponses, Mat, dit-elle gentiment. Peut-être Moiraine...

Non ! » Il s'était levé d'un bond. « Pas d'Aes Sedai ! Comprends-moi... Tu es différente. Je te connais et tu n'es pas... Est-ce qu'elles ne t'ont pas appris quelque chose à la Tour, une astuce quelconque, quelque chose qui serve ?

— Oh, Mat, je suis désolée. Je suis vraiment navrée. »

Son rire rappela à Egwene leur enfance. C'est ainsi qu'il avait toujours ri quand ses plus grandes espérances s'effondraient. « Ah, bah, c'est sans importance, je pense. Ce serait toujours la Tour, encore que de seconde main. Sans vouloir t'offenser. » Ainsi s'était-il lamenté pour une écharde dans le doigt et avait traité une jambe cassée comme si ce n'était rien du tout.

« Il y aurait bien un moyen, reprit-elle lentement. Si Moiraine donne son accord. Elle le donnerait peut-être.

— Moiraine ! N'as-tu pas entendu un mot de ce que j'ai dit ? La dernière chose que je souhaite c'est que Moiraine s'en mêle. Quel moyen ? »

Mat avait toujours été téméraire. Mais il ne voulait pas davantage qu'elle : savoir. Si seulement il faisait preuve d'un peu de bon sens et de prudence pour une fois. Une dame noble de Tear qui passait, avec des tresses sombres enroulées sur sa tête, ses épaules nues sortant d'un décolleté en lin jaune, plia légèrement le genou, en les regardant sans expression ; elle s'éloigna rapidement, le dos raide. Egwene la suivit des yeux jusqu'à ce qu'elle soit hors de portée d'ouïe, et qu'ils soient seuls. Sauf si comptaient les jardiniers, à trente pieds en contrebas. Mat la dévisageait, interrogateur.

Finalement, elle lui parla du *ter'angreal*, le seuil tors qui détenait des réponses de son autre côté. Ce sont les dangers qu'elle souligna, les conséquences de questions posées à l'étourdie, ou celles ayant un rapport avec l'Ombre, les périls que même les Aes Sedai ne connaissaient peut-être pas. Elle était plus que flattée qu'il soit venu la trouver, mais il devait user d'un minimum de sens commun. « Rappelle-toi bien cela, Mat. Des questions frivoles peuvent te tuer, alors si tu t'en sers tu devras te montrer sérieux, pour changer. Et ne pose aucune question qui touche à l'Ombre. »

Il avait écouté avec une incrédulité grandissante. Quand elle eut terminé, il s'exclama : « Trois questions ? Tu entres comme Bili, je suppose, passes une nuit et ressors dix ans plus tard avec une bourse toujours pleine d'or et un...

— Une fois dans ta vie, Matrim Cauthon, répliquat-elle sèchement, ne parle pas comme un idiot. Tu sais parfaitement que les *ter'angreals* ne sont pas des contes de bonne femme. Ce sont les dangers dont tu dois te garder. Peut-être les réponses que tu cherches sont-elles dans celui-ci, mais ne l'essaie pas avant que Moiraine dise que tu le peux. Il faut que tu me le promettes ou je te jure que je t'amènerai à elle comme une truite au bout d'une ficelle. Tu sais que j'en suis capable. »

Il émit un bref ricanement sonore. « Je serais fou si je m'y risquais quoi que dise Moiraine. Entrer dans un bougre de *ter'angreal* ? Ce que je veux c'est avoir affaire le moins possible à ce bougre de Pouvoir, pas davantage. Tu peux effacer ça de ton esprit.

— C'est la seule chance que je connais, Mat.

— Pas pour moi, en tout cas, déclara-t-il d'un ton

315

ferme. Pas de chance du tout vaut mieux que celle-là. »

En dépit de ce ton, elle avait envie de passer un bras autour de lui. Seulement il sortirait une plaisanterie quelconque à ses dépens et essaierait de la chatouiller. Il était incorrigible depuis le jour de sa naissance. Mais il était venu à elle pour obtenir de l'aide. « Je suis désolée, Mat. Que vas-tu faire ?

— Oh, jouer aux cartes, je suppose. Si quelqu'un veut jouer avec moi. Jouer aux mérelles avec Thom. Aux dés dans les tavernes. Je peux encore aller jusqu'en ville, en tout cas. » Son regard s'en fut se poser sur une servante qui passait, une svelte jeune fille aux yeux noirs, proche de son âge. « Je trouverai quelque chose pour occuper mon temps. »

Egwene avait la paume qui la démangeait de le gifler mais, à la place, elle demanda avec circonspection : « Mat, tu ne penses pas réellement à partir, hein ?

— Avertirais-tu Moiraine, si j'y pensais ? » Il leva les mains pour bloquer sa riposte. « Bah, c'est inutile. Je t'ai dit que je ne partirais pas. Je ne prétends pas que je n'aimerais pas m'en aller, mais je ne le ferai pas. Est-ce que cela te suffit ? » Une expression pensive envahit ses traits. « Egwene, souhaites-tu parfois être restée chez nous, au pays ? Souhaites-tu que rien de ceci ne se soit produit ? »

C'était une question surprenante, venant de lui, mais elle connaissait ce qu'elle y répondrait. « Non. Même avec tout ce qui s'est produit, non. Et toi ?

— Je serais vraiment idiot, n'est-ce pas ? répliqua-t-il

316

en riant. Ce sont les villes qui me plaisent et celle-ci fera l'affaire pour le moment. Celle-ci fera l'affaire. Egwene, tu ne parleras pas de ça à Moiraine, hein ? Tu ne lui diras pas que je t'ai demandé conseil et tout ?

— Pourquoi n'en parlerais-je pas ? » questionna-t-elle, soupçonneuse. Il était Mat, après tout.

Il eut un bref haussement d'épaules gêné. « Je l'ai évitée encore plus que... Bref, je me tiens à distance, en particulier quand elle veut déterrer ce que j'ai dans la tête. Elle penserait que je faiblis. Tu ne lui diras pas, hein ?

— D'accord, répliqua-t-elle, à condition que tu me promettes de ne pas t'approcher de ce *ter'angreal* sans lui en demander la permission. Je n'aurais même pas dû te parler de ça.

— Je promets. » Il sourit de toutes ses dents. « Je ne m'approcherai pas de ce machin à moins que ma vie n'en dépende. Je le jure. » Il acheva sa phrase avec une feinte solennité.

Egwene secoua la tête. Quels que soient les changements subis par ailleurs, Mat demeurerait toujours le même.

9.

Décisions

Passèrent trois jours d'une chaleur et d'une humidité qui minèrent même les forces des natifs de Tear. La cité réduisit sa marche à un train léthargique, la Pierre à une lenteur de reptation ; la majhere s'en arracha de frustration l'enroulement de ses tresses, mais même elle ne put trouver l'énergie de taper sur des jointures ou de décocher sur une oreille une chiquenaude d'un doigt dur. Les Défenseurs de la Pierre s'affaissaient à leur poste comme des chandelles à demi fondues et les officiers témoignaient plus d'intérêt pour du vin rafraîchi que pour les rondes qu'ils avaient à faire. Les Puissants Seigneurs demeuraient une bonne partie du temps dans leurs appartements, dormant pendant les moments les plus torrides de la journée, et quelques-uns abandonnèrent complètement la Pierre pour la fraîcheur relative de domaines loin à l'est, sur les pentes de l'Échine du Monde. Curieusement, seuls les étrangers, qui souffraient le plus de la température, continuaient à mener leur vie aussi activement, sinon même davantage. Pour eux, la chaleur lourde ne pesait guère autant que les heures qui fuyaient si vite.

Mat ne tarda pas à découvrir qu'il avait vu juste à propos des petits seigneurs qui avaient assisté à la tentative de meurtre des cartes à jouer sur sa personne. Non seulement ils l'évitaient mais encore ils propageaient la nouvelle parmi leurs amis, souvent déformée ; personne dans la Pierre en possession de deux pièces d'argent ne répliquait plus que des excuses précipitées tout en partant à reculons. Les rumeurs s'étaient répandues au-delà des petits seigneurs. Plus d'une servante qui avait pris plaisir à un flirt refusait maintenant aussi et deux expliquèrent avec gêne avoir entendu dire qu'être seule avec lui était dangereux. Perrin était apparemment absorbé par ses propres soucis et Thom avait l'air de disparaître par un tour de prestidigitation ; Mat n'avait aucune idée de ce qui occupait le ménestrel, mais il était rarement là, le jour ou la nuit. Par contre, Moiraine, la seule personne que Mat souhaitait voir se désintéresser de lui, semblait être présente chaque fois qu'il se retournait ; elle passait par là, ou traversait plus loin le couloir, mais chaque fois son regard croisait le sien avec une expression laissant entendre qu'elle savait ce qu'il pensait et ce qu'il voulait, savait comment elle allait lui imposer de faire à la place exactement ce qu'elle voulait, elle. Rien de tout cela ne changeait la situation dans un de ses aspects ; il réussissait toujours à trouver des prétextes pour repousser son départ encore d'un autre jour. Selon sa façon d'envisager les choses, il n'avait pas *promis* à Egwene qu'il resterait. Néanmoins, il restait.

Une fois, il était descendu avec une lampe dans les

entrailles de la Pierre, à ce qu'on appelait la Grande Réserve, jusqu'au seuil de la porte rongée de pourriture sèche à l'extrémité de l'étroit couloir. Quelques minutes passées à scruter dans l'intérieur ténébreux des formes indistinctes couvertes de toiles poussiéreuses, des caisses et des tonneaux entassés sans soin, leurs côtés plats utilisés comme étagères pour un méli-mélo de figurines, de sculptures et de bizarres objets en cristal, verre et métal – quelques minutes de ça et il s'était dépêché de repartir, murmurant entre ses dents : « Il faudrait que je sois le plus bête des maudits imbéciles de ce maudit monde entier ! »

Cependant, rien ne l'empêchait de se rendre dans la ville et il n'y avait aucun risque de rencontrer Moiraine dans les tavernes des docks du Maule, le quartier du port, ou dans les auberges du Chalm, où étaient situés les entrepôts, lieux mal éclairés, souvent crasseux, exigus, fournisseurs de vin équivalant à de la piquette, de bière de mauvaise qualité, de bagarres de temps en temps et de parties de dés qui n'en finissaient pas. Les paris dans les jeux de dés étaient minimes, comparés à ceux auxquels il s'était habitué, mais ce n'est pas pour cette raison qu'il se retrouvait toujours de retour dans la Pierre au bout de quelques heures. Il s'efforçait de ne pas penser à ce qui le ramenait perpétuellement là, à proximité de Rand.

Perrin aperçut quelquefois Mat dans les tavernes des quais, buvant trop de piquette, pariant comme s'il ne se souciait pas de gagner ou de perdre, une fois brandissant subitement un poignard quand un matelot bâti en armoire à glace le china sur la fréquence avec

320

laquelle il gagnait. Cela ne ressemblait pas à Mat d'être si irritable, mais Perrin l'évita au lieu d'essayer de découvrir ce qui le tracassait. Perrin n'était là ni pour le vin ni pour les dés, et les hommes qui songeaient à la bagarre changeaient d'avis après un coup d'œil évaluateur à sa carrure... et à ses yeux. Il paya toutefois de l'ale à des marins en large pantalon de cuir et à des commis de négociant avec de fines chaînes d'argent en travers de leurs tuniques, à n'importe quel homme qui paraissait venir d'un pays lointain. C'étaient des rumeurs qu'il recherchait, des nouvelles qui puissent attirer Faile loin de Tear. Loin de lui.

Il était sûr que s'il trouvait une aventure pour elle, quelque chose qui laisse entrevoir une chance que son nom figure dans les contes, elle partirait. Elle prétendait comprendre pourquoi il était obligé de rester mais, de temps en temps, elle suggérait encore à mots couverts qu'elle voulait partir et espérait qu'il l'accompagnerait. Il était certain que le bon appât l'attirerait, sans lui.

En la plupart des rumeurs, elle reconnaîtrait des déformations périmées de la vérité, tout comme lui. La guerre qui enflammait la côte de l'océan d'Aryth était dite l'œuvre d'un peuple dont personne n'avait encore jamais entendu parler, les Sawchins – ou quelque chose d'approchant – il avait entendu une foule de variations dans la bouche de nombreux narrateurs – des gens bizarres qui pouvaient être les armées d'Artur Aile-de-Faucon de retour après un millier d'années. Un bonhomme, un natif du Tarabon avec un chapeau rond rouge et une moustache aussi épaisse que des cornes de taureau, l'informa solennellement qu'Aile-de-Faucon lui-même conduisait ces gens, sa légendaire Épée Justice à la main. Il existait des rumeurs que le fabuleux Cor de Valère, censé rappeler de la tombe les héros morts pour combattre lors de l'Ultime Bataille, avait été découvert. Dans le Ghealdan, des émeutes avaient éclaté dans l'ensemble du pays ; l'Illian souffrait d'explosions de folie collective ; dans le Cairhien, la famine ralentissait les tueries ; quelque part dans les Marches, les raids trollocs augmentaient. Perrin ne pouvait envoyer Faile nulle part par là, pas même pour qu'elle quitte Tear.

Les bruits de troubles dans la Saldaea semblaient prometteurs – son propre pays devait avoir de l'attrait pour elle, et il avait entendu dire que Mazrim Taim, le faux Dragon, était en lieu sûr aux mains des Aes Sedai – mais nul ne connaissait quelle sorte de troubles. Inventer quelque chose ne servirait à rien ; quoi qu'il invente, elle ne manquerait pas de poser ses propres questions avant de courir là-bas. D'ailleurs, n'importe quels désordres dans la Saldaea pouvaient aisément être aussi périlleux que les autres choses qu'il avait apprises.

Il était également dans l'impossibilité de lui dire où il passait son temps, parce qu'elle demanderait inévitablement pourquoi. Elle savait qu'il n'était pas Mat pour se plaire à traîner dans des tavernes. Il n'avait jamais été bon menteur, aussi lui donna-t-il le change de son mieux et elle commença à lui adresser en silence de longs regards en coin. Tout ce qu'il pouvait faire, c'était de redoubler d'efforts pour trouver une fable qui l'entraîne à s'en aller. Il devait l'envoyer loin de lui avant qu'il soit cause de sa mort. Il le devait absolument.

Egwene et Nynaeve passèrent d'autres heures avec Joiya et Amico, sans résultat. Leurs récits ne varièrent jamais. Malgré les protestations de Nynaeve, Egwene essaya même de dire à l'une ce qu'avait raconté la seconde, pour voir si quelque chose s'en dégagerait. Amico les regarda avec de grands yeux, déclarant d'une voix plaintive qu'elle n'avait jamais eu vent d'un plan pareil. Mais cela pourrait être vrai, ajouta-t-elle. C'était possible. Elle transpirait d'ardeur de leur complaire. Joiya leur répliqua froidement d'aller à Tanchico si elles en avaient envie. « C'est une ville désagréable, à présent, à ce que j'ai appris, continua-t-elle avec aisance, ses yeux de corbeau scintillant. L'autorité du Roi ne s'étend guère au-delà de la cité même, et j'ai cru comprendre que la Panarch a cessé de maintenir l'ordre parmi les citoyens. Des bras musclés et des poignards vite dégainés font la loi à Tanchico. Mais allez-y, si cela vous plaît. »

Aucune nouvelle n'était parvenue de Tar Valon, rien pour dire si l'Amyrlin prenait des mesures contre la menace éventuelle d'une libération de Mazrim Taim. Il y avait largement eu le temps pour qu'un message arrive, par bateau rapide ou un cavalier ayant des relais de chevaux, depuis que Moiraine avait envoyé les pigeons voyageurs – en admettant qu'elle en ait envoyé. Egwene et Nynaeve en avaient discuté ; Nynaeve admettait que les Aes Sedai ne pouvaient pas

323

mentir, mais elle essayait de découvrir une ambiguïté dans les propos de Moiraine. Cette dernière ne paraissait pas s'inquiéter de l'absence de réponse de l'Amyrlin, mais en juger n'était pas facile étant donné son calme limpide.

Egwene s'en inquiétait, elle, et s'inquiétait aussi que Tanchico puisse être une fausse piste ou une réelle ou encore un piège. La bibliothèque de la Pierre contenait des livres sur le Tarabon et Tanchico, mais elle eut beau lire à en avoir mal aux yeux elle ne trouva aucun indice de quoi que ce soit de dangereux pour Rand. La chaleur et l'anxiété ne faisaient rien pour apaiser son humeur ; elle était quelquefois aussi irritable que Nynaeve.

Il y avait quelques points positifs, bien sûr. Mat était encore dans la Pierre ; de toute évidence, il mûrissait pour de bon et assimilait le sens de la responsabilité. Elle regrettait d'avoir été incapable de l'aider, mais doutait qu'aucune femme de la Tour aurait pu faire davantage. Elle comprenait sa soif de savoir, parce qu'elle-même soupirait aussi, encore qu'après un autre genre de savoir, après les choses qu'elle pouvait seulement apprendre à la Tour, les choses qu'elle trouverait peut-être et que personne d'autre n'avait su exécuter avant, les sciences perdues qu'elle aurait une chance de réapprendre.

Aviendha commença à rendre visite à Egwene, apparemment de son propre gré. Qu'elle se soit montrée circonspecte au début, ma foi, c'était une Aielle, en somme, et elle croyait Egwene une véritable Aes Sedai. Toutefois, sa compagnie était agréable, bien que parfois Egwene pensât voir des interrogations muettes dans ses yeux. Si Aviendha se tenait sur la réserve, il devint vite apparent qu'elle avait l'esprit vif et un sens de l'humour rejoignant celui d'Egwene ; elles finissaient de temps en temps par glousser de rire comme des gamines. Les façons d'être des Aiels ne ressemblaient cependant pas à ce à quoi Egwene était habituée, tel le malaise qu'éprouvait Aviendha quand elle s'asseyait dans un fauteuil ou son saisissement en trouvant Egwene au bain, dans une cuve plaquée d'argent qu'avait fait apporter la majhere. Pas le choc d'entrer et de la trouver nue – en vérité, quand elle s'aperçut qu'Egwene était gênée, elle se débarrassa de ses propres vêtements et s'assit sur le sol pour bavarder – mais le choc de voir Egwene assise dans l'eau jusqu'à la poitrine. Cela gâchait une telle quantité d'eau que ses yeux s'en exorbitaient. Autre exemple, Aviendha refusait de comprendre pourquoi Élayne et elle ne prenaient pas des mesures radicales à l'égard de Berelain, puisqu'elles souhaitaient s'en débarrasser. Il était quasiment interdit à un guerrier de tuer une femme qui n'avait pas épousé la lance mais, puisque ni Élayne ni Berelain n'étaient des Vierges de la Lance, du point de vue d'Aviendha c'était parfaitement permis à Élayne de défier la Première de Mayene dans un duel au poignard ou, à défaut, avec les pieds et les poings. Mieux valait les poignards, à son avis Berelain avait l'air d'être le genre de femme qui pouvait essuyer des volées de coups à plusieurs reprises sans abandonner pour autant. Mieux valait simplement lui lancer un défi et la tuer. Ou Egwene pouvait s'en charger à sa place, en tant qu'amie et presque-sœur.

Même ainsi, c'était un plaisir d'avoir quelqu'un avec qui bavarder et rire. Élayne était occupée la plupart du temps, bien sûr, et Nynaeve, donnant l'impression de ressentir aussi vivement qu'Egwene la fuite des heures, consacrait ses moments de liberté à se promener au clair de lune sur les remparts avec Lan ou à confectionner de ses propres mains les plats préférés du Lige, pour ne rien dire des jurons ponctuant cette occupation et qui parfois poussaient les cuisinières hors de la pièce ; Nynaeve ne connaissait pas grand-chose à l'art culinaire. S'il n'y avait pas eu Aviendha, Egwene ne savait pas trop comment elle aurait occupé les heures étouffantes entre les interrogatoires des Amies du Ténébreux : à transpirer, sans doute, et à redouter d'avoir à faire quelque chose qui lui donnerait des cauchemars rien que d'y penser.

D'un commun accord, Élayne n'était jamais présente lors de ces interrogatoires ; une paire d'oreilles de plus à l'écoute n'apporterait rien. À la place, chaque fois que Rand avait une minute à lui, la Fille-Héritière était justement là par hasard à proximité, pour parler ou simplement marcher avec lui bras dessus dessous, ne serait-ce que pour aller d'un rendez-vous avec quelques Puissants Seigneurs jusqu'à une salle où d'autres attendaient, ou à une inspection éclair des logements des Défenseurs. Elle devint très habile à dénicher des coins retirés où eux deux pouvaient s'arrêter, seuls. Évidemment, il avait toujours des Aiels à sa suite, mais elle en vint vite à se soucier aussi peu de ce qu'ils pensaient que de ce que penserait sa mère. Elle s'embarqua même dans une sorte de conspiration avec les Vierges de la Lance ; elles semblaient connaître le moindre recoin discret dans la Pierre et elles l'avertissaient chaque fois que Rand était seul. Elles avaient l'air de trouver le jeu très divertissant.

La surprise fut qu'il l'interroge sur la manière de gouverner les nations et écoute ce qu'elle expliquait. Cela, elle aurait aimé que sa mère le voie. Plus d'une fois, Morgase avait ri, à demi de consternation, et lui avait dit qu'elle devait apprendre à se concentrer. Quels métiers protéger et comment, lesquels non et pourquoi, étaient des décisions arides mais aussi importantes que la manière de prendre soin des malades. C'était amusant d'amener un seigneur ou un marchand obtus à faire ce qu'il n'avait pas envie de faire en s'imaginant que l'idée venait de lui-même, ce pouvait être gratifiant de nourrir les affamés mais, si les affamés devaient être nourris, il était nécessaire de calculer combien il fallait pour cela de commis, de conducteurs de chariots et de chariots. D'autres étaient capables de prendre ces dispositions, mais alors on ne constatait que trop tard s'ils avaient fait des erreurs. Il l'écouta et suivit souvent son conseil. Elle songeait qu'elle l'aurait aimé rien que pour ces deux choses-là. Berelain ne mettait pas les pieds hors de ses appartements ; Rand avait commencé à sourire dès qu'il la voyait ; rien au monde n'aurait été aussi merveilleux. Sauf que les jours s'arrêtent de s'écouler.

Trois courtes journées glissant entre ses doigts comme de l'eau. Joiya et Amico seraient envoyées au nord et la raison pour rester dans Tear disparaîtrait ; il serait temps également qu'elle, Egwene et Nynaeve partent aussi. Elle s'en irait, quand ce moment viendrait ; elle n'avait jamais envisagé le contraire. Le savoir la rendait fière de se conduire en adulte, pas en gamine ; le savoir lui donnait envie de pleurer.

Et Rand ? Il recevait des Puissants Seigneurs dans ses appartements et donnait des ordres. Il les surprenait en survenant dans des réunions secrètes qu'avait détectées Thom, juste pour répéter un point précis de ses derniers ordres. Ils souriaient, s'inclinaient, transpiraient et se demandaient de quoi exactement il était au courant. Un exutoire pour leur énergie devait être trouvé avant que l'un d'eux décide que si Rand était impossible à manipuler il devait être tué. Quoi qu'il faille pour les en détourner, il ne déclencherait pas une guerre. S'il devait affronter Sammael, eh bien, soit ; mais il ne déclarerait pas de guerre.

La préparation de son plan d'action occupait la majeure partie des heures qu'il ne consacrait pas à harceler les Puissants Seigneurs. Les éléments en provenaient des brassées de livres qu'il disait aux bibliothécaires d'apporter dans son appartement, ainsi que de ses conversations avec Élayne. Les conseils d'Élayne lui étaient certes d'un grand secours en ce qui concernait les Puissants Seigneurs ; il les voyait réévaluer précipitamment leur opinion à son sujet quand il se révélait connaître des choses dont eux-mêmes ne soupçonnaient qu'à demi l'existence. Elle l'en empêcha quand il voulut lui en attribuer le mérite.

« Un dirigeant avisé prend conseil, lui expliqua-t-elle en souriant, mais ne devrait jamais être vu en train de le faire. Laissez-les croire que vous en savez davantage que dans la réalité. Cela ne leur nuira pas et cela vous aidera. » Toutefois, elle semblait contente qu'il l'ait suggéré.

Il n'était pas totalement sûr d'ajourner certaine décision, au moins, à cause d'elle. Trois jours de mise au point de ses projets, trois jours de recherches pour essayer de trouver ce qui manquait encore. Quelque chose manquait, effectivement. Il ne pouvait pas réagir aux Réprouvés ; il devait les inciter à réagir à lui. Trois jours et, le quatrième, elle partirait – de nouveau pour Tar Valon, il l'espérait – mais, une fois qu'il serait entré en action, il se doutait que même leurs brèves rencontres seraient finies. Trois jours de baisers volés, où il pouvait oublier qu'il était autre chose qu'un homme enlaçant une jeune femme. Il savait bien que c'était une raison ridicule, même si elle était vraie. Il était soulagé qu'Élayne n'ait pas l'air de souhaiter davantage que sa compagnie mais c'était dans ces seuls moments qu'il pouvait oublier les décisions, oublier le sort qui attendait le Dragon Réincarné. Puis d'une fois, il envisagea de lui demander de rester, mais ce ne serait pas juste de susciter des espérances chez elle quand il n'avait aucune idée de ce qu'il voulait d'elle en dehors de sa présence. Si elle nourrissait des espérances, évidemment. Bien mieux valait simplement penser à eux comme à un jeune homme et une jeune fille se promenant ensemble un soir de fête. Cela rendait les choses plus faciles ; quelquefois, il oubliait qu'elle était la Fille-Héritière et lui un berger. Pourtant il souhaitait qu'elle ne s'en aille pas. Trois jours. Il devait se décider. Il devait agir. Dans une direction que nul n'attendait.

Le soleil glissait lentement vers l'horizon au soir du troisième jour. Les rideaux à demi tirés de la chambre de Rand atténuaient l'éblouissante clarté d'or rougeâtre. *Callandor* scintillait comme le plus pur cristal sur son présentoir à l'ornementation ostentatoire.

Rand dévisagea Meilan et Sunamon, puis leur jeta l'épaisse liasse de feuillets en vélin. Un traité, soigneusement calligraphié, auquel ne manquaient que les signatures et les sceaux. Elle frappa Meilan en pleine poitrine et il l'attrapa par réflexe ; il s'inclina comme honoré, mais son sourire crispé laissa voir des dents serrées.

Sunamon oscillait d'un pied sur l'autre en se frottant machinalement les mains. « Tout est comme vous l'avez dit, mon Seigneur Dragon, déclara-t-il d'un ton anxieux. Des céréales en échange de navires...

— Et une levée de deux milles hommes, interjeta Rand. Pour veiller à la juste distribution du blé et protéger les intérêts du Tear. » Sa voix était comme de la glace, mais son estomac lui donnait l'impression de bouillir ; il tremblait presque du désir de marteler ces imbéciles à coups de poing. « Deux mille hommes. Sous le commandement de Torean !

— Le Puissant Seigneur Torean s'intéresse aux

négociations avec Mayene, mon Seigneur Dragon, répliqua avec aisance Meilan.

— Son intérêt est d'imposer ses assiduités à une femme qui ne veut pas le regarder ! reprit Rand d'une voix tonnante. Du blé en échange de navires, j'ai dit ! Pas de soldats. Et certainement pas ce bougre de Torcan ! Avez-vous même parlé à Berelain ? »

Ils le regardaient en clignant des paupières comme s'ils ne comprenaient pas les mots. C'en était trop. Il attira à lui le *Saidin* ; le vélin dans les bras de Meilan s'enflamma brusquement. Avec un cri aigu, Meilan projeta la liasse ardente dans l'âtre vide et brossa précipitamment les étincelles et les marques de roussi sur son bliaud de soie rouge. Sunamon contemplait bouche bée les feuillets en feu qui crépitaient et noircissaient.

« Vous irez trouver Berelain, leur ordonna-t-il, surpris du ton calme qu'il avait. Avant demain matin, vous lui aurez offert le traité que je veux ou demain au coucher du soleil je vous ferai pendre l'un et l'autre. Si je dois faire pendre des Puissants Seigneurs deux par deux chaque jour, je le ferai. Je vous enverrai jusqu'au dernier à la potence si vous ne m'obéissez pas. Maintenant, ôtez-vous de ma vue. »

Le ton mesuré eut apparemment plus d'effet que n'en avait eu son emportement. Même Meilan avait l'air mal à l'aise lorsqu'ils s'éloignèrent à reculons, s'inclinant tous les deux pas, murmurant des protestations d'indéfectible loyauté et de perpétuelle obéissance. Ils l'écœuraient.

« Sortez ! » cria-t-il avec colère et, abandonnant

leur dignité, ils se battirent presque à qui ouvrirait la porte le premier. Ils s'enfuirent au pas accéléré. Un des gardes aiels passa la tête à l'intérieur pendant un instant, pour vérifier que Rand était sain et sauf, avant de refermer la porte.

Rand tremblait pour de bon. Ils le dégoûtaient presque autant qu'il se dégoûtait lui-même. Menacer de pendre des gens parce qu'ils ne lui obéissaient pas. Pire, en avoir réellement l'intention. Il se souvenait du temps où il ne se mettait pas en colère et, en tout cas, s'y mettait rarement et réussissait à se maîtriser.

Il traversa la pièce jusqu'à *Callandor* qui scintillait dans la lumière entrant à flots entre les rideaux. La lame avait l'air d'être en verre le plus beau, absolument transparent ; elle était comme de l'acier sous ses doigts, tranchante comme un rasoir. Il avait été bien près de l'empoigner, pour en finir avec Meilan et Sunamon. En l'utilisant comme une épée ou selon sa véritable destination, il l'ignorait. L'une ou l'autre possibilité l'horrifiait. *Je ne suis pas encore fou. Seulement irrité. Ô Lumière, irrité à quel point !*

Demain. Les Amies du Ténébreux seraient embarquées sur un vaisseau, demain. Élayne s'en irait. Et Egwene et Nynaeve, bien sûr. Pour retourner à Tar Valon, il en formait la prière ; Ajah Noire ou pas, la Tour Blanche devait être l'endroit le plus sûr actuellement.

Demain. Plus d'excuses pour repousser ce qu'il avait à faire. Plus, passé demain.

Il tourna ses mains, regardant le héron imprimé au feu dans chaque paume. Il les avait examinés si souvent qu'il en aurait dessiné de mémoire parfaitement chaque trait. Les Prophéties l'annonçaient.

> *Par deux fois et deux fois encore il sera marqué,*
> *deux fois pour vivre et deux fois pour mourir.*
> *Une fois du héron, pour préparer sa voie,*
> *Deux fois du héron pour le bien désigner.*
> *Une fois du Dragon, pour les souvenirs perdus,*
> *Deux fois du Dragon, pour le prix qu'il doit payer.*

Mais si les hérons « le bien désignaient », quel besoin des Dragons ? Quant à cela, qu'est-ce que c'était qu'un Dragon ? Le seul dont il avait jamais entendu parler était Lews Therin Telamon. Lews Therin Meurtrier-des-Siens avait été le Dragon ; le Dragon était le Meurtrier-des-Siens. À part qu'il y avait lui-même maintenant. Seulement il ne pouvait pas porter sa propre marque. Peut-être la forme sur la bannière était-elle un Dragon ; même les Aes Sedai ne connaissaient apparemment pas ce qu'était cette créature.

« Vous avez changé depuis la dernière fois que je vous ai vu. Plus fort. Plus dur. »

Il pivota sur ses talons, regardant avec stupeur la jeune femme debout près de la porte, claire de teint et sombre quant aux yeux et à la chevelure. Grande, vêtue tout en blanc et argent, elle examinait en haussant le sourcil les masses d'or et d'argent à moitié fondues sur le dessus de la cheminée. Il les avait laissées là pour se rappeler ce qui pouvait se produire quand il agissait sans réfléchir, quand il perdait sa maîtrise. Grand bien n'en était pas résulté.

« Séléné, s'exclama-t-il d'une voix étranglée en la rejoignant d'un pas vif. D'où venez-vous ? Comment êtes-vous arrivée ici ? Je vous croyais encore au Cairhien ou... » Les yeux baissés sur elle qui était plus petite que lui, il ne voulait pas dire qu'il avait craint qu'elle ne soit morte ou une réfugiée affamée.

Une ceinture en fils d'argent tissés scintillait autour de sa taille fine ; des peignes d'argent ornés d'étoiles et de croissants de lune brillaient dans ses cheveux qui tombaient sur ses épaules comme des cascades de nuit. Elle était toujours la plus belle femme jamais vue dans sa vie. Auprès d'elle, Élayne et Egwene n'étaient que jolies.

N'empêche, pour une raison quelconque, elle n'avait pas sur lui le même effet que naguère ; peut-être était-ce les longs mois depuis qu'il l'avait rencontrée pour la dernière fois, dans un Cairhien pas encore ravagé par la guerre civile.

« Je vais où je désire être. » Elle fronça les sourcils en examinant sa figure. « Vous avez été marqué, mais peu importe. Vous étiez mien et vous êtes mien. N'importe qui d'autre n'est pas plus qu'un intérimaire dont le temps est écoulé. Je vais revendiquer ouvertement maintenant ce qui est à moi. »

Il la regarda avec stupeur. Marqué ? Voulait-elle parler de ses mains ? Et qu'est-ce qu'elle sous-entendait en disant qu'il était sien ? « Séléné, déclara-t-il avec ménagement, nous avons vécu ensemble des jours plaisants – et des jours pénibles ; je n'oublierai jamais votre courage ou votre aide – mais il n'y a jamais rien eu entre nous de plus que de la camaraderie. Nous avons voyagé ensemble, mais cela s'est arrêté là. Vous resterez ici dans la Pierre, dans les plus beaux appartements, et quand la paix reviendra au Cairhien je veillerai à ce que vos biens vous soient restitués, si c'est en mon pouvoir.

— Vous avez effectivement été marqué. » Elle eut un sourire sardonique. « Des propriétés au Cairhien ? C'est possible que j'ai eu jadis des domaines dans ce pays. Cette terre a tellement changé que rien n'est ce qu'il était. Séléné n'est qu'un nom dont je me sers quelquefois, Lews Therin. Le nom que j'ai adopté pour mien est Lanfear. »

Rand eut un rire sec sans gaieté. « Une mauvaise plaisanterie, Séléné. J'aimerais autant imaginer des facéties sur le compte du Ténébreux que sur celui de l'une des Réprouvés. Et mon nom est Rand.

— Nous nous appelons les Élus, déclara-t-elle avec calme. Élus pour diriger le monde à jamais. Nous vivrons à jamais. Vous le pouvez aussi. »

Il la regarda d'un air sombre et soucieux. Elle pensait réellement qu'elle était... Ce qu'elle avait enduré pour arriver à Tear devait lui avoir dérangé l'esprit. Pourtant elle n'avait pas l'air folle. Elle était calme, maîtresse d'elle même, assurée. Sans réfléchir, il s'aperçut qu'il recherchait le *Saidin*. Il le chercha – et heurta une paroi qu'il ne voyait ni ne sentait, mais qui l'empêchait d'atteindre la Source. « Impossible que vous le soyez » Elle sourit. « Ô Lumière, dit il dans un souffle. Vous êtes bien l'une d'entre eux. »

Avec lenteur, il s'éloigna d'elle à reculons. S'il parvenait jusqu'à *Callandor*, du moins aurait-il une arme.

Peut-être qu'elle ne jouerait pas le rôle d'*angreal*, mais elle ferait office d'épée. Pouvait-il employer une épée contre une femme, contre Séléné ? Non, contre Lanfear, contre une des Réprouvés.

Son dos heurta brutalement quelque chose et il se retourna pour voir ce que c'était. Il n'y avait rien là. Un mur de néant, et son dos pressé contre lui. *Callandor* scintillait à moins de trois pas – de l'autre côté. Il frappa du poing cette barrière dans sa frustration ; elle était aussi inébranlable que du roc.

« Je ne peux pas vous faire entièrement confiance, Lews Therin. Pas encore. » Elle se rapprocha, et il envisagea de la saisir simplement à bras-le-corps. Il était de loin plus grand et plus fort – et bloqué comme il l'était elle pouvait l'envelopper avec le Pouvoir comme un chaton entortillé dans un peloton de ficelle. « Pas avec cela, c'est certain, ajouta-t-elle avec une grimace vers *Callandor.* Il y en a encore deux plus puissants qu'un homme peut utiliser. Un du moins, je le sais, existe toujours. Non, Lews Therin. Je ne me fierai pas encore à vous avec ça en main.

— Cessez de m'appeler de cette façon. Mon nom est Rand. Rand al'Thor.

— Vous êtes Lews Therin Telamon. Oh, physiquement, rien n'est pareil à part votre taille, mais je reconnaîtrais qui est derrière ces yeux même si je vous avais trouvé dans votre berceau. » Elle éclata soudain de rire. « Comme tout aurait été plus facile si je vous avais découvert à cette époque-là. Si j'avais été libre de... » Le rire laissa la place à un regard fixe et coléreux. « Désirez-vous voir mon apparence véritable ?

336

Vous n'êtes pas capable de vous rappeler cela non plus, n'est-ce pas ? »

Il essaya de dire non, mais sa langue refusa de remuer. Un jour, il avait vu ensemble deux des Réprouvés, Aginor et Balthamel, les deux premiers évadés, après trois mille ans de réclusion bloqués juste au-dessous du sceau apposé sur la prison du Ténébreux. L'un était plus desséché que rien ne pouvait l'être davantage et rester en vie ; l'autre dissimulait sa face derrière un masque qui cachait chaque parcelle de sa chair comme s'il ne pouvait pas supporter de la voir ou de la laisser voir.

L'air ondula autour de Lanfear, et elle changea. Elle était plus vieille que lui, évidemment, mais plus vieille n'était pas le mot juste. Plus mûre. Plus affinée. Encore plus belle si c'était possible. Une corolle luxuriante en plein épanouissement comparée à une fleur en bouton. Même sachant ce qu'elle était, il en avait la bouche sèche, la gorge serrée.

Ses yeux noirs scrutaient son visage, pleins d'assurance et pourtant très légèrement interrogateurs, comme se demandant ce que lui voyait. Quoi qu'elle ait perçu parut la satisfaire. Elle sourit de nouveau. « J'étais ensevelie profondément, dans un sommeil sans rêves où le temps ne s'écoulait pas. La Roue a tourné sans effet sur moi. À présent vous me voyez telle que je suis, et vous êtes entre mes mains. » Elle suivit de l'ongle le contour de sa mâchoire en appuyant assez fort pour qu'il tressaille. « L'heure des jeux et des subterfuges est passée, Lews Therin. Passée depuis longtemps. »

Il eut l'impression que son estomac se convulsait. « Vous avez donc l'intention de me tuer ? Que la Lumière vous brûle, je...

— Vous tuer ? – elle le répéta brusquement d'un ton incrédule. Vous tuer ! J'ai l'intention de vous avoir à moi pour toujours. Vous étiez mien longtemps avant que cette blonde à la mie de pain vous mette le grappin dessus. Avant même qu'elle vous voie. Vous m'aimiez !

— Et vous aimiez dominer ! » Pendant un instant, il se sentit tout étourdi. Les mots sonnaient juste – il les savait vrais – mais d'où étaient-ils venus ?

Séléné – Lanfear – sembla aussi stupéfaite que lui, mais elle se ressaisit vite. « Vous avez beaucoup appris – vous avez fait beaucoup de choses dont je ne vous aurais pas cru capable sans assistance – mais vous tâtonnez encore dans le noir pour trouver votre chemin dans un labyrinthe, et vous risquez que votre ignorance vous tue. Certains parmi les autres vous craignent trop pour attendre. Sammael, Rahvin, Moghedien. D'autres, peut-être, mais ceux-là sûrement. Ils s'en prendront à vous. Ils ne chercheront pas à vous inciter à changer d'avis. Ils s'attaqueront à vous furtivement, vous abattront pendant votre sommeil. À cause de leur peur. Par contre, il y en a qui peuvent vous instruire, vous rappeler ce que vous avez su jadis. Alors nul n'osera s'attaquer à vous.

— M'instruire ? Vous voulez que je laisse un des Réprouvés m'instruire ? » Un des Réprouvés. Un Réprouvé. Un homme qui avait été Aes Sedai dans l'Ère des Légendes, qui connaissait les façons de cana-

338

liser, qui savait comment éviter les pièges, savait...
– on lui en avait déjà offert autant. « Non ! Même si cela
m'était offert, je refuserais, et pourquoi cela me serait-il
offert ? Je m'oppose à eux... et à vous ! Je déteste tout
ce que vous avez fait, tout ce que vous représentez. »
Quelle bêtise ! songea-t-il. *Piégé ici et je lance des pro-*
vocations comme quelque idiot des contes qui ne se
doute jamais qu'il risque d'irriter celui qui le tient pri-
sonnier au point de l'amener à réagir. Mais il était incapable de se forcer à ravaler ses mots. Avec obstination,
il continua laborieusement et aggrava encore son défi.
« Je vous anéantirai si je le peux. Vous et le Ténébreux
et jusqu'au dernier Réprouvé ! »

Un éclair gros de menace brilla dans les yeux de
Lanfear et s'éteignit. « Savez-vous pourquoi certains
d'entre nous vous craignent ? En avez-vous une idée ?
Parce qu'ils redoutent que le Grand Seigneur des
Ténèbres vous donne une place au-dessus d'eux. »

Rand se surprit lui-même en réussissant à émettre
un éclat de rire. « Le Grand Seigneur des Ténèbres ?
Ne pouvez-vous prononcer son vrai nom, vous non
plus ? Voyons, vous n'avez pas peur d'attirer son
attention, à l'instar des honnêtes gens. Ou bien si ?

— Ce serait blasphémer, répliqua-t-elle simplement. Ils ont raison d'être anxieux, Sammael et les
autres. Le Grand Seigneur vous veut. Il veut vous élever au-dessus de tous les autres hommes. Il me l'a dit.

— C'est ridicule ! Le Ténébreux est toujours cloîtré
dans le Shayol Ghul, sinon je serais en train de livrer
la Tarmon Gai'don à l'heure qu'il est, et s'il sait que

j'existe il me voudrait mort. J'ai la ferme intention de lutter contre lui.

— Oh, il le sait. Le Grand Seigneur connaît bien davantage que vous ne vous en doutez. Lui parler est possible. Venez au Shayol Ghul, dans le Gouffre du Destin, et vous pourrez... l'entendre. Vous serez... imprégné de sa présence. » Son visage rayonnait maintenant d'un éclat différent. Celui de l'extase. Elle respirait par ses lèvres entrouvertes et, pendant un instant, sembla contempler quelque chose de lointain et de merveilleux. « C'est même impossible à décrire par des mots. On doit l'expérimenter pour le comprendre. Vous le devez. » Elle voyait de nouveau son visage, avec de grands yeux sombres au regard insistant. « Pliez le genou devant le Grand Seigneur et il vous placera au-dessus de tous les autres. Il vous laissera libre de régner à votre gré, pour autant que vous vous serez agenouillé rien qu'une fois devant lui. En hommage. Pas davantage. Il me l'a dit. Asmodean vous enseignera à manier le Pouvoir sans qu'il vous tue, vous enseignera ce que vous pouvez accomplir avec le Pouvoir. Laissez-moi vous aider. Nous pouvons abattre les autres. Le Grand Seigneur n'en aura cure. Nous pouvons les détruire tous, même Asmodean, une fois qu'il vous aura appris tout ce que vous avez besoin de savoir. Vous et moi pouvons gouverner ensemble le monde, à jamais, sous l'égide du Grand Seigneur. » Sa voix baissa jusqu'au murmure, partagée également entre crainte et ardeur. « Deux puissants *sa'angreals* ont été créés juste avant la fin, un que vous pouvez utiliser, un dont moi je peux me servir.

Bien plus puissants que cette épée. Leur pouvoir dépasse l'imagination. Avec eux nous pourrions même défier... le Grand Seigneur lui-même. Même le Créateur !

— Vous êtes folle, répliqua-t-il d'une voix hachée. Le Père des Mensonges dit qu'il me laissera libre ? Je suis né pour le combattre. Voilà pourquoi je suis ici, pour accomplir les Prophéties. Je lutterai contre lui, et contre vous tous, jusqu'à la Dernière Bataille ! Jusqu'à mon dernier souffle !

— Vous n'y êtes pas obligé. Une prophétie n'est rien d'autre que l'indication de ce que les gens espèrent. Accomplir les Prophéties n'aboutira qu'à vous lier à une voie conduisant à la Tarmon Gai'don et à votre mort. Moghedien ou Sammael peuvent détruire votre corps. Le Grand Seigneur de l'Ombre peut détruire votre âme. Une fin définitive et complète. Vous ne renaîtrez plus jamais quel que soit le nombre de révolutions accomplies par la Roue du Temps !

— Non ! »

Pendant ce qui lui parut durer un long moment, elle l'examina ; il pouvait presque voir la balance peser les diverses solutions. « Je pourrais vous prendre avec moi, finit-elle par dire. Je pourrais vous amener au Grand Seigneur quoi que vous pensez ou croyez. Il existe des moyens. »

Elle s'arrêta, peut-être pour vérifier si ses paroles avaient eu un effet. De la sueur lui ruisselait dans le dos, mais il garda un visage impassible. Il devait tenter quelque chose, qu'il ait une chance ou pas. Une deuxième tentative pour atteindre le *Saidin* se heurta en vain à cette barrière invisible. Il laissa ses yeux errer comme s'il réfléchissait. *Callandor* se trouvait derrière lui, aussi hors de portée que sur l'autre rivage de l'océan d'Aryth. Son poignard gisait sur une table près du lit, avec un renard à demi terminé qu'il était en train de sculpter. Les masses de métal informes se moquant de lui au-dessus de la cheminée, un homme aux vêtements ternes se glissant entre les battants de la porte avec un couteau dans les mains, les livres éparpillés partout. Il revint à Lanfear, se raidissant.

« Vous avez toujours été entêté, murmura-t-elle entre ses dents. Je ne vous emmènerai pas, cette fois-ci. Je veux que vous veniez à moi de votre plein gré. Et je l'obtiendrai. Que se passe-t-il ? Vous vous êtes assombri. »

Un homme se glissant entre les battants de la porte avec un couteau ; ses yeux avaient effleuré le personnage pratiquement sans le voir. D'un geste instinctif, il écarta Lanfear pour atteindre la Vraie Source ; le bouclier qui s'interposait disparut quand il atteignit la Source et son épée fut dans ses mains comme une flamme d'or rouge. L'homme fonça sur lui, le couteau tenu bas la pointe levée pour un coup mortel. Même ainsi, c'était difficile de garder les yeux sur lui, mais Rand pivota d'un mouvement souple et Le Vent-souffle-par-dessus-le-Rempart trancha la main tenant le couteau et finit sa course en pénétrant dans le cœur de son assaillant. Pendant un instant, Rand plongea le regard dans des yeux ternes – sans vie alors que ce cœur battait encore – puis dégagea sa lame.

« Un Homme Gris. » Rand aspira ce qui sembla être

son premier souffle depuis des heures. Le cadavre à ses pieds était une masse souillée, saignant sur le tapis tissé de volutes, mais fixer le regard sur lui ne présentait plus de difficulté à présent. Il en était toujours ainsi avec les assassins de l'Ombre ; quand on les remarquait, c'était généralement trop tard. « Cela n'a pas de sens. Vous auriez pu facilement me tuer. Pourquoi détourner mon attention pour qu'un Homme Gris me surprenne ? »

Lanfear l'observait avec méfiance. « Je n'utilise pas les Sans Âme. Je vous ai dit qu'il y avait... des différences parmi les Élus. Apparemment, j'ai eu un jour de retard dans mes conclusions, mais il est encore temps que vous veniez avec moi. Pour apprendre. Pour vivre. Cette épée », continua-t-elle sur un ton très proche du mépris. « Vous ne faites pas la dixième partie de ce que vous pourriez faire. Venez avec moi et apprenez. Ou avez-vous l'intention d'essayer de me tuer, maintenant ? Je vous ai libéré pour que vous vous défendiez. »

Sa voix, sa pose disaient qu'elle s'attendait à une attaque, ou tout au moins qu'elle était préparée à se défendre, pourtant ce n'était pas ce qui arrêtait Rand, pas plus que le geste de le libérer de ses liens. Elle était une des Réprouvés ; elle avait servi le mal si longtemps qu'auprès d'elle une Sœur Noire semblait aussi innocente qu'un nouveau-né. Néanmoins, il voyait en elle une femme. Il se traita de triple imbé cile, sans pour autant se décider à agir. Peut-être si elle tentait de le tuer. Peut-être. Mais elle se contenta de demeurer là, à l'observer, à rester sur la défensive.

Prête sans nul doute, s'il essayait de la maîtriser, à faire avec le Pouvoir des choses dont il ignorait même qu'elles étaient réalisables. Il avait réussi à bloquer Élayne et Egwene, mais c'était un de ces résultats qu'il obtenait sans réfléchir, la manière d'y parvenir enfouie quelque part dans sa tête. Il pouvait seulement se rappeler qu'il l'avait fait, pas comment. En tout cas, il avait une prise ferme sur le *Saidin* ; elle ne le surprendrait pas de nouveau sur ce plan-là. La souillure nauséeuse n'était rien ; le *Saidin* était la vie, peut-être dans plus d'un sens.

Une pensée jaillit soudain dans son cerveau comme un geyser. Les Aiels. Même un Homme Gris aurait dû trouver impossible de se faufiler par des portes que surveillaient une demi-douzaine d'Aiels.

« Que leur avez-vous fait ? » Sa voix grinçait tandis qu'il reculait vers la porte, sans la quitter des yeux. Si elle se servait du Pouvoir, il avait une petite chance d'en être averti. « Qu'avez-vous fait aux Aiels là, dehors ?

— Rien, répliqua-t-elle froidement. Ne sortez pas. Il se peut que ce ne soit qu'un test pour voir jusqu'à quel point vous êtes vulnérable, mais même une épreuve risque de vous tuer si vous êtes stupide. »

Il ouvrit d'un seul coup le battant gauche de la porte sur une scène de folie.

10.

La Pierre tient bon

Des Aiels morts gisaient aux pieds de Rand, enche-
vêtrés avec les cadavres de trois hommes très ordinaires en casaque et chausses passe-partout. Des
hommes quelconques, si ce n'est que six Aiels, l'entière équipe de garde, avaient été massacrés, certains
manifestement avant de comprendre ce qui arrivait, et
chacun de ces hommes banals avait au moins deux
lances aielles plantées dans le corps.

C'était pourtant loin de s'arrêter là. Dès qu'il eut
ouvert la porte, un grondement de bataille l'avait
assailli : cris, hurlements, cliquetis de l'acier contre
l'acier parmi les colonnes de grès rouge. Les Défenseurs dans le vestibule luttaient pour leur vie sous les
lampes dorées, contre des formes massives revêtues de
cottes de mailles noires les dépassant de la tête et des
épaules, des formes faisant penser à des hommes
géants mais avec des têtes et des faces dénaturées par
des cornes ou des plumes, par des mufles ou des becs
à la place normale de la bouche et du nez. Des Trollocs. Ils se déplaçaient à grandes enjambées sur des
pattes ou des sabots aussi souvent que sur des pieds
bottés, taillant les hommes en pièces avec des haches

d'armes à pointe curieuse, avec des lances munies de croc et des épées dessinées à la façon d'une faux mais inversées. Et, les accompagnant, un Myrddraal, comme un homme aux mouvements souples, à la peau d'une blancheur de ver de viande en armure noire, telle la mort faite chair exsangue.

Quelque part dans la Pierre, un gong d'alarme résonna, puis s'interrompit avec une soudaineté létale. Un autre prit la relève, puis un autre encore, coups après coups aux résonances d'airain.

Les Défenseurs se battaient et ils l'emportaient encore en nombre sur les Trollocs, mais il y avait à terre plus d'humains que de Trollocs. À l'instant même où les yeux de Rand se posaient sur eux, le Myrddraal arracha d'une main nue la moitié du visage du capitaine du détachement tandis que de l'autre main il plongeait une mortelle lame noire dans la gorge d'un Défenseur, évitant les coups de lance de ces soldats avec des esquives de serpent. Ces hommes d'armes affrontaient ce qu'ils avaient cru être seulement des contes de voyageurs pour effrayer les petits enfants ; leurs nerfs à vif étaient près de craquer. L'un d'eux qui avait perdu son casque à rebord abandonna sa lance et essaya de fuir, seulement pour avoir la tête fendue comme un melon par la lourde hache d'un Trolloc. Un autre encore jeta un coup d'œil au Myrddraal et s'enfuit en hurlant. Le Myrddraal s'élança dans une course sinueuse pour l'intercepter. D'ici un moment, les humains partiraient tous à la débandade.

« Évanescent ! cria Rand. À moi, Évanescent ! » Le Myrddraal s'immobilisa comme s'il n'avait jamais bougé, son visage blême sans yeux se tournant vers lui. La peur se précipita en vaguelettes à travers Rand devant ce regard fixe qui glissait sur la bulle de calme froid qui l'enserrait quand il était en possession du *Saidin* ; dans les Marches, on disait : « Le regard des Sans Yeux instille la peur. » Naguère, il avait été persuadé que les Évanescents chevauchaient les ombres comme des chevaux et disparaissaient quand ils tournaient de côté. Ces anciennes croyances n'étaient pas tellement erronées.

Le Myrddraal avança d'une démarche fluide vers lui et Rand bondit par-dessus les morts gisant devant le seuil de la porte pour aller à sa rencontre, ses bottes patinant sur le marbre noir ensanglanté quand il retomba sur ses pieds. « Ralliez-vous à la Pierre, cria-t-il en sautant. La Pierre tient bon ! » C'étaient les cris de guerre qu'il avait entendus la nuit où la Pierre n'avait pas tenu.

Il crut percevoir un « Imbécile ! » sur un ton de riposte dépitée provenant de la pièce qu'il avait quittée, mais il n'avait pas le loisir de s'occuper de Lanfear ou de ce qu'elle pouvait faire. Cette glissade faillit de très peu lui coûter la vie ; sa lame d'or rouge détourna tout juste la lame noire de Myrddraal tandis qu'il rétablissait tant bien que mal son équilibre. « Ralliez-vous à la Pierre ! La Pierre tient toujours ! » Il devait garder les Défenseurs rassemblés ou affronter seul le Myrddraal et vingt Trollocs. « La Pierre tient bon ! »

« La Pierre tient bon ! » eut-il conscience que quelqu'un reprenait en écho à son cri, puis un autre. « La Pierre tient bon ! »

L'Évanescent se déplaçait avec une souplesse serpentine, l'illusion de la ressemblance avec un serpent augmentée par les plates de l'armure noire qui se chevauchaient sur sa poitrine. Et pourtant aucune lance noire ne frappa jamais aussi vite. Pendant un moment, écarter sa pointe de sa propre chair dépourvue de cuirasse fut tout ce dont Rand fut capable. Ce métal infligeait des blessures qui s'envenimaient, presque aussi difficiles à Guérir que celle qui lui rongeait maintenant le flanc. Chaque fois que l'acier sombre forgé dans Thakandar, sous les pentes du Shayol Ghul, croisait la lame d'or rouge ouvrée par le Pouvoir, de la lumière brillait comme des éclairs en nappe dans la salle, un éclatant blanc bleuâtre qui brûlait les yeux. « Vous allez mourir, cette fois-ci », lui dit le Myrddraal d'une voix âpre crissant comme des feuilles mortes qui s'écrasaient. « Je donnerai votre chair aux Trollocs et prendrai vos femmes pour moi. »

Rand se battait avec tout le sang-froid et toute l'ardeur désespérée dont il avait jamais fait preuve. L'Évanescent savait se servir d'une épée. Puis vint un instant où il put frapper carrément l'épée même, pas seulement la dévier. Avec un sifflement de glace tombée sur du métal en fusion, l'épée d'or rouge passa au travers de la noire. Le coup suivant de Rand détacha cette tête sans yeux de ses épaules ; le choc de tailler l'os lui fit trembler les bras. Du sang couleur d'encre jaillit en fontaine du tronçon de son cou. Pourtant la chose ne tomba pas. Brandissant à l'aveuglette son épée brisée, la silhouette décapitée allait en trébuchant dans tous les sens, frappant au hasard dans le vide.

Tandis que la tête de l'Évanescent tombait et roulait sur le sol, les Trollocs qui restaient tombèrent aussi, hurlant, gigotant, tirant sur leurs propres têtes avec des mains couvertes de poils rudes. C'était un point faible des Myrddraals et des Trollocs. Même les Myrddraals ne se fiaient pas aux Trollocs, de sorte qu'ils établissaient souvent avec eux un lien que Rand ne comprenait pas ; cette liaison garantissait apparemment la loyauté des Trollocs, mais ceux qui étaient liés à un Myrddraal ne survivaient pas longtemps à son décès.

Les Défenseurs encore debout, moins de deux douzaines, n'attendirent pas. S'y mettant à deux ou trois, ils frappèrent de leurs lances à maintes reprises chaque Trolloc jusqu'à ce qu'il cesse de bouger. Quelques-uns avaient jeté à terre le Myrddraal mais il se débattait follement en dépit du nombre de coups qu'ils lui portaient. Maintenant que les Trollocs s'étaient tus, on entendait quelques blessés humains survivants gémir et pleurer. Il y avait toujours plus d'êtres humains jon chant le sol que d'Engeances de l'Ombre. Le marbre noir était rendu glissant par le sang, presque invisible sur les dalles sombres.

« Laissez-le, dit Rand aux Défenseurs qui essayaient d'achever le Myrddraal. Il est déjà mort. Les Évanescents ne veulent simplement pas admettre qu'ils sont morts. » Lan le lui avait expliqué, il y avait bien longtemps, semblait-il ; il en avait eu d'autres preuves avant ce moment-ci. « Occupez-vous des blessés. »

Scrutant du regard la masse sans tête qui se débattait, son torse un ramassis de plaies béantes, ils frissonnèrent et reculèrent, émettant entre leurs dents des commentaires sur les Rôdeurs. C'est ainsi que l'on appelait les Évanescents à Tear, dans les contes destinés aux enfants. Quelques-uns commencèrent à chercher parmi les humains à terre s'il y en avait encore en vie, tirant de côté ceux qui ne pouvaient pas se tenir debout, aidant à se relever ceux qui le pouvaient. Il n'y en eut que trop laissés là où ils gisaient. Des pansements de fortune arrachés à la propre chemise ensanglantée du blessé étaient le seul réconfort disponible pour l'instant.

Ils n'avaient plus une allure aussi pimpante, ces guerriers du Tear. Les plastrons et dossières de leur cuirasse qui avaient à présent perdu leur éclat étaient bosselés et éraflés ; des taillades trempées de sang déparaient tuniques et chausses noir et or auparavant élégantes. Certains n'avaient plus de casque, et plus d'un s'appuyait sur sa lance comme si c'était la seule chose le maintenant sur ses jambes. Peut-être était-ce le cas. Ils respiraient avec peine, une expression égarée sur le visage, ce mélange de terreur absolue et d'hébétude qui paralyse les hommes dans une bataille. Ils regardaient Rand d'un air mal assuré – par des coups d'œil furtifs, apeurés – comme si c'était lui-même qui avait appelé ces créatures à venir de la Dévastation.

« Essuyez la pointe de ces lances, leur dit-il. Le sang d'un Évanescent ronge l'acier comme de l'acide à la longue. » La plupart se mirent avec lenteur en devoir d'obéir, utilisant avec réticence les manches de leurs propres défunts.

Les bruits de combats encore en cours parvenaient des couloirs – clameurs lointaines, cliquetis assourdis de métal. Ils lui avaient obéi par deux fois ; c'était temps de vérifier s'ils allaient continuer. Leur tournant le dos, il traversa le vestibule en direction des bruits de bataille. « Suivez-moi », commanda-t-il. Il leva son épée forgée par le feu pour leur rappeler qui il était, espérant que ce rappel ne lui vaudrait pas un coup de lance dans le dos. C'était un risque à courir. « La Pierre tient bon ! Pour la Pierre ! »

Pendant un instant, l'écho de ses pas fut le seul bruit dans la salle à colonnes ; puis des bottes commencèrent à suivre. « Pour la Pierre ! » cria un homme et un autre : « Pour la Pierre et le Seigneur Dragon ! » D'autres reprirent le cri. « Pour la Pierre et le Seigneur Dragon ! » Accélérant l'allure, Rand entraîna au pas de charge plus avant dans le cœur de la Pierre son armée ensanglantée de vingt-trois hommes.

Où était Lanfear et quel rôle avait-elle joué dans cet épisode ? Il n'avait guère de temps pour y réfléchir. Des morts jonchaient les couloirs de la Pierre dans des mares de leur propre sang, un ici et plus loin deux ou trois encore, Défenseurs, serviteurs, Aiels. Des femmes aussi, des nobles en robe de lin et des servantes vêtues de laine, les unes et les autres abattues dans leur fuite. Les Trollocs se souciaient peu de qui ils tuaient ; ils prenaient plaisir à tuer. Les Myrddraals étaient pires ; les Demi-Hommes tiraient jouissance de la souffrance et de la mort.

Un peu plus avant, la Pierre était en effervescence. Des groupes de Trollocs fonçaient dans les couloirs, tantôt conduits par un Myrddraal, tantôt seuls, se battant avec des Aiels ou des Défenseurs, taillant en pièces quiconque était sans arme, cherchant d'autres à tuer. Rand menait sa petite troupe à l'assaut de tous les suppôts de l'Ombre qu'ils rencontraient, son épée tranchant chair rude et cotte de mailles noire avec une égale aisance. Seuls les Aiels affrontaient sans sourciller un Évanescent. Les Aiels et Rand. Il laissait les Trollocs de côté pour attaquer les Évanescents ; parfois le Myrddraal emmenait avec lui en mourant une douzaine ou deux de Trollocs, parfois aucun.

Quelques-uns de ses Défenseurs tombèrent pour ne plus se relever, mais des Aiels se joignirent à eux, doublant leur effectif. Des groupes d'hommes se déchaînèrent dans des engagements furieux qui s'éloignaient dans des cris et des ferraillements de forge prise de folie. D'autres se rassemblèrent derrière Rand, s'écartèrent, furent remplacés, tant et si bien qu'il n'y en eut plus aucun de ceux qui étaient partis avec lui au début. Quelquefois, il se battait seul ou suivait en courant un couloir, désert à part lui et les morts, en direction du fracas d'un combat dans le lointain.

Une fois, avec deux Défenseurs, dans une colonnade qui prenait jour au-dessus d'une longue salle aux nombreuses portes, il vit Moiraine et Lan encerclés par des Trollocs. L'Aes Sedai se dressait, tête haute comme quelque souveraine de légende, reine de batailles, et des formes bestiales s'enflammaient autour d'elle – mais seulement pour être remplacées par d'autres, surgissant de l'une ou l'autre des portes, par six ou huit à la fois. L'épée de Lan liquidait celles qui avaient échappé au feu de Moiraine. Le Lige avait du sang sur chaque côté de son visage, cependant il enchaînait les postures d'escrime avec autant de calme que s'il s'exerçait devant un miroir. Puis un Trolloc au museau de loup brandit une lance d'un guerrier de Tear en direction du dos de Moiraine. Lan se retourna d'un bond comme s'il avait des yeux derrière la tête, fauchant la jambe du Trolloc au ras du jarret. Le Trolloc tomba en hurlant, cependant réussit encore à pointer sa lance sur Lan juste au moment où un autre assommait maladroitement du plat de sa hache le Lige, qui fléchit les genoux.

Rand ne put rien faire car, à cet instant, cinq Trollocs se jetèrent sur lui et ses deux compagnons, tout museaux, défenses de sanglier et cornes de bélier, repoussant les humains hors de la galerie à colonnes par le seul poids de leur assaut. Cinq Trollocs auraient dû être capables de tuer sans trop de difficulté trois hommes, si ce n'est que l'un d'eux était Rand, avec une épée qui traitait leurs cottes de mailles comme de l'étoffe. Un des Défenseurs périt et l'autre disparut à la poursuite d'un Trolloc blessé, l'unique survivant des cinq. Quand Rand revint en hâte à la galerie, une puanteur de viande brûlée montait de la salle au-dessous et il y avait de grands cadavres calcinés sur le sol mais aucune trace de Moiraine ou de Lan.

Ainsi se déroula la lutte pour la Pierre. Ou la lutte pour la vie de Rand. Des batailles se déclenchaient et s'en allaient se poursuivre ailleurs que là où elles avaient commencé, ou bien s'achevaient quand une des parties succombait. Les hommes ne combattaient pas seulement des Trollocs et des Myrddraals. Les hommes se mesuraient à des hommes ; il y avait des Amis du Ténébreux qui se rangeaient du côté des Engeances de l'Ombre, des individus habillés de vêtements grossiers qui avaient l'air d'anciens soldats et de piliers de taverne bagarreurs. Ils paraissaient avoir aussi peur des Trollocs que les gens de Tear mais ils tuaient quand l'occasion s'en présentait sans plus de discrimination. Par deux fois, Rand vit de ses propres yeux des Trollocs se battre contre des Trollocs. Il ne put que supposer qu'ils s'étaient affranchis de la domination des Myrddraals et que leur soif de sang avait pris le dessus. S'ils voulaient s'entre-tuer, il ne les en empêcherait pas.

Puis, de nouveau seul et continuant sa quête, il aborda au pas de course le détour d'un couloir et se retrouva juste devant trois Trollocs, chacun deux fois plus large de carrure que lui et presque une fois et demie plus grand. L'un d'eux, avec un bec d'aigle saillant en croc d'une face par ailleurs humaine, détachait à coups de hache un bras du cadavre d'une noble dame de Tear, tandis que les deux autres regardaient avidement en se léchant le mufle. Les Trollocs mangeaient n'importe quoi, pour autant que c'était de la chair. Le choc de la surprise fut probablement égal des deux côtés, mais il fut le premier à se ressaisir.

Celui au bec d'aigle s'affaissa, les mailles du haubert et le ventre ouverts en travers. La séquence du maniement de l'épée appelée Lézard-dans-le-Buissond'Épines aurait suffi pour les deux autres, mais ce premier Trolloc abattu, qui remuait encore, lui donna un coup de pied qui déstabilisa à demi le sien de sorte qu'il chancela, sa lame n'incisant qu'une longueur dans la cotte de mailles de sa cible, et se trouva dans l'axe de la chute du deuxième Trolloc quand celui-ci tomba, sa gueule de loup happant le vide. Le Trolloc le précipita sur les dalles de pierre, l'écrasant de sa masse, immobilisant aussi bien l'épée que le bras qui le tenait. Le Trolloc encore debout brandit sa hache à dard, avec ce qui ressemblait à un sourire autant que le permettaient un boutoir et des défenses de sanglier. Rand se débattit pour se dégager, pour respirer.

Une épée incurvée comme une faux trancha la hure du sanglier jusqu'au cou.

Dégageant sa lame, un quatrième Trolloc découvrit des dents de bouc dans un rictus à l'adresse de Rand, ses oreilles frémissant entre ses cornes. Puis il s'éloigna comme une flèche, ses sabots pointus cliquetant sur les dalles.

À demi étourdi, Rand se hissa avec peine de dessous le poids mort du Trolloc. *Un Trolloc m'a sauvé ? Un Trolloc ?* Il était couvert de sang trolloc, épais et sombre. Au fin fond du couloir, du côté opposé où avait fui le Trolloc aux cornes de bouc, un éclair blanc-bleu se mit à luire comme apparaissaient deux Myrddraals. Se battant l'un contre l'autre, dans une continuité confuse de mouvements qui s'enchaînaient avec une souplesse évoquant quasiment l'absence d'ossature. L'un força l'autre à reculer dans un couloir transversal et la lumière étincelante s'évanouit hors de vue. *Je suis fou. Voilà ce que c'est. Je suis fou et tout cela n'est qu'un rêve démentiel.*

« Vous risquez n'importe quoi, à vous précipiter à droite et à gauche avec cette... cette épée. »

Rand se retourna et se retrouva face à Lanfear. Elle avait repris l'apparence d'une jeune femme, pas plus âgée que lui, peut-être plus jeune. Elle souleva sa jupe blanche pour enjamber le corps démembré de la dame de Tear ; à voir l'émotion dont témoignait son expression, ç'aurait aussi bien pu être une bûche.

« Vous bâtissez une cabane de brindilles, poursuivit-elle, alors que vous pourriez d'un claquement de doigt avoir des palais de marbre. Vous pourriez avoir leur vie et ce que les Trollocs possèdent d'âme sans grand effort et, au lieu de cela, ils ont failli vous tuer. Vous devez apprendre. Associez-vous à moi.

— Est-ce votre œuvre ? questionna-t-il impérieusement. Ce Trolloc qui m'a sauvé ? Ces Myrddraals ? C'était vous ? »

Elle le dévisagea un instant avant de secouer légèrement la tête à regret. « Si j'en revendique le mérite, vous vous y attendrez de nouveau, et cela risquerait d'être fatal. Aucun des autres n'est réellement certain de ma position et cela me convient à merveille. N'espérez aucun soutien déclaré de ma part.

— Espérer votre soutien ? grommela-t-il. Vous voulez que je me voue à l'Ombre. Vous ne me ferez pas oublier avec de belles paroles ce que vous êtes. » Il canalisa et elle heurta une tapisserie avec assez de violence pour émettre un cri étouffé. Il la maintint là, plaquée sur une scène de chasse, les pieds au-dessus du sol et sa robe neigeuse étalée et aplatie. Comment avait-il bloqué Egwene et Élayne ? Il avait besoin de s'en souvenir.

Brusquement, il vola en travers du couloir pour aller heurter l'autre mur, en face de Lanfear, pressé là comme un insecte par *quelque chose* qui lui permettait tout juste de reprendre son souffle.

Lanfear ne paraissait avoir aucun mal à respirer. « Quoi que vous fassiez, Lews Therin, je peux le faire. Et mieux. » Clouée au mur comme elle l'était, elle ne paraissait nullement perturbée. Le vacarme d'un combat monta soudain quelque part tout près, puis diminua à mesure que la bataille s'éloignait. « Vous utilisez à moitié la plus petite fraction de ce dont vous êtes capable et vous vous détournez de ce qui vous permettrait d'écraser tous ceux qui marchent contre vous. Où est *Callandor*, Lews Therin ? Toujours là-haut dans votre chambre comme un quelconque ornement bon à rien ? Croyez-vous que votre main est la seule à pouvoir la brandir, maintenant que vous l'avez libérée ? Si Sammael est ici, il s'en emparera et s'en servira contre vous. Même Moghedien s'en saisirait pour vous en dénier l'usage ; elle pourrait gagner beaucoup en la négociant comme monnaie d'échange auprès de n'importe quel Élu. »

Il se débattit contre ce qui le retenait ; rien ne bougea à part sa tête qui se rejetait d'un côté à l'autre. *Callandor* entre les mains d'un Réprouvé. Cette idée le rendait à demi fou de peur et de frustration. Il canalisa, tenta de mouvoir ce qui l'assujettissait, mais il y aurait aussi bien pu ne rien avoir à desserrer. Et, subitement, cela disparut ; il s'éloigna du mur en titubant, se débattant encore, avant de se rendre compte qu'il était libre. Et sans qu'il y soit pour quoi que ce soit.

Il regarda Lanfear. Elle était toujours suspendue là-bas, avec une mine aussi satisfaite que si elle jouissait du bon air au bord d'un ruisseau. Elle tentait de l'amadouer, de le berner pour le radoucir à son égard. Il hésita à propos des flots qui la fixaient. S'il les nouait et la laissait, elle serait capable de provoquer l'écroulement de la moitié de la Pierre en essayant de se libérer – à moins qu'un Trolloc passant par là ne la tue, croyant qu'elle était l'un des habitants de la forteresse. Cela n'aurait pas dû l'arrêter – pas la mort d'une Réprouvée – mais l'idée de laisser une femme, ou n'importe qui, sans possibilité de se défendre face à des Trollocs lui inspirait de la répulsion. Un coup d'œil à son calme insouciant le débarrassa de ce scrupule. Personne, rien, dans la Pierre ne l'atteindrait tant qu'elle serait en mesure de canaliser. S'il pouvait trouver Moiraine pour la bloquer...

Une fois de plus, Lanfear lui vola la décision. Il tressauta sous l'impact de flots rompus, et elle descendit sur le sol avec légèreté. Il la regarda avec stupeur s'éloigner du mur en lissant tranquillement sa jupe. « Vous ne pouvez pas faire ça », dit-il bêtement, et elle sourit.

« Je n'ai pas besoin de voir un flot pour le dénouer, si je sais ce qu'il est et où il est. Vous le constatez, vous avez beaucoup à apprendre. Vous me plaisez tel que vous êtes. Vous étiez toujours trop intraitable et sûr de vous pour que ce soit agréable. C'était toujours mieux quand vous vous demandiez sur quel pied danser. Eh bien, oubliez-vous *Callandor* ? »

Il hésitait encore. Une Réprouvée se tenait là. Et il n'avait absolument aucune parade à sa disposition là contre. Tournant les talons, il courut chercher *Callandor*. Le rire de Lanfear sembla le suivre.

Cette fois, il ne se détourna pas pour combattre des Trollocs ou des Myrddraals, il ne ralentit pas sa folle montée dans la Pierre sauf s'ils lui barraient la route. Alors son épée forgée dans le feu taillait une voie pour lui. Il aperçut Perrin et Faile, lui une hache en main, elle protégeant ses arrières avec ses poignards ; les Trollocs paraissaient aussi peu disposés à affronter les yeux dorés de Perrin que le tranchant de sa hache. Rand les laissa derrière lui sans un second coup d'œil. Si l'un des Réprouvés s'emparait de *Callandor*, aucun d'eux ne vivrait pour voir le soleil se lever.

Hors d'haleine, il traversa précipitamment le vestibule à colonnes sautant par-dessus les morts qui gisaient encore là, Défenseurs et Trollocs de même, dans sa hâte d'atteindre *Callandor*. Il ouvrit d'un geste brusque les deux battants de la porte. L'Épée qui n'est pas une Épée reposait sur son présentoir doré incrusté de pierres précieuses, brillant dans la lumière du soleil couchant. L'attendant.

Maintenant qu'il l'avait sous ses yeux, en sécurité, il répugnait presque à y toucher. Une fois, il s'était servi de *Callandor* selon l'usage auquel elle était réellement destinée. Une seule fois. Il savait ce qui l'attendait quand il la reprendrait, l'utiliserait pour puiser à la Vraie Source bien au-delà de ce qu'un être humain pouvait contenir sans assistance. Lâcher l'épée d'or rouge semblait au-dessus de ses forces ; quand elle disparut, il faillit la rappeler à lui.

Traînant les pieds, il contourna le cadavre de l'Homme Gris et posa ses mains avec lenteur sur la garde de *Callandor*. Elle était froide, comme du cristal resté longtemps dans le noir, mais elle n'était pas si lisse qu'elle lui glisse des doigts.

Quelque chose l'incita à lever les yeux. Un Évanescent était arrêté sur le seuil, hésitant, son regard sans yeux dans son visage blême fixé sur *Callandor*.

Rand attira à lui le *Saidin*. À travers *Callandor*. L'Épée qui n'est pas une Épée flamboya dans ses mains comme s'il tenait le jour à midi. Le Pouvoir l'envahit, martelant tel un tonnerre continu. La souillure s'engouffra en lui dans un raz de marée de noirceur. Du roc fondu circulait dans ses veines en pulsations rythmées ; en lui, le froid aurait congelé le soleil. Il devait s'en servir ou, sinon, éclater comme un melon pourri.

Le Myrddraal se détourna pour fuir et, soudain, armure et vêtements noirs s'affaissèrent en tas sur le sol, laissant des atomes de poussière huileux flottant dans l'air.

Rand ne s'était même pas rendu compte qu'il avait canalisé jusqu'à ce que ce soit fini ; sa vie en aurait-elle dépendu qu'il n'aurait pas su dire ce qu'il avait fait. Mais rien ne pouvait menacer sa vie tant qu'il tenait *Callandor*. Le Pouvoir palpitait en lui comme le battement de cœur du monde. Avec *Callandor* entre ses mains, il pouvait accomplir n'importe quoi. Le Pouvoir le martelait, un marteau de force à fendre les montagnes. Un fil canalisé emporta à toute vitesse dans le vestibule les restes épars du Myrddraal, ainsi que ses habits et son armure ; un flot réduit à un filet incinéra le tout. Il sortit à grands pas pour prendre en chasse ceux qui étaient venus le traquer.

Certains d'entre eux s'étaient avancés jusqu'au vestibule. Un autre Évanescent et un groupe de Trollocs peureusement agglutinés se tenaient devant les colonnes à l'autre bout, les yeux fixés sur des cendres qui s'éparpillaient dans l'air, les derniers restes du Myrddraal et de tout son équipement. À la vue de Rand avec *Callandor* qui flamboyait dans ses mains, les Trollocs hurlèrent comme des bêtes. L'Évanescent était paralysé de saisissement. Rand ne leur laissa pas une chance de s'enfuir. Continuant de se diriger vers eux de son allure régulière, il canalisa et des flammes jaillirent des dalles de marbre noir nu sous l'Engeance de l'Ombre, si brûlantes qu'il leva précipitamment la main pour s'en protéger. Quand Rand arriva près d'eux, les flammes avaient disparu ; rien ne restait à part des cercles sombres sur le marbre.

Puis le voilà redescendant dans la Forteresse et chaque Trolloc, chaque Myrddraal qu'il aperçut mourait environné de feu. Il les brûla alors qu'ils se battaient contre des Aiels ou des hommes de Tear et massacraient des serviteurs qui tentaient de se défendre avec des lances ou des épées récupérées sur des cadavres. Il les brûla en train de courir soit sur les traces d'autres victimes soit fuyant devant lui. Il se mit à presser l'allure, du pas de charge au pas de course, passant devant les blessés, souvent gisant abandonnés, passant devant les morts. Ce n'était pas assez ; il ne pouvait pas agir assez vite. Pendant qu'il tuait des Trollocs par poignées, d'autres assassinaient encore, ne serait-ce que pour s'échapper.

Tout à coup, il s'arrêta, environné de morts, dans un vaste couloir. Il devait faire quelque chose – quelque chose de plus. Le Pouvoir glissait le long de ses os, pure essence de feu. Faire davantage. Le Pouvoir lui gelait la moelle. Quelque chose qui les tue tous ; tous à la fois. La souillure du *Saidin* déferla sur lui, une montagne de corruption pourrissante qui menaçait d'ensevelir son âme. Dressant haut *Callandor*, il aspira la Vraie Source, aspira jusqu'à ce qu'il eût l'impression qu'il allait pousser des hurlements de flamme gelée. Il était obligé de les tuer tous.

Au ras du plafond, juste au-dessus de sa tête, l'air se mit à tourner, tourbillonnant de plus en plus vite, gravitant en masses d'éclairs en sillons rouges, noirs et argent. Il se resserra et se replia sur lui-même, bouillonnant plus fort, gémissant tandis qu'il tournoyait et rapetissait toujours.

La sueur coulait sur le visage de Rand qui levait la tête vers lui. Il n'avait aucune idée de ce que c'était, il savait seulement qu'un surgissement de flots innombrables le reliait à cette masse. Cela avait de la masse ; un poids grandissant à mesure que la *chose* se concentrait en elle-même. *Callandor* flamboyait de plus en plus brillamment, trop éclatante pour être regardée ; il ferma les yeux et la clarté parut le brûler à travers ses paupières. Le Pouvoir fonçait à travers lui, torrent furieux qui menaçait d'emporter tout ce qui était lui, Rand, dans ce tourbillon. Il devait le laisser aller. Il le fallait. Il se força à ouvrir les yeux, et ce fut comme de contempler tous les orages du monde réduits à la dimension d'une tête de Trolloc. Il devait... devait... devait...

Maintenant. Cette pensée rôda comme un ricanement à la lisière de sa conscience. Il trancha les flots qui jaillissaient de lui, laissant la chose toujours tournoyante, grinçant comme un foret dans un os. *Maintenant.*

Et les éclairs jaillirent, filant à droite et à gauche le long du plafond comme des torrents argentés. Un Myrddraal sortit d'un couloir latéral et il n'eut pas le temps d'achever un deuxième pas qu'une demi-douzaine de zébrures éblouissantes piquaient vers lui, qui explosa sous l'impact de la foudre. Les autres ruisseaux continuaient à se répandre, se divisant à chaque embranchement du couloir, remplacés par d'autres et d'autres encore surgissant à chaque seconde.

Rand n'avait aucune idée de ce qu'il avait fait, ou de la façon dont cela se produisait. Il ne pouvait que rester là, vibrant du Pouvoir qui l'avait envahi avec le besoin de l'utiliser. Même s'il y succombait. Il sentait mourir les Trollocs et les Myrddraals, sentait les éclairs frapper et tuer. Il pouvait les tuer partout, partout dans le monde. Il le savait. Avec *Callandor*, il était en mesure d'accomplir n'importe quoi. Et il savait qu'essayer le tuerait lui-même aussi sûrement.

Les éclairs pâlirent et moururent avec le dernier

représentant de l'Engeance de l'Ombre ; la masse tournoyante implosa avec un claquement sonore d'arrivée d'air. Pourtant *Callandor* brillait encore comme le soleil ; Rand tremblait sous l'effet du Pouvoir.

Moiraine était là, à une douzaine de pas de lui, le regardant avec attention. Sa robe était impeccable, chaque pli de soie bleue en place, mais des mèches folles s'échappaient de sa coiffure. Elle semblait lasse – et bouleversée. « Comment... ? Ce que tu as fait, je ne l'aurais pas cru possible. » Lan survint, presque au pas de course dans le couloir, l'épée au poing, le visage ensanglanté, sa tunique déchirée. Sans quitter Rand des yeux, Moiraine étendit brusquement la main, arrêtant le Lige avant qu'il l'atteigne. Bien avant qu'il atteigne Rand. Comme s'il était trop dangereux pour que même Lan l'approche. « Te sens-tu... bien, Rand ? »

Rand détacha d'elle son regard, qui tomba sur le corps d'une jeune fille brune, à peine sortie de l'enfance. Elle gisait couchée sur le dos, les yeux vides tournés vers le plafond, du sang noircissant le corsage de sa robe. Étreint de tristesse, il se pencha pour écarter les mèches de cheveux lui barrant la figure. *Ô Lumière, elle n'est qu'une enfant. Je m'y suis pris trop tard. Pourquoi n'ai-je pas agi plus tôt ? Une enfant !*

« Je veillerai à ce que quelqu'un s'occupe d'elle, Rand, dit Moiraine avec douceur. Tu ne peux rien pour elle maintenant. »

Sa main tremblait tellement sur la garde de *Callandor* qu'il avait de la peine à la tenir. « Avec ceci, je peux faire n'importe quoi. » Sa voix résonna à ses propres oreilles avec un accent âpre. « N'importe quoi !

— Rand ! » insista Moiraine.

Il ne voulut pas l'écouter. Le Pouvoir était en lui. *Callandor* resplendissait et il *était* le Pouvoir. Il canalisa, dirigeant les flots dans le corps de l'enfant, cherchant, essayant, tâtonnant ; elle se dressa en chancelant, les bras et les jambes raides se mouvant par saccades.

« Rand, tu ne peux pas réussir cela. Pas cela ! »

Respire. Elle devait respirer. La poitrine de la toute jeune fille se souleva et s'abaissa. *Le cœur. Il faut qu'il batte.* Un sang déjà épais et noirâtre suinta de la blessure dans sa poitrine. *Vis. Vis, que la Lumière te brûle ! Je n'avais pas eu l'intention d'agir trop tard.* Ses yeux étaient fixés sur lui, voilés. Sans vie. Des larmes coulèrent sans qu'il s'en aperçoive le long de ses joues. « Il faut qu'elle vive ! Guérissez-la, Moiraine. Je ne sais pas le faire !

— La mort ne peut pas être Guérie, Rand. Tu n'es pas le Créateur. »

Sans détacher le regard de ces yeux morts, Rand retira lentement les flots. Le corps tomba d'un bloc. Le cadavre. Il rejeta la tête en arrière et hurla, aussi sauvagement qu'un Trolloc. Des tresses de feu grésillèrent dans les murs et le plafond dont il les avait cinglés dans sa frustration et son chagrin.

Se détendant, il relâcha le *Saidin*, le repoussa ; c'était comme de pousser un rocher, comme de repousser la vie. Sa force s'écoula de lui avec le Pouvoir. Par contre, la souillure demeura, une souillure

365

pesant de sa noirceur sur lui. Il dut planter *Callandor* sur les dalles et s'appuyer dessus pour rester debout.

« Les autres. » C'était dur de parler ; il avait la gorge douloureuse. « Élayne, Perrin, les autres ? Suis-je arrivé trop tard aussi pour eux ?

— Tu n'es pas arrivé trop tard », répliqua calmement Moiraine. Toutefois, elle ne s'était pas rapprochée, et Lan paraissait prêt à s'élancer entre elle et Rand. « Il ne faut pas que tu...

— Sont-ils encore vivants ? cria Rand.

— Ils le sont », lui assura-t-elle.

Il hocha la tête avec lassitude, soulagé. Il ne tenta pas de regarder le cadavre de l'enfant. Trois jours d'attente, pour qu'il puisse profiter de quelques baisers volés. S'il avait agi trois jours plus tôt... Cependant, il avait appris des choses pendant ces trois jours, des choses dont il pourrait se servir s'il était en mesure de les relier. Si. Pas trop tard pour ses amis, du moins. Pas trop tard pour eux. « Comment les Trollocs sont-ils entrés ? Je ne pense pas qu'ils ont escaladé les parois comme les Aiels, pas alors qu'il y avait toujours du soleil. Fait-il encore jour ? » Il secoua la tête pour dissiper un peu du brouillard de son esprit. « Peu importe. Les Trollocs. Comment ? »

Lan fut celui qui répondit. « Huit grandes gabares chargées de blé se sont amarrées aux quais de la Pierre tard dans l'après-midi. Apparemment, personne n'a pensé à demander pourquoi les barges bourrées de blé arrivaient en descendant le cours du fleuve » – sa voix était lourde de mépris – « ou pourquoi elles s'amarraient à la forteresse, ou pourquoi les hommes d'équipage ont laissé fermés les panneaux de déchargement presque jusqu'au crépuscule. Une caravane de chariots est venue aussi – depuis environ deux heures, maintenant – il y en avait trente, censés apporter de la campagne les affaires d'un seigneur ou l'autre qui retournait à la Pierre. Quand la bâche a été rejetée de côté, ces chariots étaient bourrés aussi de Demi-Hommes et de Trollocs. S'ils ont utilisé un autre moyen, je ne le connais pas pour l'instant. »

Rand hocha de nouveau la tête, et l'effort lui scia les genoux. Soudain Lan fut là, passant le bras de Rand sur son épaule pour le soutenir. Moiraine prit son visage entre ses mains. Un frisson le parcourut, pas l'ouragan de froid du Guérissage total, mais un refroidissement qui chassait la lassitude au fur et à mesure qu'il se répandait. La plupart de la lassitude. Il en resta une graine, comme s'il avait travaillé toute une journée à sarcler un champ de tabac. Il s'écarta du support dont il ne ressentait plus le besoin. Lan l'observait avec circonspection, pour voir s'il était réellement capable de se tenir debout seul, ou peut-être parce que le Lige se demandait à quel point il était dangereux, à quel point sain d'esprit.

« J'en ai laissé une partie à dessein, lui dit Moiraine. Tu as besoin de dormir, ce soir. »

Dormir. Il y avait trop à faire pour dormir, mais il acquiesça de nouveau d'un signe de tête. Il ne voulait pas qu'elle le surveille. Néanmoins, ce qu'il dit c'est : « Lanfear était ici. Elle n'est pour rien dans tout ceci. Elle l'a dit et je la crois. Vous n'avez pas l'air surprise, Moiraine. » L'offre de Lanfear la surprendrait-elle ?

Existait-il quoi que ce soit qui la surprenne ? « Lanfear était ici et je lui ai parlé. Elle n'a pas tenté de me tuer et je n'ai pas essayé de la tuer non plus. Et vous n'êtes pas étonnée.

— Je doute que tu réussisses à la tuer. Pour le moment. » Son coup d'œil vers *Callandor* fut le plus minime écart de ses yeux noirs. « Pas sans aide. Et je doute qu'elle veuille te tuer. Pour l'instant. Nous ne connaissons pas grand-chose sur les Réprouvés et moins encore sur Lanfear, mais nous avons la certitude qu'elle aimait Lews Therin Thelamon. Dire que tu n'as rien à craindre d'elle est certainement trop radical – sans aller jusqu'au meurtre elle peut te causer beaucoup de mal – mais je ne pense pas qu'elle essaiera de tuer tant qu'elle imagine possible de reconquérir Lews Therin. »

Lanfear le désirait. La Fille de la Nuit, dont les mères, qui n'ajoutaient qu'à demi foi à son existence, se servaient pour effrayer les enfants. Elle l'effrayait, sans contredit. C'en était presque risible. Il avait toujours éprouvé un sentiment de culpabilité quand il regardait une femme autre qu'Egwene et Egwene ne voulait pas de lui, mais la Fille-Héritière d'Andor désirait l'embrasser, à tout le moins, et l'une des Réprouvés prétendait l'aimer d'amour. Presque assez pour donner envie de rire, mais pas suffisamment quand même. Lanfear semblait jalouse d'Élayne ; cette blonde à la mie de pain, elle l'avait appelée. Aberrant. Complètement aberrant.

« Demain. » Il commença à se détourner de leur groupe.

« Demain ? questionna Moiraine.

— Demain, je vous dirai ce que je vais faire. » Pour partie, évidemment. L'idée de l'expression que prendrait le visage de Moiraine s'il lui expliquait tout l'amena au bord du rire. À condition qu'il connaisse pourtant tout lui-même. Lanfear lui avait fourni presque la dernière pièce du puzzle, sans s'en rendre compte. Un pas de plus, ce soir. La main qui tenait *Callandor* trembla. Avec cela, il pouvait réaliser n'importe quoi. *Je ne suis pas déjà fou. Pas assez fou pour ça.* « Demain. Bonne nuit à nous tous, la Lumière aidant. » Demain il commencerait à déchaîner une autre sorte d'éclair. Un autre trait de foudre qui pourrait le sauver. Ou le tuer. Il n'était pas encore fou.

11.

Ce qui est caché

Vêtue de sa seule chemise, Egwene respira à fond et laissa l'anneau de pierre à côté d'un livre ouvert sur sa table de chevet. Tout en mouchetures et rayures de brun, de rouge et de bleu, il était légèrement trop large pour une bague et d'une forme qui ne convenait pas, aplatie et contournée de sorte qu'un doigt passé le long du bord tournait en cercle à l'intérieur et à l'extérieur avant de revenir à son point de départ. Il n'y avait qu'un seul côté, aussi impossible que cela paraisse. Elle ne laissait pas l'anneau là parce qu'elle risquait d'échouer sans lui, parce qu'elle désirait échouer. Elle voulait essayer sans l'anneau tôt ou tard, sinon elle ne réussirait jamais qu'à barboter dans une eau où elle rêvait de nager. Autant que ce soit maintenant. Voilà la raison. Voilà pourquoi.

L'épais livre relié en cuir était un *Voyage au Tarabon*, écrit par Eurian Romavni, de Kandor – cinquante-trois ans auparavant, d'après la date mentionnée par l'auteur à la première ligne, mais peu de changements importants avaient dû se produire dans Tanchico en ce bref laps de temps. D'autre part, c'était le seul volume contenant des dessins utiles qu'elle avait déniché. La plupart des livres ne comportaient que des portraits de rois ou des comptes rendus fantaisistes de batailles auxquelles ils n'avaient pas assisté.

L'obscurité emplissait les fenêtres, mais les lampes procuraient une clarté plus que suffisante. Une haute chandelle en cire d'abeille brûlait dans un chandelier doré sur la table de chevet. Elle était allée la chercher elle-même ; ce n'était pas la soirée où envoyer une servante chercher une chandelle. La plupart d'entre elles soignaient les blessés, pleuraient des êtres aimés ou étaient elles-mêmes soignées. Il y avait trop de gens mal en point pour Guérir davantage que ceux qui mourraient s'ils n'étaient pas traités.

Élayne et Nynaeve attendaient dans des fauteuils à haut dossier tirés de chaque côté du vaste lit avec ses colonnes hautes sculptées d'hirondelles ; elles s'efforçaient de masquer leur anxiété avec des degrés différents de succès. Élayne présentait un calme passablement plein de dignité, qu'elle ne gâtait qu'en fronçant les sourcils et mâchonnant sa lèvre inférieure quand elle pensait qu'Egwene ne la regardait pas. Nynaeve était toute assurance autoritaire, de la sorte qui vous réconforte quand elle vous borde dans votre lit de malade, mais Egwene reconnaissait la fixité de ses yeux ; ils disaient que Nynaeve avait peur.

Aviendha était assise en tailleur à côté de la porte, les bruns et les gris de ses vêtements ressortant nettement sur le bleu foncé du tapis. Cette fois, l'Aielle avait son long poignard suspendu à sa ceinture, un carquois hérissé de flèches suspendu de l'autre côté et quatre courtes lances en travers des genoux. Son bouclier rond en peau était à la portée de sa main, sur un arc en corne dans un étui de cuir repoussé avec des sangles permettant de le porter sur le dos. Après la nuit dernière, Egwene ne pouvait lui reprocher de rester armée. Elle-même souhaitait avoir sous la main un éclair prêt à frapper.

Ô Lumière, qu'est-ce donc qu'a fait Rand ? Qu'il soit réduit en braises, il m'a terrorisée presque autant que les Évanescents. Davantage peut-être. Ce n'est pas juste qu'il soit en mesure de réussir quelque chose comme ça sans que je puisse même voir les flots de Pouvoir.

Elle grimpa sur le lit et posa sur ses genoux le livre relié en cuir, examinant en fronçant les sourcils une gravure représentant une carte de Tanchico. En réalité, pas grand-chose d'utile n'y était marqué. Une douzaine de forteresses, entourant le port, gardant la ville sur ses trois péninsules montagneuses, la Verana à l'est, la Maseta au centre et le Calpène plus près de la mer. Sans intérêt. Plusieurs larges places, quelques espaces découverts qui semblaient être des parcs, et un nombre de monuments à des souverains depuis longtemps réduits en poussière. Tout cela sans intérêt. Quelques palais et des choses qui paraissaient étranges. Le Grand Cercle, par exemple, sur le Calpène. D'après la carte, un simple cercle, mais Maître Romavni le décrivait comme une immense place publique pouvant accueillir des milliers de spectateurs pour assister à des courses de chevaux ou des démonstrations de feux d'artifice par les Illuminateurs. Il y avait aussi un Cercle du Roi sur la Maseta, supérieur en dimensions au Grand Cercle, et un Cercle de la Panarch sur la Verana, juste un peu plus petit. La maison de réunion de la Guilde des Illuminateurs était également indiquée. Des repères totalement sans valeur. Le texte ne servait à rien non plus.

« Es-tu sûre que tu veux risquer cette tentative sans l'anneau ? demanda Nynaeve à mi-voix.

— Certaine », répliqua Egwene aussi calmement qu'elle le put. Son estomac exécutait autant de soubresauts que lorsqu'elle avait vu le premier Trolloc ce soir, empoignant cette pauvre femme par les cheveux et lui tranchant la gorge comme un lapin. La femme avait aussi hurlé comme un lapin. Tuer le Trolloc ne l'avait pas rassérénée ; la femme était aussi morte que le Trolloc. Seulement son cri aigu ne cessait de résonner. « Si cela ne marche pas, je pourrai toujours essayer de nouveau avec l'anneau. » Elle se pencha pour marquer d'un trait d'ongle du pouce la chandelle. « Réveillez-moi quand elle aura brûlé jusque-là. Par la Lumière, comme j'aimerais que nous ayons une horloge. »

Élayne lui éclata de rire au nez, d'un rire perlé allègre et qui ne semblait presque pas forcé. « Une horloge dans une chambre à coucher ? Ma mère possède une douzaine d'horloges, mais je n'ai jamais entendu parler d'une horloge dans une chambre.

— Eh bien, mon père a une horloge, grommela Egwene, la seule dans tout le village et j'aimerais l'avoir ici. Croyez-vous qu'elle brûlera jusque-là en une heure ? Je ne veux pas dormir plus longtemps. Il faut me réveiller dès que la flamme atteindra cette marque. Aussitôt !

— Nous le ferons, répliqua Élayne d'une voix apaisante. Je le promets.

— L'anneau de pierre, dit soudain Aviendha. Puisque vous ne vous en servez pas, Egwene, est-ce que quelqu'un – l'une de nous – ne pourrait l'utiliser pour vous accompagner ?

— Non », murmura Egwene. *Ô Lumière, comme je voudrais qu'elles viennent toutes avec moi.* « N'empêche, merci à vous pour cette bonne pensée.

— N'y a-t-il que vous qui pouvez vous en servir, Egwene ? questionna l'Aielle.

— N'importe laquelle d'entre nous le pourrait, expliqua Nynaeve, même vous, Aviendha. Une femme n'a pas besoin d'être capable de canaliser, seulement de dormir avec l'anneau en contact avec sa peau. Pour autant que nous le sachions, un homme le pourrait aussi, seulement nous ne connaissons pas aussi bien qu'Egwene le *Tel'aran'rhiod* ou les lois qui le régissent. »

Aviendha hocha la tête. « Je vois. Une femme peut commettre des erreurs quand elle est ignorante des us et coutumes, et ses erreurs risquent d'en tuer d'autres en même temps qu'elle.

— Exactement, conclut Nynaeve. Le Monde des Rêves est un lieu dangereux. Cela au moins nous le savons.

— Mais Egwene sera prudente », ajouta Élayne, s'adressant à Aviendha bien que manifestement à l'intention des oreilles d'Egwene. « Elle l'a promis. Elle jettera un coup d'œil aux alentours – avec précaution ! – et pas davantage. »

Egwene se concentra sur la carte. Prudente. Si elle n'avait pas gardé si jalousement pour elle son anneau de pierre torse – elle y pensait comme au sien ; l'Assemblée de la Tour ne serait peut-être pas d'accord, mais ses membres n'étaient pas au courant qu'elle l'avait – si elle avait accepté qu'Élayne ou Nynaeve l'essaie plus d'une ou deux fois, elles en auraient appris assez pour l'accompagner à présent. Néanmoins, ce n'est pas le regret qui l'incitait à éviter de regarder ses compagnes. Elle ne voulait pas qu'elles voient la peur dans ses yeux.

Le *Tel'aran'rhiod*. Le Monde Invisible. Le Monde des Rêves. Non pas les rêves des gens ordinaires, bien que parfois ils l'approchent brièvement, ce *Tel'aran'-rhiod*, dans des rêves paraissant vrais comme la vie. Parce qu'ils l'étaient. Dans le Monde Invisible, ce qui arrivait était réel, d'une curieuse façon. Rien de ce qui se produisait là-bas n'affectait ce qui existait – une porte ouverte dans le Monde des Rêves restait close dans le monde réel ; un arbre abattu là-bas se dressait encore ici – toutefois une femme pouvait être tuée là-bas, ou désactivée. « Curieux » était un terme qui convenait à peine pour en esquisser la description. Dans le Monde Invisible, le monde entier avait sa place et peut-être aussi d'autres mondes ; tous les lieux possibles étaient accessibles. Ou du moins leur reflet dans le Monde des Rêves. Le tissage du Dessin pouvait y être déchiffré – passé, présent et futur – par qui savait le lire. Par une Rêveuse. Il n'y avait pas eu de

Rêveuse à la Tour Blanche depuis Corianine Nedeal, près de cinq cents ans auparavant.

Quatre cent soixante-treize ans, pour être précis, songea Egwene. *Ou est-ce quatre cent soixante-quatorze maintenant ? Quand Corianine est-elle morte ?* Si Egwene avait eu une chance de terminer son noviciat à la Tour, d'étudier là-bas pour devenir une Acceptée, peut-être l'aurait-elle su. Il y aurait eu alors tant de choses qu'elle aurait apprises.

Dans l'aumônière d'Egwene se trouvait une liste des *ter'angreals*, la plupart assez petits pour être glissés dans une poche, qui avaient été dérobés par les membres de l'Ajah Noire quand elles s'étaient enfuies de la Tour. Elles en possédaient toutes les trois un exemplaire. Treize de ces *ter'angreals* portaient en face de leur nom la mention « usage inconnu » et « étudié la dernière fois par Corianine Nedeal ». Mais si Corianine n'avait pas vraiment découvert à quoi ils servaient, Egwene était sûre d'un de leurs emplois. Ils permettaient d'accéder au *Tel'aran'rhiod*, pas aussi aisément que l'anneau de pierre, peut-être, et peut-être pas sans canaliser, mais le résultat était le même.

Elles en avaient récupéré deux sur Joiya et Amico : un disque de fer de trois pouces de diamètre, avec une étroite spirale tracée sur ses deux faces, et une plaque pas plus longue que sa main, apparemment d'ambre clair et cependant assez dure pour rayer l'acier, avec une femme endormie plus ou moins bien gravée au centre. Amico en avait parlé librement, et Joiya de même après une séance seule avec Moiraine dans sa cellule qui avait laissé l'Amie du Ténébreux blême et presque courtoise. Canalisez un flot d'Esprit dans l'un ou l'autre *ter'angreal*, et il vous entraînera dans le sommeil, puis dans le *Ter'aran'rhiod*. Élayne les avait expérimentés brièvement l'un et l'autre, et ils avaient opéré, bien qu'elle n'ait vu que l'intérieur de la Pierre et le Palais Royal de Morgase à Caemlyn.

Egwene n'avait pas voulu qu'elle tente l'expérience si brève que dût être son incursion, mais pas par jalousie. Elle n'avait pas été capable de fournir d'arguments très convaincants, toutefois, car elle avait craint qu'Élayne et Nynaeve ne décèlent ce qu'il y avait dans sa voix.

Deux de récupérés, cela signifiait qu'il en restait onze encore aux mains de l'Ajah Noire. Voilà ce qu'Egwene avait tenté de mettre en lumière. Onze *ter'angreals* qui pouvaient emporter une femme dans le *Tel'aran'-rhiod*, tous entre les mains de Sœurs Noires. Quand Élayne avait fait ses brefs voyages dans le Monde Invisible, elle avait risqué de trouver les adeptes de l'Ajah Noire qui l'attendaient ou de tomber sur elles avant de s'apercevoir de leur présence. Cette pensée serrait l'estomac d'Egwene. Elles l'attendaient peut-être maintenant. Peu probable ; pas intentionnellement – comment sauraient-elles qu'elle venait ? – mais le risque existait qu'elles soient là quand elle arriverait. Une, elle était en mesure de l'affronter, à moins de ne s'en apercevoir qu'au dernier moment, et elle n'avait pas l'intention que cela se produise. Pourtant, si elles la surprenaient ? Deux ou trois à la fois ? Liandrin et Rianna, Chesmal Emry et Jeane Caide et les autres en même temps ?

Regardant la carte d'un air sombre, elle força ses mains à relâcher la pression qui lui blanchissait les jointures. Les événements de ce soir avaient rendu tout urgent. Si les Engeances de l'Ombre pouvaient attaquer la forteresse de la Pierre, si une des Réprouvés pouvait surgir soudain parmi eux, elle-même n'avait pas le loisir de s'abandonner à la peur. Elle, Élayne et Nynaeve devaient savoir comment réagir. Il leur fallait davantage que la vague histoire d'Amico. N'importe quoi. Si seulement elle parvenait à apprendre où en était Mazrim Taim de son voyage en cage vers Tar Valon ou si elle réussissait à se glisser d'une manière ou d'une autre dans les rêves de l'Amyrlin pour s'entretenir avec elle ! Peut-être était-ce réalisable pour une Rêveuse. Dans ce cas, elle ignorait comment. Tanchico était ce avec quoi elle avait à se débrouiller.

« Je dois aller seule, Aviendha. Il le faut. » Elle avait cru que sa voix était calme et ferme, mais Élayne lui tapota l'épaule.

Egwene ne savait pas pourquoi elle examinait minutieusement la carte. Elle l'avait déjà fixée dans son esprit, chaque détail en relation avec les autres. Ce qui existait dans ce monde existait dans le Monde des Rêves, et parfois avec un élément en plus, bien sûr. Elle avait choisi sa destination. Elle feuilleta le livre jusqu'à la seule gravure montrant l'intérieur d'un bâtiment nommé sur la carte le Palais de la Panarch. Cela ne servirait guère de se trouver dans une salle si elle n'avait aucune idée de l'endroit où cette salle était située dans la cité. Cela ne donnerait rien de bon quel que soit le cas. Elle chassa cette réflexion de son esprit. Il lui fallait croire à un peu de chance.

La gravure représentait une large salle haute de plafond. Une corde tendue sur des piquets arrivant à mi-corps empêchait quiconque de trop s'approcher de ce qui était posé sur des présentoirs et dans des meubles sans portes alignés le long des murs. La plupart de ces objets exposés étaient peu distincts, au contraire de ce qui était à l'extrémité opposée de la salle. L'artiste s'était attaché à représenter le squelette massif planté là comme si le reste de la créature venait de disparaître à l'instant. Il avait quatre pattes aux os épais mais, sinon, il ne ressemblait à aucun animal qu'avait vu Egwene. D'une part, il avait au moins dix pieds de haut, il était largement deux fois plus grand qu'Egwene. Le crâne arrondi, posé bas sur les épaules comme chez un taureau, avait l'air assez vaste pour qu'un enfant s'y introduise et, sur l'image, il semblait avoir quatre orbites. Ce squelette différenciait la salle de toute autre ; impossible de la confondre, elle était unique en son genre. Quelle que soit sa destination. Si Eurian Romavni était au courant, il ne l'avait pas mentionné dans ces pages.

« Une Panarch, qu'est-ce que c'est, d'ailleurs ? » demanda-t-elle en posant le livre de côté. Elle avait étudié la gravure une douzaine de fois. « Tous ces auteurs ont l'air d'imaginer que c'est de notoriété publique.

— La Panarch de Tanchico est l'égale du roi sur le plan de l'autorité, récita Élayne. Elle est chargée de recouvrer les impôts, les droits de douane et autres taxes ; lui de dépenser cet argent judicieusement. Elle supervise la Garde Civile et les cours de justice, à l'exception de la Haute Cour qui est du ressort du roi. L'armée est au roi, bien entendu, à l'exception de la Légion de la Panarch. Elle...

— Je ne tenais pas vraiment à l'apprendre. » Egwene soupira. Cela n'avait été que quelque chose à dire, de quoi retarder encore un peu ce qu'elle allait faire. La chandelle diminuait en brûlant ; elle perdait de précieuses minutes. Elle savait comment s'échapper du rêve quand elle le souhaitait, comment se réveiller, mais le temps s'écoulait différemment dans le Monde des Rêves et en perdre le compte était facile. « Dès qu'elle atteindra la marque », dit-elle, et Élayne et Nynaeve murmurèrent des phrases rassurantes.

Se réinstallant sur le duvet de ses oreillers, elle se contenta d'abord de contempler le baldaquin, où étaient peints un ciel bleu, des nuages et des hirondelles plongeant en plein vol. Elle ne les voyait pas.

Ces derniers temps, ses rêves n'avaient guère été réjouissants, pour la plupart. Rand y figurait, bien sûr. Rand grand comme une montagne, traversant des villes, écrasant des bâtiments sous ses pas, tandis que des populations hurlantes fuyaient comme des fourmis. Rand chargé de chaînes, et c'était lui qui criait. Rand bâtissant un mur avec lui d'un côté et elle de l'autre, elle avec Élayne et des personnes qu'elle ne parvenait pas à identifier. « Il faut le faire, disait-il en entassant les pierres. Je ne te laisserai pas m'interrompre à présent. » Il n'était pas le seul sujet de ses cauchemars. Elle avait rêvé d'Aiels se battant les uns contre les autres, s'entre-tuant, jetant même leurs armes et fuyant comme s'ils étaient devenus fous, Mat se démenant contre une Seanchane qui lui attachait au cou une laisse invisible. Un loup – mais elle était certaine qu'il s'agissait de Perrin – aux prises avec un homme dont le visage ne cessait de changer. Galad s'enveloppant de blanc comme s'il se drapait dans son linceul, et Gawin avec les yeux débordant de douleur et de haine. Sa mère en larmes. C'étaient les rêves nets, ceux dont elle comprenait qu'ils avaient une signification. Ils étaient affreux et elle ne déchiffrait le sens d'aucun d'eux. Comment pouvait-elle se targuer de penser qu'elle découvrirait des solutions ou des indices dans le *Tel'aran'rhiod* ? Pourtant, elle n'avait pas d'autre choix. Pas d'autre choix que l'ignorance et elle ne pouvait pas opter pour cela.

En dépit de son anxiété, s'endormir n'était pas un problème ; elle était épuisée. Il suffisait de fermer les yeux et de respirer profondément et régulièrement. Elle concentra ses pensées sur la salle avec l'énorme squelette dans le Palais de la Panarch. De longues aspirations régulières. Elle se souvenait de ce qui se passait quand elle utilisait l'anneau de pierre, l'entrée dans le *Tel'aran'rhiod*. Respirer à fond. avec régularité.

Egwene recula d'un pas, le souffle coupé, une main à sa gorge. D'aussi près, le squelette était encore plus grand qu'elle ne l'avait cru, les os desséchés d'un blanc terne. Elle se tenait juste devant lui, à l'intérieur de la corde. Une corde blanche, épaisse comme son poignet et apparemment en soie. Elle ne doutait pas que c'était bien le *Tel'aran'rhiod*. Les détails étaient aussi précis que la réalité, même pour des choses entrevues du coin de l'œil. Qu'elle puisse se rendre compte des différences entre ceci et un rêve ordinaire lui confirmait où elle se trouvait. D'ailleurs, l'ambiance... était juste.

Elle s'ouvrit à la *Saidar*. Une entaille au doigt dans le Monde des Rêves subsistait toujours au réveil ; il n'y aurait pas de réveil pour un coup mortel du Pouvoir ou même d'une épée ou d'une massue. Elle n'avait pas l'intention d'être vulnérable ne serait-ce qu'un instant.

Au lieu de sa chemise, elle portait quelque chose qui ressemblait énormément au costume aiel d'Aviendha, mais en soie brochée rouge ; même ses bottes souples, lacées jusqu'au genou, étaient en cuir fin, qui aurait convenu pour des gants, avec des coutures au fil d'or et des dentelles. Elle rit tout bas intérieurement. Dans le *Tel'aran'rhiod*, les vêtements étaient ce que vous vouliez qu'ils soient. Apparemment, une partie de son esprit désirait être prête à se déplacer rapidement, tandis qu'une autre souhaitait être prête pour un bal. Cela n'allait pas du tout. Le rouge céda la place à des gris et des bruns ; la tunique, les chausses et les bottes devinrent des copies parfaites de celles des Vierges de la Lance. Ce qui ne valait pas mieux, en fait, pas dans une ville. Sans transition, elle se retrouva dans une copie des robes dont s'habillait toujours Faile, foncée, avec une jupe divisée en deux jupes étroites, de longues manches et un haut corselet ajusté. *Ridicule de me soucier de ça. Personne ne va me voir excepté dans ses rêves, et peu de rêves ordinaires s'introduisent ici. Que je sois nue n'aurait pas plus d'importance.*

Nue, elle le fut un instant. Sa figure s'empourpra de gêne ; il n'y avait personne là pour la voir aussi dépouillée de vêtements que dans son bain, avant qu'elle rappelle précipitamment la robe foncée, mais elle aurait dû se souvenir que des pensées fugaces pouvaient affecter des choses ici, surtout quand on a embrassé le Pouvoir. Élayne et Nynaeve la croyaient si bien informée. Elle connaissait quelques-unes des règles du Monde Invisible et savait qu'il y en avait cent, qu'il y en avait mille qu'elle ignorait. Elle devait s'arranger d'une manière ou d'une autre pour les apprendre, si elle devait être la première Rêveuse de la Tour depuis Corianine.

Elle regarda de plus près l'énorme crâne. Elle avait grandi dans un village en pleine campagne et elle était au courant de la forme qu'ont les ossements des animaux. Pas quatre orbites, finalement. Deux paraissaient marquer l'emplacement de défenses d'une forme quelconque, de chaque côté où avait été son nez. Une sorte de sanglier monstrueux, peut-être, bien que ne ressemblant pas aux crânes de porc qu'elle avait vus. Toutefois, il donnait l'impression d'être ancien ; très ancien.

Avec le Pouvoir en elle, Egwene sentait intuitivement ce genre de chose ici. L'habituel accroissement d'acuité de ses sens se manifestait en elle, certes. Elle percevait de minuscules craquelures dans les reliefs de plâtre doré courant le plafond à cinquante pieds au-dessus d'elle, et la lisse surface polie des dalles blanches du sol. Des fentes infinitésimales, invisibles à l'œil nu, se déployaient aussi sur les dalles.

La salle était énorme, peut-être de deux cents pas de long et presque moitié aussi large, avec des rangées de minces colonnes blanches, et cette corde blanche qui courait tout autour sauf à l'endroit où se trouvaient des voûtes en arc brisé. D'autres cordes encerclaient des présentoirs et des cabinets en bois cirés répartis çà et là qui offraient d'autres objets à la vue. Là-haut sous le plafond, de minuscules ouvertures sculptées selon un motif d'une grande recherche perçaient les parois, laissant largement entrer de la clarté. Visiblement, elle s'était transportée en rêve dans un Tanchico où il faisait jour.

« Une grandiose exposition d'artefacts d'Ères depuis longtemps passées, de l'Ère des Légendes et des Ères l'ayant précédée, ouverte à tous, même aux gens du peuple, trois fois par mois et les jours fériés », avait écrit Eurian Romavni. Il avait parlé en termes éloquents de la présentation d'inestimables figurines de *cuendillar*, au nombre de six, dans une vitrine au centre de la salle, toujours gardées par quatre des gardes personnels de la Panarch quand le public était autorisé à visiter, et avait continué sur deux pages à parler des ossements d'animaux fabuleux « que les yeux des hommes n'ont jamais vus vivants ». Egwene en apercevait quelques-uns. D'un côté de la salle se dressait le squelette de quelque chose ressemblant un peu à un ours, si un ours avait deux dents de devant aussi longues que son avant-bras et, en face de lui, de l'autre côté il y avait les os d'une svelte bête à quatre pattes au cou si long que le crâne arrivait à mi-hauteur du plafond. D'autres encore s'échelonnaient le long des murs de la salle, aussi fantastiques. Tous donnaient l'impression d'être assez anciens pour que la Pierre de Tear paraisse bâtie d'hier. Se courbant pour passer sous la corde, elle arpenta lentement la salle, ouvrant de grands yeux.

Une figurine de pierre usée par le temps représentant une femme, apparemment dévêtue mais enveloppée d'une chevelure qui lui descendait jusqu'aux chevilles, n'était en apparence pas différente des autres occupant la même vitrine, chacune pas plus grosse que sa main. Pourtant d'elle émanait comme une douce chaleur qu'Egwene reconnut. C'était un *angreal*, elle en était sûre ; elle se demanda pourquoi la Tour ne s'était pas débrouillée pour l'enlever à la Panarch. Un collier artistement articulé et deux bracelets de métal noir mat, seuls sur un présentoir, déclenchèrent en elle des frissons ; elle sentait qu'y étaient associées ténèbres et souffrance — une vieille, très vieille souffrance, et vive. Un objet d'argent, dans un autre cabinet, comme une étoile à trois pointes à l'intérieur d'un cercle, était d'une substance qu'elle ne connaissait pas ; elle était plus tendre que du métal, éraflée et creusée à la gouge, cependant encore plus antique que les plus anciens ossements. À dix pas, elle en sentit émaner orgueil et vanité.

Une chose, en fait, lui parut familière bien qu'elle fût incapable de dire pourquoi. Fourrée dans un angle d'un des cabinets, comme si celui ou celle qui l'avait placée là n'avait pas eu la certitude qu'elle valait la peine d'être exposée, c'était la moitié supérieure d'une statuette brisée sculptée dans une pierre blanche brillante, une femme tenant dans sa main levée une sphère de cristal, le visage calme, digne, empreint d'une sage autorité. Entière, elle aurait eu environ un pied de haut. Mais pourquoi paraissait-elle si familière ? Elle avait presque l'air de commander à Egwene de la prendre en main.

C'est seulement quand les doigts d'Egwene se refermèrent sur le fragment de statuette qu'elle s'aperçut avoir enjambé la corde. *Idiot, alors que je ne sais pas ce que c'est*, songea-t-elle, mais c'était déjà trop tard.

Quand sa main l'avait saisie, le Pouvoir afflua en elle, afflua dans la demi-figurine puis de nouveau en elle, puis dans la figurine puis revint, repartit et revint. La sphère de cristal luisait par intermittence en éclairs rougeoyants irréguliers et des aiguilles lui piquaient le cerveau à chaque éclair. Avec un sanglot de souffrance, elle lâcha prise et serra sa tête dans ses mains.

La sphère de cristal se cassa quand la figurine heurta le sol et s'éparpilla en morceaux ; les aiguilles disparurent, ne lui laissant qu'un vague souvenir de la douleur et les jambes en coton avec une sensation nauséeuse. Elle crispa les paupières pour ne plus voir la salle se soulever. La figurine devait être un *ter'angreal*, mais pourquoi ce *ter'angreal* l'avait-il maltraitée à ce point alors qu'elle l'avait seulement touché ? Peut-être parce qu'il était cassé ; peut-être, cassé, ne pouvait-il exécuter ce à quoi il était destiné. Elle ne voulait même pas penser à ce pour quoi il avait été fabriqué ; tester un *ter'angreal* était dangereux. Du moins devait-il être maintenant fracassé au point de ne plus l'être. Ici, en tout cas. *Pourquoi semblait-il m'appeler ?*

La nausée disparut et elle ouvrit les yeux. La figurine était de retour sur l'étagère, aussi entière que lorsqu'elle l'avait vue la première fois. Des choses étranges se produisaient dans le *Tel'aran'rhiod*, mais ceci était plus étrange qu'elle ne le souhaitait. Et ce n'était pas pour cela qu'elle était venue. Elle devait d'abord trouver comment sortir du Palais de la Panarch. Repassant par-dessus la corde, elle se hâta de sortir de la salle, en s'efforçant de ne pas courir.

Il n'y avait pas de vie dans le palais, bien sûr. De vie humaine, du moins. Des poissons aux couleurs éclatantes nageaient dans de grandes fontaines qui clapotaient joyeusement dans les patios entourés par des portiques aux colonnades gracieuses et des balcons qu'isolait un écran en pierre travaillée comme une complexe dentelle sculptée. Des feuilles de nénuphar flottaient sur l'eau, ainsi que des fleurs blanches grandes comme des assiettes. Dans le Monde des Rêves, un endroit était pareil à ce qu'il était dans le prétendu monde réel. Les gens mis à part. Des lampes dorées au dessin précieux se dressaient dans les couloirs, leur mèche intacte de toute trace charbonneuse, mais elle sentait l'huile parfumée qu'elles contenaient. Ses pas ne soulevaient pas la moindre poussière des tapis lumineux qui n'avaient sûrement jamais été battus, pas ici.

Une fois, elle vit bien une autre personne marchant

devant elle, un homme en armure dorée à plates ouvragées sur un haubert, avec un casque d'or dont le cimier s'ornait d'une aigrette blanche sous le bras. « Aeldra ? appela-t-il en souriant. Aeldra, viens me voir. J'ai été nommé Seigneur Capitaine de la Légion de la Panarch. Aeldra ? » Il avança encore d'un pas, appelant toujours, et subitement ne fut plus là. Pas un Rêveur. Pas même quelqu'un utilisant un *ter'angreal* comme son anneau de pierre ou le disque de fer d'Amico. Seulement un homme dont le rêve avait effleuré un endroit dont cet homme n'avait nulle conscience, aux dangers inconnus. Les gens qui mouraient subitement dans leur sommeil avaient souvent pénétré en rêve dans le *Tel'aran'rhiod* et en vérité y étaient morts. Celui-ci avait eu de la chance d'en être sorti et de se retrouver dans un rêve ordinaire.

La chandelle brûlait à côté de ce lit là-bas dans Tear. Son temps dans le *Tel'aran'rhiod* se consumait.

Pressant le pas, elle atteignit de hautes portes sculptées ouvrant sur l'extérieur vers un vaste escalier blanc et une immense place déserte. Tanchico s'étendait dans toutes les directions sur des collines escarpées, des bâtiments blancs succédant à des bâtiments blancs brillant au soleil, des centaines de minces tours et presque autant de dômes pointus, certains dorés. Le Cercle de la Panarch, un haut mur de pierre blanche rond, était visible nettement à quatre cents toises, un peu plus bas que le palais. Le Palais de la Panarch se dressait à la pointe d'une des collines les plus élevées. Du sommet du vaste escalier, Egwene se trouvait assez haut pour voir scintiller l'eau à l'ouest, des anses la séparant d'autres langues de terre pentues où était le reste de la ville. Tanchico était plus grande que Tear, peut-être plus grande que Caemlyn.

Tant d'espace à explorer et elle ne savait même pas pour chercher quoi. Quelque chose qui prouve la présence de l'Ajah Noire, ou quelque chose qui indique un danger quelconque menaçant Rand, si l'un ou l'autre existait ici. Aurait-elle été une vraie Rêveuse, entraînée à exercer ses aptitudes, elle aurait sûrement su ce qu'elle devait découvrir, comment interpréter ce qu'elle voyait. Seulement il ne restait personne pour le lui enseigner. Les Sagettes aielles étaient censées connaître comment déchiffrer les rêves. Aviendha avait témoigné une telle réticence à parler de ces Sagettes qu'Egwene n'avait questionné aucun autre Aiel. Peut-être une Sagette pourrait la guider. Si elle en découvrait une.

Elle avança d'un pas vers la place et, soudain, se retrouva ailleurs.

De grandes flèches de pierre se dressaient autour d'elle, dans une chaleur qui desséchait l'humidité de son haleine. Le soleil la brûlait à travers sa robe et la brise soufflant sur son visage paraissait jaillir d'un fourneau. Des arbres rabougris ponctuaient çà et là un paysage presque dépouillé d'autre végétation, à l'exception de quelques parcelles d'herbes rudes et de plantes épineuses qu'elle ne reconnut pas. Par contre, elle reconnut le lion, même si elle n'en avait jamais vu en chair et en os. Il était étendu dans une crevasse dans les rochers à moins de vingt pas de là, sa queue terminée par une touffe noire remuant nonchalamment, et regardait non pas elle mais quelque chose cent enjambées plus loin. Le gros sanglier au poil rêche feugeait et reniflait à la base d'un buisson d'épines, sans remarquer l'Aielle qui s'approchait à pas silencieux avec une lance prête à frapper. Vêtue comme les Aiels de la Pierre, elle avait sa *shoufa* autour de sa tête mais le visage découvert.

Le Désert, se dit Egwene incrédule. *J'ai sauté d'un bond dans le Désert des Aiels ! Quand donc apprendrai-je à surveiller ce que je pense ici ?*

L'Aielle se figea sur place. Ses yeux étaient fixés sur Egwene à présent, pas sur le sanglier. Si c'était un sanglier ; il n'en avait pas exactement la silhouette.

Egwene était sûre que cette femme n'était pas une Sagette. Pas habillée comme une Vierge – d'après ce qu'on avait dit à Egwene, une Vierge de la Lance qui voulait devenir une Sagette devait « renoncer à la lance ». Celle-ci devait être simplement une Aielle qui s'était égarée en rêve dans le *Tel'aran'rhiod*, comme ce bonhomme dans le palais. Lui aussi l'aurait vue, si jamais il avait tourné la tête. Egwene ferma les yeux et se concentra sur l'unique image nette qu'elle avait de Tanchico, cet énorme squelette dans la grande salle.

Quand elle les rouvrit, elle regardait les os massifs. Ils avaient été reliés avec des fils de fer, elle le remarqua à présent. Très habilement, car les fils se voyaient à peine. La moitié de figurine avec sa sphère de cristal était toujours sur sa planche. Elle ne s'en approcha pas, non plus que du collier noir et des bracelets d'où émanait une telle sensation de douleur et de souffrance. L'*angreal*, la femme de pierre, était une tentation. *Qu'est-ce que tu vas en faire ? Par la Lumière, tu es ici pour observer, pour chercher ! Rien de plus. Continue ta tâche, ma fille !*

Cette fois, elle retrouva rapidement son chemin jusqu'à la place. Le temps s'écoulait différemment ici ; Élayne et Nynaeve pouvaient l'éveiller d'un instant à l'autre, et elle n'avait même pas encore commencé. Il n'y avait peut-être plus de minutes à perdre. Elle devait à partir de maintenant prendre garde à ce qu'elle pensait. Plus d'allusions aux Sagettes. Même cette admonestation provoqua un vacillement de ce qui l'entourait. *Fixe ton attention sur ce que tu fais*, s'ordonna-t-elle avec fermeté.

Elle se mit à explorer la cité déserte, marchant d'un pas vif, parfois pressant l'allure jusqu'au pas gymnastique. Des rues pavées sinueuses montaient et descendaient, tournant dans n'importe quel sens, toutes vides, à l'exception de pigeons au dos vert et de mouettes gris clair qui prenaient leur essor dans des tonnerres de claquements d'ailes à son approche. Pourquoi des oiseaux et pas des gens ? Des mouches bourdonnaient alentour, et elle voyait des blattes et des scarabées qui détalaient dans les zones d'ombre. Une meute de chiens maigres, tous de couleur différente, traversa la rue à petits bonds loin devant elle. Pourquoi des chiens ?

Elle se rappela avec sévérité pourquoi elle était là. Quel serait un signe de l'Ajah Noire ? Ou de ce danger pour Rand, s'il y en avait un ? La plupart des immeubles blancs étaient recouverts de plâtre, lequel était écaillé et fendillé, laissant souvent voir du bois patiné par l'âge ou de la brique brun clair. Seules les tours et les constructions plus importantes – des palais, elle le supposa – étaient en pierre, encore que blanches. Toutefois, même les pierres pour la plupart étaient crevassées ; des fissures trop fines pour qu'on les distingue à l'œil nu, mais avec le Pouvoir en elle Egwene les percevait tels des fils de toiles d'araignée sur dômes et tours. Peut-être cela voulait-il dire quelque chose. Peut-être cela signifiait-il que Tanchico était une ville négligée par ses habitants. Une explication qui en valait bien une autre.

Elle sursauta au moment où un homme qui hurlait tomba du ciel comme une pierre devant elle. Elle eut seulement le temps d'enregistrer la vision de chausses blanches bouffantes et de grosses moustaches couvertes par un voile transparent avant qu'il disparaisse à un pas seulement du pavé. L'aurait-il heurté, ici dans le *Tel'aran'rhiod*, qu'il aurait été retrouvé mort dans son lit.

Il a probablement autant de rapport avec le reste que les cafards, se dit-elle.

Peut-être quelque chose à l'intérieur des bâtiments. C'était une maigre chance, un faux espoir, mais elle était désespérée au point de tenter n'importe quoi. Presque n'importe quoi. Du temps. Combien de temps lui restait-il ? Elle commença à courir de porte en porte, passant la tête dans des boutiques, des auberges et des maisons particulières.

Des tables et des bancs attendaient les clients dans les salles communes, aussi soigneusement alignés que les assiettes et les gobelets d'étain à l'éclat sourd sur leurs étagères. Les magasins étaient dans le même ordre parfait que si le tenancier venait juste d'ouvrir le matin ; cependant, alors qu'il y avait des rouleaux d'étoffe sur les tables d'un tailleur, et des couteaux et des ciseaux chez un coutelier, les crochets suspendus au plafond dans une boucherie et ses étals étaient vides. Un doigt passé n'importe où ne récoltait pas un atome de poussière ; tout était d'une propreté suffisante pour obtenir l'approbation de sa mère.

Dans les rues plus étroites, il y avait des habitations modestes, de simples petites bâtisses plâtrées de blanc avec un toit plat, sans fenêtres donnant sur la rue, prêtes à ce que des familles arrivent et s'asseyent sur des bancs devant des cheminées sans feu ou autour de tables étroites aux pieds sculptés où la plus belle coupe ou assiette de la maîtresse de la maison était mise à la place d'honneur. Des vêtements étaient suspendus à des patères, des marmites étaient accrochées aux plafonds, des outils attendaient, posés sur des bancs.

Obéissant à un pressentiment, elle revint une fois sur ses pas, rien que pour voir, à une douzaine de portes en arrière, et examina de nouveau ce qui était le foyer d'une femme dans le monde réel. Il était presque comme avant. Presque. La coupe à raies rouges posée sur la table était maintenant un étroit vase bleu ; un des bancs, avec un harnais cassé et les outils pour le réparer, qui se trouvait près de la cheminée, était à présent à côté de la porte avec une corbeille contenant du raccommodage et une robe brodée de fillette.

Pourquoi ce changement ? se demanda-t-elle. *Mais,*

au fond, pourquoi serait-ce resté pareil ? Ô Lumière,
je ne sais rien de rien !

Il y avait une écurie de l'autre côté de la rue, le
plâtre blanc laissant apparaître la brique par grandes
plaques. Elle s'y dirigea d'un pas rapide et ouvrit un
des battants de la vaste porte. De la paille recouvrait
la terre battue du sol, de même que dans toutes les
écuries qu'elle connaissait, mais les stalles étaient
vides. Pas de chevaux. Pourquoi ? Quelque chose
remua dans la paille bruissante et elle se rendit compte
que, finalement, les stalles n'étaient pas désertes. Des
rats. Par douzaines, qui la dévisageaient avec audace,
le nez flairant son odeur dans l'air. Aucun de ces rats
ne prit la fuite ou même n'esquissa un mouvement
de recul ; ils se conduisaient comme s'ils avaient plus
qu'elle le droit d'être là. Malgré elle, Egwene recula.
Des pigeons, des mouettes et des chiens, des mouches
et des rats. Peut-être qu'une Sagette comprendrait
pourquoi.

Et, pfuit, elle fut de retour dans le Désert.

Poussant un cri, elle tomba sur le dos alors que la
créature velue semblable à un sanglier fonçait sur elle,
apparemment de la taille d'un petit cheval. Pas un
cochon sauvage, elle le vit quand l'animal passa d'un
bond au-dessus d'elle avec souplesse ; le museau était
trop pointu et plein de dents aiguës, et il avait quatre
doigts à chaque pied. Sa réflexion fut calme, mais elle
frissonna quand la bête détala au milieu des rochers.
Elle était assez grosse pour l'avoir piétinée, écrasant
ses os et pire ; ces dents auraient éventré et lacéré

autant que des dents de loup. Elle se serait réveillée avec les blessures. Si même elle s'était réveillée.

Le sol gréseux sous son dos était un dessus de fourneau brûlant. Elle se redressa péniblement, furieuse contre elle-même. Si elle n'était pas capable de maintenir ses pensées sur ce qu'elle faisait, elle n'aboutirait à rien. Tanchico était là où elle était censée être ; elle devait se concentrer là-dessus. Sur rien d'autre.

Elle cessa de brosser sa jupe de la main pour en ôter la poussière quand elle vit l'Aielle qui, à dix pas de là, l'observait d'un regard perçant de ses yeux bleus. Cette femme avait l'âge d'Aviendha, pas plus vieille qu'elle-même, mais les mèches de cheveux qui s'échappaient de sa *shoufa* étaient claires au point de paraître presque blanches. La lance dans ses mains était prête à être projetée et, à cette distance, elle n'aurait probablement pas manqué sa cible.

Les Aiels avaient la réputation d'être plus que rudes avec ceux qui pénétraient sans autorisation dans le Désert. Egwene savait qu'elle pouvait envelopper dans de l'Air femme et lance, les immobiliser pour de bon, mais les flots tiendraient-ils assez longtemps quand elle commencerait à disparaître ? Ou serviraient-ils seulement à attiser la colère de cette femme suffisamment pour qu'elle jette sa lance dès qu'elle en aurait la possibilité, peut-être avant qu'Egwene ait réellement disparu ? Elle serait bien avancée si elle revenait à Tanchico avec une lance aielle dans le corps. Si elle nouait les flots, cela laisserait cette femme bloquée dans le *Tel'aran'rhiod* jusqu'à ce qu'ils se dénouent, sans moyen de se protéger si ce lion ou la créature ressemblant à un sanglier revenaient.

Non. Elle avait simplement besoin que cette femme baisse sa lance, juste assez longtemps pour qu'elle ferme les yeux sans crainte et se ramène à Tanchico. À ce qu'elle était censée accomplir. Elle n'avait plus de temps à perdre avec ces écarts d'imagination. Elle n'avait pas la certitude absolue que quelqu'un parvenu en rêve involontairement dans le *Tel'aran'rhiod* pouvait lui nuire de la même façon que d'autres choses qui s'y trouvaient, mais elle n'allait pas courir le risque de le découvrir à la pointe d'une lance d'Aielle. Cette Aielle-ci disparaîtrait dans quelques instants. Donc la déconcerter d'une manière ou d'une autre jusqu'à ce moment-là.

Changer de vêtements était facile ; dès que l'idée lui vint, Egwene portait les mêmes bruns et gris que cette femme. « Je ne vous veux pas de mal », dit-elle, calme en apparence.

La femme n'abaissa pas son arme. Au contraire, elle fronça les sourcils et déclara : « Vous n'avez pas le droit de porter le *cadin'sor*, jeune fille. » Et Egwene se retrouva sans rien sur elle, le soleil la brûlant par-dessus, le sol pareil à du fer rouge sous ses pieds nus.

Elle en resta bouche bée d'incrédulité pendant une minute, sautant d'un pied sur l'autre. Elle n'avait pas pensé qu'il était possible de changer quoi que ce soit sur quelqu'un d'autre. Tant de possibilités, tant de règles qu'elle ignorait. Elle se voulut précipitamment de nouveau dans des souliers résistants et dans la robe sombre à la jupe divisée en deux parties et, dans le même temps, fit disparaître les vêtements de l'Aielle. Elle dut appeler à elle la *Saidar* pour y réussir ; cette femme avait dû se concentrer pour maintenir Egwene nue. Elle avait un flot prêt à saisir la lance si l'autre s'était préparée à s'en servir.

Ce fut le tour de l'Aielle d'avoir l'air ébahie. Elle laissa aussi retomber la lance le long de son corps et Egwene sauta sur cette occasion de fermer les yeux et de se remmener à Tanchico, près du squelette de cet énorme sanglier. Ou ce qu'il était. Elle le regarda à peine, cette fois-ci. Elle se lassait de choses qui ressemblaient à des sangliers et n'en étaient pas. *Comment a-t-elle réussi ce tour-là ? Non ! C'est m'interroger sur les comment et les pourquoi qui m'entraîne constamment sur des chemins de traverse. Désormais, je m'en tiens à la voie de ce que j'ai choisie.*

Pourtant, elle hésita. Juste avant de fermer les paupières, elle avait cru voir derrière l'Aielle une autre femme qui les observait toutes les deux. Une femme blonde terant un arc d'argent. *Voilà que tu te laisses emporter par des chimères. Tu as écouté trop de contes de Thom Merrilin.* Birgitte était morte depuis longtemps ; elle ne pouvait pas revenir avant que le Cor de Valère ne l'appelle pour qu'elle sorte de la tombe. Les mortes, même héroïnes de légende, ne pouvaient sûrement pas s'introduire par un rêve dans le *Tel'aran'rhiod.*

Ce ne fut pourtant qu'une seconde de pause. Repoussant les conjectures futiles, elle retourna en courant jusqu'à la place. Combien de temps lui restait ? Toute la ville à explorer, le temps qui fuyait et elle aussi ignorante qu'au départ. Si seulement elle avait une idée de ce qu'elle devait chercher. Ou de l'endroit où chercher. Courir ne paraissait pas la fatiguer ici dans le Monde des Rêves mais, courrait-elle de toutes ses forces, elle ne visiterait pas la cité entière avant qu'Élayne et Nynaeve la réveillent. Elle ne tenait pas à être obligée de revenir.

Une femme surgit soudain parmi les bandes de pigeons qui s'étaient rassemblés sur la place. Sa robe était vert pâle, mince et ajustée assez étroitement pour satisfaire Berelain, sa chevelure sombre était répartie en douzaines de fines tresses et son visage était couvert jusqu'aux yeux par un voile transparent comme celui que portait l'homme qui avait chu à travers ciel. Les pigeons prirent leur essor et la femme de même, glissant au-dessus des toits les plus proches avant de s'éclipser subitement à tout jamais.

Egwene sourit. Elle rêvait constamment de voler comme un oiseau, et ceci était un rêve, en somme. Elle bondit en l'air et continua à s'élever en direction des toits. Elle chancela quand elle se dit que c'était ridicule – Voler ? Les gens ne volaient pas ! – puis se raffermit en se forçant à la hardiesse. Elle volait et il n'y avait rien à dire de plus. Le vent lui fouettait la figure et elle avait envie de rire avec insouciance.

Elle fila au ras du Cercle de la Panarch, où des rangées de bancs de pierre descendaient en pente depuis le haut mur jusqu'à un vaste espace de terre battue au centre. Imaginez un tel rassemblement de gens, et pour regarder un feu d'artifice organisé par la Guilde des Illuminateurs en personne. Là-bas, au pays, les feux d'artifice étaient un divertissement exceptionnel. Elle se rappelait les rares fois dans sa vie où il y en avait eu au Champ d'Emond, les adultes aussi excités que les enfants.

Elle plana au-dessus des toits comme un faucon, au-dessus de palais et d'hôtels particuliers, d'humbles demeures et boutiques, entrepôts et écuries. Elle glissa le long de coupoles surmontées de flèches dorées et de girouettes en bronze, le long de tours ceinturées de balcons aux garde-corps en pierre travaillée comme de la dentelle. Des charrettes et des chariots étaient garés en attente dans des parcs réservés à ces véhicules. Des bateaux s'entassaient dans le grand port et les bras d'eau entre les péninsules de la ville ; ils étaient alignés le long des quais. Tout semblait en mauvais état, depuis les charrettes jusqu'aux navires, mais rien de ce qu'elle voyait ne donnait d'indications sur l'Ajah Noire. Pour autant qu'elle le savait.

Elle envisagea d'essayer d'évoquer Liandrin – elle ne connaissait que trop bien cette figure de poupée, avec sa multitude de tresses blondes, ses yeux bruns à l'expression vaniteuse et sa bouche en bouton de rose au pli satisfait –, de se la représenter dans l'espoir d'être attirée vers l'endroit où se trouvait la Sœur Noire. Par contre, si cela marchait, elle risquait de rencontrer aussi Liandrin dans le *Tel'aran'rhiod*, et peut-être d'autres d'entre elles. Elle n'y était pas préparée.

Elle s'avisa soudain que s'il y avait des fidèles de l'Ajah Noire dans Tanchico, dans le Tanchico du *Tel'aran'rhiod*, elle s'exposait à elles. Un œil levé vers le ciel remarquerait une femme en train de voler, une femme qui ne disparaissait pas au bout de quelques instants. Son vol régulier devint chaotique et elle plongea au-dessous du niveau des toits, planant le long des rues plus lentement qu'avant mais encore plus vite qu'un cheval au galop. Peut-être fonçait-elle vers elles, mais elle ne pouvait pas s'obliger à s'arrêter et à les attendre.

Idiote ! fut l'apostrophe furieuse qu'elle s'adressa. *Idiote ! Elles pourraient savoir maintenant que je suis ici. Elles pourraient déjà tendre un piège.* Elle songea à sortir du rêve, à regagner son lit dans Tear, mais elle n'avait rien découvert. S'il y avait quoi que ce soit à découvrir.

Une femme de haute taille se dressa soudain dans la rue devant elle, svelte dans une volumineuse jupe brune et un ample corsage blanc, avec un châle brun sur les épaules et une écharpe pliée autour de la tête à la hauteur du front pour retenir des cheveux blancs qui lui descendaient jusqu'à la taille. En dépit de son costume simple, elle portait une grande quantité de colliers et de bracelets en or ou en ivoire ou une combinaison des deux. Les poings plantés sur les hanches, elle regardait Egwene droit dans les yeux, la mine sombre.

Encore une sotte qui s'est rêvée là où elle n'avait aucun droit d'être et qui ne croit pas ce qu'elle voit, songea Egwene. Elle avait la description de toutes les femmes qui étaient parties avec Liandrin, et celle-ci ne correspondait absolument à aucune d'elles. Cependant la femme ne disparaissait pas ; elle restait là tandis qu'Egwene approchait rapidement. *Pourquoi ne s'en va-t-elle pas ? Pourquoi... ? Oh, Lumière ! En fait, c'est elle qui... !* Elle saisit vivement les flots pour tisser un éclair, pour entortiller cette femme dans l'Air, tâtonnant dans sa surprise et sa hâte.

« Posez vos pieds par terre, jeune fille, ordonna la femme d'une voix autoritaire. J'ai eu assez de mal à vous retrouver sans que vous vous envoliez comme un oiseau maintenant que je vous ai là. »

Subitement, Egwene cessa de voler. Ses pieds heurtèrent avec rudesse la pierre des pavés et elle trébucha. C'était la voix de l'Aielle, mais celle-ci était plus âgée. Pas autant qu'Egwene l'avait cru au premier abord – à la vérité, elle paraissait beaucoup plus jeune que ne le donnaient à penser ses cheveux blancs – mais avec la voix et ces yeux bleus perçants, elle était sûre qu'il s'agissait de la même femme. « Vous êtes... différente, dit-elle.

— Ici, on peut être ce que l'on désire. » Il y avait de l'embarras dans le ton, mais fort léger. « Parfois, j'aime à me rappeler. Ce n'est pas important. Vous êtes de la Tour Blanche ? Voilà longtemps qu'elles n'avaient plus d'Exploratrice de rêves. Très longtemps. Je suis Amys, de l'enclos des Neuf Vallées de l'Aiel Taardad.

— Vous êtes une Sagette ? Oui ! Et vous connaissez les rêves, vous connaissez le *Tel'aran'rhiod* ! Vous savez... Mon nom est Egwene. Egwene al'Vere. Je... » Elle prit une profonde aspiration ; Amys n'avait pas l'air d'une femme à qui l'on peut mentir. « Je suis Aes Sedai. De l'Ajah Verte. »

L'expression d'Amys ne changea pas, à proprement

parler. Un peu perceptible plissement des paupières, peut-être par scepticisme. Egwene ne paraissait guère assez âgée pour être une Aes Sedai. Ce qu'elle répliqua, toutefois, fut : « J'avais l'intention de vous laisser en tenue de nature jusqu'à ce que vous demandiez d'être vêtue convenablement. Enfiler le *cadin'sor* de cette façon, comme si vous étiez... Vous m'avez surprise, en vous dégageant comme vous l'avez fait, en tournant ma propre lance contre moi. Mais vous êtes encore non instruite, n'est-ce pas, encore que forte. Sinon vous n'auriez pas surgi de cette façon au beau milieu de ma chasse, où vous n'aviez visiblement pas envie de figurer. Et cette façon de voler de-ci de-là ? Êtes-vous venue au *Tel'aran'rhiod* – au *Tel'aran'rhiod* ! – pour contempler cette cité, qui s'appelle je ne sais comment ?

— C'est Tanchico », dit Egwene d'une voix faible. *Elle ne la connaissait pas.* Mais alors comment Amys l'avait-elle suivie, ou rejointe ? À l'évidence, elle était – et de loin – plus au courant du Monde des Rêves qu'Egwene. « Vous êtes en mesure de m'aider, j'essaie de trouver des femmes de l'Ajah Noire, des Amies du Ténébreux. Je pense qu'elles sont ici et, si elles y sont, il faut que je les découvre.

— Cela existe donc réellement, murmura presque Amys. Une Ajah d'Agents-de-l'Ombre dans la Tour Blanche. » Elle secoua la tête. « Vous êtes comme une jeune fille qui vient d'épouser la lance et qui croit maintenant qu'elle va lutter avec des hommes et sauter par-dessus des montagnes. Pour elle, cela implique quelques meurtrissures et une précieuse leçon d'humilité. Pour vous, ici, cela risque d'être la mort. » Amys jeta un coup d'œil aux bâtiments blancs autour d'elles et esquissa une grimace. « Tanchico ? Dans... le Tarabon ? Cette ville se meurt, elle se dévore elle-même. Il y a des ténèbres ici, du mal. Pire que ce que les hommes inventent. Ou les femmes. » Elle regarda Egwene sérieusement. « Vous êtes incapable de le voir ou de le sentir, n'est-ce pas ? Et vous voulez traquer des Agents-de-l'Ombre dans le *Tel'aran'rhiod*.

— Du mal ? releva vivement Egwene. Ce pourrait être elles. Êtes-vous sûre ? Si je vous disais à quoi elles ressemblent, seriez-vous certaine qu'il s'agit d'elles ? Je peux les décrire. Je peux en décrire une jusqu'à sa dernière tresse.

— Une enfant, murmura Amys, qui exige de son père à la minute un bracelet d'argent alors qu'elle ignore tout du commerce ou de la fabrication des bracelets. Vous avez beaucoup à apprendre. Bien davantage qu'il ne m'est possible de commencer à vous enseigner présentement. Venez à la Terre Triple. Je ferai passer la nouvelle dans les clans qu'une Aes Sedai appelée Egwene al'Vere doit m'être amenée à la place forte des Rocs Froids. Nommez-vous et montrez votre anneau au Grand Serpent, et vous aurez un parcours sans incident. Je ne suis pas là-bas en ce moment, mais je reviendrai de Rhuidean avant que vous arriviez.

— Je vous en prie, il faut que vous m'aidiez. J'ai besoin de savoir si elles sont ici. Il faut que je le sache.

— Mais je suis dans l'impossibilité de vous le dire. Je ne les connais pas, pas plus que cet endroit, ce Tanchico. Il faut que vous veniez à moi. Ce que vous faites est dangereux, bien plus dangereux que vous ne vous en doutez. Vous devez... Où allez-vous ? Restez ! »

Quelque chose semblait avoir saisi Egwene et l'entraînait dans le noir.

La voix d'Amys la poursuivait, sourde et de moins en moins audible. « Il faut que vous veniez me rejoindre et apprendre. Vous devez... »

12.

Tanchico ou la Tour

Élayne reprit son souffle par à-coups avec soulagement quand Egwene finit par remuer et ouvrir les yeux. Au pied du lit, les traits d'Aviendha perdirent leur légère expression de frustration et d'anxiété, et elle lui décocha un bref sourire qu'Egwene lui rendit. La chandelle avait brûlé depuis plusieurs minutes au-delà de la marque ; cela avait paru une heure.

« Tu ne voulais pas te réveiller, expliqua Élayne d'une voix tremblante. Je t'ai secouée tant et plus, mais tu ne te réveillais pas. » Elle eut un petit rire. « Oh, Egwene, tu as même fait peur à Aviendha. »

Egwene posa la main sur son bras qu'elle serra pour la rassurer. « Me voilà de retour, maintenant. » Elle avait l'air fatiguée et elle avait transpiré au point de tremper complètement sa chemise. « Je suppose que j'avais des raisons de demeurer un peu plus longtemps que nous ne l'avions prévu. Je serai plus attentive la prochaine fois. Je le promets. »

Nynaeve reporta avec vigueur sur la table de toilette le broc d'où jaillirent quelques éclaboussures. Elle avait été sur le point d'en jeter le contenu sur le visage endormi d'Egwene. Elle avait un air impassible, mais le broc toqua contre la cuvette et elle laissa l'eau répandue goutter sur le tapis. « Était-ce quelque chose que tu as trouvé ? Ou était-ce... ? Egwene, si le Monde des Rêves a le pouvoir de te retenir d'une manière ou d'une autre, peut-être est-il trop dangereux tant que tu n'en as pas appris davantage. Peut-être que plus tu y vas, plus il t'est difficile d'en revenir. Peut-être que... Je ne sais pas. Par contre, je sais que nous ne pouvons pas risquer de te laisser te perdre. » Elle croisa les bras sur sa poitrine, prête à une discussion.

« D'accord », répliqua Egwene, d'un ton très proche de la soumission. Les sourcils d'Élayne se haussèrent subitement ; Egwene ne se montrait jamais humble face à Nynaeve. Tout sauf ça.

Egwene sortit péniblement du lit, refusant l'aide d'Élayne, et se dirigea vers la table de toilette pour baigner son visage et ses bras dans l'eau relativement fraîche. Élayne trouva une chemise sèche dans l'armoire tandis qu'Egwene se dépouillait de la sienne qui était humide.

« J'ai rencontré une Sagette, une femme nommée Amys. » La voix d'Egwene cessa d'être étouffée quand sa tête jaillit en haut de la nouvelle chemise. « Elle a dit que je devrais aller la rejoindre, pour apprendre le nécessaire sur le *Tel'aran'rhiod*. À un endroit dans le Désert appelé la place forte des Rocs Froids. »

Élayne s'était aperçue qu'Aviendha avait cillé à la mention du nom de la Sagette. « La connaissez-vous ? Cette Amys ? »

Le hochement de tête de l'Aielle ne pouvait être

qualifié autrement qu'exécuté à contrecœur. « Une Sagette. Une Rêveuse. Amys était *Far Dareis Mai* jusqu'à ce qu'elle renonce à la lance pour se rendre à Rhuidean.

— Une Vierge de la Lance ! s'exclama Egwene. Voilà pourquoi elle... Peu importe. Elle a dit qu'elle se trouvait à Rhuidean à présent. Savez-vous où est située cette place forte des Rocs Froids, Aviendha ?

— Bien sûr. Les Rocs Froids, c'est la place forte de Rhuarc. Rhuarc est le mari d'Amys. Je séjourne là-bas quelquefois. J'y allais. Ma sœur-mère, Lian, est la sœur-épouse d'Amys. »

Élayne échangea avec Egwene et Nynaeve des regards déconcertés. Naguère, Élayne avait pensé connaître pas mal de choses sur les Aiels, toutes apprises de ses maîtres à Caemlyn, mais depuis qu'elle avait rencontré Aviendha elle avait découvert que sa science était fort restreinte. Les coutumes et les relations de parentèle étaient d'une complexité de labyrinthe. Premières sœurs signifiait avoir la même mère ; sauf qu'il était possible que des amies *deviennent* premières-sœurs en en prenant l'engagement devant les Sagettes. Deuxièmes-sœurs signifiait que vos mères étaient sœurs ; si vos pères étaient frères, vous étiez sœurs-de-père et considérées comme de moins proche parenté que les deuxièmes-sœurs. Après cela, on s'y perdait complètement.

« Que veut dire "sœur-épouse" ? demanda-t-elle d'un ton hésitant.

— Que vous avez le même mari. » Aviendha fronça les sourcils devant le hoquet de surprise d'Egwene et la façon dont Nynaeve écarquillait les yeux. Élayne s'attendait à moitié à cette réponse, néanmoins elle se rendit compte qu'elle s'affairait à lisser une jupe qui n'avait pas le moindre faux pli. « Ce n'est pas votre coutume ? questionna l'Aielle.

— Non, répondit Egwene d'une voix faible. Non, ce n'est pas notre coutume.

— Mais vous et Élayne tenez l'une à l'autre comme des premières-sœurs. Qu'auriez-vous fait si l'une de vous n'avait pas voulu s'effacer pour Rand al'Thor ? Vous vous le seriez disputé ? Vous auriez laissé un homme ruiner les liens entre vous ? N'aurait-il alors pas mieux valu que vous l'épousiez toutes les deux ? »

Élayne regarda Egwene. La pensée de... Aurait-elle pu faire une chose pareille ? Même avec Egwene ? Elle savait que ses joues étaient cramoisies. Egwene semblait simplement surprise.

« Mais je voulais me retirer », dit Egwene.

Élayne comprenait que cette réponse valait autant pour elle que pour Aviendha, seulement une pensée ne la lâchait pas. Min avait-elle eu une vision ? Quelle conduite tenir au cas où Min en aurait bien eu une ? *Si c'est Berelain, je l'étranglerai, et lui aussi ! S'il doit y avoir quelqu'un, pourquoi ne pourrait-ce être Egwene ? Ô Lumière, à quoi suis-je en train de penser ?* Elle sentait qu'elle commençait à perdre son sang-froid et, pour masquer son désarroi, elle prit un ton léger. « À vous entendre, l'homme n'a pas le choix en la matière.

— Il peut dire non, répliqua Aviendha comme si c'était évident, mais s'il souhaite en épouser une il doit épouser les deux quand elles le demandent. De grâce, ne vous en offusquez pas, mais j'ai été choquée quand j'ai appris que dans vos pays un homme peut demander une femme en mariage. Un homme devrait montrer son intérêt, puis attendre que la femme parle. Bien sûr, il y a des femmes qui amènent un homme à voir où est son intérêt, cependant le droit de poser la question leur appartient. Je ne suis pas bien au courant de ces choses-là, en réalité. J'ai voulu être une *Far Dareis Mai* depuis mon enfance. Tout ce que je désire dans la vie c'est la lance et mes sœurs-de-lance, conclut-elle avec ce qui était nettement de la véhémence.

— Personne ne va vous forcer à vous marier », dit Egwene gentiment. Aviendha lui décocha un regard surpris.

Nynaeve s'éclaircit bruyamment la gorge. Élayne se demanda si elle avait pensé à Lan ; des plaques colorées ressortaient sur ses joues. « Je suppose, Egwene, déclara Nynaeve d'un ton légèrement trop énergique, que tu n'as pas trouvé ce que tu cherchais, sinon tu en aurais déjà parlé.

— Je n'ai rien découvert, répliqua Egwene à regret, mais Amys a dit... Aviendha, quel genre de femme est Amys ? »

L'Aielle avait entrepris un examen en détail du tapis. « Amys est dure comme les montagnes et impitoyable comme le soleil, répliqua-t-elle sans lever les yeux. C'est une Exploratrice-de-rêves, une Rêveuse. Elle est capable de vous instruire. Une fois qu'elle a mis la main sur vous, elle vous traînera par les cheveux vers ce qu'elle veut. Rhuarc est le seul de taille à lui résister. Même les autres Sagettes marchent sur la pointe des pieds quand Amys parle. Par contre, elle peut vous former. »

Egwene secoua la tête. « Ce que je voulais savoir c'est si être dans un endroit inconnu la trouble, la rend nerveuse ? Être dans une ville ? Verrait-elle des choses qui n'y sont pas ? »

Le rire d'Aviendha résonna sec et bref. « Nerveuse ? S'éveiller avec un lion dans son lit ne l'effraierait pas. Elle était une Vierge de la Lance, Egwene, et elle ne s'est pas adoucie, croyez-moi.

— Qu'a vu cette femme ? questionna Nynaeve.

— Il ne s'agit pas de quelque chose qu'elle a vu, exactement, expliqua Egwene avec lenteur. Qu'elle n'a pas vu, je pense. Elle a dit que Tanchico recélait du mal. Pire que tout ce dont est capable une main d'homme, a-t-elle précisé. Peut-être est-ce l'Ajah Noire. Ne discutez pas avec moi, Nynaeve, ajouta-t-elle d'une voix plus ferme. Les rêves doivent être interprétés. Cela pourrait bien être exact. »

Nynaeve avait commencé à froncer les sourcils dès qu'Egwene avait mentionné le mal dans Tanchico et son regard noir se changea en flamboiement indigné quand Egwene lui intima de ne pas discuter. Quelquefois, Élayne avait envie de les secouer toutes les deux comme un prunier. Elle s'interposa vivement avant que leur aînée n'explose. « Oui, c'est fort possible, Egwene. Tu as bien découvert quelque chose. Davantage que Nynaeve ou moi l'espérions. N'est-ce pas, Nynaeve ? Vous ne le croyez pas ?

— C'est possible, convint Nynaeve à contrecœur.

— C'est possible. » Egwene n'en avait pas l'air réjouie. Elle respira à fond. « Nynaeve a raison. Il faut que j'apprenne ce que je fais. Si je connaissais ce que je devrais savoir, je n'aurais pas eu à ce qu'on me parle du mal. Si je connaissais ce que je devrais savoir, j'aurais trouvé la pièce où se tient Liandrin, où qu'elle se trouve. Amys peut me l'enseigner. Voilà pourquoi... Voilà pourquoi il faut que j'aille la rejoindre.

— La rejoindre ? » Le ton de Nynaeve était consterné. « Dans le Désert ?

— Aviendha peut me conduire directement à cette place forte des Rocs Froids. » Le regard d'Egwene, moitié défi moitié anxiété, allait vivement d'Élayne à Nynaeve. « Si j'étais certaine qu'elles sont à Tanchico, je ne vous laisserais pas partir seules. Si vous le décidez. Mais avec Amys pour m'aider, peut-être que je découvrirai où elles sont. Peut-être que je peux... Voilà la question ; je ne sais même pas ce que je suis en mesure de faire, je sais seulement que je suis sûre que ce sera bien davantage que maintenant. Ce n'est pas comme si je voulais vous abandonner. Vous prendrez l'anneau de pierre avec vous. Vous connaissez assez bien la forteresse de Tear pour revenir ici par le truchement du *Tel'aran'rhiod*. Je viendrai à vous dans Tanchico. Quoi que j'apprenne par Amys, je vous l'enseignerai. Je vous en prie, dites que vous comprenez. Je pourrai apprendre tellement d'Amys, puis je m'en servirai pour vous aider. Ce sera comme si nous avions été toutes les trois formées par elle. Une Exploratrice-de-rêves, une Rêveuse ; une femme qui *sait* !

411

Liandrin et les autres seront comme des enfants ; elles ne connaîtront pas le quart de ce dont nous serons au courant. » Elle se mordilla la lèvre, un mordillement pensif. « Vous ne pensez pas que je vous abandonne, hein ? Si oui, je ne partirais pas.

— Bien sûr qu'il faut que tu partes, lui dit Élayne. Tu me manqueras, mais nul ne nous a promis que nous resterions ensemble jusqu'à ce que ceci soit fini.

— Mais vous deux... aller seules... je devrais vous accompagner. Si elles sont réellement dans Tanchico, je devrais être avec vous.

— Quelle bêtise, déclara Nynaeve avec autorité. Une formation, voilà ce qu'il te faut. Cela nous sera beaucoup plus utile au bout du compte que ta compagnie jusqu'à Tanchico. Ce n'est même pas comme si nous avions la certitude qu'il y en ait une d'elles dans Tanchico. Si elles y sont, Élayne et moi nous nous débrouillerons très bien à nous deux, mais il se pourrait que nous découvrions à notre arrivée que ce mal n'est finalement que la guerre. La Lumière nous assiste, la guerre serait un mal suffisant pour tout le monde. Nous serons peut-être de retour à la Tour avant toi. Sois prudente dans le Désert, ajouta-t-elle d'un ton réaliste. L'endroit est dangereux. Aviendha, vous veillerez sur elle ? »

L'Aielle n'avait pas encore ouvert la bouche qu'un coup fut frappé à la porte, immédiatement suivi par Moiraine. L'Aes Sedai les embrassa d'un seul coup d'œil qui les pesa, mesura et jugea, elles et ce à quoi elles s'occupaient, le tout sans qu'un frémissement de paupières indique ses conclusions. « Joiya et Amico sont mortes, annonça-t-elle.

— Était-ce donc la raison de l'attaque ? dit Nynaeve. Tout cela pour les tuer ? Ou peut-être pour les tuer s'il était impossible de les libérer. J'étais sûre que Joiya avait autant d'assurance parce qu'elle s'attendait à ce qu'on vienne à sa rescousse. Elle avait dû mentir, finalement. Je n'ai jamais cru à son repentir.

— Pas la raison principale, peut-être, répliqua Moiraine. Le Capitaine avait sagement maintenu ses hommes à leur poste dans les cachots pendant l'assaut. Ils n'ont pas vu un seul Trolloc ni un seul Myrddraal. Par contre, c'est ensuite qu'ils ont trouvé les deux mortes. Chacune avec la gorge tranchée de façon assez peu ragoûtante. Après avoir eu la langue clouée à la porte de sa cellule. » On aurait cru aussi bien qu'elle parlait de donner une robe à raccommoder.

L'estomac d'Élayne lui pesa comme du plomb à cette description indifférente. « Je n'aurais pas souhaité cela pour elles. Pas comme cela. Que la Lumière illumine leurs âmes.

— Leur âme, elles l'avaient vendue depuis longtemps à l'Ombre », s'exclama Egwene âprement. Néanmoins, elle se pressait l'estomac des deux mains. « Comment... Comment cela a-t-il était fait ? Par des Hommes Gris ?

— Je doute que même des Hommes Gris y seraient parvenus, répliqua Moiraine d'un ton bref. L'Ombre a des ressources dépassant ce que nous connaissons, apparemment.

— Oui. » Egwene assouplit sa robe et sa voix. « Si

413

ce n'était pas une tentative de sauvetage, cela doit signifier qu'elles disaient toutes les deux la vérité. Elles ont été tuées parce qu'elles ont parlé.

— Ou pour les en empêcher, commenta Nynaeve sans ambages. Espérons que l'on ignore que ces deux-là nous ont dit quoi que ce soit. Peut-être Joiya s'est-elle repentie, mais je reste sceptique. »

Élayne ravala sa salive, à la pensée de se trouver dans une cellule, la figure plaquée contre la porte pour que la langue soit tirée hors de la bouche et... Elle frissonna et se força à suggérer : « Elles ont pu être tuées simplement pour les punir d'avoir été capturées. » Elle passa sous silence l'idée que la tuerie aurait eu pour but de les inciter à croire ce que Joiya et Amico avaient déclaré ; elles hésitaient déjà suffisamment sur le parti à prendre. « Trois possibilités et seulement une pose en principe que l'Ajah Noire sait qu'elles ont révélé quelque chose. Comme toutes les trois sont égales, il y a des chances que l'Ajah n'a rien appris. »

Egwene et Nynaeve eurent l'air stupéfaites. « Pour *les punir* ? » répéta Nynaeve d'un ton incrédule.

Elles étaient plus coriaces qu'elle, Élayne, dans bien des domaines – et elle les admirait pour cette raison – mais elles n'avaient pas grandi en observant les intrigues à la cour de Caemlyn, en entendant les récits de la façon cruelle dont les Cairhienins et les gens de Tear jouaient au Jeu des Maisons.

« Je pense que l'Ajah Noire aurait une attitude rien moins qu'indulgente à l'égard d'un échec de quelque nature que ce soit, leur dit-elle. Je vois très bien Liandrin en donner l'ordre. Joiya l'aurait donné sans hésitation. » Moiraine la toisa brièvement, d'un regard qui réévaluait son jugement.

« Liandrin, répéta Egwene d'une voix blanche. Oui, je me représente sans peine Liandrin et Joiya commandant ça.

— Vous n'aviez guère davantage de temps pour les interroger, en tout cas, reprit Moiraine. Elles auraient été embarquées d'ici midi demain. » Une pointe de colère perçait dans sa voix ; Élayne se rendit compte que Moiraine devait considérer la mort des Sœurs Noires comme une façon d'échapper à la justice. « J'espère que vous aboutirez bientôt à une décision. Tanchico ou la Tour. »

Élayne croisa le regard de Nynaeve et inclina légèrement la tête.

Nynaeve hocha la sienne en retour, d'une façon plus péremptoire, avant de s'adresser à l'Aes Sedai. « Élayne et moi, nous nous rendrons à Tanchico dès que nous trouverons un bateau. Un navire rapide, j'espère. Egwene et Aviendha iront à la place forte des Rocs Froids, dans le Désert des Aiels. » Elle ne fournit pas de raisons, et les sourcils de Moiraine se haussèrent.

« Jolienne peut l'emmener », déclara Aviendha dans le silence qui s'était momentanément établi. Elle évita de regarder Egwene. « Ou Sefela, ou Baine et Khiad. Je... j'ai l'intention d'accompagner Élayne et Nynaeve. S'il y a une guerre dans ce Tanchico, elles ont besoin d'une sœur pour protéger leurs arrières.

— Si c'est ce que vous souhaitez, Aviendha », dit lentement Egwene.

Elle avait l'air surprise et peinée, mais pas plus surprise qu'Élayne. Élayne avait cru que ces deux-là étaient devenues amies. « Je suis contente que vous souhaitiez nous aider, Aviendha, mais c'est vous qui devriez conduire Egwene à la place forte des Rocs Froids.

— Elle ne va ni à Tanchico ni à la place forte des Rocs Froids, déclara Moiraine, en tirant de son aumônière une lettre dont elle déplia les pages. Ceci a été placé dans ma main il y a une heure. Le jeune Aiel qui me l'a apporté m'a expliqué qu'elle lui avait été confiée il y a un mois, avant qu'aucun de nous n'arrive à Tear, cependant elle est adressée à mon nom à la forteresse de la Pierre de Tear. » Elle jeta un coup d'œil au dernier feuillet. « Aviendha, connaissez-vous Amys, de l'enclos des Neuf Vallées des Aiels Taardad ; Bair, de l'enclos Haido des Aiels Shaarad ; Melaine, de l'enclos Jhirad des Aiels Goshien ; et Seana, de l'enclos de la Colline Noire des Aiels Nakai ? Elles l'ont signée.

— Ce sont toutes des Sagettes, Aes Sedai. Toutes des Rêveuses. » Sans qu'elle ait eu l'air de s'en rendre compte, l'attitude d'Aviendha s'était modifiée en posture de méfiance. Elle semblait prête à combattre ou à fuir.

« Des Rêveuses, répéta pensivement Moiraine. Peut-être que voilà qui explique tout. J'ai entendu parler des exploratrices de rêves. » Elle se reporta à la deuxième page de la lettre. « Voici ce qu'elles ont écrit à votre sujet. Ce qu'elles ont peut-être écrit avant même que vous décidiez de venir à Tear. "Il y a au nombre des Vierges de la Lance dans la Pierre de Tear une jeune femme obstinée appelée Aviendha, de l'enclos des Neuf Vallées des Aiels Taardad. Elle doit maintenant venir à nous. Il ne peut plus y avoir de délais ou d'excuses. Nous l'attendrons sur les pentes de Chaendaer, au-dessus de Rhuidean." Cela continue à votre sujet, mais elles me signifient en majeure partie de veiller à ce que vous alliez à elles sans retard. Elles donnent des ordres comme l'Amyrlin, vos Sagettes. » Elle émit un murmure de contrariété, qui incita Élayne à se demander si les Sagettes avaient tenté aussi de donner des ordres à l'Aes Sedai. Peu probable. Et improbable que ç'ait été avec succès s'il y avait eu tentative. N'empêche, quelque chose dans cette lettre avait irrité l'Aes Sedai.

« Je suis une *Far Dareis Mai*, s'exclama Aviendha avec colère. Je n'accours pas comme une gamine quand quelqu'un crie mon nom. J'irai à Tanchico si j'en ai envie. »

Élayne pinça les lèvres pensivement. De la part de l'Aielle, c'était nouveau. Pas la colère – elle avait déjà vu Aviendha en colère, encore que pas à ce point-là – mais le ton sous-jacent. Elle ne pouvait le qualifier autrement que boudeur. Cela semblait aussi invraisemblable que de voir Lan bouder, pourtant c'était bien ça.

Egwene y fut sensible, elle aussi. Elle tapota le bras d'Aviendha. « Ne vous inquiétez pas. Si vous voulez aller à Tanchico, je serai enchantée que vous protégiez Élayne et Nynaeve. »

Aviendha lui adressa un regard vraiment pitoyable.

Moiraine secoua la tête, d'un mouvement peu accentué mais parfaitement clair. « J'ai montré ceci à Rhuarc. » Aviendha ouvrit la bouche, l'air furieuse, mais l'Aes Sedai éleva la voix et continua avec aisance : « Comme la lettre m'en a priée. Juste la partie qui vous concerne, évidemment. Il paraît bien décidé à ce que vous vous conformiez à ce que demande la lettre. À ce qu'elle ordonne. Je pense que le plus sage est de vous soumettre à ce que désirent Rhuarc et les Sagettes, Aviendha. N'êtes-vous pas d'accord ? »

Aviendha jeta autour de la pièce un coup d'œil éperdu, comme si elle était prise au piège. « Je suis une *Far Dareis Mai* », murmura-t-elle entre ses dents et elle se dirigea à grands pas vers la porte sans ajouter un mot.

Egwene s'avança, levant à demi une main pour l'arrêter, puis la laissa retomber comme la porte claquait en se refermant. « Que lui veulent-elles ? demanda-t-elle impérieusement à Moiraine. Vous en connaissez toujours plus que vous n'en dites. Qu'est-ce que vous avez gardé par-devers vous, cette fois-ci ?

— Quel que soit le mobile des Sagettes, répliqua sereinement Moiraine, c'est sûrement une question qui regarde Aviendha et elles. Si Aviendha désirait que vous soyez au courant, elle vous en aurait informée.

— C'est plus fort que vous, vous n'arrêtez pas d'essayer de manipuler les gens, commenta Nynaeve d'un ton amer. Vous êtes en train de pousser maintenant Aviendha à quelque chose, hein ?

— Pas moi. Les Sagettes. Et Rhuarc. » Moiraine plia la lettre et la rangea dans son aumônière, puis reprit avec une pointe d'acerbité dans la voix. « Elle peut toujours lui dire non. Un chef de clan n'est pas comme un roi, d'après ce que je sais des coutumes aielles.

— Elle le peut ? » interrogea Élayne. Rhuarc lui rappelait Gareth Bryne. Le Capitaine-Général des Gardes Royaux de sa mère imposait rarement sa manière de voir mais, en pareil cas, même Morgase ne réussissait pas à le faire céder, à moins d'un décret royal. Il n'y aurait pas de décret du trône cette fois-ci – non pas que Morgase en ait jamais promulgué à l'égard de Gareth Bryne quand il s'était mis en tête qu'il avait raison, maintenant qu'Élayne y réfléchissait – et sans décret elle s'attendait à ce qu'Aviendha aille vers les pentes de Chandear au-dessus de Rhuidean. « Au moins, cela lui permettra de voyager avec toi, Egwene. Amys serait bien empêchée de te retrouver à la place forte des Rocs Froids si elle projette d'attendre Aviendha à Rhuidean. Vous irez ensemble trouver Amys.

— Mais je ne tiens pas à ce qu'elle vienne, répliqua Egwene tristement. Pas si elle ne le veut pas.

— Peu importe ce que tout le monde veut, intervint Nynaeve, nous avons du pain sur la planche. Tu auras besoin de beaucoup de choses pour un voyage dans le Désert, Egwene. Lan me les indiquera. Quant à Élayne et moi, nous devons nous préparer à nous embarquer pour Tanchico. Je suppose que nous trouverons un bateau demain, mais cela implique de choisir quoi emballer ce soir.

— Il y a un navire des Atha'ans Miere ancré aux quais dans le Maule, leur dit Moiraine. Un rakeur. Il n'existe pas de navire plus rapide. Un bateau rapide, c'est ce que vous vouliez. » Nynaeve acquiesça d'un signe de tête avec mauvaise grâce.

« Moiraine, demanda Élayne, que va décider Rand, à présent ? Après cette attaque... Déclarera-t-il la guerre que vous souhaitez ?

— Je ne désire pas de guerre, répliqua l'Aes Sedai. Je désire ce qui le maintiendra en vie pour combattre dans la Tarmon Gai'don. Il dit qu'il nous expliquera à tous demain ses intentions. »

Un froncement quasi imperceptible plissa son front lisse. « Demain, nous en connaîtrons davantage que ce soir. » Son départ fut brusque.

Demain, songea Élayne. *Que fera-t-il demain quand je le préviendrai ? Que dira-t-il ? Il faut qu'il comprenne.* Résolument, elle rejoignit ses deux compagnes pour discuter de leurs préparatifs.

13.

Rumeurs

Les affaires marchaient rondement dans la taverne, de même que dans les autres du Maule, à plein chariot d'oies et de vaisselle dévalant dans la nuit. Le brouhaha des voix luttait avec les productions des musiciens sur trois sortes de tambours, deux cymbalums aux cordes martelées et un semseer à panse bulbeuse en outre qui émettait des trilles plaintifs. Les serveuses aux robes foncées s'arrêtant aux chevilles, avec un col montant jusqu'au menton et de courts tabliers blancs, se hâtaient entre les tables bondées, soulevant au-dessus de leur tête des grappes de chopes en terre afin de se faufiler plus aisément au milieu de cette presse. Des dockers en gilet de cuir, pieds nus, frayaient avec des individus au bliaud serré à la taille et avec des hommes au torse nu, dont de larges ceintures de couleur soutenaient la culotte bouffante. À cette proximité des quais, les costumes d'étrangers se voyaient partout dans la foule ; hauts cols du nord et longs cols de l'ouest, chaînes d'argent sur les tuniques et clochettes sur les gilets, bottes montant au genou et bottes cuissardes, collier ou boucles d'oreilles chez les hommes, de la dentelle sur les bliauds ou les chemises. Un homme aux épaules larges et au ventre proéminent avait une barbe blonde fourchue, et un autre avait étalé quelque chose sur ses moustaches pour qu'elles luisent à la clarté des lampes et se retroussent de chaque côté de son visage étroit. Des dés roulaient en culbutaient dans trois coins de la salle et sur bon nombre de tables, l'argent changeant prestement de main dans les acclamations et les rires.

Mat était assis seul, le dos au mur, à un endroit d'où il pouvait voir toutes les portes, ce qui n'empêchait pas que la plupart du temps il contemplait une moque de vin sombre auquel il n'avait pas encore goûté. Il ne s'approchait pas des parties de dés et il ne jetait pas le moindre coup d'œil aux chevilles des serveuses. La taverne étant tellement bondée, des hommes songeaient de temps en temps à partager sa table, mais un regard à son visage les incitait à prendre le large et à aller se serrer ailleurs sur un banc.

Plongeant un doigt dans son vin, il dessinait machinalement sur le dessus de la table. Ces imbéciles n'avaient aucune idée de ce qui s'était produit dans la forteresse de la Pierre, ce soir. Il avait entendu quelques habitants de Tear mentionner une espèce de bagarre, des mots rapides qui s'étaient perdus dans un rire nerveux. Ils ne savaient pas et ne voulaient pas savoir. Il aurait presque aimé ne pas savoir lui non plus. Non, il souhaitait avoir une idée plus précise de ce qui s'était passé. Les images ne cessaient de se succéder dans sa tête, de se succéder dans les trous de sa mémoire, sans qu'il y trouve vraiment un sens.

Le tumulte d'un combat quelque part dans le loin-

tain résonnait dans le couloir, amorti par les tapisseries suspendues aux murs. Il dégagea d'une main tremblante son poignard du cadavre de l'Homme Gris. Un Homme Gris, et qui suivait sa piste. Ce devait être après lui qu'il en avait. Les Hommes Gris ne se baladaient pas le nez au vent pour tuer au hasard ; ils avaient des cibles aussi sûrement qu'une flèche. Il s'était détourné pour s'enfuir et il y avait un Myrddraal qui avançait vers lui à grandes enjambées comme un serpent noir monté sur jambes, son regard sans yeux dans sa figure blême le glaçant jusqu'aux os. À trente pas, il lança avec violence le poignard à l'endroit où un œil aurait dû se trouver ; à cette distance, il était capable d'atteindre quatre fois sur cinq un trou pas plus grand qu'un œil dû à la chute d'un nœud du bois ou d'une branche.

L'épée noire de l'Évanescent devint indistincte quand elle écarta d'un coup le poignard, presque nonchalamment ; l'Évanescent n'interrompit même pas sa marche. « Temps de mourir, Sonneur de cor. » Sa voix était le sec sifflement d'une vipère rouge, avertissement de mort.

Mat recula. Il avait maintenant un poignard dans chaque main, bien que ne se souvenant pas de les avoir dégainés. Non pas que des poignards servent à grand-chose contre une épée, mais fuir se traduirait par cette lame noire plantée dans son dos aussi immanquablement que cinq six battent quatre trois. Il regrettait de ne pas avoir un solide bâton d'escrime. Ou un arc ; il aimerait voir cette « chose » tenter de dévier un trait décoché par un arc de guerre des Deux

423

Rivières. Il regrettait de ne pas être ailleurs. Il allait mourir ici.

Soudain, une douzaine de Trollocs jaillirent en hurlant d'un couloir transversal, s'abattant sur l'Évanescent dans une frénésie de haches qui tranchaient et d'épées qui s'enfonçaient. Mat regardait avec une stupeur incrédule. Le Demi-Homme se battait comme un tourbillon en armure noire. Plus de la moitié des Trollocs étaient morts ou mourants avant que l'Évanescent gise en tas frémissant ; un bras fléchissait et s'agitait en l'air comme un serpent agonisant à trois pas du corps, toujours avec cette épée noire dans son poing.

Un Trolloc aux cornes de bélier regarda dans la direction de Mat, le museau levé pour flairer l'air. Il gronda dans sa direction, puis gémit et se mit à lécher une longue entaille qui avait ouvert sa cotte de mailles et son avant-bras velu. Les autres achevèrent de trancher la gorge de leurs blessés, et l'un deux lança sèchement quelques rudes paroles gutturales. Sans un autre coup d'œil à Mat, ils se détournèrent et s'en furent au pas de course, les sabots et bottes résonnant sourdement sur les dalles de pierre.

S'éloignant de lui. Mat frissonna. Des Trollocs venant à sa rescousse. Dans quoi Rand l'avait-il entraîné maintenant ? Il vit ce qu'il avait dessiné avec le vin – une porte ouverte – et l'effaça avec humeur. Il devait s'en aller d'ici. Il le devait. Et il pouvait aussi sentir au fond de son cerveau cette pensée pressante que c'était temps de revenir à la Pierre. Il la repoussa avec colère, mais elle ne cessait de bourdonner dans son esprit.

Il capta une bribe de conversation à la table sur sa droite, où le gaillard au visage maigre avec les moustaches en croc tenait le dé de la conversation avec un fort accent du Lugard. « D'accord, votre Dragon est sans doute un grand homme, je ne le nierai pas, mais il n'arrive pas à la cheville de Logain. Voyons, Logain avait tout le Ghealdan en guerre, et aussi la moitié de l'Amadicia et de l'Altara par-dessus le marché. Il a fait avaler par la terre des villes entières qui lui résistaient, oui. Les bâtiments, les gens et tout et tout. Et celui qui est là-haut dans la Saldaea, Maseem ? Tenez, on dit qu'il a obligé le soleil à s'arrêter pendant qu'il mettait en déroute l'armée du Seigneur de Bashere. Ça s'est passé comme ça, on l'affirme. »

Mat secoua la tête. La Pierre conquise et *Callandor* dans la main de Rand, et cet idiot croyait encore qu'il était un faux Dragon. Il avait de nouveau esquissé cette porte. L'effaçant d'un geste de la main, il saisit la chope de vin, puis s'immobilisa, la chope à mi-chemin de sa bouche. À travers le brouhaha, son oreille avait capté un nom familier prononcé à la table voisine. Reculant son banc qui racla le sol, il se dirigea vers cette table, chope en main.

Les gens attablés autour étaient du genre de curieux mélange qui se produisait dans les tavernes du Maule. Deux marins pieds nus portant des casaques huilées enfilées à même la peau sur leur torse, l'un avec une épaisse chaîne d'or au ras du cou. Un homme qui avait été gras aux bajoues pendantes, en bliaud cairhienin sombre à crevés rouges, or et verts en travers de la poitrine, ce qui pouvait indiquer qu'il appartenait à la noblesse, bien qu'une des manches fût déchirée à l'épaule ; bon nombre de réfugiés cairhienins avaient subi de graves revers de fortune. Une femme grisonnante tout en bleu sombre discret, avec des traits durs, un regard perçant et de lourds anneaux d'or aux doigts. Et celui qui avait parlé, l'individu à la barbe fourchue, avec enchâssé dans l'oreille un rubis de la taille d'un œuf de pigeon. Les trois chaînes d'argent formant boucle sur la poitrine tendue de sa tunique foncée aux reflets rougeâtres le désignaient comme un maître marchand kandori. Ils avaient une guilde pour les négociants au Kandor.

La conversation s'interrompit et tous les yeux se tournèrent vers Mat quand il s'arrêta à leur table. « Je vous ai entendu mentionner les Deux Rivières. »

Barbe-Fourchue l'évalua d'un rapide coup d'œil, la chevelure en désordre, l'expression fermée du visage et le vin dans son poing, les bottes noires luisantes, la tunique verte avec ses broderies d'or, ouverte jusqu'à la taille et laissant voir une chemise de toile d'un blanc de neige, mais tunique et chemise très chiffonnées. Bref, l'image même d'un jeune noble venu se divertir parmi les gens du peuple. « En effet, mon Seigneur, répondit-il d'un ton cordial. Je disais qu'il n'y aurait pas de tabac en provenance de là-bas cette année, je le parierai. Toutefois, j'ai vingt barils des plus belles feuilles des Deux Rivières, qui n'ont pas leur égale. Atteindra un excellent prix dans le cours de l'année. Si mon Seigneur désire un baril pour sa réserve... » Il tira sur une pointe de sa barbe blonde et posa un doigt le long de son nez « ... je suis certain que je pourrais m'arranger pour...

— Vous êtes prêt à parier cela, n'est-ce pas ? dit Mat d'un ton calme, lui coupant la parole. Pourquoi n'y aurait-il pas de tabac en provenance des Deux Rivières ?

— Voyons, les Blancs Manteaux, mon Seigneur. Les Enfants de la Lumière.

— Quel rapport avec les Blancs Manteaux ? »

Le maître marchand quêta du regard une aide autour de la table, il y avait une note de menace dans ce ton calme. Les marins avaient l'air prêts à partir s'ils l'osaient. Le Cairhienin regardait Mat fixement avec irritation, redressant trop droit le buste et lissant sa tunique élimée en oscillant ; la chope vide devant lui n'était visiblement pas la première. La femme aux cheveux gris avait sa chope à la bouche, ses yeux perçants observant Mat par-dessus le bord d'un regard calculateur.

Réussissant à s'incliner tout en restant assis, le négociant adopta un ton plaisant. « La rumeur, mon Seigneur, c'est que les Blancs Manteaux sont entrés dans les Deux Rivières. Pour donner la chasse au Dragon Réincarné, à ce qu'il paraît. Ce qui, bien sûr, ne se peut pas, puisque le Seigneur Dragon est ici dans Tear. » Il observa Mat pour voir l'effet produit ; le visage de Mat était resté impassible.

« Il arrive que ces rumeurs s'amplifient de façon extravagante, mon Seigneur. Peut-être n'est-ce que du vent dans un seau. La même rumeur proclame que les Blancs Manteaux sont aussi à la recherche d'un Ami du Ténébreux aux yeux dorés. Avez-vous jamais entendu parler d'un homme aux yeux dorés, mon Seigneur ? Pas plus que moi. Du vent dans un seau. »

Mat posa sa chope sur la table et se pencha pour se rapprocher de l'autre. « À qui d'autre donnent-ils la chasse ? D'après cette rumeur. Le Dragon Réincarné. Un homme aux yeux d'or. Qui d'autre ? »

Des gouttes de transpiration perlèrent sur la figure du négociant. « Personne, mon Seigneur. Personne dont j'aie entendu parler. Rien qu'une rumeur, mon Seigneur. Des pailles dans le vent ; pas plus. Une bouffée de fumée, vite dissipée. Si je pouvais avoir l'honneur d'offrir à mon Seigneur un baril de tabac des Deux Rivières ? Un geste d'estime... l'honneur de... pour exprimer ma... »

Mat jeta sur la table une couronne d'or d'Andor. « Payez-vous une tournée à mon compte jusqu'à épuisement de cette somme. »

Comme il se détournait, il entendit les propos marmottés autour de la table. « J'ai cru qu'il allait me couper la gorge. Vous connaissez ces petits seigneurs quand ils sont pleins de vin. » Cela venait du négociant à la barbe fourchue. « Un curieux jeune homme, dit la femme. Dangereux. N'essaie pas tes tactiques sur cette espèce-là, Paetram. » « Je ne crois absolument pas qu'il soit un seigneur », dit un autre homme avec irritation. Le Cairhienin, supposa Mat. Sa lèvre se retroussa. Un seigneur ? On le lui offrirait qu'il ne voudrait pas en être un. Les Blancs Manteaux dans les Deux Rivières. *Ô Lumière ! Que la Lumière nous vienne en aide !*

Se frayant un chemin jusqu'à la porte, il tira du tas contre le mur une paire de socques. Il ignorait totalement si c'étaient celles qu'il portait en arrivant – elles se ressemblaient toutes – et ne s'en souciait pas. Elles s'enfilaient bien sur ses bottes.

Au-dehors, il avait commencé à pleuvoir, une ondée qui rendait l'obscurité encore plus profonde. Relevant son col, il s'en fut d'un pas de course mal assuré, soulevant des giclées d'éclaboussures dans les rues boueuses du Maule, longeant des tavernes bruyantes, des auberges bien éclairées et des maisons aux fenêtres obscures. Quand la boue céda la place aux pavés à la limite du rempart entourant la cité intérieure, il se débarrassa d'un coup de pied de ses socques qu'il abandonna là en continuant sa course. Les Défenseurs gardant l'entrée la plus proche dans la Pierre le laissèrent passer sans dire un mot ; ils savaient qui il était. Il courut tout le long du chemin jusqu'à la chambre de Perrin et ouvrit brusquement la porte, remarquant à peine la fente entourée de craquelures dans le bois. Les fontes de Perrin étaient posées sur le lit et Perrin y entassait des chemises et des chaussettes. Il n'y avait qu'une chandelle d'allumée, mais il ne paraissait pas s'apercevoir de la pénombre.

« Alors tu as entendu », dit Mat.

Perrin continua ce qu'il faisait. « Au sujet de chez nous ? Oui. J'étais descendu quêter une rumeur pour Faile. Après ce soir, plus que jamais, il faut que je la... » Le grondement, au fond de sa gorge, donna la chair de poule à Mat ; il ressemblait à un loup en colère. « Peu importe. J'ai entendu. Peut-être cela servira-t-il aussi bien. »

Aussi bien que quoi ? se demanda Mat. « Tu le crois ? »

Pendant un instant, Perrin leva la tête ; ses yeux captèrent la lumière de la chandelle, brillant d'un éclat jaune d'or satiné. « Cela ne me semble guère douteux. C'est trop proche de la vérité. »

Mat, mal à l'aise, passa d'un pied sur l'autre. « Rand est au courant ? » Perrin se contenta de hocher la tête et se remit à emballer ses affaires. « Eh bien, qu'est-ce qu'il dit ? »

Perrin s'immobilisa, contemplant la cape pliée entre ses mains. « Il a commencé à marmonner entre ses dents : "Il a dit qu'il le ferait. Il l'avait dit. J'aurais dû le croire." Comme ça. C'était incompréhensible. Puis il m'a saisi par le col et s'est exclamé qu'il devait faire "ce à quoi ils ne s'attendent pas". Il voulait que je comprenne, mais je ne suis pas certain qu'il se comprenait lui-même. Apparemment, que je m'en aille ou que je reste lui était égal. Non, je retire ça. Je pense qu'il était soulagé que je parte.

— En résumé, il ne va rien faire, conclut Mat. Par la Lumière, avec *Callandor* il pourrait anéantir mille Blancs Manteaux ! Tu as vu à quoi il a réduit ces bougres de Trollocs. Tu pars, n'est-ce pas ? Tu retournes aux Deux Rivières ? Seul ?

— À moins que tu ne viennes aussi. » Perrin fourra la cape dans la sacoche de selle. « Viens-tu ? »

Au lieu de répondre, Mat marcha de long en large, son visage tour à tour à demi éclairé et plongé dans le noir. Sa mère et son père se trouvaient au Champ d'Edmond, ainsi que ses sœurs. Les Blancs Manteaux n'avaient aucune raison de leur causer du mal. S'il se rendait chez lui, il avait le sentiment qu'il ne repartirait plus jamais, que sa mère le marierait avant qu'il ait eu le temps de s'asseoir. Mais s'il n'y allait pas, si les Blancs Manteaux s'attaquaient à eux... Une simple rumeur suffisait pour les Blancs Manteaux, à ce qu'il avait entendu dire. Mais pourquoi y aurait-il des rumeurs à leur sujet ? Même les Coplin, menteurs et fauteurs de troubles du premier jusqu'au dernier, avaient de la sympathie pour son père. Tout le monde aimait Abell Cauthon.

« Tu n'y es pas obligé, reprit Perrin d'une voix calme. Rien de ce que j'ai entendu ne te mentionnait. Seulement Rand, et moi.

— Que je sois réduit en cendres, je vais... » Il était incapable de le dire. Penser à partir était assez facile, mais dire qu'il partirait ? Sa gorge se serrait au point d'étrangler les mots. « Est-ce facile pour toi, Perrin ? De partir, je veux dire ? Est-ce que tu... ne sens rien ? Qui tente de te retenir ? Te fournissant des raisons pour ne pas t'en aller ?

— Une centaine, Mat, mais je sais que cela se ramène à Rand, et à être *Ta'veren*. Tu refuses de l'admettre, n'est-ce pas ? Cent raisons pour rester, mais l'unique raison de partir l'emporte sur elles. Les Blancs Manteaux sont dans les Deux Rivières et ils feront du mal aux gens en essayant de me trouver. Je peux l'empêcher si je pars.

— Pourquoi les Blancs Manteaux tiendraient-ils

431

suffisamment à te mettre la main dessus pour maltraiter qui que ce soit ? Par la Lumière, s'ils vont à la recherche de quelqu'un aux yeux jaunes, personne au Champ d'Emond ne saura de qui ils parlent ! Et comment peux-tu empêcher quelque chose ? Une paire de mains de plus n'y changera rien. Aaaah ! Les Blancs Manteaux ont mordu une bouchée de cuir s'ils pensent mener par le bout du nez les gens des Deux Rivières.

— Ils connaissent mon nom », murmura Perrin. Son regard se porta à l'endroit où sa hache pendait au mur, la ceinture attachée autour du manche et du crochet dans la paroi. Ou peut-être était-ce son marteau qu'il contemplait, accoté au mur sous la hache ; Mat n'en était pas sûr. « Ils peuvent trouver ma famille. Quant au pourquoi, ils ont leurs raisons, Mat. Juste comme j'ai les miennes. Qui saurait dire qui a la meilleure ?

— Que je sois réduit en braises, Perrin. En braises ! Je veux p-p-p... Tu vois ? Je suis incapable de le dire maintenant. À croire que ma tête sait que je le ferai si je le dis. Je ne peux même pas le prononcer mentalement !

— Des voies différentes. Nous avons déjà été envoyés sur des voies différentes.

— Sacrées voies différentes, grommela Mat. J'ai eu ma suffisance de Rand et des Aes Sedai qui m'ont poussé par leurs fichus chemins. Je veux aller où j'en ai envie pour changer, faire ce qui me plaît ! » Il se tourna vers la porte, mais la voix de Perrin l'arrêta.

« J'espère que ta route sera heureuse, Mat. Que la

Lumière t'envoie de jolies jeunes filles et des idiots qui tiennent à perdre de l'argent au jeu.

— Oh, que je brûle, Perrin. Que la Lumière t'envoie aussi ce que tu désires.

— Je m'y attends. » Cette perspective n'avait pas l'air de le réjouir.

« Tu diras à papa que je vais bien ? Et à ma mère ? Elle s'inquiétait toujours. Et veille sur mes sœurs. Elles avaient l'habitude de m'espionner et de rapporter tout à ma mère, mais je ne voudrais pas qu'il leur arrive quoi que ce soit.

— Je le promets, Mat. »

Fermant la porte derrière lui, Mat erra sans but dans les couloirs. Ses sœurs, Eldrin et Bodewhin, avaient toujours été prêtes à accourir en criant : « Maman, Mat a encore des ennuis, Mat a fait ce qu'il ne devrait pas, maman. » Surtout Bode. Elles devaient avoir à présent seize et dix-sept ans. Probablement pensant au mariage d'ici peu, avec un lourdaud de paysan déjà choisi que le gars le sache ou non. Était-il réellement parti depuis si longtemps ? Cela n'y paraissait pas, parfois. Parfois, il avait l'impression d'avoir quitté le Champ d'Emond depuis seulement une semaine ou deux. D'autres fois, des années semblaient avoir passé, dont ne restait qu'un vague souvenir. Il se rappelait les ricanements satisfaits d'Eldrin et de Bode quand il avait été fouetté, mais leurs traits n'étaient plus nets. La figure de ses propres sœurs. Ces fichus trous de mémoire, comme des trous dans sa vie.

Il vit Berelain venir dans sa direction et sourit malgré lui. En dépit de ses grands airs, elle était jolie femme. Cette soie blanche moulante était assez mince pour un mouchoir, pour ne rien dire de son échancrure suffisamment profonde en haut pour montrer une profusion notable d'une claire poitrine parfaite.

Il lui dédia son plus beau salut, élégant et cérémonieux. « Bonne soirée à vous, ma dame. » Elle s'apprêta à passer à côté de lui sans un coup d'œil et il se redressa avec colère. « Êtes-vous sourde en même temps qu'aveugle, femme ? Je ne suis pas un tapis qui se foule aux pieds et je me suis entendu distinctement parler. Si je vous pince la fesse, vous pouvez me gifler mais, jusqu'à ce que je le fasse, j'attends une réponse courtoise à un propos courtois ! »

La Première de Mayene s'arrêta net, le toisant de cette façon particulière aux femmes. Elle aurait pu lui coudre une chemise et préciser son poids, pour ne rien dire de quand il avait pris son dernier bain, rien que d'après ce regard. Puis elle se détourna en murmurant quelque chose pour elle-même. Tout ce qu'il capta fut « trop semblable à moi ».

Il la suivit des yeux avec stupeur. Elle ne lui avait pas adressé un mot ! Ce visage, cette allure et ce nez tellement levé en l'air que c'était merveille que ses pieds touchent le sol. Voilà ce qu'il récoltait, à parler à des personnes comme Berelain et Élayne. Des nobles qui vous prenaient pour de la crotte à moins que vous n'ayez un palais et une lignée d'ancêtres remontant à Artur Aile-de-Faucon. Eh bien, il connaissait une fille de cuisine rondelette – juste ce qu'il fallait de rondeurs – qui ne le prenait pas pour de la crotte. Dara avait une façon de lui mordiller les oreilles qui...

434

Ses réflexions s'interrompirent subitement. Il était en train d'envisager de voir si Dara était réveillée et disposée à une partie de mamours. Il avait même envisagé de flirter avec Berelain. Berelain ! Et la dernière phrase qu'il avait adressée à Perrin. *Veille sur mes sœurs.* Comme s'il avait déjà décidé, déjà su quoi faire. Seulement, ce n'était pas le cas. Il ne voulait pas, pas si facilement, juste y aboutir. Il y avait un moyen, peut-être.

Repêchant dans sa poche une pièce d'or, il la lança en l'air d'une pichenette et la rattrapa sur le dos de son autre main. Un marc d'or de Tar Valon, il le vit pour la première fois, et il regardait la Flamme de Tar Valon, stylisée en forme de larme. « Que brûlent toutes les Aes Sedai ! proclama-t-il à haute voix. Et que brûle Rand al'Thor pour m'avoir entraîné là-dedans ! »

Un serviteur en livrée noir et or s'immobilisa un pied en l'air, l'observant d'un œil inquiet. Le plateau d'argent qu'il portait était chargé d'une haute pile de bandes roulées et de pots d'onguent. Dès qu'il se rendit compte que Mat l'avait remarqué, il sursauta.

Mat jeta le marc d'or sur le plateau du serviteur. « De la part du plus grand imbécile de la terre. Attention à bien le dépenser, pour des femmes et du vin.

— M-merci, mon Seigneur », balbutia le serviteur comme s'il était abasourdi.

Mat le laissa planté là. *Le plus grand imbécile de la terre. C'est moi !*

14.

Coutumes de Mayene

Tandis que la porte se refermait derrière Mat, Perrin secoua la tête. Mat se taperait sur le crâne avec un marteau plutôt que de retourner aux Deux Rivières. Sauf s'il y était contraint. Perrin aussi aurait aimé trouver un prétexte lui évitant de rentrer chez eux. Seulement aucune échappatoire n'existait ; une réalité dure comme le fer mais moins malléable. La différence entre lui et Mat, c'est qu'il voulait bien l'admettre alors même qu'il n'en avait aucun désir.

Faire glisser sa chemise pour l'ôter lui arracha un gémissement, si doucement qu'il s'y était pris. Une large meurtrissure, se décolorant déjà en bruns et en jaunes, marbrait toute son épaule gauche. Un Trolloc s'était glissé au-delà de sa hache et seule la vive réaction de Faile avec un poignard avait empêché que ce ne soit pire. Cette épaule rendait pénible de se laver, mais du moins ce n'était pas l'eau froide qui manquait à Tear.

Il avait préparé ses bagages et était prêt, seule une rechange de vêtements pour le matin restant hors de ses sacs de selle. Dès le lever du soleil, il irait voir Loial. Inutile de déranger l'Ogier ce soir. Il était probablement déjà au lit, où Perrin entendait se mettre d'ici peu. Faile était le seul problème qu'il n'avait pas réussi à résoudre. Même demeurer à Tear vaudrait mieux pour elle que de l'accompagner.

La porte s'ouvrit, ce qui le surprit. Une bouffée de parfum flotta jusqu'à lui dès le premier craquement de la porte ; elle évoqua pour lui des fleurs de plantes grimpantes par une chaude nuit d'été. Une fragrance attirante, pas capiteuse, pas pour quelqu'un comme lui, mais rien du genre dont Faile se servirait. Toutefois, il fut encore plus surpris quand Berelain entra dans sa chambre.

Se tenant au bord de la porte, elle cligna des paupières, ce à quoi Perrin se rendit compte combien l'éclairage devait être faible pour elle. « Vous allez quelque part ? » demanda-t-elle d'une voix hésitante. Avec la lumière des lampes du couloir qui l'illuminait à contrejour, c'était difficile de ne pas la regarder.

« Oui, ma dame. » Il s'inclina ; sans souplesse mais de son mieux. Faile pouvait renifler sèchement de dédain autant qu'elle voulait, il ne voyait pas de raison de ne pas se montrer poli. « Au matin.

— Moi aussi. » Elle ferma la porte et croisa les bras sur sa poitrine. Il détourna les yeux, l'observant de biais pour qu'elle ne s'imagine pas qu'il la contemplait avec une admiration béate. Elle poursuivit sans remarquer sa réaction. La flamme de l'unique chandelle se reflétait dans ses yeux noirs. « Après ce soir... Demain, je partirai en voiture pour Godan et, de là, je m'embarquerai pour Mayene. J'aurais dû m'en aller depuis des jours, mais je croyais qu'il y avait un moyen d'arranger les choses. Seulement, il n'y en avait pas, bien sûr. J'aurais dû le voir plus tôt. Ce soir m'a convaincue. La façon dont il... Tous ces éclairs, filant à travers les couloirs. Je veux partir demain.

— Ma dame, répliqua Perrin déconcerté, pourquoi m'expliquez-vous tout cela ? »

La façon dont elle releva sèchement la tête lui rappela une jument qu'il avait quelquefois ferrée au Champ d'Emond ; cette jument essayait toujours de vous mordre. « Pour que vous puissiez le dire au Seigneur Dragon, évidemment. »

Cela n'avait pas plus de sens pour lui. « Vous pouvez le lui dire vous-même, répliqua-t-il avec plus qu'un peu d'exaspération. Je n'ai pas le temps de transmettre des messages avant mon départ.

— Je... je ne crois pas qu'il désirerait me voir. »

N'importe quel homme voudrait la voir et elle était belle à regarder ; elle savait l'un et l'autre. Il pensa qu'elle s'était apprêtée à dire autre chose. Aurait-elle été terrifiée par ce qui s'était passé l'autre soir dans la chambre de Rand ? Ou par l'attaque et la façon dont Rand y avait mis fin ? Peut-être, mais ce n'était pas une femme qui s'effrayait facilement, pas d'après l'expression détachée avec laquelle elle le toisait. « Donnez votre message à un serviteur. Je doute que je reverrai Rand. Pas avant mon départ. N'importe quel serviteur lui transmettra un billet.

— Mieux vaudrait qu'il vienne de vous, un ami du Seigneur...

— Donnez-le à un serviteur. Ou à un des Aiels.

438

— Vous ne ferez pas ce que je demande ? questionna-t-elle d'un ton incrédule.

— Non. Vous ne m'avez donc pas écouté ? »

Elle remua de nouveau la tête à la façon dont un cheval encense, mais il y avait une différence cette fois, bien qu'il n'aurait pas pu dire laquelle. L'examinant d'un air pensif, elle murmura à moitié pour elle-même : « Des yeux remarquables.

— Comment ? » Il s'avisa subitement qu'il était là nu jusqu'à la taille. Cette inspection minutieuse ressemblait soudain à celle d'un cheval avant son acquisition. Dans une seconde, elle lui tâterait les chevilles et lui inspecterait les dents. Il attrapa la chemise mise de côté sur le lit pour le lendemain et la tira par-dessus sa tête. « Donnez votre message à un serviteur. Je veux aller me coucher maintenant. J'ai l'intention de me lever de bonne heure. À l'aube.

— Où allez-vous demain ?

— Chez moi. Aux Deux Rivières. Il est tard. Si vous partez aussi demain, je suppose que vous avez besoin d'un peu de sommeil. Je sais que je suis fatigué. » Il bâilla aussi largement que possible.

Elle ne se dirigeait toujours pas vers la porte. « Vous êtes forgeron ? J'ai besoin d'un forgeron à Mayene. Pour des ornements en ferronnerie. Un bref séjour avant de retourner aux Deux Rivières ? Vous trouveriez Mayene... divertissant.

— Je vais chez moi, lui dit-il avec fermeté, et vous retournez dans votre appartement. »

Son léger haussement d'épaules obligea Perrin à détourner de nouveau précipitamment les yeux.

439

« Peut-être un autre jour. Je finis toujours par obtenir ce que je veux. Et je pense que je veux... » Elle marqua un temps, le toisant de la tête aux pieds « ... de la ferronnerie d'art. Pour les fenêtres de ma chambre à coucher. » Elle sourit si innocemment qu'il sentit des gongs d'alarme lui résonner dans la tête.

La porte s'ouvrit de nouveau et Faile entra. « Perrin, je suis allée en ville à ta recherche et j'ai entendu une rumeur... » Elle se figea sur place, le regard comme cloué sur Berelain.

La Première de Mayene ne lui prêta aucune attention. S'approchant de Perrin, elle glissa une main le long de son bras jusqu'en travers de son épaule. Pendant un instant, il crut qu'elle avait l'intention d'essayer de lui abaisser la tête pour un baiser – de fait, elle levait son visage comme si elle en attendait un – mais elle se contenta de laisser courir sa main sur le côté de son cou dans une rapide caresse et recula. Ce fut fini avant qu'il ait eu le temps d'esquisser un mouvement pour l'en empêcher. « Rappelez-vous, dit-elle doucement, comme s'ils étaient seuls, j'obtiens toujours ce que je désire. » Et, passant majestueusement devant Faile, elle sortit de la pièce.

Il s'attendit à ce que Faile explose, mais elle jeta un coup d'œil à ses sacs de selle bourrés posés sur le lit et dit : « Je vois que tu connais déjà la rumeur. Ce n'est qu'une rumeur, Perrin.

— Les yeux jaunes en font plus que cela. » Elle aurait dû s'enflammer comme une poignée de brindilles sèches jetées sur du feu. Pourquoi était-elle si calme ?

440

« Très bien. Alors, le problème suivant est Moiraine. Va-t-elle essayer de t'empêcher de partir ?

— Pas si elle n'est pas au courant. Si elle essaie, je partirai de toute façon. J'ai une famille et des amis, Faile ; je ne veux pas les abandonner aux Blancs Manteaux. Mais j'espère être loin de la ville avant que cela lui revienne aux oreilles. »

Même les yeux de Faile étaient sereins, comme des étangs sombres dans la forêt. Cela le mit en défiance.

« Seulement il a fallu des semaines pour que cette rumeur parvienne à Tear et il faudra encore des semaines pour gagner les Deux Rivières à cheval. Les Blancs Manteaux seront peut-être partis à ce moment-là. D'accord, je souhaitais que tu ne restes pas ici. Je ne devrais pas me plaindre. Je veux uniquement que tu comprennes bien à quoi t'attendre.

— Cela ne prendra pas des semaines par les Voies, expliqua-t-il. Deux jours, sinon trois. » Deux jours. Il supposait qu'il n'y avait pas moyen de presser davantage l'allure.

« Tu es aussi fou que Rand al'Thor », s'exclama-t-elle, rejetant en bloc ce qu'il disait. Se laissant choir sur le pied du lit de Perrin, elle croisa les jambes en diagonale et s'adressa à lui du ton dont on chapitre des enfants. « Entre dans les Voies et tu en ressors la tête perdue. Si jamais tu en ressors, ce qui très probablement ne se produira pas. Les Voies sont souillées, Perrin. Elles sont plongées dans le noir depuis – quoi ? – trois cents ans ? Quatre cents ? Questionne Loial. Il te précisera la date exacte. Ce sont les Ogiers qui ont construit les Voies ou les ont fait pousser ou quelque chose comme ça. Même eux ne les utilisent pas. Voyons, même si tu réussissais à les suivre sans anicroche, la Lumière seule connaît où tu ressortirais.

— J'ai voyagé par elles, Faile. » Et le trajet avait certes été effrayant. « Loial peut me guider. Il sait lire les poteaux indicateurs ; voilà comment nous y sommes allés avant. Il recommencera pour moi quand il saura combien c'est important. » Loial aussi était impatient de quitter Tear. Il semblait avoir peur que sa mère apprenne où il se trouvait. Perrin était sûr qu'il accepterait de l'aider.

« Eh bien, dit-elle en se frottant les mains avec énergie, eh bien, je voulais de l'aventure et en voici une, assurément. Quitter la Pierre de Tear et le Dragon Réincarné, passer par les Voies pour combattre les Blancs Manteaux. Je me demande si nous pouvons persuader Thom Merrilin de nous accompagner. Faute d'avoir un barde, un ménestrel conviendra. Il composerait le poème, avec toi et moi qui en serions le cœur. Pas de Dragon Réincarné ou d'Aes Sedai dans les parages pour s'attribuer les premiers rôles dans l'histoire. Quand partons-nous ? Au matin ? »

Il respira à fond pour raffermir sa voix. « Je vais partir seul, Faile. Rien que Loial et moi.

— Nous aurons besoin d'un cheval de bât, continua-t-elle comme s'il n'avait pas parlé. Deux, je pense. Les Voies sont noires. Nous aurons besoin de lanternes, et d'une bonne quantité d'huile. Tes gens des Deux Rivières. Des cultivateurs ? Se battront-ils contre les Blancs Manteaux ?

— Faile, j'ai dit...

— J'ai entendu ce que tu as dit », coupa-t-elle d'un ton sec. Les ombres lui donnaient un aspect menaçant, avec ses yeux obliques et ses pommettes saillantes. « J'ai entendu et cela ne rime à rien. Et si ces paysans ne veulent pas se battre ? Ou ne savent pas comment ? Qui va le leur apprendre ? Toi ? Seul ?

— Je ferai ce qu'il y a à faire, répliqua-t-il patiemment. Sans toi. »

Elle se dressa d'un bond si rapide qu'il crut qu'elle voulait lui sauter à la gorge. « Crois-tu que Berelain va t'accompagner ? Protégera-t-elle tes arrières ? Ou peut-être que tu préfères qu'elle s'asseye dans ton giron et piaille ? Rentre ta chemise dans tes chausses, espèce de rustre velu ! Est-ce nécessaire que ce soit si sombre, ici ? Berelain aime la lumière tamisée, hein ? Elle te sera d'une grande utilité contre les Enfants de la Lumière ! »

Perrin ouvrit la bouche pour protester et changea ce qu'il s'apprêtait à dire. « C'est une belle fille, Berelain. Quel homme ne souhaiterait pas la tenir sur ses genoux ? » La peine sur les traits de Faile lui serra la poitrine comme dans un cercle d'acier, mais il se força à continuer. « Quand j'en aurai fini au pays, j'irai peut-être à Mayene. Elle m'a demandé d'y venir et il se peut que j'y aille. »

Faile ne prononça pas un mot. Elle le regarda avec un visage de pierre, puis tourna sur ses talons et sortit en courant, claquant avec fracas la porte derrière elle.

Malgré lui, il voulut la rattraper, puis s'arrêta, serrant dans ses mains le chambranle à en avoir mal aux doigts. Contemplant la fente hérissée d'esquilles que sa hache avait creusée dans la porte, il se retrouva lui disant ce qu'il ne pouvait dire à Faile : « J'ai tué des Blancs Manteaux. Sinon, c'est eux qui m'auraient tué, mais ils appellent quand même ça du meurtre. Je rentre au pays pour mourir, Faile. C'est le seul moyen à ma disposition pour les empêcher de nuire aux miens. Qu'ils me pendent. Je ne peux pas te laisser voir cela. Je ne peux pas. Tu tenterais peut-être même de t'y opposer et alors ils... »

Sa tête s'affaissa contre la porte. Faile ne regretterait pas de ne plus le revoir à présent ; c'est cela qui était important. Elle irait trouver ailleurs son aventure, à l'abri du danger des Blancs Manteaux, des *Ta'veren* et de bulles de mal. Voilà ce qui comptait. Il aurait aimé ne pas avoir envie de hurler de chagrin.

Faile arpentait les couloirs presque en courant, inconsciente de qui elle dépassait ou de qui s'écartait précipitamment de son chemin. Perrin. Berelain. Per-rin. Berelain. *Il tient à une teigne au teint insipide qui se balade à demi nue, hein ? Il ne sait pas ce qu'il veut ! Espèce de dadais poilu ! Trivelin obtus ! Forge-ron ! Et cette traîtresse de truie, Berelain. Cette chèvre caracolante !*

Elle ne se rendit compte du but de sa course qu'en voyant Berelain devant elle, glissant aérienne dans cette robe qui ne laissait rien à l'imagination, ondulant comme si cette démarche qu'elle affectait n'était pas calculée pour que les yeux des hommes leur sortent de la tête. Faile n'eut pas le temps de réfléchir à ce qu'elle faisait qu'elle avait devancé d'un élan Berelain et se tournait face à elle au croisement de deux couloirs.

« Perrin Aybara m'appartient, annonça-t-elle sèchement. Gardez vos mains et vos sourires loin de lui ! » Elle rougit jusqu'à la racine des cheveux quand elle entendit ce qu'elle disait. Elle s'était promis de ne jamais agir comme ça, de ne jamais se battre à cause d'un homme comme une paysanne qui se roule dans les champs à l'époque de la moisson.

Berelain haussa froidement un sourcil. « Vous appartient ? Bizarre, je ne lui ai pas vu de collier. Vous autres servantes – ou êtes-vous fille de fermier ? – vous avez les idées les plus singulières.

— Servante ? Servante ! Je suis... » Faile se mordit la langue pour arrêter une riposte furieuse. La Première de Mayene, vraiment. Il y avait dans la Saldaea des domaines plus grands que Mayene. Elle ne durerait pas une semaine dans les cours seigneuriales de la Saldaea. Savait-elle réciter des poèmes tout en chassant au faucon ? Savait-elle suivre la chasse une journée entière, puis jouer du cistre le soir en discutant comment riposter aux attaques des Trollocs ? Elle croyait connaître les hommes, hein ? Connaissait-elle le langage des éventails ? Saurait-elle dire à un homme de venir ou de s'en aller ou de rester, et cent autres choses, rien qu'avec une torsion de poignet et le déploiement d'un éventail de dentelle ? *Que la Lumière brille sur moi, à quoi suis-je en train de penser ? J'ai juré que jamais plus de ma vie je ne manipulerais un éventail !* Mais la Saldaea avait d'autres coutumes. Faile fut surprise de voir le poignard dans sa main ; on lui avait enseigné à ne pas dégainer de poignard à moins d'être décidée à l'utiliser. « Les filles de ferme de la Saldaea ont une façon de traiter les femmes qui braconnent les hommes sur les terres des autres. Si vous ne jurez pas d'oublier Perrin Aybara, je vous rase la tête et vous serez chauve comme un œuf. Peut-être qu'ensuite les commis qui s'occupent des poulets soupireront d'amour après vous ! »

Elle n'aurait pas su décrire exactement comment Berelain lui agrippa le poignet, mais elle se retrouva soudain fendant les airs. Le sol lui heurtant violemment le dos lui vida entièrement les poumons.

Berelain souriait, tapotant la lame du poignard de Faile sur sa paume. « Une coutume de Mayene. Les gens de Tear aiment utiliser des assassins et les gardes ne se trouvent pas toujours à proximité. Je déteste être attaquée, paysanne, alors voici ce que je vais faire. Je vais vous enlever le forgeron et le garderai comme favori aussi longtemps qu'il m'amusera. Serment d'Ogier, paysanne. Il est très séduisant, vraiment – ces épaules, ces bras ; sans compter ces yeux qu'il a. Et s'il est un peu inculte, je peux y remédier. Mes courtisans sauront lui apprendre à s'habiller, et le débarrasser de cette affreuse barbe. Où qu'il aille, je le découvrirai et me l'attacherai. Vous l'aurez quand j'en aurai fini avec lui. S'il veut encore de vous, bien entendu. »

Ayant enfin réussi à retrouver son souffle, Faile se remit péniblement debout, dégainant un deuxième poignard. « Je vais vous traîner jusqu'à lui, après avoir découpé à coups de lame ces vêtements que vous vous donnez des airs de porter, et je vous obligerai à lui dire que vous n'êtes qu'une gueuse ! » *Que la Lumière me vienne en aide, je me conduis comme une fille de ferme et j'emploie le même langage !* Le pire était qu'elle le pensait pour de bon.

Berelain prit une pose méfiante. Elle avait l'intention de se servir de ses mains, manifestement, pas du poignard. Elle le tenait comme un éventail. Faile avança sur la demi-pointe des pieds.

Soudain Rhuarc s'interposa entre elles, les dominant de sa haute stature, s'emparant des poignards avant qu'aucune des jeunes femmes ait réellement conscience de sa présence. « N'avez-vous pas vu déjà assez de sang ce soir ? dit-il froidement. De ceux que j'aurais pensé découvrir en train de violer la paix, vous deux auriez été les dernières nommées. »

Faile le regarda bouche bée. Sans avertissement, elle pivota sur ses talons et décocha son poing vers les côtes flottantes de Rhuarc. Un coup que ressentirait l'homme le plus coriace.

Il donna l'impression d'agir sans la regarder, lui attrapa la main, ramena de force son bras tendu le long de son corps, imprima une torsion. Subitement, elle se tint très droite avec l'espoir qu'il ne lui déboîte pas le bras de l'épaule.

Comme si de rien n'était, il s'adressa à Berelain. « Allez dans votre chambre et n'en ressortez pas avant que le soleil soit au-dessus de l'horizon. Je veillerai à ce qu'aucun repas ne vous soit apporté demain matin. Un peu de faim vous rappellera qu'il y a un temps et un endroit pour se battre. »

Berelain se redressa avec indignation. « Je suis la Première de Mayene. Je ne recevrai pas d'ordre comme...

— Rentrez dans votre appartement. Maintenant », lui répliqua sèchement Rhuarc. Faile se demanda si elle ne pourrait pas lui lancer un coup de pied ; elle avait dû bander ses muscles parce que, dès que cette idée lui vint, il accentua la pression sur son poignet et elle se retrouva sur la pointe des pieds. « Si vous n'y allez pas, continua Rhuarc s'adressant toujours à Berelain, nous répéterons notre premier entretien, vous et moi. Ici même. »

La figure de Berelain devint tour à tour blanche puis rouge. « Très bien, dit-elle avec raideur. Puisque vous insistez, peut-être que je vais...

— Je n'ai pas proposé une discussion. Si je vous vois encore quand j'aurai compté jusqu'à trois... Un. »

Ravalant son souffle, Berelain souleva ses jupes et partir en courant. Même ainsi, elle s'arrangea pour maintenir une allure ondulante.

Faile la suivit des yeux avec stupéfaction. Cela valait presque la peine d'avoir le bras quasi désarticulé. Rhuarc aussi regardait Berelain s'éloigner, un petit sourire appréciatif sur les lèvres.

« Avez-vous l'intention de me tenir toute la nuit ? » s'exclama-t-elle impérieusement. Il la relâcha – et glissa ses poignards dans sa ceinture. « Ils sont à moi !

— Confisqués, dit-il. La punition de Berelain pour s'être battue était que vous la voyiez envoyée se coucher comme une gamine capricieuse. La vôtre est de perdre ces poignards auxquels vous tenez. Je sais que vous en avez d'autres. Si vous discutez, je les confisquerai aussi. Je ne veux pas que la paix soit troublée. »

Elle le regarda avec colère, mais elle sentait qu'il pensait ce qu'il disait. Ces poignards avaient été forgés pour elle par un homme qui connaissait bien son métier ; leur équilibre était parfait. « Quelle "première conversation" avez-vous eue avec elle ? Pourquoi s'est-elle enfuie si vite ?

— C'est une affaire entre elle et moi. Ne l'approchez plus, Faile. Je ne crois pas que ce soit elle qui ait déclenché cette bagarre ; ses armes à elle ne sont pas des poignards. Si l'une de vous suscite encore une querelle, je vous enverrai toutes les deux charrier les ordures. Quelques-uns des nobles de Tear ont cru qu'ils pouvaient continuer à se battre en duel après que j'avais décrété qu'il devait y avoir la paix ici, mais l'odeur des charrettes de détritus leur a vite enseigné l'erreur qu'ils avaient commise. Assurez-vous que vous n'aurez pas à l'apprendre de la même façon. »

Elle attendit qu'il soit parti avant de masser son épaule. Il lui rappelait son père. Non pas que son père lui ait jamais tordu le bras, mais il n'avait guère de patience envers les fauteurs de troubles, quelle que fût leur situation sociale, et personne ne le prenait par surprise. Elle se demanda si elle ne pourrait pas pousser Berelain à quelque chose, rien que pour voir la Première de Mayenne transpirer au milieu des chariots à ordures. Mais Rhuarc avait dit « toutes les deux ». Son père aussi parlait sérieusement. Berelain. Quelque chose qu'avait dit Berelain lui trottait par la tête. Serment d'Ogier. C'était ça. Un Ogier ne rompait jamais un serment. Dire « un parjure ogier » c'était comme de dire « un lâche courageux » ou « un imbécile sage ».

Elle ne put retenir un éclat de rire. « Vous allez me le prendre, espèce de sotte vaniteuse comme un paon ? D'ici que vous le reverrez, si jamais vous le revoyez, il sera de nouveau à moi. » Riant sous cape, et se frictionnant de temps en temps l'épaule, elle poursuivit son chemin le cœur léger.

15.

Le Seuil à franchir

Levant haut la lanterne aux parois de verre, Mat examina l'étroit couloir, au fin fond de la Pierre. *Pas à moins que ma vie n'en dépende. Voilà ce que j'ai promis. Eh bien, que je me réduise en cendres si ce n'est pas le cas !*

Avant que le doute ne s'empare de nouveau de lui, il recommença précipitamment à avancer, passant devant des portes au bois rongé par la pourriture sèche qui pendaient de travers, devant d'autres qui n'étaient plus que lambeaux de bois accrochés à des gonds rouillés. Le sol avait été balayé récemment, mais l'air sentait encore la vieille poussière et la terre. Quelque chose trottina dans l'obscurité, et il dégaina un poignard avant de comprendre que c'était juste un rat, en fuite à son approche, courant sûrement vers quelque trou qu'il connaissait et qui lui servait de refuge.

« Montre-moi comment sortir de là, lui chuchota-t-il, et je viendrai avec toi. » *Pourquoi je chuchote ? Il n'y a personne ici pour m'entendre.* Toutefois, le lieu semblait requérir le silence. Mat sentait tout le poids de la Pierre au-dessus de sa tête, un poids oppressant.

La dernière porte, avait-elle dit. Celle-là aussi était de guingois. Il l'ouvrit d'un coup de pied et elle se désintégra. La pièce était jonchée de formes indistinctes, de caisses, de barils et de choses entassés en hauteur contre les murs et sur le sol. De la poussière aussi. *La Grande Réserve ! Elle ressemble au sous-sol d'une ferme abandonnée, en pire.* Il fut surpris qu'Egwene et Nynaeve n'aient pas ramassé cette poussière et rangé pendant qu'elles étaient ici en bas. Les femmes étaient toujours en train d'épousseter et de remettre en ordre même des choses qui n'en avaient pas besoin. Des empreintes de pas s'entrecroisaient par terre, certaines de bottes, mais elles avaient sûrement eu des hommes pour remuer à leur place les objets les plus lourds. Nynaeve aimait trouver des moyens pour qu'un homme travaille ; elle avait probablement recruté exprès de braves garçons en train de prendre du bon temps.

Ce qu'il cherchait se dressait au milieu de ce fouillis. Un haut chambranle de porte en grès rouge, dont la masse se dressait bizarrement dans les ombres projetées par sa lanterne. Quand il se rapprocha, son apparence resta curieuse. Tordue en quelque sorte. L'œil de Mat n'avait pas envie de suivre son contour ; les angles ne coïncidaient pas parfaitement. Ce grand rectangle creux donnait l'impression d'être prêt à tomber si on soufflait dessus mais, quand Mat lui donna une poussée pour voir, il ne bougea pas. Il poussa un peu plus fort, pas sûr de ne pas avoir envie de renverser ce machin, et ce côté-là crissa dans la poussière. La chair de poule envahit les bras de Mat. Qui sait s'il n'y avait pas un fil de fer attaché en haut, qui le suspendait au plafond. Il leva la lanterne pour vérifier. Il n'y avait pas de fil de fer. *Au moins, ça ne va pas basculer pendant que je serai à l'intérieur. Par la Lumière, j'entre dedans, non ?*

Un amas de figurines et de petits objets enveloppés dans de l'étoffe pourrissante occupait le fond d'un grand baril placé sens dessus dessous à côté de lui. Il refoula de côté ce fouillis pour installer là sa lanterne et examina le portique. Le *ter'angreal*. Si Egwene savait de quoi elle parlait. Ce qui était probable ; elle avait certainement appris toutes sortes de choses étranges à la Tour, quoi qu'elle s'en défende. *Elle en disconviendrait, n'est-ce pas, voyons ? Apprenant à être Aes Sedai. Pourtant ça, elle ne l'a pas nié, hein ?* S'il plissait les paupières, cela ressemblait juste à un portail de pierre, d'un poli terne et d'autant plus terne à cause de la poussière. Rien qu'un encadrement de porte ordinaire. Ma foi, non, pas tout à fait uni. Trois lignes sinueuses profondément creusées allaient du haut en bas de chaque montant. Il en avait vu de plus fantaisie dans des fermes. Il le franchirait et se retrouverait probablement encore dans cette salle empoussiérée.

Ne le saurai pas tant que je n'essaie pas, hein ? Bonne chance ! Aspirant profondément – et toussant à cause de la poussière – il avança le pied de l'autre côté de ce seuil.

Il eut l'impression de traverser une nappe de lumière blanche éclatante, infiniment brillante, infiniment épaisse. Pendant un instant qui dura une éternité, il fut aveugle ; un rugissement emplissait ses oreilles, tous les bruits du monde rassemblés à la fois. Pour juste la longueur d'un pas sans commune mesure.

Progressant en trébuchant d'un autre pas, il regarda autour de lui avec stupéfaction. Le *ter'angreal* était encore là, mais ce n'était manifestement pas l'endroit d'où lui, Mat, était parti. Le portique tors en pierre se dressait au centre d'une salle ronde au plafond si haut qu'il disparaissait dans l'ombre, entouré d'étranges colonnes jaunes cannelées en spirale serpentant vers ces hauteurs ombreuses, telles d'énormes plantes volubiles s'enroulant autour de poteaux qui auraient été ensuite enlevés. Une lumière tamisée provenait de sphères lumineuses au sommet de socles d'une variété de métal blanc lové en couronne. Pas de l'argent, l'éclat en était trop sourd. Et aucun indice de ce qui produisait la clarté ; cela ne ressemblait pas à une flamme ; les sphères brillaient, voilà tout. Les carreaux du sol s'alignaient depuis la base du *ter'angreal* en bandes jaunes et blanches dessinant des vrilles. Une odeur oppressante, aigre, froide, pas particulièrement plaisante, régnait dans l'air. Il faillit tourner aussitôt les talons et s'en aller.

« Cela faisait longtemps. »

Il sursauta, un poignard surgissant dans sa main, et chercha à discerner entre les colonnes la source de la voix essoufflée qui avait prononcé ces mots si rudement.

« Cela fait longtemps et pourtant les chercheurs viennent de nouveau quêter des réponses. Les interrogateurs viennent encore. » Une forme bougea, au fond, derrière les colonnes ; un homme, pensa Mat. « Bien. Vous n'avez apporté ni lampes, ni torches, comme l'accord le voulait, le veut et le voudra à jamais. Vous n'avez pas de fer ? Pas d'instruments de musique ? »

La silhouette surgit, grande, pieds nus, les bras, les jambes et le corps enveloppés dans des plis et replis d'étoffe jaune, et Mat ne fut soudain plus certain qu'il s'agissait d'un homme. Ou d'un être humain. Il paraissait humain, au premier coup d'œil, encore que peut-être trop gracieux, mais il était bien trop mince pour sa haute taille, avec une face étroite, allongée. Sa peau et même ses cheveux noirs plats captaient la faible lumière d'une façon qui lui rappelait les écailles d'un serpent. Et ces yeux, les pupilles juste des fentes verticales noires. Non, pas humain.

« Du fer. Des instruments de musique. Vous n'en avez pas ? »

Mat se demanda en quoi il pensait qu'était le poignard ; il ne semblait pas s'en préoccuper. Bah, la lame était en bon acier, pas en fer. « Non. Pas de fer et pas d'instruments de... Pourquoi... ? » Il s'interrompit net. Trois questions, avait dit Egwene. Il n'allait pas en gâcher une pour « du fer » ou des « instruments de musique ». *Pourquoi s'inquiéterait-il si j'avais une douzaine de musiciens dans ma poche et une forge sur mon dos ?* « Je suis venu ici pour des réponses sincères. Si vous n'êtes pas celui qui les donne, conduisez-moi à qui le peut. »

L'homme – l'être était au moins du sexe masculin, conclut Mat – eut un léger sourire. Qui ne découvrit pas de dents. « Selon l'accord. Venez. » Il fit signe d'une main aux longs doigts. « Suivez. »

Mat escamota le poignard dans sa manche. « Montrez le chemin et je suivrai. » *Restez devant moi et bien en vue. Cet endroit me donne la chair de poule.*

Il ne repéra aucune ligne droite nulle part à l'exception du sol proprement dit, tandis qu'il marchait derrière cet homme bizarre. Même le plafond était toujours voûté et les murs arqués en arrière. Les couloirs filaient en courbe ininterrompue, les portes étaient arrondies, les fenêtres des cercles parfaits. Le pavage décrivait des spirales et des lignes sinueuses et ce qui paraissait être des ornements de bronze incrustés à intervalles réguliers dans le plafond était tout en volutes compliquées. Pas de tableaux d'aucune sorte, pas de tapisseries ni de fresques. Seulement des motifs, et toujours des arabesques.

À part son guide silencieux, il n'aperçut personne ; il aurait pu croire ce lieu désert en dehors d'eux deux. De quelque part il gardait le vague souvenir d'avoir arpenté des couloirs qui n'avaient pas connu un pied humain pendant des centaines d'années, et ici la sensation était la même. Pourtant, parfois, il percevait du coin de l'œil un léger mouvement. Seulement, il avait beau se retourner vivement, il n'y avait jamais qui que ce soit. Il feignit de se frotter les avant-bras, vérifiant pour se rassurer que ses poignards étaient bien dans ses manches de tunique.

Ce qu'il voyait par ces fenêtres rondes était encore pire. De hauts arbres frêles avec seulement au sommet des branches qui retombaient en tiges de parasol, et

456

d'autres comme d'immenses éventails de feuilles fines pareils à de la dentelle, le tout sous un jour sombre, obscurci, bien qu'apparemment le ciel fût sans nuages. Il y avait toujours des fenêtres, toujours dans un seul des côtés du couloir tournant, mais de temps en temps le côté changeait, et ce qui aurait sûrement dû donner sur des patios ou des salles, à la place, s'ouvrait sur cette forêt. Il n'entrevit même pas la moindre autre partie de ce palais, ou de ce que c'était, par ces fenêtres, ni aucun autre bâtiment, excepté...

Par une des fenêtres circulaires, il distingua trois hautes flèches argentées qui se courbaient les unes vers les autres de sorte que leurs pointes se dirigeaient toutes vers le même point. Elles n'étaient pas visibles de la fenêtre suivante, trois pas plus loin mais, quelques minutes plus tard, après que lui et son guide avaient contourné tant et tant de courbes qu'il avait été obligé de regarder dans une autre direction pour ne pas avoir le vertige, il les aperçut de nouveau. Il essaya de se dire que c'étaient des flèches différentes mais, entre elles et lui, se dressait un de ces arbres en éventail avec une branche cassée qui pendait, un arbre qui se trouvait au même endroit la première fois. Après son troisième aperçu des flèches et de l'arbre bizarre avec sa branche cassée, à présent dix pas plus loin mais de l'autre côté du couloir, il s'efforça de cesser complètement de regarder ce qu'il y avait au-dehors.

Le trajet semblait interminable.

« Quand... ? Est-ce que... » Mat serra les dents. Trois questions. Apprendre quoi que ce soit sans poser de question n'était pas commode. « J'espère que vous m'emmenez auprès de ceux qui peuvent répondre à mes questions. Que brûlent mes os, je l'espère bien. Dans mon intérêt et le vôtre, la Lumière sait que c'est vrai.

— Ici », dit le singulier personnage drapé de jaune, avec un geste d'une de ces mains effilées vers une porte ronde deux fois plus large que celles que Mat avait vues auparavant. Ses yeux étranges examinaient Mat avec intensité. Sa bouche béa et il aspira longuement avec lenteur. Mat le regarda en fronçant les sourcils et l'inconnu haussa ses épaules dans une contorsion. « Ici peuvent être découvertes vos réponses. Entrez. Entrez et interrogez. »

Mat respira à fond, lui aussi, puis esquissa une grimace et se frotta le nez. Cette puissante odeur aigre était affreusement désagréable. Il avança d'un pas hésitant vers la grande porte et tourna la tête pour chercher de nouveau du regard son guide. Le bonhomme avait disparu. *Par la Lumière ! Je ne sais vraiment pas pourquoi je m'étonne encore de quelque chose dans cet endroit. Eh bien, que je sois réduit en cendres si je m'en retourne maintenant.* S'efforçant de ne pas se demander s'il serait capable de retrouver seul le *ter'angreal*, il entra.

C'était encore une salle ronde, avec des carreaux rouges et blancs dessinant des files de circonvolutions sous un plafond en forme de voûte. Elle n'avait pas de colonnes, ni de mobilier d'aucune sorte, en dehors de trois épais enroulements en forme de piédestal autour du point de départ des circonvolutions du sol. Mat ne voyait aucun moyen d'en atteindre le sommet autrement qu'en escaladant ces spires, pourtant un homme pareil à son guide était assis en tailleur en haut de chacun, seulement drapé dans des plis et replis d'étoffe rouge. Pas tous des hommes, rectifia-t-il en regardant mieux ; deux de ces longs visages aux yeux bizarres avaient une physionomie nettement féminine. Elles avaient leur regard fixé sur lui, des regards intenses et pénétrants, et elles inspiraient de grandes bouffées d'air, presque haletantes. Les rendait-il nerveuses d'une façon quelconque était la question qu'il se posa. *Pas grande sacrée chance que ce soit ça. Mais en tout cas elles m'échauffent les oreilles.*

« Cela fait longtemps, dit la femme de droite.

— Très longtemps », ajouta la femme de gauche.

L'homme hocha la tête. « Pourtant ils viennent de nouveau. »

Les trois avaient la voix essoufflée du guide – presque impossible à distinguer de la sienne, à vrai dire – et la façon rude de prononcer les mots. Ils parlèrent à l'unisson et les paroles auraient aussi bien pu sortir d'une seule bouche. « Entrez et questionnez, selon l'antique accord. »

Si Mat avait eu l'impression que sa peau se hérissait, à présent il était sûr qu'elle se crispait dans tous les sens. Il se força à approcher. Prudemment – attentif à ne rien dire qui ressemble même de loin à une question – il leur exposa la situation. Les Blancs Manteaux, certainement dans son village natal, sûrement pour chassant des amis à lui, peut-être le cherchant lui-même. Un de ses amis partant pour affronter les Blancs Manteaux, l'autre non. Sa famille, probablement pas en danger, mais avec ces bougres d'Enfants de cette bougresse de Lumière dans les parages... Un *Ta'veren* qui le tirait à lui de telle sorte qu'il pouvait à peine bouger. Il ne voyait pas de raison de donner des noms ou de mentionner que Rand était le Dragon Réincarné. Sa première question – et d'ailleurs les deux autres – il les avait mises au point avant de descendre dans la Grande Réserve. « Devrais-je revenir au pays pour aider les miens ? » demanda-t-il en conclusion.

Trois paires d'yeux fendus à la verticale comme une meurtrière abandonnèrent leur contemplation de Mat et se levèrent – à regret, lui sembla-t-il – pour scruter l'air au-dessus de sa tête. Finalement, la femme de gauche dit : « Vous devez aller à Rhuidean. »

Dès qu'elle eut parlé, leurs yeux se rabaissèrent d'un même mouvement sur lui et ils se penchèrent en avant, respirant de nouveau fort, mais à ce moment une cloche tinta, un bourdonnement d'airain ample qui résonna dans la salle. Ils se redressèrent en vacillant, s'entre-regardant puis fixant de nouveau l'air au-dessus de la tête de Mat.

« C'en est un autre, chuchota la femme de gauche. La tension. La tension.

— Le plaisir, dit l'homme. Cela faisait longtemps.

— Du temps reste encore », leur rappela l'autre femme. Elle avait l'air calme – tous en avaient l'air – mais il y avait de l'âpreté dans sa voix quand elle se retourna vers Mat. « Demandez. Demandez. »

Mat leva sur eux des regards furieux. *Rhuidean ? Ô Lumière !* Cela se trouvait quelque part là-bas dans le Désert, la Lumière et les Aiels savaient où. C'était à peu près tout ce qu'il en connaissait. Dans le Désert des Aiels ! La colère lui chassa de l'esprit les questions concernant les moyens d'échapper aux Aes Sedai et de recouvrer les parties perdues de sa mémoire. « Rhuidean ! s'exclama-t-il d'un ton cassant. Que la Lumière me réduise les os en cendres si je veux aller à Rhuidean ! Et mon sang sur le sol si j'y vais. Pourquoi irais-je ? Vous ne répondez pas à mes questions. Vous êtes censés répondre, non pas me proposer des devinettes !

— Si vous n'allez pas à Rhuidean, dit la femme de droite, vous mourrez. »

La cloche tinta de nouveau, plus fort cette fois ; Mat sentit ses vibrations à travers ses bottes. Les regards qu'échangèrent les trois étaient manifestement anxieux. Il ouvrit la bouche, mais ils étaient uniquement absorbés par leurs préoccupations personnelles.

« La tension, dit une des femmes vivement. Elle est trop forte.

— Le plaisir de l'avoir, lui, ajouta aussitôt l'autre. Cela n'est pas arrivé depuis tellement longtemps. »

Elle n'avait pas fini que l'homme prit la parole. « La tension est trop forte. Trop forte. Questionnez. Questionnez !

— Que brûle votre âme, espèce de cœur de lâche, grommela Mat. Oui, je vais questionner ! Pourquoi mourrai-je si je ne vais pas à Rhuidean ? Il y a toutes les chances que je meure si je tente d'y aller. Cela ne donne pas... »

L'homme l'interrompit et parla hâtivement. « Vous aurez esquivé le fil de la destinée, laissé votre destin dériver au gré des vents du temps et vous serez tué par ceux qui ne veulent pas que ce destin soit accompli. Maintenant, allez. Il faut que vous partiez ! Vite ! »

Le guide vêtu de jaune était soudain là près de Mat, tirant sur sa manche avec ces trop longues mains.

Mat s'en débarrassa d'une secousse. « Non ! Je ne partirai pas ! Vous m'avez détourné des questions que je voulais poser et donné des réponses qui n'ont pas le sens commun. Vous n'en resterez pas là. De quel destin parlez-vous ? Je veux au moins une réponse claire de vous ! »

Une troisième fois, la cloche sonna lugubrement et la salle entière trembla.

« Partez ! cria l'autre. Vous avez eu vos réponses. Vous devez partir avant qu'il ne soit trop tard ! »

Brusquement, une douzaine des hommes en jaune entourèrent Mat, comme surgis du néant, essayant de l'entraîner vers la porte. Il se débattit des poings, des coudes et des genoux. « Quelle destinée ? Que brûlent vos cœurs, quel destin ? » C'est la salle elle-même qui sonna le glas, les parois et le sol agités de tressaillements, renversant presque Mat et ses assaillants. « Quelle destinée ? »

Les trois étaient debout sur leur piédestal, et il était incapable de discerner qui criait quelle réponse.

« Épouser la Fille des Neuf Lunes !

— Mourir et revivre, et vivre encore une fois une partie de ce qui a été !

— Renoncer à la moitié de la lumière du monde pour sauver le monde ! »

Ils hurlèrent ensemble comme de la vapeur qui

462

s'échappe sous pression : « Va à Rhuidean, fils des batailles ! Va à Rhuidean, espiègle ! Va, joueur ! Va ! »

Les assaillants de Mat le soulevèrent par les bras et les jambes et coururent, le tenant au-dessus de leurs têtes. « Lâchez-moi, fils de chèvre au foie blanc ! cria-t-il en se débattant. Que brûlent vos yeux ! Que l'Ombre prenne votre âme, laissez-moi ! Je vous arracherai les tripes pour m'en faire une sangle de selle ! » Mais il avait beau se tortiller et proférer des insultes, ces longs doigts étaient comme des crampons de fer.

Par deux fois encore, le glas retentit, à moins que ce ne soit le palais. Tout vibra comme pendant un tremblement de terre ; les murs résonnaient de réverbérations assourdissantes, chacune plus forte que la précédente. Les ravisseurs de Mat poursuivirent leur chemin en trébuchant, au bord de la chute mais sans interrompre leur course désordonnée. Il ne vit même pas où ils l'emportaient jusqu'à ce qu'ils s'arrêtent subitement, le projetant avec effort en l'air. Alors il vit le portail tors, le *ter'angreal*, vers lequel il était propulsé.

Une lumière blanche l'aveugla ; le rugissement lui emplit la tête jusqu'à la vider de toute pensée.

Il tomba lourdement sur un sol poussiéreux dans une demi-obscurité et roula jusqu'au tonneau où était posée sa lanterne dans la Grande Réserve. Le tonneau oscilla sur sa base, des paquets et des figurines basculèrent par terre dans un fracas de pierre, d'ivoire et de porcelaine qui se brisent. Se relevant d'un bond, il se retourna et se précipita vers le portique de pierre.

« Que les braises vous brûlent, vous ne pouvez pas me lancer comme... »

Il franchit le seuil comme un bolide... et buta contre les caisses et les tonneaux de l'autre côté. Sans un temps d'arrêt, il pivota et s'élança de nouveau vers le portique. Avec le même résultat. Cette fois, il se raccrocha au baril soutenant sa lampe, qui faillit choir sur les choses déjà en morceaux jonchant le sol sous ses bottes. Il la rattrapa de justesse, se brûlant la main, et la jucha à tâtons sur un perchoir plus stable.

Que les braises me brûlent si j'ai envie d'être ici dans le noir, pensa-t-il en se suçant les doigts. *Par la Lumière, à la façon dont ma chance tourne, elle aurait probablement déclenché un incendie et j'aurais péri brûlé vif !*

Il darda un regard furieux au *ter'angreal*. Pourquoi ne fonctionnait-il pas ? Peut-être que les gens de l'autre côté l'avaient clos d'une manière ou d'une autre. Il ne comprenait pratiquement rien à ce qui s'était passé. Cette cloche et leur panique. On aurait cru qu'ils redoutaient que le toit leur tombe sur la tête. À la réflexion, il s'en était fallu de peu. Et Rhuidean et tout le reste. Le Désert suffisait comme mauvaise nouvelle, mais ils avaient dit qu'il était voué à épouser quelqu'un appelé la Fille des Neuf Lunes. Épouser ! Et une personne de la noblesse, ça en avait tout l'air. Il se marierait plutôt avec un cochon qu'avec une aristocrate. Et cette histoire de mourir et de revivre. *Charmant à eux d'avoir ajouté la dernière partie !* Si un Aiel voilé de noir le tuait pendant qu'il se rendait à Rhuidean, il découvrirait ce que cela avait de vrai.

Tout ça, c'étaient des sottises, et il n'en croyait pas un mot. Seulement... Ce bougre de seuil l'avait effectivement amené quelque part, et ils avaient voulu répondre uniquement à trois questions, juste comme Egwene l'avait dit.

« Je n'épouserai aucune bougresse de dame noble ! dit-il au *ter'angreal*. Je me marierai quand je serai trop vieux pour m'amuser, un point c'est tout ! Rhuidean mon bougre de... ! »

Une botte apparut, sortant à reculons du portail de pierre tors, suivi par le reste de Rand, avec cette épée de feu dans les mains. La lame disparut quand il eut franchi complètement le portail et il poussa un soupir de soulagement. Même dans la faible clarté, Mat constata cependant qu'il était troublé. Il sursauta en apercevant Mat. « Juste en train de fourrager par-là, Mat ? Ou bien as tu passé aussi de l'autre côté ? »

Mat l'examina un instant avec méfiance. Du moins cette épée avait-elle disparu. Rand n'avait pas l'air de canaliser – mais comment savoir ? et il n'avait pas particulièrement l'expression d'un fou. En vérité, il ressemblait de fort près au souvenir qu'en avait Mat. Il fut obligé de se rappeler qu'ils n'étaient plus dans leur village natal et que Rand n'était *pas* ce dont il se souvenait. « Oh, je suis passé de l'autre côté, bien sûr. Une bande de sacrés menteurs, si tu veux mon avis ! Qu'est-ce qu'ils sont ? M'ont fait penser à des serpents.

— Pas des menteurs, je crois. » À l'entendre, on aurait dit qu'il le regrettait. « Non, non pas ça. Ils avaient peur de moi, dès le début. Et quand ce glas a

sonné... L'épée les a maintenus à distance ; ils ne voulaient même pas la regarder. Ils se détournaient. Se
cachaient les yeux. As-tu obtenu tes réponses ?

— Rien qui ait un sens, marmotta Mat. Et toi ? »

Soudain, Moiraine apparut hors du *ter'angreal*,
donnant l'impression de surgir gracieusement du
néant, avançant d'un pas léger. Ce serait agréable de
danser avec elle si elle n'était pas une Aes Sedai. Elle
pinça les lèvres en les voyant.

« Vous ! Vous étiez tous les deux là-dedans. Voilà
pourquoi... ! » Elle émit un sifflement de contrariété.
« Qu'il y en ait eu un n'aurait déjà pas été fameux,
mais deux *Ta'veren* à la fois – vous risquiez de rompre
entièrement la liaison et d'être pris au piège là-bas.
Quels garçons insupportables de jouer avec des choses
dont vous ne connaissez pas le danger. Perrin ! Est-ce
que Perrin est là-bas aussi ? Est-ce qu'il a pris part
aussi à votre... *exploit*[1] ?

— La dernière fois que j'ai vu Perrin, répliqua Mat,
il s'apprêtait à se coucher. » Peut-être Perrin allait-il
le démentir en étant le suivant à sortir du portique,
mais autant détourner la colère de l'Aes Sedai s'il le
pouvait. Inutile que Perrin ait aussi à l'affronter. *Qui
sait, il aura une chance de lui échapper, au moins, s'il
part avant qu'elle apprenne ce qu'il mijote. Bougresse
de femme ! Je suis prêt à parier qu'elle est née dans
la noblesse.*

Que Moiraine était furieuse, on ne pouvait en douter. Le sang s'était retiré de ses joues, et ses yeux

1. En français dans le texte.

466

étaient deux vrilles noires qui s'enfonçaient dans ceux de Rand. « Du moins vous en êtes-vous tirés vivants. Qui vous avait parlé de ça ? Laquelle ? Je lui ferai regretter que je ne lui aie pas écorché la peau comme on retire un gant.

— C'est un livre qui m'a renseigné », répliqua calmement Rand. Il s'assit au bord d'une caisse qui craqua d'une manière alarmante sous son poids et croisa les bras. Le tout avec une aisance très naturelle. Mat aurait aimé pouvoir l'imiter. « Deux livres, à la vérité. *Les Trésors de la Pierre* et *Relations avec le Territoire de Mayene*. Étonnant ce qu'on déterre dans des livres si on les lit assez attentivement, n'est-ce pas ?

— Et toi ? » Elle tourna vers Mat ce regard pénétrant. « L'as-tu aussi lu dans un livre ? Toi ?

— Il m'arrive de lire parfois », dit-il ironiquement. Il n'aurait pas été opposé à un peu d'écorchage pour Egwene et pour Nynaeve après ce qu'elles lui avaient infligé pour l'obliger à révéler où il avait caché la lettre de l'Amyrlin – le ligoter avec le Pouvoir était déjà assez désagréable mais le reste ! – cependant c'était plus amusant de se rire de Moiraine en lui jetant un peu de poudre aux yeux. « *Trésors. Relations.* Des quantités de renseignements dans les livres. » Par chance, elle n'insista pas pour qu'il répète les titres ; il avait cessé de prêter attention quand Rand avait parlé de livres.

Au lieu de cela, elle revint brusquement à Rand. « Et tes réponses ?

— Sont les miennes, répliqua Rand, qui fronça les sourcils. Cependant cela n'a pas été simple. Ils ont

467

amené une... femme pour interpréter, mais elle parlait comme un vieux livre. Je comprenais à peine certains mots. Je n'avais jamais envisagé qu'ils pourraient utiliser une autre langue.

— L'Ancienne Langue, lui expliqua Moiraine. Ils se servent de l'Ancienne Langue – une forme dialectale assez rude – pour s'entretenir avec les hommes. Et toi, Mat ? Ton interprète a-t-elle été facile à comprendre ? »

Il dut rassembler assez de salive pour s'humecter la bouche. « L'Ancienne Langue ? C'est ce que c'était ? On ne m'a adjoint personne. À vrai dire, je n'ai pas réussi à poser de questions. Cette cloche a commencé à ébranler les murs et ils m'ont expulsé comme si je laissais des empreintes de bouse de vache sur les tapis. » Elle le dévisageait toujours, les yeux toujours plongés dans les siens. Elle était au courant des fragments de l'Ancienne Langue qui lui échappaient quelquefois. « Je... je reconnaissais presque un mot par-ci par-là, mais pas assez pour deviner ce que cela voulait dire. Vous et Rand avez obtenu des réponses. Qu'est-ce qu'ils en tirent pour eux-mêmes ? Ces serpents montés sur jambes. Nous n'allons pas découvrir en remontant que dix ans sont passés, hein, comme Bili dans le conte ?

— Des sensations, répliqua Moiraine avec une grimace. Des sensations, des émotions, des expériences. Ils fouillent dedans ; on les sent le faire et on en a la chair de poule. Peut-être s'en nourrissent-ils d'une certaine manière. L'Aes Sedai qui a étudié ce *ter'angreal* quand il se trouvait à Mayene a parlé dans son rapport d'un puissant désir de prendre un bain ensuite. C'est bien l'intention que j'ai.

— Mais leurs réponses sont-elles fiables ? dit Rand comme elle s'apprêtait à s'en aller. En êtes-vous sûre ? Les livres le donnent à entendre, mais peuvent-ils réellement donner des réponses exactes concernant l'avenir ?

— Les réponses sont vraies, dit lentement Moiraine, pour autant qu'elles se rapportent à ton propre avenir. Il y a au moins cela de certain. » Elle regarda Rand, et Mat lui-même, mesurant l'effet de ses paroles. « Quant à la façon dont ils s'y prennent, toutefois, on ne peut qu'émettre des hypothèses. Ce monde est... replié... d'étranges façons. Je ne saurais pas être plus explicite. Il se peut que cela leur permette de suivre le fil d'une vie humaine, de suivre les diverses façons dont il pourrait être tissé dans le Dessin. Ou peut-être est-ce un don de ces gens-là. Toutefois les réponses sont souvent obscures. Si vous avez besoin d'aide pour déchiffrer ce que signifient les vôtres, j'offre mes services. » Ses yeux voletèrent de l'un à l'autre et Mat faillit pousser un juron. Elle ne croyait pas qu'il n'avait pas obtenu de réponses. À moins que ce ne fût là simplement le doute inhérent aux Aes Sedai.

Rand lui adressa un lent sourire. « Et me direz-vous ce que vous avez demandé et ce qu'ils ont répondu ? »

Pour toute réponse, elle lui décocha un regard scrutateur, puis se dirigea vers la porte. Une petite boule de lumière, aussi brillante qu'une lanterne, planait soudain devant elle, éclairant son chemin.

Mat savait qu'il aurait dû en rester là maintenant. Juste la laisser partir et espérer qu'elle oublie qu'il était descendu ici. Pourtant un nœud de colère brûlait encore en lui. Toutes ces choses ridicules qu'ils avaient dites. Eh bien, peut-être étaient-elles vraies, si Moiraine l'affirmait, mais il avait envie d'attraper ces gens-là au collet, ou ce qui passait pour un collet dans ces draperies, et les obliger à expliquer divers points.

« Pourquoi ne peut-on aller là-bas une seconde fois, Moiraine ? lui cria-t-il. Pourquoi pas ? » Il fut sur le point de demander aussi pourquoi le fer et les instruments de musique les inquiétaient et se mordit la langue. Comment connaîtrait-il ça s'il n'avait pas compris ce qu'ils disaient ?

Elle s'arrêta au seuil de la porte ouvrant sur le couloir – et discerner si elle contemplait le *ter'angreal* ou Rand était impossible. « Si je savais tout, Matrim, je n'aurais pas besoin de poser de questions. » Elle demeura encore un instant la tête tournée vers la salle – c'est bien Rand qu'elle dévisageait – puis s'éloigna d'une allure aérienne sans ajouter un mot.

Pendant un moment, Mat et Rand s'entreregardèrent en silence.

« As-tu découvert ce que tu voulais ? dit finalement Rand.

— Et toi ? »

Une flamme vive naquit soudain, en équilibre au-dessus de la paume de Rand. Pas la sphère au doux rayonnement de l'Aes Sedai, mais du feu brut pareil à celui d'une torche. Alors que Rand se mettait en marche pour s'en aller, Mat l'interrogea de nouveau.

« Vas-tu vraiment laisser comme ça les Blancs Manteaux agir à leur guise là-bas chez nous ? Tu sais qu'ils se dirigent vers le Champ d'Emond. S'ils n'y sont pas déjà. Des yeux jaunes, le sacré Dragon Réincarné. C'est trop, autrement.

— Perrin fera... ce qu'il a à faire pour sauver le Champ d'Emond, répliqua Rand d'une voix éteinte. Et je dois faire ce qu'il faut que je fasse, sinon c'est davantage que le Champ d'Emond qui tombera – et entre les mains de pire que celles des Blancs Manteaux. »

Mat suivit des yeux la clarté de cette flamme qui s'amenuisait dans le couloir jusqu'à ce qu'il se rappelle où il se trouvait. Alors il saisit vivement sa lampe et se hâta de sortir. *Rhuidean ! Ô Lumière, que décider ?*

16.

Adieux

Étendu sur des draps trempés de sueur, contemplant le plafond, Perrin se rendit compte que l'obscurité virait au gris. Le soleil ne tarderait pas à paraître petit à petit au-dessus de l'horizon. Le matin. Un temps pour de nouveaux espoirs ; un temps pour se lever et agir. De nouveaux espoirs. Il faillit rire. Depuis quand était-il éveillé ? Cette fois-ci, une heure ou davantage, sûrement. Il gratta sa barbe bouclée et esquissa une grimace. Son épaule meurtrie était engourdie et il se redressa avec lenteur sur son séant ; la sueur jaillit sur sa figure tandis qu'il exerçait son bras. Néanmoins, il continua méthodiquement – réprimant des gémissements et, de temps en temps, se mordant la langue pour retenir un juron – jusqu'à être en mesure de remuer son bras librement, sinon sans souffrir.

Ce qu'il avait pu engranger de sommeil avait été entrecoupé et troublé. Quand il était éveillé, il voyait le visage de Faile, avec ses yeux noirs qui l'accusaient, la peine qu'il y lisait et dont il se sentait responsable lui serrant l'estomac. Quand il dormait, il rêvait qu'il montait à l'échafaud tandis que Faile regardait ou, pire, essayait de s'y opposer, essayait de lutter contre les Blancs Manteaux avec leurs lances et leurs épées, et il hurlait pendant qu'ils ajustaient la corde autour de son cou, il hurlait parce que les Blancs Manteaux tuaient Faile. Parfois, elle les regardait le pendre avec un sourire de satisfaction coléreuse. Guère étonnant que des rêves de ce genre le réveillent en sursaut. Une fois, il avait rêvé de loups surgissant de la forêt pour les sauver tous les deux, Faile et lui – et finissant embrochés sur les lances des Blancs Manteaux, terrassés par leurs flèches. La nuit n'avait pas été reposante. Il se lava et s'habilla aussi vite qu'il en fut capable, puis il quitta la pièce comme s'il espérait laisser derrière lui les souvenirs de ses rêves.

Peu de traces apparentes demeuraient de l'attaque de la nuit, ici une tapisserie lacérée à coups d'épée, là un coffre écorné par une hache ou un emplacement plus clair sur les dalles de pierre du sol où un tapis taché de sang avait été enlevé. La majhere avait mobilisé au grand complet son armée de serviteurs en livrée, bien que nombreux fussent ceux qui portaient des pansements, pour balayer, passer la serpillière, enlever les débris et remplacer. Elle clopinait çà et là appuyée sur une canne, femme corpulente aux cheveux gris remontés comme un bonnet rond par le bandage de la blessure qu'elle avait à la tête, lançant ses ordres d'une voix ferme, avec la nette intention de faire disparaître jusqu'au dernier témoignage de cette deuxième violation de la Pierre. Elle vit Perrin et lui dédia une révérence infinitésimale. Même les Puissants Seigneurs n'en obtenaient guère plus d'elle, quand elle était en bonne santé. En dépit de tous ces nettoyages et frottages, sous l'odeur des cires, produits d'entretien et liquides de récurage, Perrin percevait encore la faible senteur du sang, nettement métallique pour le sang humain, fétide pour le sang trolloc, âcre pour le sang des Myrddraals avec sa puanteur qui lui brûlait les narines. Il serait content d'être loin d'ici.

La porte de la chambre de Loial avait presque une toise de large et plus de deux en hauteur, avec une poignée démesurée en forme de lianes entrelacées au niveau de la tête de Perrin. La Pierre avait un certain nombre de chambres d'invités réservées aux Ogiers et rarement utilisées ; la Pierre de Tear datait d'avant même l'ère des grandes œuvres ogières en pierre, mais c'était une question de prestige d'engager à son service, au moins de temps en temps, des tailleurs de pierre ogiers. Perrin frappa et au cri de « Entrez », lancé d'une voix semblable à une lente avalanche, souleva la poignée et obtempéra.

La chambre était à l'échelle de la porte dans toutes ses dimensions, pourtant Loial, debout en manches de chemise au centre du tapis orné d'un motif de feuilles, une longue pipe entre les dents, la réduisait à une taille apparemment normale. L'Ogier, dans ses hautes bottes cuissardes au bout large, était plus grand qu'un Trolloc, sinon aussi large de carrure. Sa tunique vert foncé, boutonnée jusqu'à la taille, puis s'évasant jusqu'au sommet de ses bottes comme un kilt par-dessus des chausses bouffantes, ne paraissait plus bizarre à Perrin mais un regard suffisait pour comprendre que ce n'était pas un homme ordinaire dans une pièce ordinaire. Le nez de l'Ogier était assez gros pour passer pour un groin et des sourcils telles de longues moustaches pendaient à côté d'yeux au diamètre d'une tasse à thé. Des oreilles terminées par des aigrettes pointaient à travers des cheveux noirs en broussaille qui descendaient presque jusqu'à ses épaules. Quand il sourit à la vue de Perrin sans lâcher le tuyau de sa pipe, son sourire fendit son visage en deux.

« Bonjour, Perrin, dit-il de sa voix de basse grondante en ôtant sa pipe de sa bouche. Vous avez bien dormi ? Pas facile, après une nuit pareille. Moi-même, je suis resté debout la moitié de la nuit à noter ce qui s'était passé. »

Il avait une plume dans son autre main, et des taches d'encre sur ses doigts épais comme des saucisses.

Des livres étaient posés partout, sur des sièges prévus pour accueillir des Ogiers et sur l'énorme lit ainsi que sur la table dont le plateau arrivait à la poitrine de Perrin. Ce n'était pas une surprise, mais ce qu'il y avait d'un peu étonnant était les fleurs. Des fleurs de toutes les espèces, de toutes les couleurs. Des vases de fleurs, des paniers de fleurs, des petits bouquets liés par des rubans ou même de la ficelle, des tertres de fleurs entrelacées se dressant comme des longueurs de mur de jardin. Perrin n'avait certes jamais vu cela dans une chambre. Leur parfum emplissait l'air. Pourtant, ce qui attira réellement son attention fut la bosse sur le crâne de Loial, de la taille d'un poing d'homme et la boiterie marquée dans la démarche de Loial. Si Loial avait été atteint trop gravement pour voyager... Il se sentit confus d'y penser de ce point de vue – l'Ogier était un ami – mais il y était obligé.

« Vous avez été blessé, Loial ? Moiraine pourrait vous Guérir. Je suis sûr qu'elle le fera.

— Oh, je me déplace sans peine. Et ils étaient si nombreux à avoir réellement besoin de son aide. Je ne voudrais pas la déranger. Ce n'est certes pas suffisant pour me gêner dans ma tâche. » Loial jeta un coup d'œil à la table où un grand cahier relié en toile – grand pour Perrin, mais facile à loger dans une des poches de tunique de l'Ogier – était ouvert à côté d'un encrier débouché. « J'espère que j'ai tout relaté correctement. Je n'ai pas vu grand-chose la nuit dernière avant que ce soit terminé.

— Loial, déclara Faile qui se dressa derrière un des tertres de fleurs, un livre entre les mains, est un héros. »

Perrin sursauta ; les fleurs avaient masqué complètement son odeur. Loial émit des onomatopées pour l'inciter à se taire, ses oreilles frémissant d'embarras, et agita ses grosses mains à son adresse mais elle n'en continua pas moins, la voix froide mais le regard brûlant posé sur le visage de Perrin.

« Il a rassemblé autant d'enfants qu'il a pu en trouver – et quelques-unes de leurs mères – dans une grande salle dont il a défendu à lui seul la porte contre des Trollocs et des Myrddraals pendant la durée entière du combat. Ces fleurs ont été offertes par les femmes de la Pierre, en témoignage d'estime pour son courage inébranlable et sa fidélité. » Elle donna à sa façon de prononcer « inébranlable » et « fidélité » la sonorité d'un claquement de fouet.

Perrin réussit à ne pas sourciller, mais de justesse.

Il avait agi comme le dictait le bon sens, mais impossible de s'attendre à ce que Faile le comprenne. Même si elle savait pourquoi, elle ne le comprendrait pas. *C'était la bonne conduite à tenir. Sans aucun doute.* Il aurait seulement aimé avoir meilleure conscience en la circonstance. Avoir raison et se sentir quand même dans son tort n'était vraiment pas équitable.

« Ce n'était rien. » Les oreilles de Loial s'agitaient fébrilement. « Simplement, les enfants ne pouvaient pas se défendre eux-mêmes. Voilà tout. Pas un héros. Non.

— Allons donc. » Faile marqua d'un doigt l'endroit du livre où elle en était et se rapprocha de l'Ogier. Elle n'arrivait pas à hauteur de sa poitrine. « Il n'y a pas une femme dans la Pierre qui ne vous épouserait, si vous étiez humain, et quelques-unes y seraient prêtes de toute façon. Loial le bien-nommé, car votre nature est loyauté. N'importe quelle femme aimerait cela. »

Les oreilles de l'Ogier se raidirent sous le choc, et Perrin sourit. Elle avait manifestement passé la matinée à abreuver Loial de compliments et de flatteries avec l'espoir que l'Ogier accepterait de l'emmener quoi qu'en dise Perrin mais, en essayant de l'asticoter, lui Perrin, elle venait sans s'en rendre compte de servir à Loial du gravier. « Avez-vous eu des nouvelles de votre mère, Loial ? demanda-t-il.

— Non. » Loial parvint à avoir l'air en même temps soulagé et inquiet. « Mais j'ai vu Laefar dans la ville hier. Il a été aussi surpris de me voir que moi de le voir, lui ; nous sommes plutôt rares dans Tear. Il venait du *Stedding* Shangtai pour négocier des réparations sur des travaux d'Ogiers en pierre dans un des palais. Je suis sûr que les premiers mots qui lui sortiront de la bouche quand il retournera au *Stedding* seront "Loial est à Tear".

— C'est ennuyeux », commenta Perrin, et Loial hocha tristement la tête.

« Laefar a annoncé que les Anciens m'ont déclaré fugitif et que ma mère a promis de me marier et de m'établir. Elle a même choisi quelqu'un. Laefar ne connaissait pas qui. Du moins, c'est ce qu'il a dit. Il trouve cela drôle. Elle pourrait être ici dans un mois. »

La figure de Faile était une image de l'embarras qui redonna presque à Perrin l'envie de sourire. Elle estimait qu'elle était bien plus que lui au fait de ce qui se passait dans le monde – d'accord, elle l'était, en vérité – mais elle n'était pas au courant pour Loial. Le *Stedding* Shangtai était le lieu de naissance de Loial, dans l'Échine du Monde, et comme il venait juste d'avoir quatre-vingt-dix ans il n'était pas assez âgé pour être parti seul de chez lui. Les Ogiers vivaient très longtemps ; selon leurs critères, Loial n'était pas plus vieux que Perrin, peut-être même plus jeune. Pourtant Loial était parti explorer le monde et sa plus grande peur était que sa mère le trouve et le ramène de force au *Stedding* pour qu'il se marie et n'en sorte plus jamais.

Tandis que Faile s'efforçait de comprendre la situation, Perrin profita du silence. « J'ai besoin de retourner aux Deux Rivières, Loial. Votre mère ne vous découvrira pas là-bas.

— Oui. C'est vrai. » L'Ogier eut un haussement

d'épaules gêné. « Mais mon livre. L'histoire de Rand. Et la vôtre, et celle de Mat. J'ai déjà une belle quantité de notes, seulement... » Il contourna la table et regarda le cahier ouvert, les pages remplies de son écriture bien lisible. « Je veux être celui qui écrira la véritable histoire du Dragon Réincarné, Perrin. Le seul livre par quelqu'un qui a voyagé avec lui, qui a effectivement vu se dérouler les événements. *Le Dragon Réincarné* par Loial fils d'Arent fils de Halan, du *Stedding* Shangtai. » Fronçant les sourcils, il se pencha sur le cahier, plongea sa plume dans l'encrier. « Voilà qui n'est pas tout à fait exact. C'était plus... »

Perrin posa la main sur la page où Loial s'apprêtait à écrire. « Vous ne rédigerez pas de livre si votre mère vous trouve. Pas au sujet de Rand, en tout cas. Et j'ai besoin de vous, Loial.

— Besoin, Perrin ? Je ne comprends pas.

— Des Blancs Manteaux sont dans les Deux Rivières. À ma recherche.

À votre recherche ? Mais pourquoi ? » Loial semblait presque aussi interloqué que Faile un moment auparavant. Par contre, cette dernière arborait à présent un air de suffisance triomphante qui était inquiétant. Perrin n'en continua pas moins :

« Peu importe les raisons. Le fait est qu'ils sont à ma poursuite. Ils pourraient mettre à mal des gens, ma famille, en me cherchant. Étant donné ce que sont les Blancs Manteaux, c'est ce qui se passera. J'ai une chance de l'empêcher si j'arrive là-bas rapidement, mais il faut aller vite. La Lumière seule connaît ce à quoi ils se sont déjà livrés. J'ai besoin que vous m'emmeniez là-bas, Loial, par les Voies. Vous m'avez raconté un jour qu'une Porte des Voies existait ici et je sais qu'il y en a une à Manetheren. Elle doit être encore là-bas, dans les montagnes au-dessus du Champ d'Edmond. Une Porte des Voies est indestructible, vous l'avez dit. J'ai besoin de vous, Loial.

— Eh bien, naturellement, mon aide est acquise, répondit Loial. Les Voies. » Il se vida les poumons dans un souffle bruyant et ses oreilles s'affaissèrent légèrement. « J'ai envie de décrire des aventures, pas de les vivre. Bah, je suppose qu'une fois de plus ne sera pas mortelle. Que la Lumière l'accorde », conclut-il avec ferveur.

Faile s'éclaircit la gorge discrètement. « N'oubliez-vous pas quelque chose, Loial ? Vous avez promis de me conduire dans les Voies quand je le demanderais et avant que vous y emmeniez qui que ce soit d'autre.

— J'ai promis un coup d'œil à une Porte des Voies, répliqua Loial, et à ce qu'il y a derrière. Vous l'aurez quand Perrin et moi partirons. Vous pourriez nous accompagner, je l'admets, mais voyager dans les Voies n'est pas une partie de plaisir. Faile. Je n'y pénétrerais pas moi-même si Perrin n'en avait besoin.

— Faile ne viendra pas, dit Perrin d'un ton ferme. Rien que vous et moi, Loial. »

Sans tenir compte de lui, Faile sourit à Loial comme s'il la taquinait : « Vous avez promis davantage qu'un coup d'œil, Loial. De m'emmener où je voulais, quand je le voulais et avant n'importe qui d'autre. Vous l'avez juré.

— Je l'ai juré, protesta Loial, mais seulement parce

que vous avez refusé de croire que je vous les montrerais. Vous aviez dit que vous le croiriez seulement si je jurais. J'accomplirai ma promesse, mais, voyons, vous n'allez pas imposer de passer en priorité devant la mission urgente de Perrin.

— Vous avez juré, répliqua calmement Faile. Par votre mère, et la mère de votre mère, et la mère de la mère de votre mère.

— Oui, d'accord, Faile, mais Perrin...

— Vous avez juré, Loial. Avez-vous l'intention d'enfreindre votre serment ? »

L'Ogier sembla incarner toute la détresse du monde. Ses épaules s'affaissèrent et ses oreilles s'affalèrent, les coins de sa large bouche tombèrent et l'extrémité de ses longs sourcils traîna sur ses joues.

« Elle vous a dupé, Loial. » Perrin se demanda s'ils pouvaient entendre ses dents grincer. « Elle vous a abusé délibérément. »

Du rouge était monté aux joues de Faile, mais elle eut encore l'audace de déclarer : « Seulement parce que j'y étais obligée, Loial. Seulement parce qu'un homme stupide croit pouvoir diriger ma vie comme cela lui plaît. Je ne me le serais pas permis, sans cela. Croyez-moi.

— Cela ne change-t-il pas la situation qu'elle vous ait dupé ? » questionna Perrin avec insistance, et Loial secoua tristement sa tête massive.

« Les Ogiers tiennent parole, déclara Faile, et Loial va me conduire aux Deux Rivières. Ou, au moins, à la Porte des Voies de Manetheren. J'ai envie de voir les Deux Rivières. »

481

Loial se redressa d'un coup. « Mais cela implique que je peux aider Perrin quand même. Faile, pourquoi avez-vous déterré cette histoire-là ? Même Laefar ne trouverait pas cela drôle. » Il y avait un accent de colère dans sa voix ; il en fallait beaucoup pour mettre un Ogier en colère.

« S'il le demande, répliqua-t-elle résolument. C'était une des conditions, Loial. Personne sauf vous et moi, à moins qu'on me le demande. Il doit me le demander.

— Non, riposta Perrin à Faile alors que Loial en était encore à ouvrir la bouche. Non, je ne le demanderai pas. Je me rendrai plutôt d'abord à cheval au Champ d'Edmond ! J'irai à pied ! Alors mieux vaudrait que tu renonces à cette stupidité. User de ruse envers Loial. Essayer de t'introduire de force là où... où l'on ne veut pas de toi. »

Le calme de Faile disparut devant une vague de rage. « Et d'ici que tu arrives là-bas, Loial et moi nous en aurons fini avec les Blancs Manteaux. Tout sera terminé. Demande, espèce de forgeron à la tête dure comme une enclume. Tu n'as qu'à demander et tu pourras venir avec nous. »

Perrin se ressaisit. Aucune discussion n'amènerait Faile à changer d'avis et à se ranger à sa façon de penser, mais il se refusait à demander. Elle avait raison – cela lui prendrait des semaines pour gagner les Deux Rivières avec son cheval ; ils pouvaient y être en deux jours, peut-être, par les Voies – mais il ne demanderait rien. *Pas après qu'elle a dupé Loial et tenté de me forcer la main !* « Alors j'emprunterai seul les Voies

482

jusqu'à Manetheren. Je vous suivrai, vous deux. Si je reste assez loin en arrière pour ne pas compter comme membre de votre expédition, je n'enfreindrai pas le serment de Loial. Tu ne peux pas m'empêcher de suivre.

— C'est dangereux, Perrin, commenta Loial d'un ton soucieux. Les Voies sont obscures. Si vous manquez un tournant ou vous engagez par malchance sur le mauvais pont, vous risquez de vous perdre à jamais. Ou jusqu'à ce que le *Machin Shin* vous attrape. Demandez-lui, Perrin. Elle a dit que vous pouvez venir si vous le faites. Demandez-lui. »

La voix de basse de l'Ogier avait tremblé en prononçant le nom du *Machin Shin* et un frisson avait parcouru l'échine de Perrin, aussi. Le *Machin Shin*. Le Vent Noir. Même les Aes Sedai ne savaient pas si c'était une engeance de l'Ombre ou quelque chose qui était né de la corruption des Voies. Le *Machin Shin* était la raison pour laquelle emprunter les Voies impliquait un risque de mort ; voilà ce que disaient les Aes Sedai. Le Vent Noir dévorait les âmes ; cela, Perrin avait la certitude que c'était vrai. Néanmoins il garda une voix ferme et un visage impassible. *Que je sois brûlé si je laisse croire à Faile que je faiblis.* « Je ne peux pas, Loial. Ou, en tout cas, je ne le veux pas. »

Loial esquissa une grimace. « Faile, ce sera dangereux pour lui d'essayer de nous suivre. Je vous en prie, revenez sur votre décision et laissez-le... »

Elle lui coupa sèchement la parole. « Non. S'il est trop obstiné pour demander, pourquoi le ferais-je ? Pourquoi même cela m'importerait-il qu'il se perde ? »

Elle se tourna vers Perrin. « Tu peux voyager à peu de distance de nous. Aussi près que tu en as besoin pour autant qu'il sera clair que tu suis. Tu te traîneras derrière moi comme un chiot jusqu'à ce que tu demandes. Pourquoi ne veux-tu pas simplement demander ?

— Quels entêtés, ces humains, marmonna l'Ogier. Emportés et tenaces, même quand la hâte vous précipite dans un guêpier.

— J'aimerais partir aujourd'hui, Loial, dit Perrin sans un regard à Faile.

— Mieux vaut partir vite, acquiesça Loial avec un regard de regret au cahier sur la table. Je peux mettre mes notes en ordre pendant le voyage, je suppose. La Lumière sait ce que je vais manquer, à être loin de Rand.

— Est-ce que tu m'as entendue, Perrin ? questionna impérieusement Faile.

— Je vais chercher mon cheval et quelques provisions, Loial. Nous pouvons être en route au milieu de la matinée.

— Que tu sois réduit en braises, Perrin Aybara, réponds-moi ! »

Loial la regarda avec inquiétude. « Perrin, êtes-vous sûr que vous ne pourriez pas...

— Non, l'interrompit Perrin gentiment. Elle est entêtée et elle aime jouer des tours. Je ne veux pas danser pour lui prêter à rire. » Il feignit de ne pas entendre le grondement jailli du fond de la gorge de Faile, tel le feulement d'un chat observant un chien inconnu et prêt à l'attaquer. « Je vous préviendrai dès que je serai prêt. » Il se dirigea vers la porte, et elle lui cria comme une furie :

« "Quand" est ma décision, Perrin Aybara. La mienne et celle de Loial. Tu m'entends ? Tâche plutôt d'être prêt dans deux heures ou nous te laisserons en plan. Si tu viens, rejoins-nous à l'écurie de la Porte du Dragon. Tu m'entends ? »

Il eut conscience qu'elle bougeait et referma la porte sur lui juste au moment où quelque chose de lourd la heurtait avec un bruit sourd. Loial la tancerait de la belle manière à cause de cela. Mieux valait taper sur la tête de Loial que d'abîmer un de ses livres.

Pendant un instant, il resta adossé à la porte, le désespoir au cœur. Tous ses efforts, tout ce qu'il avait enduré pour inciter Faile à le détester et elle se trouverait quand même là-bas pour le voir mourir. Ce qu'il pouvait se dire de plus réconfortant, c'est qu'à présent elle s'en réjouirait peut-être. *Quelle femme inflexible, têtue comme une mule !*

Quand il se détourna pour partir, un des Aiels approchait, un homme de haute taille à la chevelure aux reflets roux et aux yeux verts qui aurait pu être un cousin plus âgé de Rand, ou un jeune oncle. Il connaissait cet homme et éprouvait de la sympathie pour lui, ne serait-ce que parce que Gaul n'avait même jamais eu l'air de remarquer ses yeux dorés. « Puissiez-vous trouver de l'ombre ce matin, Perrin. La majhere m'a dit que vous étiez venu par ici et pourtant je pense qu'elle grillait d'envie de me fourrer un balai dans les mains. Aussi dure qu'une Sagette, cette femme.

— Puissiez-vous trouver de l'ombre ce matin,

Gaul. Les femmes sont toutes têtues si vous voulez mon avis.

— Peut-être, quand on ignore comment les circonvenir. J'ai appris que vous vous rendez aux Deux Rivières.

— Par la Lumière ! grommela Perrin avant que l'Aiel ait eu le temps d'en dire plus. Est-ce que la Pierre entière est au courant ? » Si Moiraine savait...

Gaul secoua la tête. « Rand al'Thor m'a pris à part pour m'en parler, en me demandant de n'en rien dire à personne. Je pense qu'il a parlé à d'autres, aussi, mais je ne connais pas le nombre de ceux qui voudront venir avec vous. Nous sommes de ce côté-ci du Rempart du Dragon depuis longtemps, et beaucoup se languissent après la Terre Triple.

— Venir avec moi ? » Perrin était abasourdi. S'il avait des Aiels avec lui... cela ouvrait des possibilités qu'il n'avait pas osé envisager auparavant. « Rand vous a demandé de m'accompagner ? Aux Deux Rivières ? »

Gaul secoua de nouveau la tête. « Il a dit seulement que vous partiez et que des hommes pourraient tenter de vous tuer. Toutefois, j'ai l'intention de vous accompagner, si vous voulez bien de moi.

— Si je veux ? » Perrin faillit rire. « Oui, je le veux. Nous serons dans les Voies d'ici quelques heures.

— Les Voies ? » L'expression de Gaul ne changea pas, mais il cligna des paupières.

« Cela fait-il une différence ?

— Mourir est le lot de tous les hommes, Perrin. » La réponse n'était guère réconfortante.

« Je ne peux pas croire Rand cruel à ce point-là », commenta Egwene, et Nynaeve ajouta : « Au moins n'a-t-il pas essayé de vous empêcher de partir. » Assises sur le lit de Nynaeve, elles achevaient la répartition de l'or que Moiraine avait fourni. Quatre bourses renflées par personne à transporter dans des poches cousues sous les jupes d'Élayne et de Nynaeve, et une aumônière chacune, pas aussi grosse pour ne pas attirer des attentions indésirables, à mettre à la ceinture. Egwene en avait pris une quantité plus réduite, puisqu'il y avait moins d'occasions d'avoir besoin d'or dans le Désert.

Élayne regarda en fronçant les sourcils les deux paquets soigneusement ficelés et l'écritoire de cuir posés à côté de la porte. Ils contenaient tous ses vêtements et d'autres choses. Couteau et fourchette dans leur gaine, brosse à cheveux et peigne, épingles, fil, dé à coudre, ciseaux. Un briquet à silex et un deuxième poignard plus petit que celui passé à sa ceinture. Du savon et du talc et du... C'était ridicule de vérifier encore une fois la liste. L'anneau de pierre d'Egwene était en sûreté dans son aumônière. Elle était prête à partir. Rien ne la retenait plus.

« Non, il n'a pas essayé. » Élayne était fière de son ton calme plein de sang-froid. *Il paraissait presque soulagé ! Soulagé ! Et j'ai dû lui donner cette lettre, où j'ouvrais mon cœur comme une espèce d'imbécile aveugle. Au moins ne l'ouvrira-t-il pas avant mon départ.* Elle sursauta au contact de la main de Nynaeve sur son épaule.

« Souhaitiez-vous qu'il vous demande de rester ?

Vous savez quelle aurait été votre réponse. Vous le savez, n'est-ce pas ? »

Élayne serra les lèvres. « Bien sûr que je le sais, mais il n'avait pas à en avoir l'air content. » Elle n'avait pas eu l'intention de dire cela.

Nynaeve lui adressa un regard compréhensif. « Les hommes sont déconcertants, au mieux.

— Je ne peux toujours pas croire qu'il soit si... si... » commença à murmurer Egwene avec humeur. Élayne n'apprit jamais ce qu'elle voulait dire car, à ce moment, la porte s'ouvrit avec une telle violence qu'elle rebondit contre le mur.

Élayne embrassa la *Saidar* avant d'avoir fini de tressaillir, puis éprouva un instant d'embarras quand le battant en rebondissant revint claquer contre la main ouverte de Lan. Un instant encore et elle décida de rester un peu plus longtemps en contact avec la Source. Le Lige bloquait le seuil avec ses larges épaules, son expression annonçant un orage ; si ses yeux bleus avaient pu réellement lancer les éclairs qu'ils avaient l'air de contenir, ils auraient foudroyé Nynaeve. L'aura de la *Saidar* entourait aussi Egwene et ne s'effaça pas.

Lan ne parut voir personne en dehors de Nynaeve. « Vous m'avez laissé croire que vous retourniez à Tar Valon, lui dit-il d'une voix âpre.

— Vous l'avez peut-être cru, dit-elle tranquillement, mais je ne l'ai jamais dit.

— Jamais dit ? Jamais dit ! Vous avez parlé de partir aujourd'hui et toujours relié votre départ avec celui de ces Amies du Ténébreux qu'on envoie à Tar Valon. Toujours ! Qu'est-ce que vous vouliez que je pense ?

— Mais je n'ai jamais dit...

— Par la Lumière, femme ! s'exclama-t-il d'une voix tonnante. Ne jouez pas sur les mots avec moi ! »

Élayne échangea avec Egwene un coup d'œil soucieux. Cet homme avait des nerfs d'acier, mais il se trouvait maintenant à bout. Nynaeve était quelqu'un qui lâchait souvent largement la bride à ses émotions, pourtant elle l'affrontait froidement, tête haute et regard serein, les mains immobiles sur sa jupe en soie verte.

Lan se maîtrisa avec un effort visible. Il avait son visage de pierre habituel, son sang-froid imperturbable – et Élayne était sûre que c'était seulement en surface. « Je n'aurais pas su vers quelle destination vous partiez si je n'avais pas entendu dire que vous aviez commandé une voiture. Pour vous conduire à un bateau allant à Tanchico. J'ignore pourquoi l'Amyrlin vous a permis de quitter la Tour, pour commencer, ou pourquoi Moiraine vous a chargées d'interroger des Sœurs Noires, mais vous trois êtes des Acceptées. Des Acceptées, pas des Aes Sedai. Tanchico, d'autre part, n'est un endroit pour personne d'autre qu'une Aes Sedai confirmée avec un Lige pour garder ses arrières. Je ne vous laisserai pas vous engager là-dedans !

— Tiens, répliqua Nynaeve d'un ton léger. Vous remettez en question les décisions de Moiraine, aussi bien que celles de l'Amyrlin. Peut-être me suis-je méprise sur les Liges depuis le début. Je croyais que vous aviez juré d'accepter et d'obéir, entre autres. Lan, je comprends fort bien votre inquiétude et j'en suis reconnaissante – plus que reconnaissante – mais nous avons tous des tâches à accomplir. Nous partons ; vous devez vous résigner à ce fait.

— Pourquoi ? Pour l'amour de la Lumière, expliquez-moi au moins pourquoi ! Tanchico !

— Si Moiraine ne vous a pas prévenu, déclara avec douceur Nynaeve, peut-être a-t-elle ses raisons. Nous devons nous acquitter de notre mission comme vous des vôtres. »

Lan frissonna – frissonna visiblement ! – et serra les dents avec colère. Quand il reprit la parole, ce fut d'une façon étrangement hésitante. « Vous aurez besoin de quelqu'un pour vous aider dans Tanchico. Quelqu'un pour empêcher un de ces voleurs des rues du Tarabon de vous enfoncer un couteau dans le dos pour se saisir de votre escarcelle. Tanchico était cette sorte de ville avant que la guerre commence et tout ce que j'ai entendu dire confirme que c'est pire maintenant. Je pourrais... je pourrais vous protéger, Nynaeve. »

Les sourcils d'Élayne se haussèrent d'un coup. Il ne suggérait pas... Impossible qu'il...

Nynaeve ne témoigna en rien qu'il avait prononcé des paroles extraordinaires. « Votre place est auprès de Moiraine.

— Moiraine. » De la sueur perlait sur le visage du Lige et il chercha ses mots. « Je peux... je dois... Nynaeve, je... je...

— Vous allez rester avec Moiraine, rétorqua sèchement Nynaeve, jusqu'à ce qu'elle vous relève de votre serment. Faites ce que je dis. » Tirant de son escarcelle un papier soigneusement plié, elle le lui fourra dans les mains. Il fronça les sourcils, lut, cligna des paupières et relut.

Élayne en connaissait le contenu.

Ce que le porteur fait est fait sur mon ordre et par mon autorité.
Obéissez et observez le silence, telle est ma volonté.

> Siuan Sanche
> Gardienne des Sceaux
> Flamme de Tar Valon
> Trône d'Amyrlin

L'autre papier semblable reposait dans l'escarcelle d'Egwene, bien qu'aucune d'entre elles ne fût sûre qu'il servirait à quoi que ce soit là où elle se rendait.

« Mais cela vous autorise à agir n'importe comment à votre gré, protesta Lan. Vous pouvez parler au nom de l'Amyrlin. Pourquoi donnerait-elle cela à une Acceptée ?

— Ne posez pas de questions auxquelles je ne suis pas en mesure de répondre », répliqua Nynaeve, qui ajouta avec une ombre de sourire : « Estimez-vous heureux que je ne vous ordonne pas de danser pour moi. »

Élayne réprima son propre sourire. Egwene émit un bruit étranglé de rire rentré. C'est ce que Nynaeve avait dit quand l'Amyrlin leur avait donné ces lettres, la première fois. *Avec ça, je pourrais faire danser un*

Lige. Aucune d'elles n'avait eu de doute sur l'identité du Lige auquel elle pensait.

« Vraiment ? Vous vous débarrassez de moi avec beaucoup d'adresse. Mon engagement de Lige, et mes serments. Cette lettre. » Lan avait dans le regard une lueur menaçante dont Nynaeve ne sembla pas s'apercevoir tandis qu'elle reprenait la lettre et la rangeait de nouveau dans l'escarcelle pendue à sa ceinture.

« Vous êtes plein de vous-même, al'Lan Mandragoran. Nous agissons comme nous le devons, comme vous agirez.

— Plein de moi-même, Nynaeve al'Meara ? Moi, j'ai une haute opinion de moi-même ? » Lan se dirigea si vite vers Nynaeve qu'Élayne faillit instinctivement le lier dans des flots d'Air. Un instant, Nynaeve était debout là, avec juste le temps de regarder bouche bée l'homme de haute taille qui fonçait sur elle ; le suivant, ses souliers pendaient à douze pouces du sol et elle était embrassée de la belle manière. Au début, elle lui lança des coups de pied dans les tibias et le martela avec ses poings en émettant de fébriles sons de protestations furieuses, mais ses coups de pied ralentirent et s'interrompirent, puis elle se cramponna à ses épaules et ne protesta plus du tout.

Egwene baissa les yeux, gênée, mais Élayne regarda avec intérêt. Était-ce cet air-là qu'elle avait quand Rand... *Non, je ne veux pas penser à lui.* Elle se demanda si elle avait le temps de lui écrire une autre lettre, retirant entièrement ce qu'elle avait dit dans la première et lui intimant qu'elle n'était pas du genre à être traitée à la légère. Mais en avait-elle envie ?

Au bout d'un moment, Lan remit Nynaeve sur ses pieds. Elle oscilla légèrement en rajustant sa robe et en tapotant d'un geste furieux sa coiffure. « Vous n'avez pas le droit... », dit-elle d'une voix haletante, puis elle s'interrompit pour avaler sa salive. « Je refuse d'être malmenée de cette façon à la vue du monde entier. Je ne veux pas !

— Pas le monde entier, corrigea-t-il, mais puisqu'elles voient, elles peuvent aussi bien entendre. Vous vous êtes implantée dans mon cœur où je pensais qu'il n'y avait place pour rien d'autre. Vous avez fait pousser des fleurs où je cultivais de la poussière et des cailloux. Rappelez-vous ceci, pendant ce voyage que vous insistez pour entreprendre. Si vous mourez, je ne vous survivrai pas longtemps. » Il adressa à Nynaeve un de ses rares sourires. Ce sourire n'adoucit pas particulièrement son visage, mais du moins le rendit-il moins sévère. « Et souvenez-vous-en également, je ne me laisse pas toujours manipuler avec autant de docilité, même avec des lettres de l'Amyrlin. » Il exécuta un salut élégant ; pendant une seconde, Élayne crut qu'il allait mettre un genou en terre et baiser l'anneau du Grand Serpent de Nynaeve. « Puisque vous l'ordonnez, murmura-t-il, j'obéis donc. » L'entendait-il comme une plaisanterie ou non n'était pas facile à discerner.

Dès que la porte fut refermée derrière lui, Nynaeve s'affaissa sur le bord de son lit comme si elle permettait enfin à ses genoux de se dérober. Elle contemplait la porte d'un air soucieux et pensif.

« *Taquinez trop souvent du bout d'un bâton le chien le plus doux et il mordra*, cita Élayne. Non pas que

Lan soit très doux. » Elle obtint de Nynaeve un coup d'œil brusque et un reniflement.

« Il est intolérable, commenta Egwene. Oui, quelquefois. Nynaeve, pourquoi avez-vous agi comme ça ? Il était prêt à vous accompagner. Je sais que vous ne souhaitez rien tant que de le séparer de Moiraine. Ne le niez pas. »

Nynaeve n'essaya pas. Au lieu de cela, elle s'affaira à arranger sa robe et lissa le couvre-pieds sur le lit. « Pas comme ça, finit-elle par dire. J'entends qu'il soit à moi. Tout entier. Je ne veux pas qu'il garde le souvenir d'avoir manqué à son serment envers Moiraine. Je ne veux pas qu'il y ait cela entre nous. Pour lui aussi bien que pour moi.

— Mais sera-ce différent si vous l'amenez à demander à Moiraine de le relever de son engagement ? questionna Egwene. Lan est le genre d'homme à considérer que c'est pratiquement du pareil au même. La seule solution qui reste est d'obtenir d'une manière ou d'une autre que ce soit elle qui, de son plein gré, lui rende sa liberté. Comment pouvez-vous y parvenir ?

— Je ne sais pas. » Nynaeve raffermit sa voix. « Cependant ce qui doit être fait peut l'être. Il y a toujours un moyen. Ce sera pour une autre fois. Il reste du travail et nous sommes assises là à nous tourmenter pour des hommes. Es-tu sûre que tu as la totalité de ce qui t'est nécessaire pour le Désert, Egwene ?

— Aviendha termine les préparatifs, répondit Egwene. Elle est toujours chagrinée, mais elle pense que nous pouvons arriver à Rhuidean dans guère plus d'un mois, si nous avons de la chance. Vous serez à Tanchico d'ici là.

— Peut-être plus tôt, lui dit Élayne, si ce qu'on raconte sur les rakeurs du Peuple de la Mer est vrai. Tu seras prudente, Egwene ? Même avec Aviendha pour guide, le Désert n'est sûrement pas un lieu de tout repos.

— Promis. Sois prudente. Soyez prudentes, toutes les deux. Tanchico n'est guère plus sûr que le Désert, à présent. »

Subitement, les voilà qui s'étreignent, répétant les conseils de prudence, s'assurant qu'elles se rappelaient avec exactitude, les unes et les autres, la méthode pour se retrouver dans la Pierre du *Tel'aran'rhiod*.

Élayne essuya les larmes sur ses joues. « Heureusement que Lan est parti. » Elle eut un rire tremblant. « Il nous aurait jugées toutes ridicules.

— Non, certainement pas, répliqua Nynaeve en soulevant sa jupe pour loger une bourse d'or dans la poche prévue à cet effet. Il a beau être un homme, il n'est pas complètement stupide. »

Entre ce moment-ci et l'arrivée de la voiture, il y avait probablement le temps de dénicher du papier et une plume, décida Élayne. Elle s'arrangerait pour le prendre, ce temps. Nynaeve voyait juste. Les hommes avaient besoin d'être tenus d'une main ferme. Rand découvrirait que l'on ne se débarrassait pas d'elle si aisément. Et il ne trouverait pas facile de s'insinuer de nouveau dans ses bonnes grâces.

17.

Tromperies

Ménageant sa jambe droite ankylosée, Thom s'inclina dans un envol de sa cape de ménestrel qui fit palpiter les pièces multicolores cousues dessus. Il avait comme du sable dans les yeux, mais il se força à parler d'un ton allègre. « Bonne matinée à vous. » En se redressant, il lissa dans un geste majestueux du poing ses longues moustaches blanches.

Les serviteurs en livrée noir et or furent surpris. Les deux jeunes gens musclés abandonnèrent le coffre de laque rouge clouté d'or au couvercle fracassé qu'ils s'apprêtaient à soulever et les trois femmes immobilisèrent devant elles balais et serpillières. Par ici, le couloir était désert en dehors d'eux et le moindre prétexte pour interrompre leur labeur était bon, surtout à pareille heure. Ils semblaient aussi épuisés que Thom, les épaules affaissées et des cernes sous les yeux.

« Bonne matinée à vous, ménestrel », répondit la plus âgée. Un peu boulotte et plutôt quelconque de visage peut-être, elle eut un sourire affable, malgré sa lassitude. « En quoi pouvons-nous vous rendre service ? »

Thom extirpa d'une ample manche de tunique quatre balles de couleur et commença à jongler.

« Je vais juste de-ci de-là pour tenter d'égayer les esprits. Un ménestrel doit accomplir ce qu'il peut. » Il aurait pu utiliser plus de quatre balles, mais il était assez fatigué pour que même ainsi ce soit un effort de concentration. Depuis combien de temps avait-il failli ne pas rattraper une cinquième balle ? Deux heures ? Il étouffa un bâillement, le transforma en un sourire rassurant. « Une nuit terrible et les esprits ont besoin d'être réconfortés.

— Le Seigneur Dragon nous a sauvés », dit une des plus jeunes femmes. Elle était svelte et jolie, mais avec une lueur prédatrice dans ses yeux noirs ombragés qui l'avertit de modérer son sourire. Certes, elle pouvait être utile si elle était à la fois avide et honnête, autrement dit si elle restait achetée une fois qu'il l'aurait payée. C'est toujours bon d'avoir une autre paire de mains pour glisser en bonne place un billet, une langue qui lui rapporte ce qui a été entendu et qui dise ce qu'il veut là où il le veut. *Vieux fou ! Tu as assez de mains et d'oreilles, alors cesse de penser à une belle poitrine et rappelle-toi l'expression de ses yeux !* Ce qu'il y avait d'intéressant, c'est qu'elle semblait penser ce qu'elle disait et l'un des jeunes gens avait corroboré ses paroles d'un hochement de tête.

« Oui, reprit Thom. Je me demande quel Puissant Seigneur avait en charge les docks hier ? » Il manqua de peu embrouiller la course des balles dans son irritation contre lui-même. Amener ça tout de go de cette façon. Il était trop fatigué ; il aurait dû être dans son lit. Il aurait dû y être depuis des heures.

« Les docks sont la responsabilité des Défenseurs,

lui rappela la plus âgée des servantes. Vous n'êtes pas au courant de ça, bien sûr. Les Puissants Seigneurs ne s'y intéressent pas. »

Thom le savait parfaitement. « Vraiment ? Ah bah, c'est que je ne suis pas de Tear. » Il changea la ronde des balles d'un simple cercle en une double boucle ; cela paraissait plus difficile qu'en réalité, et la jeune femme à l'œil de prédateur applaudit. Maintenant qu'il s'était lancé là-dedans, autant qu'il continue. Après, cependant, il déclarerait la nuit terminée. La nuit ? Le soleil se levait déjà. « N'empêche, c'est dommage que personne n'ait demandé pourquoi ces barges étaient ancrées aux docks. Avec leurs panneaux d'écoutille fermés, cachant tous ces Trollocs. Non pas que je prétende que quelqu'un savait que les Trollocs s'y trouvaient. » La double boucle vacilla et il revint rapidement au cercle. Par la Lumière, il n'en pouvait plus. « On aurait pu penser qu'un des Puissants Seigneurs s'en serait inquiété, tout de même. »

Les deux jeunes gens s'entre-regardèrent en fronçant pensivement les sourcils, et Thom sourit à part soi. Une autre graine plantée, pas plus difficilement que ça, encore que maladroitement. Une autre rumeur mise en circulation, bien qu'ils sachent pertinemment qui était en charge des docks. Et les rumeurs se propageaient – une rumeur comme celle-ci ne s'arrêterait pas aux portes de la cité – alors il y aurait donc un autre petit coin de suspicion enfoncé entre les gens du commun et les nobles. Vers qui les gens du peuple se tourneraient-ils sinon vers l'homme qu'ils savaient haï par les nobles ? L'homme qui avait sauvé la Pierre de l'Engeance de l'Ombre. Rand al'Thor. Le Seigneur Dragon.

C'était temps de laisser ce qu'il avait semé. Si les racines s'étaient enfoncées ici, rien de ce qu'il dirait maintenant ne les arracherait, et il avait répandu d'autres graines cette nuit. Par contre, il ne faudrait pas que l'on découvre qu'il était celui se chargeant des semis. « Ils se sont battus bravement hier soir, ces Puissants Seigneurs. Tenez, j'ai vu... » Il laissa sa voix s'éteindre tandis que les femmes recommençaient précipitamment leur nettoyage et que les jeunes gens empoignaient le coffre et s'éloignaient en hâte.

« Je peux trouver aussi du travail pour les ménestrels, dit la voix de la majhere derrière lui. Des mains oisives sont des mains oisives. »

Il se retourna avec élégance, étant donné la raideur de sa jambe, et lui dédia un profond salut. Le haut de la tête de la majhere lui arrivait au-dessous de l'épaule, mais elle pesait probablement moitié plus que lui. Elle avait une face d'enclume – pas embellie par le bandage ceignant ses tempes – un double menton et des yeux profondément enfoncés pareils à des éclats de silex noir. « Bonne matinée à vous, gracieuse dame. Un petit témoignage de ce beau jour nouveau. »

Il gesticula en agitant les mains et planta une corolle en forme de soleil jaune d'or, juste un peu froissée en raison du temps passé dans sa manche, au milieu des cheveux gris au-dessus du pansement. Elle arracha aussitôt la fleur de ses cheveux, naturellement, et la considéra avec suspicion, mais c'était exactement ce qu'il souhaitait. Il allongea trois enjambées boitillantes dans le moment d'hésitation qu'elle eut et, quand elle cria quelque chose derrière lui, il n'écouta pas ni ne ralentit l'allure.

Quelle horrible femme, songea-t-il. *Si nous l'avions lâchée sur les Trollocs, elle les aurait tous contraints à balayer et à manier la serpillière.*

Il bâilla derrière sa main, à s'en faire craquer les mâchoires. Il était trop vieux pour ça. Il était fatigué et son genou était un nœud de douleur. Des nuits sans sommeil, des batailles, des manœuvres secrètes. Trop vieux. Il devrait vivre tranquillement dans une ferme quelque part. Avec des poules. Les fermes avaient toujours des poules. Et des moutons. S'en occuper ne devait pas être difficile ; les bergers semblaient tout le temps en train de flâner et de jouer de la cornemuse. Il jouerait de la harpe, bien sûr, pas de la cornemuse. Ou de la flûte ; les intempéries ne valent rien pour les harpes. Et il y aurait une ville à proximité, avec une auberge où il pourrait ébahir les clients dans la salle commune. Il agita sa cape pour qu'elle ondule en passant près de deux serviteurs. La seule raison de la porter par cette chaleur était de notifier aux gens qu'il était un ménestrel. Ils s'animèrent en le voyant, bien sûr, espérant qu'il s'arrêterait un moment pour les distraire. Très gratifiant. Oui, une ferme avait ses avantages. Un endroit tranquille. Personne pour l'ennuyer. Pour autant qu'une ville était proche.

Poussant la porte de sa chambre, il s'arrêta net. Moiraine se redressa comme si elle avait parfaitement le droit d'examiner les papiers éparpillés sur sa table et elle disposa avec calme sa jupe en s'asseyant sur le tabouret. Or ça, voilà une belle femme, avec toutes les grâces désirables pour un homme, y compris rire à ses mots d'esprit. *Idiot ! Vieux fou ! C'est une Aes Sedai et tu es trop fatigué pour réfléchir sainement.*

« Bonjour à vous, Moiraine Sedai », dit-il en suspendant sa cape à une patère. Il évita de regarder son écritoire, toujours posée sous la table à l'endroit où il l'avait laissée. Inutile d'indiquer par-là à Moiraine qu'elle avait de l'importance. Probablement inutile de vérifier après son départ ; elle avait pu ouvrir la serrure et la refermer en canalisant, et il serait incapable de s'en apercevoir. Las comme il l'était, il ne se rappelait même pas s'il avait abandonné dedans quelque chose qui risque de l'incriminer. Là ou ailleurs, aussi bien. Tout ce qu'il voyait dans la pièce était à sa place. Il ne pensait pas avoir été assez bête pour oublier de ranger quoi que ce soit. Les portes, dans le quartier des domestiques, n'avaient ni serrures ni loquets. « Je voudrais vous offrir une boisson rafraîchissante, mais je crains de n'avoir que de l'eau

— Je n'ai pas soif », répliqua-t-elle d'une charmante voix mélodieuse. Elle se pencha en avant, et la pièce était assez petite pour qu'elle place une main sur son genou droit. Un fourmillement glacé le parcourut. « J'aurais souhaité qu'une bonne Guérisseuse se soit trouvée dans les parages quand ceci est arrivé. Il est trop tard maintenant, je le regrette.

— Une douzaine de Guérisseuses n'auraient pas suffi. C'est l'œuvre d'un Demi-Homme.

— Je sais. »

Que savait-elle d'autre ? se demanda-t-il. Quand il

501

se retourna pour sortir son unique chaise de derrière la table, il réprima un juron. Il se sentait comme après une bonne nuit de sommeil, et la douleur avait disparu de son genou. Sa boiterie demeurait, mais l'articulation était plus souple qu'elle ne l'avait été depuis qu'il avait été blessé. *Cette femme ne m'a même pas demandé si je le voulais. Que je sois réduit en braises, qu'est-ce qu'elle cherche ?* Il se refusa à fléchir la jambe. Elle n'avait pas demandé, eh bien, il n'exprimerait pas sa reconnaissance du cadeau.

« Intéressante, la journée d'hier, dit-elle comme il s'asseyait.

— Je n'appelle pas intéressants des Trollocs et des Demi-Hommes, répliqua-t-il sèchement.

— Je ne pensais pas à eux. À une heure moins tardive. Le Puissant Seigneur Carleon mort dans un accident de chasse. Son excellent ami Tedosian l'a apparemment confondu avec un sanglier. Ou peut-être un cerf.

— Je n'en avais pas entendu parler. » Il garda un ton calme. Même si elle avait trouvé le billet, elle ne pouvait pas remonter jusqu'à lui. Carleon lui-même aurait cru que c'était sa propre écriture. Il ne pensait pas que Moiraine l'avait pu, mais il se rappela encore une fois qu'elle était une Aes Sedai. Comme s'il avait besoin de pareil rappel, avec ce joli visage lisse en face de lui, ces yeux noirs emplis de sérénité qui l'observaient, lui plein de tous ses secrets. « Les appartements des domestiques résonnent de commérages, mais j'écoute rarement.

— Vraiment ? murmura-t-elle doucement. Alors

vous n'avez pas appris que Tedosian est tombé malade moins d'une heure après son retour à la Tour, juste après que sa femme lui avait donné une coupe de vin pour se débarrasser la gorge de la poussière de la chasse. On dit qu'il a pleuré quand il a appris qu'elle avait l'intention de le soigner elle-même et de le nourrir de ses propres mains. Nul doute, des larmes de joie devant l'amour qu'elle manifestait. On a rapporté qu'elle avait juré de ne pas quitter son chevet avant qu'il soit de nouveau en état de se lever. Ou jusqu'à ce qu'il meure. »

Elle savait. Comment, il était incapable de le dire, n'empêche elle savait. Mais pourquoi le lui révélait-elle ? « Une tragédie, commenta-t-il en s'alignant sur son ton détaché. Rand aura besoin de tous les Puissants Seigneurs loyaux qu'il peut trouver, je suppose.

— Carleon et Tedosian n'étaient guère loyaux. Pas même l'un envers l'autre, semble-t-il. Ils menaient la faction qui voulait tuer Rand et tenter d'oublier jusqu'à son existence.

— Vous croyez ? Je prête peu d'attention à ce genre de chose. Les actions des puissants ne sont pas pour un simple ménestrel. »

Le sourire de Moiraine était à la limite du rire, mais elle parla comme si elle lisait une page. « Thomdril Merrilin. Appelé le Renard Gris, naguère, par quelqu'un qui le connaissait, ou avait entendu parler de lui. Barde de cour au Palais Royal d'Andor à Caemlyn. Amant de Morgase pendant un temps, après le décès de Taringail. Une chance pour Morgase, la mort de Taringail. Je ne pense pas qu'elle ait jamais appris

503

qu'il avait l'intention qu'elle meure et que lui-même devienne le premier roi d'Andor. Mais nous nous occupions de Thom Merrilin, un homme qui passait pour pouvoir jouer au Jeu des Maisons dans son sommeil. C'est une honte qu'un tel homme se qualifie de simple ménestrel. Mais quelle arrogance de conserver le même nom. »

Thom masqua avec effort le choc ressenti. De quoi était-elle au courant ? De trop, n'en saurait-elle pas plus long. Toutefois, elle n'était pas la seule à être renseignée. « À propos de noms, commenta-t-il d'une voix égale, c'est remarquable ce que l'on peut découvrir à partir d'un nom. Moiraine Damodred. La dame Moiraine de la Maison de Damodred, dans le Cairhien. La plus jeune demi-sœur de Taringail. La nièce du Roi Laman. Et une Aes Sedai, ne l'oublions pas. Une Aes Sedai qui assiste le Dragon Réincarné dès qu'elle a compris qu'il était davantage qu'un autre pauvre fol en mesure de canaliser. Une Aes Sedai avec de hautes relations dans la Tour Blanche, préciserais-je, sinon elle n'aurait pas couru les risques qu'elle a pris. Une personne appartenant à l'Assemblée de la Tour ? Plus d'une à mon avis ; impossible autrement. Voilà une nouvelle qui secouerait le monde. Mais pourquoi susciter des bouleversements ? Peut-être vaut-il mieux laisser un vieux ménestrel blotti au fond de son trou dans le quartier des serviteurs. Juste un vieux ménestrel qui joue de sa harpe et récite ses contes. Des contes qui ne causent aucun mal à quiconque. »

S'il était parvenu à l'ébranler si peu que ce soit, elle

ne le montra pas. « Une conjecture sans confirmation est toujours dangereuse, répliqua-t-elle calmement. Je n'utilise pas le nom de ma Maison par choix. La Maison de Damodred avait une réputation déplaisante méritée avant que Laman abatte l'*Avendoraldera* et à cause de cela perde le trône et sa vie. Depuis la Guerre des Aicls, cette réputation a empiré, aussi à juste titre. »

Rien ne désarçonnerait donc cette femme ? « Que voulez-vous de moi ? » questionna-t-il avec irritation.

Elle ne battit même pas des paupières. « Élayne et Nynaeve s'embarquent aujourd'hui pour Tanchico. Une ville dangereuse, Tanchico. Vos connaissances et talents aideraient à les maintenir en vie. »

C'était donc cela. Elle voulait le séparer de Rand, laisser le garçon désarmé devant ses manipulations. « Comme vous le dites, Tanchico est dangereuse maintenant, mais aussi bien elle l'a toujours été. Je ne veux que du bien à ces jeunes femmes, cependant je n'ai aucun désir de me fourrer la tête dans un nid de vipères. Je suis trop vieux pour ce genre de chose. J'ai songé à exploiter une ferme. Une vie tranquille. Paisible.

— Une vie tranquille vous tuerait, je pense. » Sa voix était indéniablement amusée et elle s'affairait à disposer autrement les plis de sa jupe avec de petites mains fines. Il eut l'impression qu'elle dissimulait un sourire. « Par contre, Tanchico ne vous tuera pas. Je le garantis et, par le Premier Serment, vous savez que c'est la vérité. »

Il la regarda en fronçant les sourcils en dépit de tous

ses efforts pour garder un air impassible. Elle l'avait dit et elle ne pouvait pas mentir, cependant comment pouvait-elle le savoir ? Il était sûr qu'elle n'avait pas le don de Prédiction ; il était certain de l'avoir entendue nier ce Talent. Mais elle l'avait dit. *Que cette femme brûle en braises !* « Pourquoi irais-je à Tanchico ? » Elle pouvait se passer de titre.

« Pour protéger Élayne ? La fille de Morgase ?

— Je n'ai pas vu Morgase depuis quinze ans. Élayne était toute petite quand j'ai quitté Caemlyn. »

Elle hésita mais, quand elle reprit la parole, sa voix était d'une fermeté inflexible. « Et votre raison pour quitter l'Andor ? Un neveu nommé Owyn, je crois. Un de ces pauvres fous dont vous parliez qui étaient en mesure de canaliser. Les Sœurs Rouges étaient censées l'amener à Tar Valon, comme pour ce genre d'homme mais elles l'ont neutralisé sur place et l'ont abandonné à... la merci de ses voisins. »

Thom renversa sa chaise en se levant, puis dut se cramponner à la table parce que ses genoux tremblaient. Owyn n'avait pas vécu longtemps après avoir été neutralisé, chassé de son foyer par de soi-disant amis incapables de supporter de laisser même un homme qui ne pouvait plus canaliser vivre parmi eux. Rien de ce que fit Thom n'empêcha Owyn de ne plus vouloir vivre ni n'empêcha sa jeune épouse de le suivre dans la tombe avant qu'un mois se soit écoulé.

« Pourquoi... ? » Il s'éclaircit brutalement la gorge, essaya de rendre sa voix moins rauque. « Pourquoi me dites-vous cela ? »

Il y avait de la compassion sur les traits de Moiraine. Et se pouvait-il être du regret ? Sûrement pas. Pas chez une Aes Sedai. La compassion devait être feinte aussi. « Je n'en aurais pas parlé, auriez-vous été désireux d'aller simplement aider Élayne et Nynaeve.

— Pourquoi, que vous soyez réduite en braises ! Pourquoi ?

— Si vous accompagnez Élayne et Nynaeve, je vous indiquerai les noms de ces Sœurs Rouges quand je vous reverrai ensuite, ainsi que le nom de celle qui leur a donné leurs ordres. Elles n'ont pas agi de leur propre chef. Et je vous reverrai effectivement. Vous survivrez au Tarabon. »

Il prit une longue aspiration tremblante. « Que retirerai-je de connaître leurs noms ? demanda-t-il d'une voix blanche. Le nom d'Aes Sedai, protégées par tout le pouvoir de la Tour Blanche.

— Un joueur habile et dangereux du Jeu des Maisons en trouverait un usage, répliqua-t-elle à mi-voix. Elles n'auraient pas dû agir de cette façon. Elles n'auraient pas dû en être exonérées.

— Voulez-vous me laisser, s'il vous plaît ?

— Je vous enseignerai que toutes les Aes Sedai ne sont pas comme ces Sœurs Rouges, Thom. Il faut que vous l'appreniez.

— Je vous en prie ? »

Il demeura appuyé sur la table jusqu'à ce qu'elle soit partie, ne voulant pas qu'elle le voie s'affaisser maladroitement sur les genoux, qu'elle voie les larmes couler une à une sur son visage tanné. *Oh, Lumière, Owyn.* Il avait tout enfoui aussi profondément qu'il en avait été capable. *Je n'ai pas pu arriver là-bas à temps. J'étais trop occupé. Trop absorbé par ce maudit Jeu des Maisons.* Il s'essuya le visage avec irritation. Moiraine rivalisait avec les meilleurs dans le Jeu des Maisons. Lui tordre le cœur de cette façon, tirer tous les fils qu'il avait cru avoir parfaitement cachés. Owyn. Élayne. La fille de Morgase. Seul demeurait un sentiment d'affection pour Morgase, peut-être un peu plus que de l'affection, mais c'était dur d'abandonner une enfant que l'on a fait sauter sur son genou. *Cette jeune fille dans Tanchico ? Cette ville la dévorerait toute vive même sans une guerre. Elle doit être une fosse pleine de loups dévorants, à présent. Et Moiraine m'indiquera les noms.* Il lui suffisait de laisser Rand entre des mains d'Aes Sedai. Exactement comme il avait laissé Owyn. Elle l'avait coincé comme un serpent dans une baguette fourchue, pris au piège irrémédiablement quelles que soient ses contorsions. *Que cette femme se réduise en braises !*

Passant sur son bras la poignée de sa corbeille à ouvrage, Min rassembla ses jupes dans l'autre main et sortit du réfectoire après le petit déjeuner, d'une démarche glissante, le dos très droit. Elle aurait transporté en équilibre sur sa tête un gobelet plein de vin sans en répandre une goutte. En partie parce qu'elle ne pouvait pas marcher à son allure normale avec cette robe, tout en soie bleu pâle avec un corselet ajusté et des manches de même ainsi qu'une jupe ample qui balaierait le sol de son ourlet brodé si elle ne la relevait pas. C'était aussi en partie parce qu'elle était sûre de sentir peser sur elle le regard de Laras.

Un coup d'œil en arrière le lui confirma. La Maîtresse des Cuisines, une futaille posée sur deux jambes, la suivait d'un regard approbateur, le visage épanoui. Qui aurait cru que cette femme avait été une beauté dans sa jeunesse, ou qu'elle avait une place dans son cœur pour les jolies filles coquettes ? « Pleines de vie », elle les appelait. Qui se serait douté qu'elle déciderait de prendre « Elmindreda » sous son aile robuste ? La situation n'était guère confortable. Laras gardait sur Min un œil protecteur, un œil qui semblait la trouver où qu'elle soit dans le domaine de la Tour. Min lui rendit son sourire et tapota sa chevelure, à présent un bonnet rond de boucles noires. *Que brûle cette femme ! N'a-t-elle pas quelque chose à cuisiner ou un marmiton à qui s'en prendre ?*

Laras lui adressa un petit signe de la main, qu'elle lui rendit. Elle ne pouvait pas se permettre d'offenser quelqu'un qui la surveillait de si près, pas quand elle n'avait aucune idée du nombre de bourdes qu'elle risquait de commettre. Laras connaissait tous les tours des femmes « coquettes » et comptait bien enseigner à Min ceux qu'elle ne connaîtrait pas déjà.

Une véritable erreur, songea Min en s'asseyant sur un banc de marbre qu'ombrageait un grand saule, avait été la broderie. Non pas du point de vue de Laras mais du sien. Sortant de sa corbeille son tambour à broder, elle examina mélancoliquement le travail de la veille, un nombre de marguerites dorées biscornues et quelque chose qui, dans ses intentions, devait être un bouton de rose jaune pâle, encore que personne ne l'aurait deviné à moins qu'elle ne le précise. Avec un soupir, elle se mit à défaire les points. Leane avait raison, pensa-t-elle ; une femme pouvait rester assise des heures avec un tambour à broder, observant tout le monde et toute chose, et personne ne trouvait cela bizarre. N'empêche, être tant soit peu douée lui aurait rendu service.

Du moins était-ce une matinée parfaite pour être dehors. Un soleil doré venait d'escalader l'horizon dans un ciel où les quelques légers nuages blancs semblaient déployés pour en souligner la perfection. Une brise légère amenait avec elle le parfum des roses et agitait les hauts buissons aux larges corolles rouges ou blanches. Les sentiers recouverts de gravier près de l'arbre ne tarderaient pas à être bondés de gens allant remplir une tâche ou une autre, depuis des Aes Sedai jusqu'à des palefreniers. Une matinée parfaite et l'endroit parfait d'où observer sans être remarquée. Peut-être aujourd'hui aurait-elle une vision utile.

« Elmindreda ? »

Min sursauta et porta à sa bouche le doigt qu'elle avait piqué. Se retournant sur le banc, elle se préparait à tancer Gawyn pour la prendre ainsi par surprise, mais les mots se figèrent dans sa gorge. Galad était avec lui. Plus grand que Gawyn, avec de longues jambes, il se déplaçait avec la grâce d'un danseur et la vigueur nerveuse d'un homme svelte. Ses mains aussi étaient longues, élégantes mais robustes. Et son visage... C'était, tout simplement, le plus beau garçon qu'elle avait jamais vu.

« Cessez de vous sucer le doigt, ordonna Gawyn en

souriant. Nous savons que vous êtes une jolie petite fille ; vous n'avez pas besoin de nous le prouver. »

Elle rougit, abaissa précipitamment sa main et se retint avec peine de décocher un regard furibond qui n'aurait nullement été en harmonie avec la personnalité d'Elmindreda. Point n'avait été besoin de menaces ou d'ordres de la part de l'Amyrlin pour que Gawyn garde son secret, seulement une demande, mais il ne manquait pas une occasion de la taquiner.

« Ce n'est pas bien de te moquer, Gawyn, remontra Galad. Il ne voulait pas vous offenser, Maîtresse Elmindreda. Pardonnez-moi, mais se pourrait-il que nous nous soyons déjà rencontrés ? Quand vous avez adressé un coup d'œil si véhément à Gawyn à l'instant, j'ai presque pensé que je vous connaissais. »

Min baissa modestement les yeux. « Oh, ce me serait impossible d'oublier que je vous ai rencontré, vous, mon Seigneur Galad », dit-elle de sa meilleure imitation de jeune coquette. Cette voix mignarde et son irritation à l'idée qu'elle avait failli se trahir firent monter un flot de sang jusqu'à la racine de ses cheveux, ce qui améliora son travestissement.

Elle ne ressemblait nullement à son moi habituel, et la robe comme la coiffure n'en formaient qu'une partie. Leane s'était procuré en ville des crèmes, des poudres et un incroyable assortiment de mystérieuses choses parfumées et elle l'avait exercée à s'en servir jusqu'à la rendre capable de les utiliser même en dormant. Elle avait des pommettes, à présent, et plus de couleur sur ses lèvres que n'en avait mis la nature. Une crème foncée soulignait ses paupières et une fine poudre qui épaississait ses cils rendait ses yeux encore plus grands. Pas du tout comme son moi habituel. Une des novices lui avait dit avec admiration combien elle était belle, et même quelques Aes Sedai l'avaient qualifiée « de très gracieuse enfant ». Elle en était horrifiée. La robe était fort jolie, elle l'admettait, mais le reste lui paraissait détestable. Cependant ce n'était pas la peine d'endosser un déguisement si elle ne jouait pas le jeu jusqu'au bout.

« Je suis sûr que vous vous en souviendriez, dit Gawyn, pince-sans-rire. Je ne voulais pas vous interrompre dans votre travail de broderie – des hirondelles, n'est-ce pas ? Des hirondelles *jaunes* ? » Min rangea d'un geste brusque le tambour dans le panier. « Mais je voulais vous demander votre avis sur ceci. » Il lui fourra dans les mains un petit volume relié en cuir, vieux et abîmé par l'usage, et soudain sa voix devint sérieuse. « Dites à mon frère que c'est absurde. Peut-être vous écoutera-t-il. »

Elle examina le livre. *La Voie de la Lumière*, par Lothair Mantelar, elle l'ouvrit et lut au hasard. « Par conséquent, renoncez à tout plaisir, car la rectitude morale est une pure abstraction, un idéal parfaitement limpide qui est obscurci par l'émotion dégradante. Ne favorisez pas la chair. La chair est faible mais l'esprit est fort ; la chair n'a aucun pouvoir quand l'esprit est fort. La pensée intègre est noyée dans les sensations et l'action juste est paralysée par les passions. Tirez toute joie de la rectitude morale, et de cette rectitude seulement. » Cela semblait pure ineptie.

Min sourit à Gawyn et réussit même un rire niais.

« Que de mots. Je ne m'y connais guère en livres, je le crains, mon Seigneur Gawyn. J'ai toujours l'intention d'en lire un – vraiment. » Elle soupira. « Mais le temps me manque tellement. Tenez, rien que me coiffer convenablement prend des heures. Trouvez-vous que c'est bien comme ça ? » La surprise indignée qui se peignit sur le visage de Gawyn faillit lui arracher un éclat de rire, mais qu'elle transforma en un gloussement. C'était un plaisir de lui rendre la monnaie de sa pièce pour une fois ; elle devrait voir si elle pourrait y parvenir plus souvent. Il y avait dans ce déguisement des possibilités qu'elle n'avait pas envisagées. Ce séjour à la Tour s'était révélé tout ennui et irritation. Elle méritait bien un peu d'amusement.

« Lothair Mantelar, dit Gawyn d'une voix tendue, a fondé les Blancs Manteaux. Les Blancs Manteaux !

— C'était un grand homme, affirma Galad avec fermeté. Un philosophe aux nobles idéaux. Si les Enfants de la Lumière ont quelquefois... dépassé la mesure... depuis son époque, cela ne change rien à cela.

— Par exemple ! Des Blancs Manteaux », s'exclama-t-elle d'une voix oppressée et elle ajouta avec un léger frisson. « Ce sont des hommes si rudes, à ce que j'ai entendu dire. Je n'imagine pas un Blanc Manteau en train de danser. Croyez-vous qu'il y ait une chance qu'un bal soit organisé ici ? Les Aes Sedai n'ont pas l'air non plus de s'intéresser à la danse, et j'aime tant danser. » La frustration dans les yeux de Gawyn était enchanteresse.

« Je ne le crois pas, répliqua Galad en lui reprenant

513

le livre. Les Aes Sedai sont trop occupées... par leurs propres affaires. Si j'entends parler d'un bal convenable dans la ville, je vous accompagnerai, si vous le désirez. Vous n'avez pas à craindre d'être importunée par ces deux lourdauds. » Il lui sourit, sans s'en rendre compte, et elle se retrouva soudain le souffle véritablement coupé. Les hommes ne devraient pas être autorisés à avoir ce genre de sourire.

Elle mit au moins une minute à se rappeler qui étaient les lourdauds dont il parlait. Les deux hommes qui étaient censés avoir demandé la main d'Elmindreda, en venant presque à se battre parce qu'elle ne parvenait pas à se décider, la pressant au point de chercher refuge à la Tour parce qu'elle ne pouvait s'empêcher de les encourager l'un et l'autre. Juste la totalité du prétexte de sa présence ici. *C'est cette robe*, songea-t-elle. *Je serais capable de réfléchir correctement si j'avais mes propres vêtements.*

« J'ai remarqué que l'Amyrlin vous parle tous les jours, dit soudain Gawyn. A-t-elle mentionné notre sœur Élayne ? Ou Egwene al'Vere ? A-t-elle donné une indication quelconque sur l'endroit où elles se trouvent ? »

Min aurait aimé pouvoir lui envoyer son poing dans l'œil. Il ne savait pas pourquoi elle feignait d'être quelqu'un d'autre, naturellement, mais il avait été d'accord de l'aider à soutenir son personnage d'Elmindreda et voilà qu'il la reliait à des jeunes filles que trop de gens dans la Tour savaient être des amies de Min. « Oh, le Trône d'Amyrlin est quelqu'un de merveilleux, répliqua-t-elle aimablement, en découvrant ses dents dans un sourire. Elle demande toujours à quoi je passe le temps et me complimente sur ma robe. Je suppose qu'elle espère que je vais choisir bientôt entre Darvan et Goemal, mais j'en suis parfaitement incapable. » Elle ouvrit grands les yeux, avec l'espoir de se donner l'air désarmée et troublée. « Ils sont si gentils, tous les deux. Qui avez-vous dit ? Votre sœur, mon Seigneur Gawyn ? La Fille-Héritière en personne ? Je ne crois pas avoir jamais entendu l'Amyrlin parler d'elle. Quel est l'autre nom ? » Elle entendait Gawyn grincer des dents.

« Nous ne devrions pas tracasser Maîtresse Elmindreda avec cela, intervint Galad. C'est notre problème, Gawyn. C'est à nous de découvrir le mensonge et de prendre les mesures nécessaires. »

Elle l'entendit à peine, car elle se retrouvait soudain les yeux fixés sur un homme de haute taille aux longs cheveux noirs bouclant autour d'épaules affaissées, avançant sans but le long d'une des allées recouvertes de gravier au milieu des arbres, sous l'œil attentif d'une Acceptée. Elle avait déjà vu Logain auparavant, un homme à l'expression naguère cordiale, à présent empreinte de tristesse, toujours avec une Acceptée comme compagne. La jeune femme était censée l'empêcher d'attenter à ses jours autant que de s'évader ; en dépit de sa stature, il ne semblait pas en état d'accomplir cette seconde éventualité. Pourtant Min n'avait jamais vu auparavant un halo éblouissant autour de sa tête, au rayonnement bleu et or. Cela ne dura qu'un instant, mais c'était suffisant.

Logain s'était proclamé le Dragon Réincarné, avait

été capturé et neutralisé. Quelque gloire dont il avait joui comme faux Dragon appartenait à présent à un lointain passé. Tout ce qui demeurait pour lui était le désespoir du neutralisé, tel un homme qui a été privé de la vue, de l'ouïe et du goût, souhaitant mourir, attendant la mort qui est le lot inévitable de ces hommes au bout de quelques années. Il lui jeta un coup d'œil, ne la voyant peut-être pas ; ses regards paraissaient irrémédiablement tournés vers l'intérieur. Alors pourquoi avait-il été entouré d'un halo qui proclamait gloire et pouvoir à venir ? C'était quelque chose qu'elle devait rapporter à l'Amyrlin.

« Le pauvre, murmura Gawyn. Je ne peux pas m'empêcher d'avoir pitié de lui. Par la Lumière, ce serait charité de le laisser y mettre fin. Pourquoi l'oblige-t-on à continuer à vivre ?

— Il ne mérite aucune pitié, déclara Galad avec autorité. As-tu oublié ce qu'il était, ce qu'il a fait ? Combien il y a eu de milliers de morts avant qu'il soit capturé ? Combien de villes ont été incendiées ? Qu'il vive pour servir d'avertissement à d'autres. »

Gawyn hocha la tête mais à regret. « Pourtant des hommes l'ont suivi. Quelques-unes de ces villes ont été brûlées après qu'ils s'étaient rangés sous sa bannière.

— Il faut que je m'en aille », dit Min en se levant, et Galad fut instantanément toute sollicitude.

« Pardonnez-nous, Maîtresse Elmindreda. Nous n'avions pas l'intention de vous effrayer. Logain ne peut vous nuire. Je vous en donne l'assurance.

— Je... Oui, il m'a impressionnée. Excusez-moi. Je dois vraiment aller m'étendre. »

Gawyn avait l'air sceptique à l'extrême, mais il s'empara de son panier avant qu'elle ait eu le temps d'y toucher. « Laissez-moi vous accompagner une partie du chemin, au moins, dit-il d'une voix empreinte d'une feinte inquiétude. Ce panier doit être trop lourd pour vous, prise de malaise comme vous l'êtes. Je ne voudrais pas que vous vous évanouissiez. »

Elle avait envie de lui arracher le panier et de lui taper dessus avec, mais ce n'est pas ainsi que réagirait Elmindreda. « Oh, merci, mon seigneur Gawyn. Vous êtes bien aimable. Très aimable. Non, non, mon Seigneur Galad. Ne me laissez pas être à charge à tous les deux. Asseyez-vous donc ici et lisez votre livre. Dites-moi oui. Autrement, je ne pourrais pas le supporter. » Elle battit même des cils.

Elle se débrouilla pour installer Galad sur le banc de marbre et s'en aller, cependant avec Gawyn au coude à coude avec elle. Ses jupes l'irritaient ; elle avait envie de les relever jusqu'aux genoux et de courir, mais Elmindreda ne courrait jamais et n'exposerait pas autant de ses jambes sauf en dansant. Laras l'avait sévèrement chapitrée précisément sur ce point là ; qu'elle coure une fois et elle détruirait presque complètement l'image d'Elmindreda. Et Gawyn... !

« Donnez-moi ce panier, espèce de crétin à la cervelle de bois », ordonna-t-elle avec humeur dès qu'ils furent hors de vue de Galad, et elle le lui arracha avant qu'il ait eu le temps d'obtempérer. « À quoi pensez-vous en me questionnant au sujet d'Élayne et d'Egwene devant lui ? Elmindreda ne les a jamais rencontrées. Elmindreda ne se préoccupe pas d'elles. Elmindreda ne veut pas être mentionnée dans la même phrase qu'elles ! Ne pouvez-vous comprendre ça ?

— Non, répliqua-t-il. Impossible puisque vous ne voulez rien expliquer. Toutefois, je suis désolé. » Il y avait à peine assez de repentir dans sa voix pour convenir à Min. « C'est simplement que je suis inquiet. Où sont-elles ? Cette nouvelle qui a remonté le fleuve à propos d'un faux Dragon dans Tear n'est pas pour me rassurer. Elles sont là-bas, quelque part, la Lumière sait où, et je ne cesse de me demander si elles ne se trouvent pas au milieu du genre de brasier en quoi Logain avait transformé le Ghealdan.

— Et s'il n'est pas un faux Dragon ? questionna-t-elle avec précaution.

— Vous voulez dire parce que les histoires qui circulent dans les rues racontent qu'il a pris la Pierre de Tear ? La rumeur a une façon d'amplifier les événements. Je croirai cela quand je le verrai et, en tout cas, il en faudra plus pour me convaincre. Même la Pierre peut tomber. Par la Lumière, je ne pense pas pour de bon qu'Élayne et Egwene sont à Tear, mais ne pas en avoir la certitude me ronge l'estomac comme de l'acide. S'il lui advient du mal... »

Min ne savait pas à laquelle il songeait et soupçonnait qu'il l'ignorait aussi. En dépit de ses taquineries, elle sentit un élan de compassion pour lui, mais elle avait les mains liées. « Si seulement vous pouviez faire ce que je dis et...

— Je sais. Me fier à l'Amyrlin. M'y fier ! » Il

exhala une longue bouffée d'air. « Êtes-vous au courant que Galad est allé boire dans les tavernes avec des Blancs Manteaux ? N'importe qui peut franchir les ponts à condition d'affecter des intentions pacifiques, même les Enfants de cette sacrée Lumière.

— Galad ? dit-elle, incrédule. Dans des tavernes ? Boire ?

— Pas plus d'une coupe ou deux, j'en suis sûr. Il ne se laisserait pas aller davantage, même pas pour fêter le jour de son saint patron. » Gawyn fronça les sourcils comme s'il craignait que cela risque d'être une critique de Galad. « L'important est qu'il s'entretient avec des Blancs Manteaux. Et maintenant ce livre. D'après l'inscription, c'est Eamon Valda en personne qui le lui a donné. "Avec l'espoir que vous trouverez la Voie". Valda, Min. L'homme qui commande les Blancs Manteaux de l'autre côté des ponts. Ne pas savoir ronge aussi Galad. Écouter des Blancs Manteaux. Si quoi que ce soit arrive à notre sœur ou à Egwene... » Il secoua la tête. « Connaissez-vous l'endroit où elles se trouvent, Min ? Me le diriez-vous dans ce cas ? Pourquoi vous cachez-vous ?

— Parce que j'ai rendu deux hommes fous par ma beauté et ne parviens pas à prendre une décision », lui répliqua-t-elle d'un ton acerbe.

Il eut un demi-rire amer, qu'il masqua avec un sourire. « Eh bien, cela du moins, je peux le croire. » Il eut un petit rire et lui caressa du doigt le dessous du menton. « Vous êtes une très jolie jeune fille, Elmindreda. Une jolie petite fille intelligente. »

Elle ferma un poing et voulut lui pocher un œil,

mais il recula d'un pas léger, tandis qu'elle se prenait les pieds dans sa jupe et manquait de peu tomber. « Espèce d'imbécile à la cervelle pas plus grosse qu'un dé à coudre ! grommela-t-elle.

— Quelle grâce dans le mouvement, Elmindreda, répliqua-t-il rieur. Quelle voix suave, comme un rossignol, ou une colombe roucoulant dans le soir. Quel homme ne serait pas extasié à la vue d'Elmindreda ? » La gaieté s'éteignit et il lui opposa un visage grave. « Si vous apprenez quelque chose, je vous en prie, prévenez-moi. S'il vous plaît ? Je vous en supplierai à genoux, Min.

— Je vous préviendrai », répliqua-t-elle. *Si je peux. Si cela ne comporte pas de risques pour elles. Ô Lumière, ce que je déteste cet endroit. Pourquoi ne puis-je pas retourner simplement auprès de Rand ?*

Elle laissa Gawyn là et entra seule dans la Tour même, guettant de l'œil les Aes Sedai ou les Acceptées qui pourraient demander pourquoi elle avait dépassé le rez-de-chaussée et où elle se rendait. La nouvelle concernant Logain était trop importante pour attendre que l'Amyrlin la rencontre, apparemment par hasard, à un moment quelconque en fin d'après-midi comme d'habitude. Du moins c'est ce qu'elle se dit. Elle se sentait près d'éclater d'impatience.

Elle n'aperçut que quelques Aes Sedai au détour d'un couloir devant elle ou entrant dans une pièce plus loin, et c'était tant mieux. Personne ne rendait simplement visite au Trône d'Amyrlin. La poignée de servantes qu'elle croisait, s'affairant à leurs tâches, ne lui posèrent naturellement pas de questions, ni même ne la regardèrent à deux fois excepté pour esquisser une rapide révérence presque sans s'arrêter.

Poussant la porte conduisant au bureau de l'Amyrlin, elle prépara un prétexte anodin à débiter la bouche en cœur pour le cas où il y aurait quelqu'un avec Leane, mais l'antichambre était déserte. Elle gagna vivement la porte du fond et passa la tête par l'embrasure. L'Amyrlin et la Gardienne étaient assises de chaque côté de la table de Siuan, qui était jonchée de petites bandes de papier mince. Leurs têtes pivotèrent brusquement vers elle, leurs yeux la fixant comme quatre clous.

« Qu'est-ce que vous faites ici ? s'exclama d'un ton sec l'Amyrlin. Vous êtes censée être une petite sotte venue demander asile, pas une amie de mon enfance. Il n'y a pas de contact entre nous excepté le plus fortuit, en passant. Si nécessaire, je désignerai Laras pour vous surveiller comme une nourrice un enfant. Elle en serait enchantée, je pense, mais je doute qu'il en serait de même pour vous. »

Min frissonna à cette idée. Soudain Logain ne parut plus tellement urgent ; qu'il acquière de la gloire dans les quelques prochains jours était bien peu probable. Toutefois, il n'était pas vraiment la raison de sa venue, seulement un prétexte, et elle ne voulait pas reculer à présent. Fermant la porte derrière elle, elle raconta en balbutiant ce qu'elle avait vu et ce que cela signifiait. Elle continuait à être mal à l'aise en donnant ses explications en présence de Leane.

Siuan secoua la tête avec lassitude. « Encore un souci de plus. La famine au Cairhien. Une Sœur disparue dans le Tarabon. Les raids des Trollocs qui se multiplient de nouveau dans les Marches. Ce fou qui se dit le Prophète et qui soulève des émeutes dans le Ghealdan. Il prêche apparemment que le Dragon s'est réincarné dans un seigneur du Shienar, énonça-t-elle d'une voix incrédule. Même les retombées minimes sont mauvaises. La guerre dans l'Arad Doman a interrompu les relations commerciales avec la Saldaea, et les restrictions entraînent de l'agitation dans le Maradon. Tenobia risque d'être détrônée à cause de cela. La seule bonne nouvelle que j'ai apprise, c'est que la Dévastation s'était retirée pour une raison quelconque. Trois quarts de lieue ou davantage de verdure au-delà des bornes-frontières, sans la moindre corruption ou rien de pestilentiel, tout du long de la Saldaea jusqu'au Shienar. La première fois dans mon souvenir que cela se produit. Toutefois, je suppose qu'une bonne nouvelle doit être compensée par une mauvaise. Quand un bateau a une voie d'eau, c'est sûr qu'il y en a d'autres. Je souhaite seulement que ce soit une compensation. Leane, augmentez la surveillance sur Logain. Je ne vois pas quels ennuis il peut susciter maintenant, mais je ne tiens pas à le découvrir. » Elle tourna vers Min ces yeux bleus au regard pénétrant qu'elle avait. « Pourquoi êtes-vous venue avec cette nouvelle en trémoussant des ailes comme une mouette affolée ? Logain aurait pu attendre. Cet homme a peu de chance de découvrir la puissance et la gloire avant le coucher du soleil. »

L'écho presque mot pour mot de ses propres réflexions incita Min à changer de posture avec malaise. « Je sais », dit-elle. Les sourcils de Leane se haussèrent dans un mouvement avertisseur et elle ajouta vivement : « Ma Mère. » La gardienne eut un hochement de tête approbateur.

« Cela ne m'explique pas pourquoi, mon enfant », dit Siuan.

Min s'arma de courage. « Ma mère, aucune des visions que j'ai eues depuis le premier jour n'a été très importante. Je n'ai assurément rien vu qui désigne l'Ajah Noire. » Ce nom lui donnait encore le frisson. « Je vous ai indiqué tout ce dont j'ai eu l'intuition concernant le désastre que vous autres Aes Sedai aurez à affronter, et le reste ne sert pas à grand-chose. » Elle dut s'arrêter pour s'éclaircir la gorge, avec ce regard perçant posé sur elle. « Ma Mère, il n'y a pas de raison pour que je ne m'en aille pas. Il y a des raisons pour que je parte. Peut-être Rand tirerait-il un réel parti de ce que je peux faire. S'il a conquis la Pierre... ma Mère, il aura peut-être besoin de moi. » *Du moins ai-je besoin de lui, imbécile bonne à brûler que je suis !*

La Gardienne frémit ouvertement à la mention du nom de Rand. Siuan, d'autre part, éclata d'un bruyant rire sec. « Vos visions ont été très opportunes. C'est important d'être au courant pour Logain. Vous avez découvert le palefrenier qui volait avant que les soupçons se portent sur quelqu'un d'autre. Et cette novice à la chevelure de flamme qui allait se faire mettre enceinte... ! Sheriam y a coupé court – cette jeune fille ne pensera même pas aux hommes avant d'avoir terminé son apprentissage – mais nous ne l'aurions appris que trop tard sans vous. Non, vous ne pouvez pas partir. Tôt ou tard, vos visions vont me tracer une carte jusqu'à l'Ajah Noire et, jusqu'à ce moment-là, elles paient encore davantage que le prix de leur traversée.

Min soupira et pas seulement parce que l'Amyrlin avait l'intention de la retenir. La dernière fois qu'elle avait aperçu cette novice rousse, la jeune fille se faufilait vers une partie boisée du domaine avec un garde musclé. Ils seraient mariés, peut-être avant la fin de l'été ; Min l'avait compris dès qu'elle les avait vus ensemble bien que la Tour n'ait jamais laissé une novice s'en aller tant que la Tour n'y était pas décidée, même quelqu'un d'incapable de poursuivre plus avant sa formation. Il y avait une ferme dans l'avenir de ce couple, et une ribambelle d'enfants, mais le dire à l'Amyrlin ne servirait pas à grand-chose.

« Pourriez-vous au moins faire savoir à Gawyn et à Galad qu'ils n'ont pas à s'inquiéter pour Egwene et leur sœur, ma Mère ? » Le demander l'impatientait, et son ton de voix aussi. Un enfant à qui l'on refuse une tranche de gâteau et qui mendie à la place un biscuit. « Dites-leur ne serait-ce que quelque chose en dehors de cette histoire ridicule de punition à accomplir dans une ferme.

— Je vous ai avertie que cela ne vous concernait pas. Ne m'obligez pas à vous le répéter.

— Ils ne le croient pas plus que moi », riposta Min avant que le sourire ironique de l'Amyrlin la réduise au silence. Ce n'était pas un sourire amusé.

« Ainsi vous suggérez que je change l'endroit où elles sont censées être ? Après avoir laissé tout le monde penser qu'elles sont dans une ferme ? Vous n'imaginez pas que cela provoquerait quelques haussements de sourcils ? Tout le monde sauf ces garçons l'accepte. Et sauf vous. Eh bien, Coulin Gaidin n'aura qu'à les entraîner d'autant plus vigoureusement. Des muscles endoloris et suffisamment de transpiration chassent de l'esprit de la plupart des hommes les autres préoccupations. Des femmes aussi. Posez beaucoup d'autres questions et je verrai ce que quelques jours passés à astiquer des marmites donneront comme résultat pour vous. Mieux vaut perdre vos services pendant deux ou trois jours que de vous avoir en train de fourrer votre nez où il n'a rien à faire.

— Vous ne savez même pas si elles sont en difficulté, n'est-ce pas ? Ou Moiraine ? » Ce n'était pas Moiraine qu'elle avait en tête.

« Petite », dit Leane d'un ton de mise en garde, mais cela ne suffisait plus pour arrêter Min maintenant.

« Pourquoi n'avons-nous aucune nouvelle ? Des rumeurs sont parvenues ici il y a deux jours. Deux jours ! Pourquoi un de ces billets sur votre bureau n'apporte-t-il pas un message d'elle ? N'a-t-elle pas de pigeons ? J'imaginais que vous autres Aes Sedai aviez des gens avec des pigeons voyageurs partout. S'il n'y a pas quelqu'un dans Tear, il devrait y en avoir. Un homme à cheval aurait déjà pu arriver avant aujourd'hui à Tar Valon. Pourquoi... »

Le claquement sec de la paume de Siuan sur la table l'interrompit. « Vous obéissez remarquablement bien, commenta Siuan d'un ton mi-figue mi-raisin. Petite, jusqu'à ce que nous ayons la preuve du contraire, présumez que le jeune homme se porte bien. Priez pour qu'il le soit. » Leane frissonna de nouveau. « Un dicton a cours dans le Maule, petite, poursuivit l'Amyrlin. "Attendez que les ennuis vous rattrapent avant de vous en inquiéter". Ne l'oubliez pas, petite. »

Un coup timide fut frappé à la porte.

L'Amyrlin et la Gardienne échangèrent un regard puis deux paires d'yeux se déplacèrent vers Min. Sa présence constituait un problème. À l'évidence, il n'y avait nulle part où se cacher ; même le balcon était nettement visible en entier depuis la pièce.

« Une raison pour vous d'être ici, murmura Siuan, qui ne donne pas l'air d'être plus que la jeune évaporée que vous êtes censée être. Leane, tenez-vous prête à la porte. » Elle et la Gardienne étaient debout en même temps, Siuan contournant la table tandis que Leane se dirigeait vers la porte. « Prenez la place de Leane, petite. Remuez-vous, petite ; remuez-vous. Maintenant, prenez l'air boudeur. Pas furieux, boudeur ! Ravancez votre lèvre inférieure et contemplez le sol. Supposez que je vous force à porter des rubans dans vos cheveux, d'énormes nœuds rouges. C'est ça. Leane. » L'Amyrlin se planta les poings sur les hanches et éleva le ton. « Et si jamais vous recommencez à venir me trouver sans être annoncée, mon enfant, je vous... »

Leane tira à elle le battant de la porte, laissant voir une Novice brune qui sursauta en entendant Siuan continuer sa tirade, puis plongea dans une profonde révérence. « Des messages pour l'Amyrlin, Aes Sedai, annonça la jeune fille d'une petite voix aiguë. Deux pigeons sont arrivés au colombier. » C'était l'une de celles qui avaient dit à Min qu'elle était belle, et elle essayait en ouvrant de grands yeux de regarder au-delà de la Gardienne.

« Ceci ne vous concerne pas, petite, répliqua Leane rondement en prenant des mains de la jeune fille les minuscules cylindres en os. Retournez au colombier. » La novice n'avait pas fini de se redresser que Leane avait refermé la porte et s'y adossait avec un soupir. « Je tressaute au moindre bruit inattendu depuis que vous m'avez dit... » Se détachant de la porte, elle revint vers la table. « Encore deux messages, ma Mère. Est-ce que je...

— Oui. Ouvrez-les, répondit l'Amyrlin. Sans doute que Morgase a finalement décidé d'envahir le Cairhien. Ou que les Trollocs ont dévasté les Marches. Cela irait de pair avec le reste. »

Min demeura assise ; Siuan n'avait paru que trop réaliste avec quelques-unes de ces menaces.

Leane examina le sceau de cire rouge à l'extrémité d'un des menus cylindres, pas plus gros que la jointure de son doigt, puis le rompit d'un coup d'ongle du pouce quand elle fut convaincue que personne n'y avait touché. Le papier roulé qui se trouvait à l'intérieur, elle l'extirpa à l'aide d'une mince pique en ivoire. « Presque aussi fâcheux que les Trollocs, déclara-t-elle, à peine eut-elle commencé à lire. Mazrim Taïm s'est échappé.

— Par la Lumière ! s'exclama sèchement Siuan. Comment ?

— Ceci précise seulement qu'il a été emmené

subrepticement dans la nuit, ma Mère. Deux Sœurs sont mortes.

— Que la Lumière illumine leur âme, mais nous n'avons guère de temps pour pleurer les morts quand les pareils de Taim sont vivants et pas neutralisés. Où cela, Leane ?

— À Denhuir, ma Mère. Un village à l'est des Collines Noires sur la Route de Maradon, au-dessus des sources de l'Antaeo et de la Luan.

— Ce doit être l'œuvre de quelques-uns de ses partisans. Les imbéciles. Pourquoi ne reconnaissent-ils pas quand ils sont battus ? Choisissez une douzaine de Sœurs dignes de confiance, Leane... » L'Amyrlin esquissa une grimace. « Dignes de confiance, murmura-t-elle. Si je savais sur qui me fier davantage que sur un brochet argenté, je n'aurais pas tous ces problèmes. Faites pour le mieux, Leane. Une douzaine de Sœurs. Et cinq cents gardes ? Non, mille, pas moins.

— Mère, objecta la Gardienne d'un ton soucieux, les Blancs Manteaux...

— ... n'essaieraient pas de franchir les ponts si je laissais ces ponts totalement sans surveillance. Ils craindraient un piège. On ne sait pas ce qui se passe là-bas, Leane. Je veux que ceux que j'envoie soient prêts à tout. Et, Leane... Mazrim Taim doit être neutralisé dès qu'il sera repris. »

Leane ouvrit de grands yeux choqués. « La loi.

— Je connais la loi aussi bien que vous, mais je ne veux pas risquer qu'il soit de nouveau libéré non neutralisé. Je ne veux pas courir le risque d'un autre

Guaire Amalasin, pas en couronnement de tout le reste.

— Oui, ma Mère », dit Leane d'une voix faible.

L'Amyrlin ramassa le second cylindre en os et le rompit en deux avec un craquement sec pour en extraire le message. « Enfin de bonnes nouvelles, soupira-t-elle, un sourire s'épanouissant sur son visage. Bonnes nouvelles. La fronde a été utilisée. Le berger détient l'épée.

— Rand ? » questionna Min, et Siuan hocha affirmativement la tête.

« Naturellement, jeune fille. La Pierre est tombée. Rand al'Thor, le berger, a *Callandor*. Maintenant, je peux agir. Leane, je veux que la Chambre de la Tour soit assemblée cet après-midi. Non, ce matin.

— Je ne comprends pas, dit Min. Vous saviez que les rumeurs concernaient Rand. Pourquoi réunissez-vous la Chambre à présent ? Que pouvez-vous faire qui vous était impossible avant ? »

Siuan eut un rire éclatant de jeunesse. « Ce que je peux maintenant c'est annoncer que j'ai reçu confirmation par une Aes Sedai que la Pierre de Tear a capitulé et qu'un homme a dégainé *Callandor*. Prophétie accomplie. C'est suffisant pour mon dessein, du moins. Le Dragon est Réincarné. Elles vont tiquer, elles vont discuter, mais personne ne sera en mesure de s'opposer à ma proclamation que la Tour doit guider cet homme. Je suis libre de m'occuper de lui ouvertement. Ouvertement en majeure partie.

— Est-ce la bonne démarche, ma Mère ? dit tout à coup Leane. Je sais... S'il a *Callandor*, il doit être le

Dragon Réincarné, mais il est capable de canaliser, ma Mère. Un homme qui canalise. Je ne l'ai vu qu'une fois mais, même ainsi, il avait quelque chose de bizarre. Quelque chose de plus que d'être *Ta'veren*. Mère, est-il tellement différent de Taim quand on y réfléchit ?

— La différence est qu'il est bien le Dragon Réincarné, ma fille, dit calmement l'Amyrlin. Taim est un loup, et peut-être féroce. Rand al'Thor est le chienloup dont nous nous servirons pour vaincre l'Ombre. Gardez son nom pour vous, Leane. Mieux vaut ne pas en révéler trop trop tôt.

— Entendu, ma Mère », répondit la Gardienne, mais elle paraissait toujours mal à l'aise.

« Allez, allez. Je veux que la Chambre soit assemblée dans une heure. » Siuan regarda s'éloigner la grande femme d'un air pensif. « Il y aura peut-être plus de résistance que je ne le souhaiterais », reprit-elle quand la porte se fut refermée en cliquetant.

Min la regarda attentivement. « Vous ne voulez pas dire...

— Oh, rien de grave, mon enfant. Pas tant qu'elles ignorent depuis combien de temps je m'occupe du petit al'Thor. » Elle relut la bande de papier, puis la laissa choir sur la table. « J'aurais aimé que Moiraine m'en explique davantage.

— Pourquoi n'en a-t-elle pas dit plus ? Et pourquoi n'avons-nous pas eu de nouvelles d'elle plus tôt ?

— Vous voilà encore avec vos questions. Celle-ci, il faut que vous la posiez à Moiraine. Elle n'en a toujours fait qu'à sa tête. Questionnez Moiraine, mon petit. »

Sahra Covenry maniait sa binette sans entrain, regardant avec un froncement de sourcils les minuscules pousses de laîche et de pied-de-poule pointant dans les rangées de choux et de betteraves. Ce n'était pas que Maîtresse Elward appartenait au genre tyran bourru – elle n'était pas plus sévère que la mère de Sahra et certainement plus facile à vivre que Sheriam – mais Sahra n'était pas venue à la Tour Blanche pour finir par retourner dans une ferme sarcler des légumes alors que le soleil venait juste de se lever. Ses robes blanches de novice étaient emballées ; elle portait de la laine marron que sa mère aurait pu coudre, la robe relevée jusqu'aux genoux pour qu'elle ne se salisse pas au contact de la terre. C'était tellement injuste. Elle n'avait commis aucune faute.

Remuant ses orteils nus dans les mottes fraîchement retournées, elle darda un regard furieux sur un pied-de-poule récalcitrant et canalisa, avec l'intention de le détruire en le brûlant. Des étincelles jaillirent autour de la pousse feuillue, qui se fana. Du tranchant de sa binette elle l'extirpa vivement du sol et de son esprit. S'il y avait une justice dans le monde, le Seigneur Galad passerait par la ferme en allant à la chasse.

Appuyée sur sa binette, elle se perdit dans un rêve éveillé où elle Guérissait les blessures de Galad, reçues lors d'une chute de cheval – pas par sa faute, bien sûr ; c'était un merveilleux cavalier – et où lui la soulevait et la plaçait devant lui sur sa selle, déclarant

531

qu'il serait son Lige – elle appartenait à l'Ajah Verte, évidemment – et...

« Sahra Covenry ? »

Sahra sursauta au son de cette voix cassante, mais ce n'était pas Maîtresse Elward. Elle exécuta une révérence de son mieux, avec ses jupes retroussées. « Bonjour à vous, Aes Sedai. Êtes-vous venue me chercher pour me ramener à la Tour ? »

L'Aes Sedai se rapprocha, sans se soucier que ses jupes traînaient dans la terre du potager. Malgré la chaleur estivale de la matinée, elle portait une cape, dont le capuchon rabattu en avant mettait son visage dans l'ombre. « Juste avant que vous quittiez la Tour, vous avez conduit une femme au Siège d'Amyrlin. Une femme s'appelant Elmindreda.

— Oui, Aes Sedai », répondit Sahra, une légère nuance interrogatrice dans le ton. Elle n'aimait pas la façon dont l'Aes Sedai avait dit cela, comme si elle avait quitté la Tour pour de bon.

« Racontez-moi tout ce que vous avez entendu ou vu, jeune fille, depuis le moment où vous avez pris cette femme en charge. Tout.

— Mais je n'ai rien entendu, Aes Sedai. La Gardienne des Chroniques m'a renvoyée dès que... » La douleur la mit au supplice, enfonçant ses orteils dans la terre, lui courbant le dos en arc ; le spasme ne dura que quelques instants, mais il parut éternel. Luttant pour retrouver sa respiration, elle se rendit compte que sa joue était pressée contre le sol, et que ses doigts encore tremblants s'enfonçaient dans la terre. Elle ne se rappelait pas être tombée. Elle voyait le panier à linge de Maîtresse Elward gisant sur le côté près de la maison de ferme en pierre, le linge humide répandu en tas. La tête brouillée, elle songea que c'était bizarre ; Moria Elward ne laisserait jamais sa lessive par terre de cette façon.

« Tout, jeune fille », dit froidement l'Aes Sedai. Elle dominait maintenant Sahra de son haut, sans esquisser le moindre mouvement pour l'aider. Elle lui avait fait mal ; ce n'était pas censé se passer comme ça. « Toutes les personnes à qui cette Elmindreda a parlé, chaque mot qu'elle a dit, chaque nuance et expression.

— Elle a parlé au Seigneur Gawyn, Aes Sedai, répondit Sahra dans un sanglot, face contre terre. Je n'en sais pas plus, Aes Sedai. Pas plus. » Elle commença à pleurer à cœur perdu, sûre que cela ne suffisait pas à satisfaire cette femme. Elle avait raison. Elle cria sans arrêt pendant longtemps et, quand l'Aes Sedai s'en alla, pas un bruit ne résonnait aux alentours de la maison de ferme à part les gloussements des poules, pas même le souffle d'une respiration.

18.

L'entrée dans les Voies

Perrin qui achevait de boutonner sa tunique s'arrêta pour regarder la hache, encore suspendue au mur comme il l'avait laissée après l'avoir arrachée de la porte. L'idée d'avoir de nouveau sur lui cette arme ne lui plaisait pas, mais il détacha le ceinturon de la patère et le boucla néanmoins autour de sa taille. Le marteau, il le fixa sur ses sacoches de selle déjà bourrées. Équilibrant sacoches et rouleau de couchage sur son épaule, il ramassa dans le coin un carquois plein de flèches et son grand arc non bandé.

Le soleil levant déversait chaleur et lumière par les étroites fenêtres. Le lit froissé était le seul indice que quelqu'un avait séjourné ici. La pièce avait déjà perdu son empreinte ; elle semblait même sentir le local vide, en dépit de son odeur à lui sur les draps. Il ne demeurait jamais nulle part assez longtemps pour que cette empreinte reste une fois qu'il était prêt à s'en aller. Jamais assez longtemps pour enfoncer des racines, pour faire d'un lieu une espèce de chez lui. *Eh bien, je vais chez moi maintenant.*

Tournant le dos à la pièce déjà inoccupée, il sortit.

Gaul se redressa avec souplesse ; il s'était accroupi

contre le mur sous une tapisserie où des cavaliers chassaient des lions. Il portait toutes ses armes, avec deux outres de cuir contenant de l'eau, et une couverture roulée ainsi qu'une petite marmite étaient attachées par des courroies sur son dos à côté de l'étui de cuir façonné contenant son arc. Il était seul.

« Les autres ? » demanda Perrin, et Gaul secoua la tête.

« Trop longtemps loin de la Terre Triple. Je vous en avais averti, Perrin. Ces pays de chez vous sont trop humides ; respirer de l'air est comme avaler de l'eau. Il y a trop de gens, trop près les uns des autres. Ils ont vu plus que leur content d'endroits inconnus.

— Je comprends », dit Perrin. Toutefois, ce qu'il comprenait c'est qu'il n'y aurait finalement pas de secours, pas de compagnie d'Aiels pour chasser les Blancs Manteaux des Deux Rivières. Il garda pour lui sa déception. Elle était rude après avoir pensé qu'il avait échappé à son destin, mais il ne pouvait pas prétendre qu'il ne s'était pas préparé à la seconde possibilité. Inutile de pleurer quand le fer se casse ; il n'y a qu'à le forger de nouveau. « Avez-vous rencontré des difficultés pour obtenir ce que j'ai demandé ?

— Aucune. J'ai dit à un des hommes de Tear de porter chacune des choses que vous vouliez à l'écurie de la Porte du Rempart du Dragon et de n'en parler à personne ; ils se seront vus là-bas, mais ils penseront que ces choses sont pour moi et ils garderont le silence. La Porte du Rempart du Dragon. On aurait cru que l'Échine du Monde était juste derrière l'horizon, et non à cent lieues sinon davantage. » L'Aiel hésita.

« La jeune fille et l'Ogier ne font pas mystère de leurs préparatifs, Perrin. Elle a essayé de trouver le ménestrel et elle raconte à tout venant qu'elle a l'intention de voyager par les Voies. »

Se grattant la barbe, Perrin respira fortement, émettant un bruit proche d'un grondement. « Si elle me dénonce à Moiraine, je jure qu'elle ne s'assiéra pas pendant une semaine.

— Elle sait bien se servir de ces poignards, remarqua Gaul d'un ton neutre.

— Pas suffisamment. Pas si elle m'a trahi. » Perrin hésita. Pas de compagnie d'Aiels. La potence attendait toujours. « Gaul, s'il m'arrive quoi que ce soit, si je vous en donne le signal, emmenez Faile. Elle ne voudra peut-être pas partir, mais emmenez-la quand même. Veillez à ce qu'elle quitte saine et sauve les Deux Rivières. Me le promettez-vous ?

— Je m'y efforcerai de mon mieux, Perrin. Pour la dette de sang que j'ai envers vous, je le promets. » Gaul ne paraissait pas certain de pouvoir réussir, mais Perrin ne pensait pas que les poignards de Faile suffiraient à l'en empêcher.

Ils empruntèrent autant que possible des passages secondaires et d'étroits escaliers aménagés pour que les serviteurs se déplacent discrètement. Perrin songea que c'était dommage que les Seigneurs de Tear n'aient pas attribué aux serviteurs leurs propres corridors. Toutefois, ils ne virent pas grand monde, même dans les vastes couloirs avec leurs socles à lampes dorées et leurs élégantes tentures, et pas un seul noble.

Il commenta cette absence et Gaul répliqua : « Rand al'Thor les a convoqués au Cœur de la Pierre. »

Perrin se contenta d'un « hum », mais il espéra que Moiraine était de ceux qui avaient été requis. Il se demanda si ce n'était pas un moyen qu'avait imaginé Rand pour l'aider à éviter Moiraine. Quelle que fût la raison, il était assez content d'en profiter.

Ils sortirent du dernier escalier étroit au rez-de-chaussée de la Pierre, où des couloirs caverneux larges comme des routes conduisaient à toutes les portes donnant sur le dehors de la forteresse. Il n'y avait pas de tentures sur les parois, ici. Des lampes en fer noir dans des appliques plantées haut dans la muraille éclairaient les couloirs sans fenêtres, et le sol était pavé de larges pierres rugueuses capables de résister longtemps aux fers des chevaux. Perrin prit le pas gymnastique. Les écuries se trouvaient en vue juste au bout du grand tunnel, la large Porte du Rempart du Dragon ouverte au-delà et seulement une poignée de Défenseurs pour la garder. Moiraine ne pouvait plus les intercepter à présent, pas sans la chance du Ténébreux.

Le seuil de l'écurie qui était ouverte formait une arche de deux toises et demie de large. Perrin avança d'un pas à l'intérieur et s'immobilisa.

L'air était chargé de l'odeur de la paille et du foin, que renforçait celle sous-jacente du blé et de l'avoine, du cuir et du fumier de cheval. Des stalles remplies de beaux chevaux de Tear, universellement renommés, s'alignaient le long des murs, avec d'autres encore en rangées sur l'immense surface du sol. Des douzaines de palefreniers étaient à l'œuvre, étrillant et peignant, nettoyant l'écurie, réparant selles et harnais. Sans s'arrêter, l'un ou l'autre jetait de temps en temps un coup d'œil vers l'endroit où se tenaient Faile et Loial, bottés et prêts à partir en voyage. Et à côté d'eux Baine et Khiad, équipées comme Gaul d'armes et de couvertures, d'outres à cau et d'une marmite.

« Ce sont elles à cause de qui vous avez dit seulement que vous essaieriez ? » demanda Perrin à voix basse.

Gaul haussa les épaules. « Je ferai ce que je peux, mais elles prendront son parti. Khiad est une Goshien.

— Son clan fait-il une différence ?

— Il y a une inimitié mortelle entre son clan et le mien, Perrin, et je ne suis pas une sœur-de-lance pour elle. Toutefois, peut-être que les serments de l'eau la retiendront. Je ne danserai pas avec elle la danse des lances à moins qu'elle ne l'offre. »

Perrin secoua la tête. Des gens bizarres. Qu'étaient les serments de l'eau ? Néanmoins, ce qu'il dit fut : « Pourquoi sont-elles avec elle ?

— Baine prétend qu'elle désire connaître davantage de vos terres, mais je crois que c'est la dispute entre vous et Faile qui les fascine. Elles ont de la sympathie pour elle et, quand elles ont entendu parler de ce voyage, elles ont décidé de partir avec elle plutôt qu'avec vous.

— Bah, pour autant qu'elles lui évitent d'avoir des ennuis. » Il fut surpris de voir Gaul rejeter la tête en arrière et éclater de rire. Il se gratta la barbe d'un air soucieux.

Loial vint à leur rencontre, ses longs sourcils affaissés par l'anxiété. Les poches de sa tunique étaient bourrées comme d'ordinaire quand il voyageait, principalement par les formes anguleuses de livres. Du moins sa boiterie paraissait-elle s'être améliorée. « Faile s'impatiente, Perrin. Je crois qu'elle va insister pour partir d'une minute à l'autre. Dépêchez-vous, je vous en prie. Vous ne trouveriez même pas la Porte des Voies sans moi. Non pas que vous n'essayeriez pas, certainement. Vous autres humains, vous me poussez à sauter dans tous les sens si bien que j'arrive à peine à retrouver ma propre tête. Hâtez-vous, s'il vous plaît.

— Je ne le laisserai pas en arrière, cria Faile. Pas même s'il est encore trop entêté et trop bête pour solliciter une simple faveur. Si c'était le cas, il pourra toujours me suivre comme un chiot perdu. Je promets de le gratter derrière les oreilles et de prendre soin de lui. » Les Aielles se plièrent en deux de rire.

Gaul bondit soudain à la verticale, se haussant d'une détente à six pieds au-dessus du sol, tout en faisant tournoyer une de ses lances. « Nous suivrons comme des lions de montagne sur la piste d'un gibier, cria-t-il, comme des loups qui chassent. » Il retomba sur le sol avec aisance, avec légèreté. Loial le regardait avec stupeur.

Par contre, Baine peignit paresseusement ses courts cheveux couleur de flamme avec ses doigts. « J'ai une belle peau de loup avec mes affaires de couchage dans notre place forte, dit-elle à Khiad d'un ton lassé. Les loups sont faciles à prendre. »

Un grondement s'enfla dans la gorge de Perrin, attirant sur lui les yeux des deux jeunes femmes. Pendant un instant, Baine parut sur le point d'ajouter quelque chose, mais elle fronça les sourcils devant le regard doré qu'il fixait sur elle et se tut, non pas effrayée mais soudain sur ses gardes.

« Ce chiot n'est pas encore bien dressé à être propre », confia Faile aux Aielles.

Perrin refusa de lui prêter attention. Il se dirigea au contraire vers la stalle qui hébergeait son étalon louvet, aussi haut que les animaux du Tear, mais plus massif de l'avant-main et de l'arrière-main. D'un geste, il refusa l'aide d'un palefrenier, passa la bride à Steppeur et le conduisit lui-même au-dehors. Les palefreniers avaient promené le cheval pour qu'il ait de l'exercice, naturellement, mais il avait été assez confiné pour se lancer dans le trot vif bien articulé [1] qui avait incité Perrin à l'appeler de ce nom. Perrin le calma avec la ferme assurance d'un homme qui a ferré de nombreux chevaux. Lui placer sur le dos sa selle au grand troussequin et attacher derrière ses sacoches et son rouleau de couchage se firent sans la moindre anicroche.

Gaul l'observait d'un air impassible. Il ne montait pas à cheval à moins d'y être obligé et, alors, n'effectuait pas un pas de plus qu'absolument nécessaire. Aucun des Aiels n'agissait autrement. Perrin ne comprenait pas pourquoi. Fierté peut-être de leur aptitude à courir sur de longues distances. Les Aiels

---

1. Un « steppeur » est un cheval qui trotte avec vivacité en levant haut les membres antérieurs, selon la définition du Petit Larousse. (*N.d.T.*)

donnaient l'impression qu'il s'agissait de davantage que cela, mais il se doutait qu'aucun d'eux n'aurait pu l'expliquer.

Le cheval de bât devait être chargé aussi, naturellement, mais ce fut vite achevé, puisque tout ce que Gaul avait commandé attendait bien empilé. Provisions de bouche et outres d'eau. Avoine et blé pour les chevaux – on ne pouvait se procurer rien de semblable dans les Voies – ainsi que divers objets comme des entraves, des remèdes pour les chevaux juste en cas, des briquets à silex de rechange, etc.

La majeure partie de la place dans les paniers d'osier fut réservée à des récipients de cuir comme ceux que les Aiels utilisaient pour l'eau, seulement plus gros et remplis d'huile. Une fois les lanternes, au bout de longues perches, fixées avec des courroies pardessus le reste, tout fut prêt.

Insérant son arc détendu sous la sangle de la selle, il enfourcha Steppeur, la longe du cheval de bât en main. Puis il dut attendre, bouillant d'irritation.

Loial était déjà en selle sur un énorme cheval aux boulets couverts de poils, plus haut de plusieurs mains qu'aucun autre dans l'écurie et cependant presque réduit à la taille d'un poney par les longues jambes de l'Ogier pendant de chaque côté. Il y avait eu une période où l'Ogier était un cavalier presque aussi récalcitrant que les Aiels, mais il était maintenant à l'aise sur un cheval. C'est Faile qui prit son temps, examinant sa monture presque comme si elle n'avait jamais vu avant la jument à la robe noire luisante, alors que Perrin savait qu'elle avait essayé la jument avant de l'acheter, peu après leur arrivée à la Pierre. La jument, Hirondelle de son nom, était un bel animal de la race de Tear, avec des canons fins et une encolure rouée[1], une bête fringante qui avait l'air à la fois rapide et endurante, encore que ferrée trop légèrement pour le goût de Perrin. Ces fers ne dureraient pas. C'était encore une tentative pour le remettre à sa place, quelle que fût celle que Faile pensait lui assigner.

Quand finalement Faile sauta en selle, dans sa jupe divisée en deux tubes étroits, elle guida sa jument et l'arrêta près de Perrin. Elle était bonne cavalière, la jeune femme et la jument ne faisant qu'un. « Pourquoi ne peux-tu demander, Perrin ? questionna-t-elle à voix basse. Tu as tenté de me maintenir éloignée de ce qui est mon rôle, alors à présent il faut que tu demandes. Une chose aussi simple peut-elle être si difficile ? »

La Pierre résonna comme une cloche colossale, le sol de l'écurie bondit en l'air, le plafond trembla au point d'être prêt de s'effondrer. Steppeur bondit aussi, hurlant, agitant la tête comme un fléau ; Perrin fut tout juste capable de conserver son assiette. Les palefreniers qui étaient tombés sur le sol se relevèrent tant bien que mal et coururent en hâte calmer les chevaux qui se cabraient, poussaient des cris perçants, tentaient d'escalader les parois de leurs stalles. Loial se cramponnait au cou de son énorme monture, mais Faile restait fermement en selle tandis que la jument dansait et criait frénétiquement.

---

1. Se dit de l'encolure d'un cheval dont le bord supérieur est convexe. (*N.d.T.*)

Rand. Perrin comprit que c'était lui. L'attirance des *Ta'veren* exerçait son emprise sur lui, deux tourbillons dans un cours d'eau agissant l'un sur l'autre. Toussant dans la poussière qui se rabattait, il secoua la tête aussi fort qu'il pouvait, luttant pour ne pas sauter à terre et rentrer en courant dans la Pierre. « En route ! » ordonna-t-il d'une voix forte alors que des trépidations secouaient encore la forteresse. « Nous partons maintenant, Loial ! Immédiatement ! »

Faile parut ne plus voir de raison de s'attarder ; elle lança d'un coup de talon sa jument hors de l'écurie à côté du plus grand cheval de Loial, leurs deux sommiers entraînés à côté d'eux, tous filant au galop avant d'avoir atteint la Porte du Rempart du Dragon. Les Défenseurs leur jetèrent un coup d'œil et s'écartèrent, certains encore à quatre pattes ; empêcher les gens d'entrer dans la Pierre était leur devoir et ils n'avaient pas eu l'instruction de retenir ceux-ci à l'intérieur. Non pas qu'ils auraient nécessairement été en mesure de réfléchir suffisamment pour ce faire s'ils en avaient reçu l'ordre, pas avec les frémissements qui subsistaient encore et la Pierre toujours grondant au-dessus d'eux.

Perrin suivait sur leurs talons avec sa propre bête de somme, souhaitant que le cheval de l'Ogier puisse courir plus vite, souhaitant pouvoir dépasser la lourde monture de Loial et échapper à la succion qui tentait de le ramener en arrière, cette force d'attraction de *Ta'veren* à *Ta'veren*. Ils traversèrent au galop les rues de Tear, en direction du soleil levant, ralentissant à peine pour éviter charrettes et voitures. Des hommes en tunique ajustée et des femmes aux multiples tabliers disposés les uns par-dessus les autres, encore bouleversés par la commotion, les regardaient, hébétés, parfois s'effaçant d'un bond au dernier moment pour dégager le chemin.

Aux remparts de la cité intérieure, les pavés furent remplacés par de la terre battue, les souliers et tuniques par des pieds nus et des poitrines également nues au-dessus d'amples chausses retenues par de larges ceintures-écharpes. Ici, les gens se jetaient de côté avec autant de diligence, cependant, car Perrin ne laissa pas Steppeur ralentir avant d'avoir dépassé au galop les remparts extérieurs de la ville, les simples boutiques et maisons de pierre qui se groupaient à l'extérieur de la cité proprement dite et avant d'avoir atteint une campagne où s'éparpillaient des fermes et des petits bois, au-delà de l'attirance des *Ta'veren*. Alors seulement, haletant presque autant que son cheval couvert de sueur, il tira sur les rênes pour le ramener au pas.

Les oreilles de Loial étaient raides d'émotion. Faile s'humecta les lèvres et promena son regard de l'Ogier à Perrin, le visage blême. « Qu'est-ce qui est arrivé ? Était-ce... lui ?

— Je ne sais pas », mentit Perrin. *Il fallait que je parte, Rand. Tu le comprends bien. Tu m'as regardé droit dans les yeux quand je t'ai prévenu et tu as dit que je devais faire ce que j'estimais être mon devoir.*

« Où sont Baine et Khiad ? reprit Faile. Il leur faudra maintenant une heure pour nous rattraper. J'aurais bien aimé qu'elles aillent à cheval. J'avais offert de leur acheter des montures et elles ont eu l'air offensées. Bah, de toute façon, nous avons besoin de laisser les chevaux marcher au pas, pour qu'ils se rafraîchissent. »

Perrin se retint de lui dire qu'elle en connaissait moins sur les Aiels qu'elle ne le croyait. Il voyait les remparts de la ville derrière eux et la Pierre se dressant au-dessus comme une montagne. Il distinguait même la silhouette sinueuse sur la bannière flottant au sommet de la forteresse et les oiseaux effarouchés tournoyant alentour ; aucun des autres n'en était capable. Il n'avait aucune difficulté à voir trois personnes accourir vers eux à longues foulées qui dévoraient le terrain, leur aisance naturelle donnant le démenti à leur allure. Il ne pensait pas qu'il aurait couru avec cette vélocité, pas longtemps, mais les Aiels avaient dû soutenir ce train rapide depuis la Pierre pour être aussi proches.

« Nous n'aurons pas tellement à attendre », commenta-t-il.

Faile se retourna vers la ville en fronçant les sourcils. « Ce sont eux ? En es-tu sûr ? » Brusquement, le froncement de sourcils se reporta un instant sur lui, le défiant de répondre. L'avoir interrogé ressemblait évidemment trop à admettre qu'il faisait partie de leur groupe. « Il se vante énormément de son acuité visuelle, dit-elle à Loial, mais sa mémoire n'est pas aussi bonne. Parfois, je me dis qu'il oublierait d'allumer une chandelle le soir si je ne le lui rappelais pas. Je pense qu'il a aperçu quelques pauvres familles fuyant ce qu'elles supposent être un tremblement de terre, pas vous ? »

Loial changea d'assiette sur sa selle d'un air gêné, avec un profond soupir, et murmura quelque chose concernant les humains dont Perrin douta que c'était flatteur. Bien sûr, Faile n'en tint pas compte.

Au bout d'un nombre de minutes fort restreint, Faile dévisagea Perrin avec de grands yeux quand les trois Aiels se rapprochèrent suffisamment pour qu'elle les reconnaisse, mais elle ne dit rien. Dans l'humeur où elle était, elle n'avait nullement envie d'admettre qu'il avait raison concernant quoi que ce soit, pas même s'il disait que le ciel était bleu. Les Aiels n'étaient même pas essoufflés quand ils s'immobilisèrent à côté des chevaux.

« Dommage que la course n'ait pas été plus longue. » Baine partagea un sourire avec Khiad, et les deux adressèrent à Gaul un sourire espiègle.

« Sinon nous aurions épuisé ce Chien de Pierre, dit Khiad comme si elle achevait la phrase de sa compagne. Voilà pourquoi les Chiens de Pierre prêtent serment de ne jamais battre en retraite. Des os de pierre et des têtes de pierre les rendent trop lourds pour courir. »

Gaul ne s'en offusqua pas, néanmoins Perrin remarqua qu'il se tenait à un endroit d'où il pouvait surveiller Khiad. « Savez-vous pourquoi les Vierges de la Lance sont si souvent utilisées comme éclaireurs, Perrin ? Parce qu'elles courent si loin. Et cela vient qu'elles ont peur qu'un homme veuille les épouser.

Une Vierge de la Lance parcourra vingt-cinq lieues pour éviter ça.

— Très sage de leur part », commenta Faile d'un ton mordant. Elle demanda aux Aielles : « Avez-vous besoin de repos ? » et eut l'air surprise quand elles répondirent par la négative. En tout cas, elle se tourna vers Loial. « Êtes-vous prêt à continuer ? Bien. Trouvez-moi cette Porte des Voies, Loial. Nous avons stationné ici trop longtemps. Si on laisse un chiot égaré rester près de soi, il commence à s'imaginer que l'on prendra soin de lui, et ce n'est pas ce qui convient.

— Faile, protesta Loial, est-ce que vous ne poussez pas cette plaisanterie un peu trop loin ?

— Je la pousserai aussi loin que je le dois, Loial. La Porte des Voies ? »

Les oreilles pendantes, Loial poussa un gros soupir et tourna de nouveau son cheval en direction de l'est. Perrin les laissa, lui et Faile, le distancer de cinq ou six toises avant de les suivre avec Gaul. Il était obligé de jouer selon les règles qu'elle avait établies, mais il les appliquerait au moins aussi bien qu'elle.

Les fermes, des petits domaines étriqués avec des maisons en pierre brute dont Perrin n'aurait pas voulu pour abriter des animaux, devinrent plus éparses à mesure qu'ils avançaient vers l'est, et les bouqueteaux plus réduits jusqu'à ce qu'il n'y eût plus ni fermes ni halliers, seulement un paysage de prairie onduleux, accidenté. De l'herbe aussi loin que portait le regard, sans interruption sauf çà et là de rares buissons sur une colline.

Des chevaux aussi étaient disséminés sur les pentes

vertes, par groupes d'une douzaine ou des troupeaux de cent, de la célèbre race du Tear. Grand ou modeste, chaque rassemblement de chevaux se trouvait sous les yeux d'un ou deux jeunes garçons pieds nus, montant à cru. Ces garçons avaient des fouets à long manche dont ils se servaient pour garder les chevaux réunis ou les détourner, claquant habilement du fouet pour ramener une bête qui s'écartait sans même que la mèche touche la peau de l'animal. Ils maintenaient leurs troupeaux à l'écart des étrangers, les obligeant à reculer si nécessaire mais ils observaient le passage de cette association bizarre – deux humains et un Ogier montés, plus trois de ces Aiels féroces qui, selon les on-dit, avaient conquis la Pierre – avec la curiosité hardie de la jeunesse.

Le tout était un plaisant spectacle pour Perrin. Il aimait les chevaux. Une partie de la raison qui l'avait incité à demander de devenir l'apprenti de Maître Luhhan était l'occasion de travailler avec des chevaux, non pas qu'il y en avait au Champ d'Emond autant qu'ici ni d'aussi beaux.

Loial ne réagissait pas de même. L'Ogier commença par parler entre ses dents, puis de plus en plus haut à mesure qu'ils s'enfonçaient parmi les collines herbues, tant et si bien qu'à la fin il éclata de sa grondante basse profonde. « Disparu ! Entièrement disparu, et pour quoi ? De l'herbe. Jadis, ceci était un bosquet ogier. Nous n'avons pas exécuté de grands travaux ici, rien de comparable à Manetheren ou à la ville que vous appelez Caemlyn, mais assez pour qu'un bosquet y soit planté. Des arbres de toutes les espèces, de tous les pays et de tous les endroits. Les Grands Arbres montant à plus de quatre-vingt-dix toises dans le ciel. Tous soignés avec dévouement pour rappeler aux gens de chez moi le *Stedding* qu'ils avaient quitté afin d'exécuter des constructions pour les hommes. Les humains croient que c'est l'œuvre de pierre que nous estimons, mais c'est une chose de peu d'importance, apprise durant le Long Exil, après la Destruction du Monde. Ce sont les arbres que nous vénérons. Les hommes s'imaginent que Manetheren est le chef-d'œuvre suprême de mon peuple, mais nous savons que c'est le bosquet qui était là-bas. Disparu, à présent. Comme celui-ci. Disparu et il ne renaîtra pas. »

Loial contemplait les collines, nues à part les herbages et les chevaux, avec un visage durci, les oreilles rabattues en arrière et collées contre son crâne. De lui émanait une odeur de... fureur. Paisibles, c'est le terme employé par la plupart des récits parlant des Ogiers, presque aussi pacifiques que le Peuple Nomade, mais certains, un petit nombre, les qualifiaient d'ennemis implacables. Perrin n'avait vu qu'une fois Loial en colère. Peut-être était-il en colère la nuit dernière, quand il défendait ces enfants. Tandis qu'il observait les traits de Loial, un vieux dicton lui revint en mémoire. « Irriter les Ogiers, c'est se faire tomber les montagnes sur la tête. » Tout le monde lui attribuait le sens de tenter quelque chose d'impossible. Perrin se dit que le sens avait peut-être changé au fil des années. Peut-être au commencement la phrase était-elle : « Mettez un Ogier en colère et vous verrez les montagnes vous tomber sur la tête. » Difficile à réaliser, mais mortel si réussi. Lui-même ne voudrait jamais que Loial – le doux, le timide Loial avec son gros nez toujours plongé dans un livre – se fâche contre lui.

C'est Loial qui mena la marche une fois qu'ils eurent atteint l'emplacement du bosquet ogier disparu, inclinant leur route légèrement vers le sud. Il n'y avait aucun repère, mais il était certain de sa direction, de plus en plus certain à chaque nouveau pas des chevaux. Les Ogiers pouvaient sentir une Porte des Voies, la percevoir en quelque sorte, la trouver aussi sûrement qu'une abeille sa ruche. Quand Loial mit finalement pied à terre, l'herbe lui montait à peine au-dessus du genou. N'était visible qu'un épais massif de broussailles, plus haut que la plupart, composé d'arbustes feuillus aussi grands que l'Ogier. Il l'arracha en totalité presque avec regret, l'entassant sur un côté. « Peut-être les jeunes garçons qui gardent les chevaux pourront-ils s'en servir comme bois à brûler quand ce sera sec. »

Et la Porte des Voies était là.

Se dressant contre le flanc de la colline, elle ressemblait davantage à une longueur de mur gris qu'à une porte, et encore au mur d'un palais, couvert de sculptures de feuilles et de plantes grimpantes si artistement exécutées qu'elles paraissaient presque aussi vivantes que l'avaient été les arbustes. Depuis trois mille ans au moins, elle était là, mais pas une trace de désagrégation ne déparait sa surface. On aurait cru ces feuilles prêtes à frémir au prochain souffle de brise.

Pendant un instant, tous les contemplèrent en silence, jusqu'à ce que Loial prenne une profonde aspiration et pose la main sur l'unique feuille différente des autres ornant la Porte des Voies. La feuille trilobée d'*Avendesora,* le légendaire Arbre de Vic. Avant l'instant où son énorme main la toucha, elle avait eu l'air de faire comme tout le reste corps avec la sculpture, mais elle se détacha facilement.

Faile eut un hoquet de surprise audible et même les Aiels murmurèrent. L'air était plein de l'odeur de malaise ; impossible de savoir d'où elle émanait. De tous, peut-être.

À présent, les feuilles de pierre donnèrent l'impression de se soulever au gré d'une brise dont personne ne se rendait compte ; elles prirent une teinte verte, une teinte de vie. Lentement une fente se dessina au milieu et les deux moitiés de la Porte s'ouvrirent, révélant non la colline derrière mais un chatoiement sombre qui reflétait faiblement leurs images.

« Jadis, à ce qu'on dit, murmura Loial, les Portes des Voies brillaient comme des miroirs et ceux qui empruntaient les Voies marchaient au soleil sous le ciel. Ce temps n'est plus, maintenant. Comme ce bosquet. »

Perrin dégagea vivement une des lanternes pleines fixées au bout d'une perche qui étaient animées sur son cheval de bât et l'alluma. « On a trop chaud ici dehors, déclara-t-il. Un peu d'ombre ne sera pas de refus. » De ses pieds bottés il incita Steppeur à avancer vers la Porte. Il crut entendre de nouveau Faile émettre un « ah » étranglé.

L'étalon louvet refusa en approchant de son propre reflet indistinct, mais Perrin le pressa du talon pour qu'il reprenne sa marche. Lentement, il s'en souvenait. Ce devait être pratiqué avec lenteur. Le nez du cheval toucha avec hésitation son image, puis se fondit en elle comme s'il entrait dans un miroir. Perrin se rapprocha de lui-même, toucha... Un froid glacial coula sur sa peau, l'enveloppant cheveu par cheveu, poil par poil ; le temps s'étira.

Le froid disparut comme une bulle que l'on pique et Perrin se retrouva en pleine obscurité infinie, la clarté de sa lanterne une flaque restreinte autour de lui. Steppeur et le cheval de bât hennirent nerveusement.

Gaul passa tranquillement et se mit à préparer une deuxième lanterne. Derrière lui, il y avait ce qui ressemblait à un panneau de verre fumé. Les autres étaient visibles au-delà, Loial remontant sur son cheval, Faile rassemblant ses rênes, tous se mouvant insensiblement, bougeant à peine. Le temps s'écoulait différemment dans les Voies.

« Faile est fâchée contre vous », déclara Gaul une fois qu'il eut allumé sa lanterne. Elle ne fournit guère plus d'éclairage. L'obscurité buvait la lumière, l'avalait. « Elle a l'air de penser que vous avez manqué à un accord quelconque. Baine et Khiad... Ne les laissez pas approcher quand vous êtes seul. Elles ont l'intention de vous donner une leçon, dans l'intérêt de Faile, et vous ne resterez pas assis sur cet animal avec autant d'aisance si elles réussissent ce qu'elles projettent.

— Je n'ai conclu aucun accord, Gaul. Je fais ce qu'elle m'a contraint à faire par tricherie. Nous aurons bien assez tôt à suivre Loial comme elle le veut, mais je tiens à garder l'initiative aussi longtemps que possible. » Il désigna une épaisse ligne blanche sous les sabots de Steppeur. Interrompue par endroits et très abîmée, elle se poursuivait devant eux, disparaissant dans le noir à quelques pas seulement. « Cette ligne conduit au premier poteau indicateur. Nous aurons besoin d'attendre là-bas que Loial le déchiffre et décide quel pont emprunter, mais Faile peut nous suivre jusque-là.

— Un pont, murmura Gaul d'un ton pensif. Je connais ce mot. Il y a de l'eau, ici ?

— Non. Ce n'est pas exactement ce genre de pont. Ils se ressemblent, en quelque sorte, mais... Peut-être que Loial peut l'expliquer. »

L'Aiel se gratta la tête. « Savez-vous ce que vous faites, Perrin ?

— Non, admit Perrin, mais il n'y a aucune raison que Faile en soit informée. »

Gaul rit. « C'est amusant d'être si jeune, n'est-ce pas, Perrin ? »

Rembruni, se demandant si Gaul ne se moquait pas de lui, Perrin incita du talon Steppeur à repartir, tirant derrière lui le cheval de bât. La lumière de la lanterne ne serait absolument pas visible ici à vingt ou trente pas du cercle qu'elle éclairait. Il entendait être complètement hors de vue avant que Faile passe la Porte de la Voie. Qu'elle imagine qu'il avait décidé de continuer sans elle. Si elle s'inquiétait pendant quelques minutes, jusqu'à ce qu'elle le trouve près de l'Indicateur, c'était le moins qu'elle méritait.

19.

Le *Danseur-sur-les-vagues*

Le soleil doré montait juste au-dessus de l'horizon quand la voiture luisante, laquée de noir, s'arrêta avec une secousse au pied du quai derrière son attelage de quatre chevaux gris parfaitement appareillés et que le grand cocher dégingandé aux cheveux noirs, en tunique rayée noir et or, sauta à terre pour ouvrir la portière. Aucun sceau n'ornait le panneau de cette portière, bien entendu ; les nobles de Tear n'accordaient assistance aux Aes Sedai que contraints et forcés, si empressés que fussent les sourires, et aucun d'eux ne voulait que son nom ou sa Maison paraissent en relations avec la Tour.

Élayne descendit avec soulagement sans attendre Nynaeve, défroissant son manteau de voyage en toile bleue ; les rues du Maule étaient creusées d'ornières par les charrettes et les chariots, et les ressorts de cuir de la voiture n'étaient pas très souples. La brise qui soufflait obliquement au-dessus de l'Érinin semblait vraiment fraîche après la chaleur étouffante de la Pierre. Elle avait eu l'intention de dissimuler les effets du rude trajet mais, une fois debout, elle ne put s'empêcher de se masser les reins. *Du moins la pluie de la nuit dernière maintient-elle encore la poussière par terre*, pensa-t-elle. Elle soupçonnait qu'on avait fourni exprès une voiture sans rideaux.

À droite et à gauche d'elle, d'autres docks comme de larges doigts de pierre s'allongeaient dans le fleuve. L'air sentait le goudron et le chanvre, le poisson, les épices et l'huile d'olive, des choses sans nom pourrissant dans l'eau stagnante entre les appontements et de bizarres fruits allongés vert jaune en énormes grappes empilées devant l'entrepôt de pierre derrière elle. Malgré l'heure matinale, des hommes en gilet de cuir sur leur torse nu se hâtaient de-ci de-là, portant de gros ballots sur leur dos courbé ou poussant des charrettes à bras où s'entassaient tonneaux ou cageots. Aucun ne lui adressa plus qu'un coup d'œil morne au passage, leurs yeux noirs s'abaissant vite, la main portée au front avec une déférence réticente ; la plupart ne levaient pas du tout la tête. Elle fut attristée de voir cela.

Ces nobles de Tear n'avaient pas traité leur peuple convenablement. L'avaient maltraité plutôt. En Andor, elle pouvait s'attendre à des sourires allègres et un mot de salutation respectueux, adressé de bon cœur par des hommes au dos droit qui connaissaient leur valeur aussi bien que la sienne. Cela suffit presque à ce qu'elle regrette de partir. Elle avait été élevée pour diriger et un jour gouverner un peuple fier, et elle ressentait l'ardent désir d'enseigner la dignité à ces gens-là. Mais c'était la tâche de Rand, pas la sienne. *Et s'il ne s'en acquitte pas bien, je lui dirai ma façon de penser. Et de la belle manière.* Du moins avait-il commencé, en suivant ses conseils. Et elle devait

555

reconnaître qu'il savait comment traiter ses gens. Ce serait intéressant de voir ce qu'il avait accompli quand elle reviendrait. *Si lieu il y a de revenir.*

De l'endroit où elle se tenait, une douzaine de bateaux étaient nettement visibles, et d'autres encore au-delà, mais il y en avait un, amarré en travers au bout du quai en face d'elle, son avant effilé dirigé vers l'amont, qui accrocha son regard. Le rakeur du Peuple de la Mer était long de cinquante bonnes toises, une fois et demie plus large que le vaisseau suivant en vue, avec trois grands mâts dominant le milieu du pont, et un plus court sur le gaillard d'arrière. Elle avait déjà embarqué sur des bateaux, mais jamais sur un aussi énorme et jamais sur un allant en mer. Rien que le nom des propriétaires du navire évoquait des pays lointains et des ports inconnus. Les Atha'ans Mierre. Le Peuple de la Mer. Les récits qui se voulaient exotiques se centraient toujours sur le Peuple de la Mer, ou alors sur les Aiels.

Nynaeve descendit de la voiture derrière elle, en attachant au cou une cape de voyage verte et grommelant pour elle-même et à l'intention du cocher. « Culbutée comme un poulet dans un tourbillon de vent ! Battue comme un tapis poussiéreux ! Comment vous y êtes-vous pris pour trouver toutes les ornières et tous les nids-de-poule entre ici et la Pierre, mon brave ? Cela demandait une vraie habileté. Dommage que rien de ce talent ne se soit exercé dans la conduite des chevaux. » Il voulut lui donner la main pour l'aider à descendre, son étroit visage maussade, mais elle refusa.

Avec un soupir, Élayne doubla le nombre de sous d'argent qu'elle sortait de sa bourse. « Merci de nous avoir amenées vite et sans encombre. » Elle sourit en lui mettant les pièces dans la main. « Nous vous avions dit d'aller grand train et vous avez fait ce que nous demandions. Vous n'êtes pas responsable de l'état des rues et vous avez exécuté votre mission de façon excellente dans des conditions difficiles. »

Sans regarder les pièces, le bonhomme lui adressa un profond salut, un regard reconnaissant et un « Merci, ma Dame », autant pour les mots que pour l'argent, elle en était sûre. Elle avait constaté qu'un mot aimable et un petit compliment étaient d'ordinaire aussi bien accueillis que des pièces d'argent, sinon mieux. Toutefois, évidemment, l'argent sonnant et trébuchant était lui-même rarement dédaigné.

« Que la Lumière vous accorde un bon voyage, ma Dame », ajouta-t-il. Le mouvement très bref de ses yeux vers Nynaeve signifiait que ce souhait était destiné uniquement à Élayne. Il faudrait que Nynaeve apprenne à tenir compte des circonstances et à donner des gratifications ; c'était vraiment indispensable.

Après le départ du cocher, une fois qu'il eut sorti pour elles de la voiture leurs effets et leurs colis et fait tourner son attelage, Nynaeve remarqua de mauvaise grâce : « Je n'aurais pas dû parler sur un ton aussi cassant à cet homme, je suppose. Un oiseau ne trouverait pas le trajet facile dans ces rues. Pas dans une voiture, en tout cas. Seulement, après avoir bondi et rebondi de-ci de-là d'un bout à l'autre du chemin jusqu'ici, j'ai l'impression d'être restée en selle une semaine.

— Ce n'est pas sa faute si vous avez le... dos sensible », répliqua Élayne avec un sourire pour atténuer le moindre soupçon de critique, en ramassant ses affaires.

Nynaeve eut un rire sec. « Je l'ai dit, non ? Vous n'allez pas vous attendre à ce que je lui coure après pour m'excuser, j'espère. Cette poignée d'argent que vous lui avez octroyée calmerait n'importe quelle blessure sauf une mortelle. Vous devez réellement vous appliquer à vous montrer plus économe en matière d'argent, Élayne. Nous ne disposons pas pour notre propre usage des ressources du Royaume d'Andor. Une famille vivrait confortablement pendant un mois sur ce que vous distribuez à tous ceux qui exécutent le travail qu'ils ont été payés pour effectuer à votre intention. » Élayne lui décocha un regard discrètement indigné – Nynaeve semblait toujours penser qu'elles avaient à vivre d'une manière pire que des servantes à moins que ne l'exige une raison quelconque, au lieu du contraire, comme c'était rationnel – mais son aînée ne parut pas remarquer cette expression qui mettait toujours les Gardes Royaux dans leurs petits souliers. À la place, Nynaeve souleva ses paquets et ses solides sacs de toile et se dirigea vers le quai. « En tout cas ce bateau nous offrira un parcours plus reposant que celui-ci. Du moins j'espère qu'il sera reposant. Embarquons-nous ? »

Tandis qu'elles se frayaient un chemin sur la jetée, entre les ouvriers du port, les tonneaux empilés et les

charrettes bourrées de marchandises, Élayne dit :
« Nynaeve, les gens du Peuple de la Mer se froissent
facilement à moins de vous connaître, ou c'est en tout
cas ce que l'on m'a enseigné. Ne croyez-vous pas que
vous pourriez user d'un peu de...

— Un peu de quoi ?

— De tact, Nynaeve. » Élayne esquissa un bond de
côté comme quelqu'un crachait sur le quai devant elle.
Impossible de désigner le responsable ; quand elle
regarda autour d'elle, les hommes baissaient la tête
avec ensemble, travaillant d'arrache-pied. Qu'ils aient
été mal traités par les Puissants Seigneurs ou non, elle
aurait prononcé quelques mots discrètement cinglants
que le coupable n'aurait pas oubliés de sitôt si elle
avait réussi à le découvrir. « Vous pourriez essayer
d'avoir un peu de doigté, pour une fois.

— Bien sûr. » Nynaeve s'engagea sur la passerelle
à la rampe en cordage du rakeur. « Pour autant qu'ils
ne me lancent pas d'un côté à l'autre comme un
ballon. »

La première pensée d'Élayne en atteignant le pont
fut que le rakeur paraissait très étroit par rapport à sa
longueur ; elle n'avait guère de compétence en matière
de navires, à la vérité, mais à ses yeux il ressemblait à
une énorme écharde. *Ô Lumière, ce machin va secouer
autant que la voiture, si gros soit-il.* Sa deuxième pensée concerna l'équipage. Elle avait entendu des récits
sur les Atha'ans Mierre, mais n'en avait jamais vu un
auparavant. Même les récits ne révélaient pas grand-
chose, à la vérité. Des gens réservés qui restaient entre
eux, presque aussi mystérieux que les Aiels. Seuls les

pays au-delà du Désert pouvaient être plus étranges et tout ce que l'on savait d'eux était que le Peuple de la Mer rapportait de là-bas de l'ivoire et de la soie.

Ces Atha'ans Mierre étaient des hommes bruns au torse et aux pieds nus, tous rasés de près, avec des cheveux noirs plats et des mains tatouées, se mouvant avec l'assurance de qui connaît sa tâche assez bien pour l'accomplir machinalement mais y appliquant toute son intelligence. Ils se déplaçaient avec une sorte de balancement gracieux, comme si, même le navire immobile, ils sentaient encore les mouvements de la mer. La plupart portaient des chaînes d'or ou d'argent autour du cou et des anneaux dans les oreilles, parfois deux ou trois à chacune, et certains ornés de pierres fines.

Il y avait aussi des femmes parmi l'équipage, en même nombre que les hommes, halant des manœuvres et lovant des cordages de concert avec les hommes, avec les mêmes tatouages aux mains, dans les mêmes chausses amples d'étoffe sombre huilée, retenues par d'étroites ceintures de couleur et fendues à la cheville. En revanche, les femmes avaient aussi de larges corsages colorés, tous rouges, bleus et verts éclatants, et elles avaient au moins autant de chaînes et de boucles d'oreilles que les hommes. Y compris, Élayne le remarqua avec un léger choc, deux ou trois femmes avec des anneaux dans une narine.

La grâce des femmes surpassait même celle des hommes et rappela à Élayne quelques histoires qu'elle avait entendues étant enfant alors qu'elle n'était pas censée écouter. Dans ces récits, les femmes des

Atha'ans Mierre étaient l'incarnation de la beauté séduisante et de la tentation, recherchées par tous les hommes. Les femmes de ce bateau n'étaient pas plus belles que d'autres, au fond, mais à les regarder se mouvoir elle croyait volontiers ces récits.

Deux des femmes, sur le pont surélevé à l'arrière, n'étaient manifestement pas des membres ordinaires de l'équipage. Elles avaient aussi les pieds nus et un costume de la même coupe, mais l'une était entièrement vêtue de soie bleue brochée, l'autre de soie verte. La plus âgée, celle en vert, avait quatre petits anneaux d'or à chaque oreille et un dans la narine gauche, tous ciselés de telle sorte qu'ils scintillaient au soleil. Une belle chaîne reliait son minuscule anneau de nez à l'un des anneaux d'oreilles, à laquelle étaient suspendus de minuscules médaillons en or, et l'une des chaînes autour de son cou soutenait une boîte d'or ajourée, pareille à de la dentelle d'or ouvragé, que cette femme soulevait de temps en temps pour la respirer. L'autre, la plus grande, n'avait que six anneaux d'or au total, et moins de médaillons. La boîte ajourée qu'elle portait à son nez était cependant d'or aussi finement travaillé. Exotique, en vérité. Élayne esquissa une grimace rien qu'à l'idée de ces anneaux de nez. Et cette chaîne !

Quelque chose de bizarre sur le gaillard d'arrière attira son attention mais, au premier abord, elle n'aurait pas su dire quoi. Puis elle vit. Il n'y avait pas de barre franche pour le gouvernail. Une espèce de roue à rayons se dressait derrière les deux femmes, amarrée pour qu'elle ne tourne pas, mais pas de barre.

Comment gouvernent-ils ? Le plus petit bateau de rivière qu'elle avait vu possédait une barre franche. Il y avait des barres sur tous les autres vaisseaux alignés le long des quais voisins. De plus en plus mystérieux, ces gens du Peuple de la Mer.

« Rappelez-vous ce que vous a dit Moiraine », prévint-elle comme elles approchaient du gaillard d'arrière. Ce n'était pas grand-chose ; même les Aes Sedai avaient peu de renseignements sur les Atha'ans Mierre. Néanmoins, Moiraine leur avait indiqué les façons convenues de s'exprimer ; les formules exigées par la politesse. « Et souvenez-vous qu'il faut du tact, ajouta-t-elle dans un chuchotement énergique.

— Je m'en souviendrai, répliqua sèchement Nynaeve. Je sais avoir du tact. » Élayne espéra du fond du cœur qu'elle disait vrai.

Les deux femmes du Peuple de la Mer les attendaient au sommet de l'escalier – de l'échelle, se remémora Élayne, quand bien même c'était un escalier. Elle ne comprenait pas pourquoi les bateaux devaient avoir des noms différents pour les mêmes choses. Un sol est un sol dans une écurie, une auberge ou un palais. Pourquoi pas sur un navire ? Un nuage de parfum enveloppait les deux femmes, une fragrance légèrement musquée, émanant des boîtes d'or travaillé comme de la dentelle. Les tatouages sur leurs mains représentaient des étoiles et des oiseaux de mer entourés par les crêtes recourbées et les tourbillons de vagues stylisées.

Nynaeve inclina la tête. « Je suis Nynaeve al'Meara, Aes Sedai de l'Ajah Verte. Je cherche la Maîtresse-des-Voiles de ce bâtiment, ainsi qu'un passage, s'il plaît à la Lumière. Voici ma compagne et amie, Élayne Trakand, aussi Aes Sedai de l'Ajah Verte. La Lumière vous illumine, vous et votre bâtiment, et vous envoie les vents qui faciliteront votre traversée. » C'était presque exactement les termes que Moiraine leur avait dit d'utiliser. Pas en ce qui concernait les « Aes Sedai de l'Ajah Verte » – Moiraine avait visiblement accepté cela plutôt avec résignation et marqué de l'amusement devant leur choix d'Ajah – mais le reste.

La plus âgée des deux femmes, avec des fils gris dans ses cheveux noirs et de fines rides au coin de ses grands yeux marron, inclina la tête aussi cérémonieusement. Néanmoins, elle les examina avec attention de la tête aux pieds, en particulier l'anneau au Grand Serpent que chacune portait à la main droite. « Je suis Coine din Jubai Vents Sauvages, Maîtresse-des-Voiles de *Danseur-sur-les-vagues*. Voici Jorine din Jubai Aile Blanche, ma sœur de sang et Pourvoyeuse-de-Vent du *Danseur-sur-les-vagues*. Un passage serait possible, s'il plaît à la Lumière. Que la Lumière vous illumine et vous accompagne saines et sauves jusqu'à la fin de votre voyage. »

C'était une surprise que les deux soient sœurs. Élayne voyait bien la ressemblance, mais Jorine avait l'air beaucoup plus jeune. Elle aurait aimé que ce soit la Pourvoyeuse-de-Vent avec qui elles auraient à discuter ; les deux femmes avaient la même réserve, mais elle ne savait quoi chez la Pourvoyeuse lui rappelait Aviendha. C'était absurde, bien sûr. Ces femmes n'étaient pas plus grandes qu'elle-même, leur teint n'aurait pas pu être plus différent de celui de l'Aielle et la seule arme visible sur l'une ou l'autre était le solide couteau passé dans sa large ceinture, qui avait plutôt tout d'un outil en dépit des sculptures et des incrustations de fil d'or sur le manche. Pourtant Élayne ne pouvait s'empêcher de sentir une certaine similitude, du moins entre Jorine et Aviendha.

« Parlons donc, Maîtresse-des-Voiles, si vous le voulez bien, reprit Nynaeve répétant la formule de Moiraine, de voyages et de ports, et du cadeau de passage. » Le Peuple de la Mer ne réclamait pas d'argent pour le passage, d'après Moiraine ; c'était un cadeau qui, par pure coïncidence, serait échangé contre un cadeau d'égale valeur.

Coine jeta un coup d'œil, alors, en arrière du navire vers la Pierre et la bannière blanche ondulant au-dessus. « Nous parlerons dans ma cabine, Aes Sedai, s'il plaît à vous. » Elle indiqua du geste une écoutille ouverte derrière cette roue bizarre. « Bienvenue à vous sur mon bateau et que la grâce de la Lumière soit sur vous jusqu'à ce que vous quittiez ses ponts. »

Une autre échelle étroite – un escalier – descendait dans une pièce bien rangée, plus grande et plus haute de plafond qu'Élayne s'y était attendue d'après ses expériences sur des navires de taille moindre, avec des fenêtres à la poupe et des lampes suspendues aux parois par un système à la cardan. Presque tout semblait avoir été construit dans la cabine, à l'exception de quelques coffres laqués de diverses dimensions. Le lit était large et bas, juste au-dessous des fenêtres de poupe, et une table étroite entourée de fauteuils se trouvait au milieu de la pièce.

Il y avait très peu d'objets pour créer de l'encom brement. Des cartes roulées étaient posées sur la table, quelques sculptures en ivoire représentant des animaux bizarres étaient disposées sur des rayonnages munis d'une grille et une demi-douzaine d'épées nues aux formes diverses, parmi lesquelles certaines qu'Élayne n'avait jamais vues, reposaient sur des crochets fixés aux parois. Un gong de cuivre carré curieusement travaillé était suspendu à une poutre au-dessus du lit tandis que juste devant les fenêtres de poupe, comme à une place d'honneur, un casque coiffait une forme en bois sans esquisse de visage taillée à cet effet, un casque pareil à la tête d'un insecte mons trueux, laqué en rouge et en vert, avec une étroite plume blanche de chaque côté, l'une d'elles cassée.

Le casque, Élayne le reconnut. « Seanchan », laissa-t-elle échapper sans réfléchir. Nynaeve lui adressa un regard contrarié, et à bon droit ; elles étaient tombées d'accord que ce serait plus rationnel et paraîtrait plus vrai si Nynaeve, étant la plus âgée, se plaçait en première position et se chargeait de parler la plupart du temps.

Coine et Jorine échangèrent un regard indéchiffrable. « Vous êtes au courant de leur existence ? dit la Maîtresse-des-Voiles. Bien sûr. On doit s'attendre à ce que des Aes Sedai sachent ce genre de chose. Ici dans l'est, nous entendons quantités de récits dont les plus véridiques sont moins qu'à demi exacts. »

Élayne se rendait bien compte qu'elle devrait s'en

tenir là, mais la curiosité aiguillonna sa langue. « Comment êtes-vous entrée en possession de ce casque ? Si je puis me permettre de le demander.

— *Danseur* a rencontré un vaisseau des Seanchans l'an dernier, répliqua Coine. Ils avaient envie de s'emparer de lui, mais je n'avais pas envie de le leur abandonner. » Elle haussa légèrement les épaules. « J'ai le casque en souvenir et la mer a eu les Seanchans, que la Lumière accorde miséricorde à l'ensemble de ceux qui naviguent. Je ne m'approcherai plus d'un vaisseau aux voiles raidies par des lattes.

— Vous avez eu de la chance, déclara Nynaeve d'un ton péremptoire. Les Seanchans gardent captives des femmes qui canalisent et les obligent à canaliser pour servir d'arme. S'ils en avaient eu une sur ce bateau, vous regretteriez à jamais de l'avoir aperçu. »

Élayne lui adressa une grimace, bien que ce fût trop tard. Elle était incapable de discerner si ces femmes du Peuple de la Mer étaient offensées par le ton de Nynaeve. Les deux conservaient la même expression neutre, mais Élayne commençait à prendre conscience qu'elles ne laissaient pas paraître grand-chose sur leurs visages, pas en présence d'étrangers, du moins.

« Parlons de passage, dit Coine. S'il plaît à la Lumière, nous ferons peut-être escale là où vous souhaitez aller. Tout est possible, dans la Lumière. Asseyons-nous. »

Les sièges autour de la table ne reculaient pas ; eux et la table étaient fixés au plancher – au pont. Au lieu de cela, les accoudoirs pivotaient vers l'extérieur comme des barrières et se bloquaient de nouveau en place une fois qu'on était assis. Ce dispositif semblait confirmer les pires prévisions d'Élayne concernant roulis et tangage. Elle-même les supportait fort bien, naturellement, mais trop de roulis sur un bateau de rivière mettait l'estomac de Nynaeve en révolution. Si violent que soit le vent, ce devait être pire sur l'océan que sur un fleuve, et plus l'estomac de Nynaeve souffrait plus son humeur se détériorait. Nynaeve ayant mal au cœur et son irascibilité exacerbée en même temps : il y avait peu de choses plus redoutables dans l'expérience d'Élayne.

Elle et Nynaeve furent placées ensemble d'un même côté de la table, avec la Maîtresse-des-Voiles et la Pourvoyeuse-de-Vent à chaque extrémité. Au premier abord, elle trouva cela bizarre, jusqu'à ce qu'elle s'avise qu'elles regarderaient ainsi l'une et l'autre celle des deux qui parlerait, permettant à l'autre de les observer sans être remarquée. *Traitent-elles toujours les passagers de cette façon ou bien est-ce parce que nous sommes des Aes Sedai ? Enfin, parce qu'elles pensent que nous en sommes.* C'était un avertissement que tout ne se passerait peut-être pas avec ces gens-là de façon aussi simple qu'elles l'escomptaient. Elle espéra que Nynaeve en était consciente.

Élayne n'avait vu donner aucun ordre, mais une svelte jeune femme avec un seul anneau à chaque oreille apparut, portant un plateau avec une théière blanche carrée à l'anse en cuivre et des grandes tasses sans anse, non pas en porcelaine du Peuple de la Mer comme on aurait pu s'y attendre mais en faïence épaisse. Moins de risque qu'elles se cassent par gros temps, conclut-elle lugubrement. Toutefois, c'est la jeune femme qui retint son attention et lui coupa presque le souffle. Elle était nue jusqu'à la taille, exactement comme les hommes sur le pont. Élayne masqua fort bien sa surprise, de son propre avis, mais Nynaeve émit un reniflement audible.

La Maîtresse-des-Voiles attendit que la jeune femme eût versé du thé infusé jusqu'à être noir, puis questionna : « Avons-nous pris la mer sans que je m'en aperçoive, Doreli ? N'y a-t-il pas de terre en vue ? »

La svelte jeune femme devint cramoisie. « Il y a de la terre, Maîtresse-des-Voiles. » C'était un murmure pitoyable.

Coine hocha la tête. « Jusqu'à ce qu'il n'y ait plus de terre en vue, et cela pendant une journée entière, vous travaillerez à nettoyer les sentines des cales, où les vêtements sont une entrave. Vous pouvez vous retirer.

— Oui, Maîtresse-des-Voiles », répondit la jeune femme encore plus tristement. Elle se détourna, détachant d'un air abattu sa large ceinture rouge quand elle franchit la porte à l'autre bout de la pièce.

« Prenez de ce thé, si vous le voulez bien, dit la Maîtresse-des-Voiles, que nous puissions parler en paix. » Elle but le sien à petites gorgées et poursuivit, pendant qu'Élayne et Nynaeve goûtaient le leur. « Je demande que vous pardonniez toute offense, Aes Sedai. Ceci est la première traversée de Doreli en dehors de trajets entre les îles. Les jeunes oublient souvent les habitudes des terriens qui ne quittent jamais

568

le rivage. Je la punirai davantage si vous vous sentez désobligées.

— Ce n'est pas nécessaire », répliqua vivement Élayne, saisissant ce prétexte pour reposer son bol. Le thé était encore plus fort qu'il ne le paraissait, absolument brûlant, non sucré et très amer. « Sincèrement, nous ne sommes pas offensées. Les mœurs diffèrent chez les gens différents. » *Veuille la Lumière qu'il n'y ait pas trop de différences de plus que celle-là ! Ô Lumière, et s'ils ne portent pas de vêtement du tout une fois en pleine mer ? Ô Lumière !* « Seule une sotte prendrait ombrage de coutumes autres que les siennes. »

Nynaeve lui adressa un coup d'œil discret, suffisamment impassible pour les Aes Sedai qu'elles prétendaient être, et avala une grande gorgée de son bol. Elle se contenta de déclarer : « Je vous en prie, n'y pensez plus. » Ce n'était pas possible de discerner si elle le disait à l'intention d'Élayne ou à celle des femmes du Peuple de la Mer.

« Alors, nous parlerons du passage, si vous le voulez bien, dit Coine. Vers quel port désirez-vous aller ?

— Tanchico, répliqua Nynaeve, avec un peu plus d'autorité qu'elle n'aurait dû. Je sais que vous n'avez peut-être pas l'intention de vous y rendre, mais nous avons besoin d'aller vite, aussi vite que seul un rakeur en est capable, et sans escale si c'est possible. J'offre ce petit cadeau, pour le dérangement. » Elle sortit un papier de l'aumônière accrochée à sa ceinture et le déplia, puis le poussa à travers la table vers la Maî-tresse-des-Voiles.

C'est Moiraine qui le leur avait donné, ainsi qu'un autre pareil, des lettres de crédit. Chacune permettait au porteur de retirer jusqu'à trois mille couronnes d'or chez des banquiers et des prêteurs dans diverses cités, mais il y avait des chances pour que pas un de ces hommes et de ces femmes ne sût que c'était de l'argent de la Tour Blanche qu'ils détenaient. Élayne avait regardé le montant en écarquillant les yeux – Nynaeve était carrément restée bouche bée – mais Moiraine avait expliqué que cela risquait d'être nécessaire pour que la Maîtresse-des-Voiles renonce aux escales qu'elle avait prévues.

Coine toucha d'un doigt la lettre de crédit, lut. « Une somme considérable comme cadeau de passage, murmura-t-elle, même en tenant compte que vous me demandez de modifier mes plans de navigation. Je suis encore plus surprise maintenant qu'avant. Vous savez que nous transportons très rarement des Aes Sedai sur nos bateaux. Très rarement. De tous ceux qui souhaitent un passage, seules les Aes Sedai peuvent se le voir refuser et presque toujours essuient un refus, comme au premier jour de la première partance. Les Aes Sedai le savent et donc n'en sollicitent presque jamais. » Elle regardait son bol de thé, pas elles, mais Élayne tourna brièvement les yeux de l'autre côté et surprit la Pourvoyeuse-de-Vent en train d'observer leurs mains posées sur la table. Non, leurs anneaux.

Moiraine n'avait rien dit à ce sujet. Elle avait désigné le rakeur comme le navire le plus rapide disponible et les avait encouragées à en profiter. D'autre part, elle leur avait donné ces lettres de crédit, très probablement suffisantes pour acheter une flotte de voiliers comme celui-ci. Eh bien, plusieurs voiliers, du moins. *Parce qu'elle savait qu'il faudrait une telle somme pour les inciter à nous emmener ?* Mais pourquoi avait-elle tu certaines choses ? Sotte question ; Moiraine gardait toujours des choses secrètes. Mais encore pourquoi leur faire perdre du temps ?

« Entendez-vous refuser de nous prendre ? » Nynaeve avait abandonné le tact pour la brusquerie. « Si vous ne transportez pas d'Aes Sedai, pourquoi nous avez-vous amenées ici en bas ? Pourquoi ne pas nous dire cela carrément là-haut et régler tout de suite la question ? »

La Maîtresse-des-Voiles débloqua un des accoudoirs de son siège, se leva et alla regarder la Pierre par les fenêtres de poupe. Ses boucles d'oreilles et les médaillons en travers de sa joue gauche scintillaient à la lumière du soleil levant. « Il sait exercer le Pouvoir Unique, à ce que j'ai entendu dire, et il tient l'Épée-qui-ne-peut-pas-être-touchée. Les Aiels ont franchi le Rempart du Dragon à son appel ; j'en ai vu plusieurs dans les rues et on dit qu'ils occupent la Pierre. La Pierre de Tear a capitulé et la guerre éclate entre les nations de la terre. Ceux qui avaient régné jadis sont revenus et ont été repoussés pour la première fois. La Prophétie est en train de s'accomplir. »

Nynaeve paraissait aussi déconcertée qu'Élayne l'était intérieurement par ce changement de sujet. « Les Prophéties du Dragon ? dit Élayne au bout d'un instant. Oui, elles s'accomplissent. Il est le Dragon Réincarné, Maîtresse-des-Voiles. » *C'est un entêté qui dissimule ses sentiments si profondément que je n'arrive pas à les découvrir, voilà ce qu'il est !*

Coine se retourna. « Non pas les Prophéties du Dragon, Aes Sedai. La Prophétie de Jendai, la Prophétie du Coramoor. Pas celui que vous attendez et redoutez ; celui que nous cherchons, héraut d'une nouvelle Ère. Lors de la Destruction du Monde, nos ancêtres ont couru vers le refuge offert par la mer alors que la terre se soulevait et se brisait comme les vagues dans la tempête. Il est dit qu'ils ignoraient tout du maniement des bateaux qu'ils empruntèrent pour s'enfuir, mais la Lumière était avec eux et ils ont survécu. Ils n'ont pas revu la terre avant qu'elle soit de nouveau immobile et, entre-temps, il y avait eu beaucoup de changements. Tout – la moindre chose, le monde – dérivait au gré de l'eau et du vent. C'est dans les années qui ont suivi que la Prophétie de Jendai a été annoncée pour la première fois. Nous devons parcourir les eaux jusqu'au retour du Coramoor et le servir lors de sa venue.

« Nous sommes liés à la mer ; l'eau salée circule dans nos veines. La plupart d'entre nous ne descendent à terre que pour attendre un autre navire, un autre embarquement. Des hommes énergiques pleurent quand ils doivent travailler à terre. Les femmes à terre vont sur un vaisseau pour accoucher de leur enfant – dans une barque à rames s'il n'y a rien d'autre de disponible – car nous devons naître sur l'eau, comme nous devons y mourir et lui être donnés dans la mort.

« La Prophétie est en train de s'accomplir. Il est le Coramoor. Les Aes Sedai le servent. Vous en êtes la preuve, vous qui êtes ici dans cette ville. Cela aussi figure dans la Prophétie. "La Tour Blanche sera rompue par son nom et les Aes Sedai s'agenouilleront pour lui laver les pieds et les sécher avec leurs chevelures."

— Vous aurez longtemps à attendre si vous comptez me voir laver les pieds de n'importe quel homme, répliqua Nynaeve d'un ton caustique. Qu'est-ce que cela a à voir avec notre passage ? Nous prendrez-vous ou non ? »

Élayne rentra la tête dans les épaules, mais la Maîtresse-des-Voiles répondit du tac au tac aussi carrément. « Pourquoi désirez-vous aller à Tanchico ? C'est une escale déplaisante maintenant. J'y ai accosté l'hiver dernier. Les gens du pays ont quasiment envahi mon navire pour obtenir d'être embarqués, vers n'importe quelle destination. Peu leur importait, du moment qu'ils s'éloignaient de Tanchico. Je ne peux pas croire que les conditions soient meilleures à présent.

— Interrogez-vous toujours vos passagers de cette façon ? dit Nynaeve. Je vous ai offert suffisamment pour acheter un village. Deux villages ! Si vous voulez davantage, fixez votre prix.

— Pas un prix, lui souffla Élayne à l'oreille. Un cadeau ! »

Si Coine était offensée, ou même avait entendu, elle n'en témoigna rien. « Pourquoi ? »

Nynaeve empoigna sa natte, mais Élayne posa la main sur son bras. Elles avaient projeté de garder elles aussi quelques secrets mais assurément, depuis qu'elles étaient assises là, elles en avaient appris assez pour modifier n'importe quel plan. Il y a un temps pour le secret et un temps pour la sincérité. « Nous sommes à la poursuite de l'Ajah Noire, Maîtresse-des-Voiles. Nous croyons que quelques-uns de ses membres sont dans Tanchico. » Elle affronta avec calme le regard coléreux de Nynaeve. « Il faut que nous les trouvions, sinon il y a un risque qu'elles nuisent... au Dragon Réincarné. Au Coramoor.

— Que la Lumière nous conduise à bon port », dit dans un souffle la Pourvoyeuse-de-Vent. C'était la première fois qu'elle parlait et Élayne la dévisagea avec surprise. Jorine fronçait les sourcils et ne regardait personne, mais elle s'adressa à la Maîtresse-des-Voiles. « Nous pouvons les prendre, ma sœur. Nous le devons. » Coine acquiesça d'un signe de tête.

Élayne échangea un regard avec Nynaeve et vit ses propres questions reflétées dans les yeux de sa compagne. Pourquoi était-ce la Pourvoyeuse-de-Vent qui décidait ? Pourquoi pas la Maîtresse-des-Voiles ? C'était elle le capitaine, quelque titre par lequel on la désignât. Au moins allaient-elles finalement obtenir d'être embarquées. « *Pour combien ?* » se demanda Élayne. *Un « cadeau » de quelle valeur ?* Elle aurait aimé que Nynaeve n'ait pas révélé qu'elles avaient davantage que ce qui était inscrit dans cette lettre de crédit. *Et elle m'accuse de distribuer l'or à tort et à travers.*

La porte s'ouvrit et un homme aux cheveux gris à forte carrure, aux amples chausses de soie verte retenues par une ceinture-écharpe entra, en feuilletant une liasse de feuillets. Quatre anneaux en or ornaient chaque oreille et trois lourdes chaînes d'or pendaient à son cou, y compris une avec une boîte à parfum. Une longue cicatrice boursouflée sur sa joue et deux poignards incurvés passés dans sa large ceinture lui donnaient un air quelque peu menaçant. Il fixa par-dessus ses oreilles une curieuse monture en fil métallique pour soutenir des lentilles transparentes devant ses yeux. Le Peuple de la Mer fabriquait, bien sûr, les plus beaux miroirs, loupes à feu et autres du même genre, mais Élayne n'avait jamais vu ce genre de dispositif. Il regardait les feuillets à travers ces lentilles et commença à parler sans lever la tête.

« Coine, cet imbécile ne demande qu'à troquer cinq cents peaux de renards des neiges du Kandor contre ces trois petits barils de tabac des Deux Rivières que j'ai obtenus dans Ebou Dar. Cinq cents ! Il peut les apporter ici à midi. » Ses yeux se relevèrent et il sursauta. « Pardonne-moi, mon épouse. Je ne savais pas que tu avais des visites. Que la Lumière soit avec vous toutes.

— À midi, mon mari, répliqua Coine, je descendrai le fleuve. À la tombée de la nuit, je serai en mer. »

Il se figea. « Suis-je toujours Maître du Fret, femme, ou ma place a-t-elle été prise pendant que je ne regardais pas ?

— Tu es Maître-du-Fret, mon mari, mais le commerce doit s'interrompre maintenant et les préparatifs commencer pour appareiller. Nous partons pour Tanchico.

— Tanchico ! » Les feuillets se froissèrent dans son

poing et il se maîtrisa avec un effort. « Femme... Non, Maîtresse-des-Voiles, tu m'as dit que notre prochaine escale était Mayene, puis ensuite à l'est le Shara. J'ai négocié avec cela dans l'esprit. Le Shara, Maîtresse-des-Voiles, par le Tarabon. Ce que j'ai dans mes soutes ne donnera pas grand profit à Tanchico. Peut-être aucun ! Puis-je demander pourquoi mon commerce est voué à la ruine et le *Danseur-sur-les-vagues* à l'appauvrissement ? »

Coine hésita mais, quand elle parla, son ton avait gardé son formalisme. « Je suis Maîtresse-des-Voiles, mon mari. Le *Danseur* prend la mer quand je le dis et va où je le dis. Cela doit suffire pour le moment.

— À tes ordres, Maîtresse-des-Voiles, répliqua-t-il d'une voix âpre, ainsi soit-il. » Il porta la main à son cœur – Élayne eut l'impression que Coine tressaillait – et sortit à pas silencieux, le dos raide comme des mâts du navire.

« Je lui dois une compensation, murmura Coine doucement, le regard fixé sur la porte. Bien sûr, c'est agréable de se réconcilier avec lui. Habituellement. Il m'a saluée comme s'il était un mousse, ma sœur.

— Nous regrettons d'être une cause de désagrément, Maîtresse-des-Voiles, dit Élayne avec circonspection. Et nous regrettons d'avoir été les témoins de ceci. Si nous avons causé la moindre gêne à quiconque, veuillez accepter nos excuses.

— De la gêne ? » Coine avait un ton surpris. « Aes Sedai, je suis Maîtresse-des-Voiles. Je doute que votre présence ait gêné Toram et je ne lui présenterais pas d'excuses à ce sujet si c'était le cas. Le commerce est

sa partie, mais je suis la Maîtresse-des-Voiles. Il faut
que j'arrange les choses avec lui – et ce ne sera pas
facile puisque je suis toujours obligée de tenir le motif
secret – parce qu'il a raison et que je n'ai pas su réfléchir assez vite pour imaginer une autre réponse que
celle que j'aurais donnée à un simple matelot. Cette
cicatrice sur sa figure, il l'a reçue en chassant les Seanchans des ponts du *Danseur*. Il a des cicatrices plus
anciennes provenant de ce qu'il a défendu mon navire,
et je n'ai qu'à tendre la main pour que de l'or y soit
placé grâce à son commerce. C'est à cause de ce que
je ne peux pas lui dire que je lui dois réparation, parce
qu'il est en droit d'être informé.

— Je ne comprends pas, dit Nynaeve. Nous vous
demanderions de garder le secret sur l'Ajah Noire... »
– elle jeta un coup d'œil sévère à Élayne, un coup
d'œil qui promettait des mots sévères une fois qu'elles
seraient seules ; Élayne avait l'intention de lui en
adresser quelques-uns de son cru sur ce que signifiait
avoir du tact – « ... mais sûrement trois mille cou
ronnes sont un motif suffisant pour nous emmener à
Tanchico.

— C'est à propos de vous, Aes Sedai, que je dois
me taire. Sur ce que vous êtes et pourquoi vous
voyagez. Beaucoup parmi mon équipage considèrent
que les Aes Sedai portent malheur. S'ils savaient qu'ils
transportent non seulement des Aes Sedai mais encore
en direction d'un port où d'autres Aes Sedai servent
peut-être le Père des Tempêtes... La grâce de la
Lumière brillait sur nous qu'il n'y ait eu personne
assez près pour m'entendre vous appeler ainsi là-haut.

Serait-ce offenser si je vous demande de demeurer en bas autant que possible et de ne pas porter vos anneaux quand vous serez sur le pont ? »

En réponse, Nynaeve enleva son anneau au Grand Serpent et le laissa tomber dans son aumônière. Élayne en fit autant, avec un peu plus de regret ; elle aimait bien que les gens regardent son anneau. Ne se fiant pas en cet instant à ce qui restait à Nynaeve comme réserve de diplomatie, elle prit la parole avant que sa compagne en ait eu le temps. « Maîtresse-des-Voiles, nous vous avons offert un cadeau de passage, s'il vous convient. S'il ne vous convient pas, puis-je demander ce qui serait adéquat ? »

Coine revint vers la table pour regarder de nouveau la lettre de crédit, puis la repoussa vers Nynaeve. « Je fais ceci pour le Coramoor. Je vous conduirai en toute sécurité à terre à l'endroit que vous désirez, s'il plaît à la Lumière. Ce sera fait. » Elle effleura ses lèvres des doigts de sa main droite. « C'est convenu, devant la Lumière. »

Jorine émit un son étranglé. « Ma sœur, un Maître-du-Fret s'est-il jamais mutiné contre sa Maîtresse-des-Voiles ? »

Coine la toisa d'un regard flegmatique. « Je tirerai de mon propre coffre le cadeau de passage. Et si jamais Toram en entend parler, ma sœur, je te mettrai dans les sentines avec Doreli. Comme lest, peut-être. »

Que les deux femmes du Peuple de la Mer avaient laissé choir toute cérémonie fut confirmé quand la Pourvoyeuse-de-Vent éclata de rire ouvertement. « Et alors ton prochain port sera dans Chachin, ma sœur, ou Caemlyn, car tu ne trouveras pas l'eau sans moi. »

La Maîtresse-des-Voiles s'adressa à Élayne et à Nynaeve d'un ton de regret. « En toute justice, Aes Sedai, puisque vous servez le Coramoor, je devrais vous traiter avec les mêmes honneurs que la Maîtresse-des-Voiles et la Pourvoyeuse-de-Vent d'un autre bateau. Nous devrions nous baigner ensemble, boire du vin adouci avec du miel et nous raconter des histoires pour nous faire rire et pleurer, mais je dois m'apprêter à appareiller et... »

Le *Danseur-sur-les-vagues* s'éleva, comme l'évoquait son nom, bondissant, martelant le quai. Élayne fut secouée d'avant en arrière et d'arrière en avant dans son siège, se demandant tandis que cela continuait si ce bouclage sur place valait réellement mieux que d'être précipitée sur le plancher.

Puis, enfin, cela se termina, les bonds ralentissant, devenant plus faibles. Coine se redressa précipitamment et courut vers l'échelle, Jorinc sur ses talons, criant déjà l'ordre de vérifier si la coque était endommagée.

20.

Les vents se lèvent

Élayne s'évertua à soulever le loqueteau bloquant les bras de son siège, puis s'élança à la suite des deux Atha'ans Mierre et faillit entrer en collision avec Nynaeve au pied de l'échelle. Le bateau se balançait toujours, bien qu'avec moins de violence. Pas sûre qu'ils n'étaient pas en train de couler, elle fit passer Nynaeve devant elle et lui imprima de légères poussées pour l'inciter à monter plus vite.

Sur le pont, les membres de l'équipage se précipitaient de-ci de-là, vérifiant le gréement ou se penchant par-dessus la lisse afin d'inspecter la coque, criant au tremblement de terre. Les mêmes cris provenaient aussi des dockers, par contre Élayne avait compris ce qu'il en était, malgré ce qui était renversé sur les quais et les navires qui tanguaient encore en tirant sur leurs amarres.

Elle porta son attention vers la Pierre. L'énorme forteresse était immobile, mais aux alentours tourbillonnaient des foules d'oiseaux effrayés et cette bannière blanche ondulait, presque paresseusement, dans un courant de brise isolé. Aucun signe que cette masse pareille à une montagne avait été ébranlée par quoi que ce soit. Pourtant, c'était le fait de Rand. Elle en était certaine.

Quand elle se détourna, elle trouva Nynaeve qui la regardait et, pendant un long moment, leurs yeux se croisèrent. « Nous serons dans de beaux draps s'il a endommagé le bateau, finit par dire Élayne. Comment sommes-nous censées arriver à Tanchico s'il se met à chahuter tous les navires ? » *Ô Lumière, pourvu qu'il aille bien. Je n'y peux rien, sinon. Il va bien. Sûrement.*

Nynaeve lui effleura le bras dans un geste rassurant. « Nul doute que votre seconde lettre a touché un nerf. Les hommes exagèrent toujours quand ils lâchent la bride à leurs émotions ; c'est le prix à payer pour les maintenir sur la bonne voie. Tout Dragon Réincarné qu'il est, il doit apprendre que, entre homme et femme... Qu'est-ce que ceux-là fabriquent ici ? »

« Ceux-là » étaient deux hommes immobiles au milieu des gens du Peuple de la Mer qui s'affairaient sur le pont. L'un était Thom Merrilin, drapé dans sa cape de ménestrel, avec les étuis de sa harpe et de sa flûte sur son dos et un baluchon à ses pieds à côté d'un coffret en bois à serrure qui avait vu des jours meilleurs. L'autre était un beau natif du Tear, mince, d'âge mûr, un homme brun en bonne condition physique coiffé d'un chapeau de paille conique et portant une de ces casaques de roturier qui étaient ajustées jusqu'à la taille puis s'épanouissaient comme une jupe courte. Un brise-épée à encoches était suspendu à une ceinture ceignant sa casaque et il s'appuyait sur un bâton de bois clair à nœuds proéminents comme des jointures, exactement de sa taille et pas plus épais que son pouce. Un paquet carré pendillait par une boucle passée autour de son épaule. Élayne le connaissait : son nom était Juilin Sandar.

À l'évidence, les deux hommes étaient des inconnus l'un pour l'autre bien que se tenant presque côte à côte ; il y avait de la raideur et de la réticence dans leur attitude. Pourtant, leur attention se portait dans les mêmes directions, partagée entre la Maîtresse-des-Voiles se rendant vers le gaillard d'arrière qu'ils suivaient des yeux et Élayne et Nynaeve qu'ils regardaient, visiblement peu sûrs d'eux et le masquant derrière une affectation de confiance désinvolte. Thom souriait, caressait ses longues moustaches blanches et inclinait la tête chaque fois qu'il levait les yeux vers elles deux ; Sandar exécutait avec aplomb des saluts solennels.

« Il n'est pas endommagé, annonça Coine en escaladant l'échelle. Je peux appareiller dans l'heure, si cela vous convient. C'est-à-dire dans l'heure si l'on peut trouver un pilote de Tear. Je partirai sans lui, dans le cas contraire, bien que cela implique de ne jamais revenir à Tear. » Elle suivit leur regard jusqu'aux deux hommes. « Ils ont demandé un passage, le ménestrel pour Tanchico et le preneur-de-larrons pour n'importe où vous allez. Je ne peux pas le leur refuser, et cependant... » Ses yeux noirs revinrent se poser sur Élayne et Nynaeve. « ... je le ferai si vous l'exigez. » La répugnance à enfreindre la coutume luttait dans sa voix avec... Le désir de les aider ? De servir le Coramoor ? « Le preneur-de-larrons est un homme estimable, même en tenant compte que c'est un continental. Sans vouloir vous offenser, la Lumière en est témoin. Le ménestrel, je ne sais pas, cependant un ménestrel peut égayer une traversée et rendre moins pesantes des heures lassantes.

— Vous connaissez Maître Sandar ? dit Nynaeve.

— À deux reprises il a trouvé ceux qui avaient commis des larcins à notre détriment et ce, rapidement. Un autre continental aurait mis plus longtemps afin de pouvoir demander davantage pour son travail. C'est manifeste que vous le connaissez, vous aussi. Désirez-vous que je lui refuse le passage ? » Sa répugnance persistait.

« Voyons d'abord ce qui motive leur présence ici, répliqua Nynaeve d'un ton neutre qui n'augurait rien de bon pour l'un et l'autre homme.

— Peut-être devrais-je me charger de leur parler, suggéra Élayne avec douceur mais fermeté. De cette façon, vous aurez tout loisir de voir s'ils dissimulent quelque chose. » Ce qu'elle ne dit pas c'est qu'ainsi le tempérament coléreux de Nynaeve ne prendrait pas le dessus, mais le sourire mi-figue mi-raisin que lui adressa sa compagne signifiait qu'elle l'avait néanmoins compris.

« Très bien, Élayne, je les observerai. Peut-être pourriez-vous étudier comment je conserve mon calme. Vous savez comme vous êtes quand vous vous énervez. »

Élayne ne put se retenir de rire.

Les deux hommes se redressèrent quand elle et Nynaeve s'approchèrent. Autour d'eux, l'équipage s'activait, se pressant dans le gréement, hissant des cordages, nouant des garcettes ici et en dénouant d'autres, selon les ordres de la Maîtresse-des-Voiles qui leur étaient retransmis. Ils contournaient les quatre terriens en les regardant à peine.

Élayne dévisagea Thom Merrilin en fronçant pensivement les sourcils. Elle était convaincue de n'avoir jamais rencontré le ménestrel avant qu'il arrive dans la Pierre, pourtant même alors elle avait été frappée par quelque chose de familier dans sa personne. Non pas que ce fût vraisemblable. Les ménestrels étaient généralement des artistes de village ; sa mère n'en avait assurément jamais eu un au palais de Caemlyn. Les seuls baladins qu'Élayne se rappelait avoir vus se trouvaient dans les villages proches des domaines de campagne de sa mère, et cet homme à l'aspect de faucon chenu ne s'y était certainement pas trouvé.

Elle décida de s'adresser d'abord au preneur-de-larrons. Il insistait là-dessus, elle s'en souvenait ; ce qui était ailleurs un traqueur-de-larrons était un preneur-de-larrons dans le Tear et la distinction semblait importante pour lui.

« Maître Sandar, commença-t-elle gravement, vous ne vous souvenez peut-être pas de nous. Je suis Élayne Trakand et voici mon amie, Nynaeve al'Meara. Si j'ai bien compris, vous désirez voyager jusqu'à la même destination que nous. Puis-je demander pourquoi ? La dernière fois que nous avons été en contact avec vous, vous ne nous avez pas très bien servies. »

Il ne tiqua pas à la suggestion qu'il puisse les avoir oubliées. Ses yeux se portèrent d'un mouvement vif sur leurs mains, notant l'absence d'anneaux. Ces yeux noirs remarquaient tout et l'enregistraient de façon ineffaçable. « Je me rappelle effectivement, Maîtresse Trakand, et je me rappelle bien. Toutefois, excusez-moi, la dernière fois que je vous ai servies c'était en compagnie de Mat Cauthon, quand nous vous avons sorties toutes les deux de l'eau avant que les brochets argentés puissent s'attaquer à vous. »

Nynaeve s'éclaircit la gorge mais discrètement. Ç'avait été d'un cachot, pas de l'eau, et l'Ajah Noire, pas des brochets. Nynaeve en particulier n'aimait pas s'entendre remettre en mémoire qu'elles avaient eu besoin d'aide cette fois-là. Certes, elles ne se seraient pas trouvées enfermées dans cette cellule de prison sans Juilin Sandar. Non, ce n'était pas entièrement juste. Vrai, mais pas complètement juste.

« Tout cela est bel et bon, rétorqua Élayne avec autorité, mais vous n'avez toujours pas expliqué pour-quoi vous voulez aller à Tanchico. »

Il prit une profonde aspiration et regarda Nynaeve avec défiance. Élayne n'était pas sûre d'apprécier qu'il redoute Nynaeve plus qu'elle-même. « J'ai été tiré de ma maison il n'y a pas plus d'une demi-heure, déclara-t-il prudemment, par un homme que vous connaissez, je pense. Un homme de haute taille, au visage impas-sible qui s'appelle Lan. » Les sourcils de Nynaeve se haussèrent légèrement. « Il venait de la part d'un autre homme que vous connaissez. Un... berger, m'a-t-on dit. J'ai reçu une grande quantité d'or et instruction de vous accompagner. L'une et l'autre. On m'a dit que si vous ne reveniez pas saines et sauves de ce voyage...

Nous contenterons-nous de préciser que mieux vaudrait me noyer que de revenir ? Lan a été catégorique et le... berger ne l'a pas été moins dans son message. La Maîtresse-des-Voiles m'oppose que je ne peux pas embarquer sans votre accord. Je ne suis pas sans certains talents qui peuvent se révéler utiles. » Le bâton tournoya dans ses mains, un tournoiement flou sifflant, et s'immobilisa. Ses doigts tâtèrent le brise-épée sur sa hanche, pareil à une courte épée mais non coupant, ses encoches prévues pour bloquer une lame.

« Les hommes trouvent moyen de passer outre à ce que l'on leur ordonne de faire », murmura Nynaeve, d'un ton qui n'était pas de déplaisir.

Élayne se contenta de froncer les sourcils avec dépit. Rand l'avait envoyé ? Il n'avait pas dû lire la deuxième lettre avant. *Que la Lumière le brûle ! Pourquoi réagit-il si vite ? Pas le temps d'envoyer une autre lettre et elle n'aboutirait probablement qu'à lui brouiller davantage les idées. Et me donnerait l'air encore plus idiote. Qu'il se réduise en braises !*

« Et vous, Maître Merrilin ? dit Nynaeve. Le berger a-t-il envoyé aussi à notre suite un ménestrel ? Ou l'autre compagnon ? Pour nous distraire avec vos tours de jongleur et de mangeur de feu, peut-être ? »

Thom était en train de scruter Sandar d'un regard pénétrant, mais il détourna son attention avec aisance et exécuta un salut élégant, gâché seulement par un envol par trop appliqué de cette cape couverte de pièces multicolores. « Pas le berger, Maîtresse al'Meara. Une dame qui nous est une connaissance commune m'a demandé – *demandé* – de vous accompagner. La dame qui vous a découverts, vous et le berger, au Champ d'Emond.

— Pourquoi ? questionna Nynaeve d'une voix soupçonneuse.

— Moi aussi, j'ai des talents utiles, lui répondit Thom avec un coup d'œil au preneur-de-larrons. Autres que la jonglerie, j'entends. Et je me suis rendu à plusieurs reprises à Tanchico. Je connais bien la ville. Je peux vous indiquer où trouver une bonne auberge, et quels quartiers sont dangereux de jour autant qu'après la tombée de la nuit, et à qui il faut graisser la patte pour que la Garde Civile ne s'intéresse pas de trop près à ce que vous faites. Elle surveille avec zèle les étrangers. Je suis en mesure de vous prêter assistance dans bon nombre de circonstances. »

De nouveau, Élayne éprouva cette sensation de familiarité. Avant de se rendre compte de son geste, elle allongea la main et tira sur une de ses longues moustaches blanches. Il sursauta, et elle plaqua ses deux paumes sur sa bouche, rougissant comme un coquelicot. « Pardonnez-moi. Je... j'ai eu l'impression de me rappeler avoir fait cela déjà. Je veux dire... Je suis réellement désolée. » *Par la Lumière, qu'est-ce qui m'a prise ? Il doit me croire simple d'esprit.*

« Je... m'en serais souvenu », répondit-il, très guindé.

Elle espéra qu'il n'était pas offensé. C'était difficile à discerner d'après son expression. Les hommes s'offensaient alors qu'ils auraient dû être amusés et étaient amusés alors qu'ils devraient s'offusquer. S'ils allaient voyager ensemble... Alors seulement elle se rendit compte qu'elle avait décidé qu'ils les accompagneraient. « Nynaeve ? » dit-elle.

Sa compagne, naturellement, comprit la question non formulée. Elle examina les deux hommes minutieusement, puis hocha la tête. « Ils peuvent venir. Pour autant qu'ils acceptent d'agir comme on le leur indiquera. Je ne veux pas d'un abruti qui se conduise à sa fantaisie et nous mette en danger.

— Qu'il en soit selon votre volonté, Maîtresse al'Meara », répliqua aussitôt Sandar en s'inclinant ; par contre, Thom déclara : « Un ménestrel est une âme libre, Nynaeve, mais je puis vous promettre que je ne vous exposerai à aucun danger. Loin de là.

— Comme on vous l'indiquera, répéta Nynaeve d'un ton catégorique. Donnez votre parole, sinon c'est depuis le quai que vous regarderez appareiller ce navire.

— Les Atha'ans Mierre ne refusent le passage à personne, Nynaeve.

— Vous ne le croyez pas ? Est-ce que le traqueur-de-larrons » – Sandar tiqua – « est le seul à qui l'on a précisé qu'il fallait notre permission ? Comme on vous l'indiquera, Maître Merrilin. »

Thom Merrilin secoua sa tête blanche comme un cheval rétif et respira fort, mais finalement il acquiesça. « Ma parole, Maîtresse al'Meara.

— Très bien, donc, répliqua Nynaeve d'une voix revigorante. La question est réglée. Vous deux, allez maintenant trouver la Maîtresse-des-Voiles et informez-la que j'ai dit de vous trouver un cagibi quelque part si elle peut, hors de notre chemin. Filez, à présent. Vite. »

Sandar s'inclina de nouveau et partit ; Thom frémit visiblement avant de le rejoindre, le dos raide.

« N'êtes-vous pas trop dure avec eux ? » dit Élayne dès qu'ils furent hors de portée de voix. Ce qui n'était pas loin, avec tout le tumulte qui régnait sur le pont. « Nous avons à voyager ensemble, en somme. "Les mots aimables font d'aimables compagnons."

— Mieux vaut commencer comme nous avons l'intention de continuer, Élayne. Thom Merrilin sait parfaitement que nous ne sommes pas des Aes Sedai confirmées. » Elle avait baissé la voix et jeté un coup d'œil alentour en le disant. Pas un membre de l'équipage ne regardait même dans leur direction, à l'exception de la Maîtresse-des-Voiles, là-bas près du gaillard d'arrière où elle écoutait le grand ménestrel et le traqueur-de-larrons. « Les hommes bavardent – ils n'y manquent jamais – alors Sandar sera bientôt aussi au courant. Ils ne présenteraient pas de difficultés à des Aes Sedai mais à deux Acceptées... ? À la moindre petite chance, ils feraient tous les deux ce qu'ils estiment le mieux, quoi que nous disions. Je n'ai pas l'intention de leur donner même cette petite chance.

— Peut-être avez-vous raison. Pensez-vous qu'ils savent pourquoi nous allons à Tanchico ? »

Nynaeve eut un reniflement dédaigneux. « Non, sinon ils ne seraient pas si optimistes, je gage. Et je préférerais ne pas le leur expliquer à moins d'y être obligée. » Elle adressa à Élayne un regard éloquent ; inutile pour elle de souligner qu'elle n'en aurait pas

basse avec sa sœur. Toram observa un moment, avec un visage qui aurait pu être sculpté dans une planche du pont, puis descendit au pont inférieur d'un pas digne.

Il y avait un natif de Tear sur le gaillard d'arrière, un personnage bouffi à la mine déconfite, en tunique d'un jaune sourd aux manches bouffantes grises, qui se frottait les mains d'un geste nerveux. Il avait été poussé en hâte à bord juste avant que la passerelle soit retirée, c'était un pilote censé guider *Danseur-sur-les-vagues* vers l'aval ; selon les lois de Tear, aucun navire n'avait le droit de traverser les Doigts du Dragon sans avoir embarqué un pilote du pays. Son abattement provenait à coup sûr de ce qu'il ne faisait rien car, s'il énonçait des instructions, les marins du Peuple de la Mer ne leur prêtaient pas attention.

Murmurant qu'elle voulait voir à quoi ressemblait leur cabine, Nynaeve descendit dans l'entrepont mais Élayne prenait plaisir à la brise qui soufflait et à la sensation de partir. Voyager, visiter des endroits qu'elle ne connaissait pas était une joie en soi. Elle ne s'y était jamais attendue, pas de cette façon. La Fille-Héritière d'Andor pouvait effectuer quelques visites officielles, et davantage quand elle aurait accédé au trône, mais elles seraient restreintes par le cérémonial et les convenances. Pas du tout comme ici. Des marins pieds nus et un bateau en route pour la haute mer.

La berge défilait très rapidement à mesure que le soleil montait ; de temps en temps un groupe de maisons et d'écuries en pierre blotties les unes contre les autres, balayé par le vent et isolé, apparaissait et disparaissait à l'arrière. Pas de villages, cependant. Le Tear n'autorisait pas le plus petit village au bord du fleuve car même le plus minuscule risquait de devenir un jour le rival de la capitale. Les Puissants Seigneurs maîtrisaient la dimension des villages et des villes dans le pays au moyen d'un impôt sur les constructions dont le taux s'alourdissait dans la proportion où les bâtiments se multipliaient. Élayne était sûre qu'ils n'auraient jamais permis à Godan, sur la Baie de Remara, de se développer sans la nécessité supposée d'une présence forte face à la cité-état de Mayene. En un sens, c'était un soulagement de laisser derrière soi des gens aussi stupides. Si seulement elle n'avait pas été obligée de laisser également un homme stupide.

Le nombre de bateaux, la plupart petits et tous environnés de nuages de mouettes et d'oiseaux-pêcheurs pleins d'espoir, s'accroissait à mesure que *Danseur-sur-les-vagues* avançait vers le sud, surtout une fois que le navire entra dans le labyrinthe de chenaux appelés les Doigts du Dragon. Souvent les oiseaux en l'air et les hautes perches auxquelles étaient accrochés les filets étaient ce qu'il y avait de seul visible en dehors de plaines de roseaux et d'herbes-coutelas ondulant sous la brise, parsemées d'îles basses où poussaient de curieux arbres tordus aux entrelacements de racines évoquant des pattes d'araignée exposées à l'air. Beaucoup de bateaux travaillaient en plein milieu des roseaux, mais pas avec des filets. Une fois, Élayne en vit quelques-uns proches de l'eau libre, leurs occupants hommes et femmes jetant des lignes avec hameçon dans cette végétation aquatique et en

593

retirant des poissons aux raies sombres qui se tortillaient, longs comme un bras d'homme.

Le pilote de Tear commença à marcher avec anxiété comme un lion en cage quand ils atteignirent le delta, avec le soleil au-dessus de leurs têtes, refusant avec dédain l'offre de pain et d'un bol d'un épais ragoût de poissons épicé. Élayne mangea avec grand appétit sa portion, essuyant son bol de faïence avec sa dernière bouchée de pain, bien qu'elle partageât le malaise du pilote. Des passages larges et étroits partaient dans toutes les directions. Certains s'interrompaient brusquement, en pleine vue, contre une muraille de roseaux. Il n'y avait pas moyen de dire lequel parmi les autres ne se terminerait pas aussi soudainement après la prochaine courbe. Néanmoins, Coine ne ralentit pas le *Danseur-sur-les-vagues*, pas plus qu'elle n'hésita sur le choix de la direction. Manifestement, elle connaissait quel chenal prendre, ou la Pourvoyeuse-de-Vent le connaissait, ce qui n'empêchait pas le pilote de marmonner entre ses dents comme s'il s'attendait à ce que le bateau s'échoue d'une minute à l'autre.

C'est vers la fin de l'après-midi qu'apparut soudain sur l'avant l'embouchure du fleuve et, derrière, l'étendue sans bornes de la mer des Tempêtes. Les marins firent quelque chose avec les voiles et le vaisseau s'immobilisa en frémissant. Alors seulement Élayne remarqua un gros bateau à rames courant sur l'eau comme un insecte aquatique aux multiples pattes en provenance d'une île où quelques bâtiments de pierre désolés se dressaient autour de la base d'une haute tour étroite au sommet de laquelle se tenaient des hommes paraissant tout petits sous la bannière de Tear, trois croissants blancs sur champ rouge et or. Le pilote empocha sans dire un mot la bourse que lui tendit Coine et descendit par une échelle de corde jusqu'au canot. Dès qu'il fut à son bord, les voiles furent de nouveau hissées et le *Danseur-sur-les-vagues* affronta les premières lames de houle de la pleine mer, s'élevant légèrement, fendant l'eau. Les marins se répandirent vivement dans le gréement pour établir d'autres voiles, tandis que le vaisseau s'éloignait du continent en direction du sud-ouest.

Quand la dernière mince langue de terre disparut au-dessous de l'horizon, les femmes du Peuple de la Mer ôtèrent leur corsage. Toutes, même la Maîtresse-des-Voiles et la Pourvoyeuse-de-Vent. Élayne ne savait plus où poser les yeux. Toutes ces femmes allant à demi vêtues et parfaitement indifférentes aux hommes qui les entouraient. Juilin Sandar semblait aussi gêné qu'elle, tour à tour regardant les femmes avec des yeux écarquillés et fixant ses pieds, pour finir par descendre presque au pas de course à sa cabine. Élayne ne voulut pas se laisser mettre en déroute de cette façon. Elle opta pour contempler la mer par-dessus la lisse.

Des coutumes différentes, se rappela-t-elle. *Pour autant que l'on ne s'attend pas à ce que je fasse de même.* Cette seule idée faillit provoquer une crise de fou rire. Elle ne savait pas pourquoi, mais l'Ajah Noire était plus facile à envisager que cela. Des coutumes différentes. *Ô Lumière !*

Le ciel devint pourpre, avec un soleil d'or terne à l'horizon. Une foule de dauphins escortaient le navire, roulant et se cambrant à côté de lui, tandis que plus loin des espèces de poissons d'un bleu argenté s'élevaient par bancs au-dessus de la surface et grâce à leurs nageoires pectorales déployées, longues d'une paume, planaient sur une distance de cinquante pas ou plus avant de replonger dans la houle gris-vert. Élayne observa avec stupeur une douzaine de ces vols avant qu'ils ne reparaissent plus.

Toutefois, les dauphins, grandes formes élégantes, étaient en eux-mêmes assez merveilleux, garde d'honneur escortant le retour du *Danseur-sur-les-vagues* dans le milieu auquel il appartenait. Eux, Élayne les reconnut d'après des descriptions lues dans des livres ; on racontait que, s'ils vous trouvaient en train de vous noyer, ils vous poussaient jusqu'au rivage. Elle n'était pas sûre d'y ajouter entièrement foi, mais c'était une belle histoire. Elle les suivit le long du navire jusqu'à la proue avant de se rendre compte que Thom Merrilin s'y trouvait déjà, souriant aux dauphins un peu tristement, sa cape gonflée par le vent comme le nuage de voiles au-dessus d'eux. Il s'était débarrassé de ses bagages. Il lui donnait l'impression d'être quelqu'un qu'elle connaissait ; oui, vraiment. « N'êtes-vous pas heureux, Maître Merrilin ? »

Il lui jeta un coup d'œil de côté. « Je vous en prie, appelez-moi Thom, ma dame.

— Thom, donc. Mais pas ma dame. Je ne suis que Maîtresse Trakand ici.

— Entendu, Maîtresse Trakand, dit-il avec une esquisse de sourire.

— Comment pouvez-vous regarder ces dauphins et être triste, Thom ?

— Ils sont libres, murmura-t-il sur un tel ton qu'elle hésita à penser qu'il lui répondait. Ils n'ont pas de décisions à prendre, pas de prix à payer. Pas un souci au monde, excepté trouver des poissons à manger. Et les requins, je suppose. Et les scorpènes. Et probablement cent autres choses que je ne connais pas. Peut-être n'est-ce finalement pas une existence tellement désirable.

— Est-ce que vous les enviez ? » Il ne répondit pas, mais de toute façon ce n'était pas la bonne question. Elle avait besoin de le faire sourire de nouveau. Non, rire. Elle ne savait trop pourquoi, elle était certaine de se rappeler où elle l'avait déjà rencontré si elle réussissait à ce qu'il rie. Elle choisit un autre sujet, un qui devait être plus cher à son cœur. « Avez-vous l'intention de composer l'épopée de Rand, Thom ? » Les épopées étaient l'affaire des bardes, pas des ménestrels, mais un peu de flatterie ne gâtait rien. « L'épopée du Dragon Réincarné. Loial veut écrire un livre, vous savez.

— Peut-être en composerai-je, Maîtresse Trakand. Peut-être. Mais que je compose mon poème ou que l'Ogier écrive son livre ne changera pas grand-chose au bout du compte. Nos histoires ne survivront pas à la longue. Quand viendra la nouvelle Ère... » – il eut une grimace et tiraillla une de ses moustaches. « À la réflexion, cela se produira peut-être dans pas plus d'un an ou deux. Comment se marque la fin d'une Ère ? Cela ne peut pas toujours être un cataclysme de l'ordre de la Destruction du Monde. Pourtant, s'il faut en croire les Prophéties, c'est ce qui se passera pour celle-ci. Voilà le hic avec les prophéties. L'original est toujours dans l'Ancienne Langue, et peut-être aussi en Grand Chant : si l'on ne connaît pas au préalable ce que signifie une chose, il n'y a pas moyen de la déchiffrer. Signifie-t-elle ce qu'elle dit ou est-ce une manière fleurie d'exprimer quelque chose d'entièrement différent ?

— Vous parliez de votre épopée », dit-elle, pour essayer de le ramener à ce sujet ; mais il secoua sa tête à la longue chevelure blanche.

« Je parlais de changement. Mon épopée, si je la compose – et le livre de Loial – ne seront pas plus que des graines de semence, si la chance nous favorise l'un et l'autre. Ceux qui sont au courant de la vérité mourront et les petits-enfants de leurs petits-enfants se rappelleront quelque chose de différent. Et les petits-enfants des petits-enfants de ceux-là autre chose encore. D'ici deux douzaines de générations, vous en serez peut-être l'héroïne et non Rand.

— Moi ? dit-elle en riant.

— Ou encore Mat, ou Lan. Ou même moi. » Il lui adressa un sourire qui illumina son visage buriné. « Thom Merrilin. Pas un ménestrel... mais quoi ? Qui peut le dire ? Pas mangeur de feu, mais le crachant. Le projetant autour de lui comme une Aes Sedai. » Il fit voleter sa cape. « Thom Merrilin, le héros mystérieux qui renverse des montagnes et met des rois sur

le trône. » Le sourire devint un énorme rire sonore.
« Rand al'Thor aura de la chance si la nouvelle Ère se
rappelle correctement son nom. »

Elle avait raison ; ce n'était pas seulement une
impression. Ce visage, ce rire bouillonnant de gaieté ;
elle s'en souvenait. Mais d'où ? Il fallait qu'elle l'incite à continuer à parler. « Cela se passe-t-il toujours
ainsi ? Je ne crois pas que personne mette en doute,
par exemple, qu'Artur Aile-de-Faucon a conquis un
empire. Le monde entier, ou presque.

— Aile-de-Faucon, jeune Maîtresse ? Il a fondé un
empire, d'accord, mais pensez-vous qu'il a accompli
tout ce que racontent les livres, les contes et les épopées ? De la façon dont ils le racontent ? Qu'il a tué
les cent meilleurs hommes de l'armée adverse, un par
un ? Que les deux armées sont restées plantées là pendant que l'un des généraux – un roi – a livré cent
duels ?

— Les livres l'affirment.

— Entre le lever et le coucher du soleil, le temps
manque pour qu'un seul homme se batte cent fois en
duel, ma petite. » Elle faillit l'interrompre tout net
– petite ? Elle était Fille-Héritière d'Andor, pas sa
petite – mais il avait pris le mors aux dents. « Et cela
ne se passait qu'il y a mille ans. Remontez plus loin
encore, jusqu'aux plus anciens récits que je connais,
jusqu'à l'Ère qui a précédé l'Ère des Légendes. Mosk
et Merk ont-ils réellement combattu avec des lances
de feu et étaient-ils même des géants ? Est-ce qu'Els-
bet était vraiment reine du monde entier et Anla sa
sœur ? Est-ce qu'Anla était véritablement la Sage

599

Conseillère ou s'agissait-il de quelqu'un d'autre ? Autant demander de quel animal provient l'ivoire ou quelle sorte de plante produit la soie. À moins que la soie ne provienne aussi d'un animal.

— J'ignore ce qu'il en est de ces premières questions », dit Élayne avec une certaine sécheresse ; s'entendre appeler « petite » lui restait encore sur l'estomac. « Mais vous pourriez interroger les gens du Peuple de la Mer en ce qui concerne l'ivoire et la soie. »

Il rit de nouveau – comme elle l'avait espéré, sans que cela donne plus de résultat que de l'ancrer dans la certitude qu'elle le connaissait – par contre, au lieu de la traiter de sotte, ce à quoi elle s'attendait à demi et était préparée, il déclara : « Pratique d'esprit et allant droit au but, exactement pareille à votre mère. Les deux pieds sur terre et peu de latitude laissée aux chimères de l'imagination. »

Elle releva légèrement le menton, se força à prendre une expression plus froide. Qu'elle veuille passer pour la simple Maîtresse Trakand, d'accord, mais voilà qui était une autre histoire. Elle éprouvait de la sympathie pour ce vieil homme et tenait à déchiffrer l'énigme qu'il représentait, par contre il n'était qu'un ménestrel et il ne devrait pas parler d'une reine en termes aussi familiers. Chose curieuse, chose irritante, il paraissait amusé. Amusé !

« Les Atha'ans Mierre ne le savent pas non plus, continua-t-il. Ils ne voient des terres au-delà du Désert des Aiels que quelques lieues autour de la poignée de ports où il leur est permis d'accoster. Ces endroits sont entourés de hauts remparts et ces remparts sont gardés de sorte qu'ils ne peuvent même pas grimper dessus pour voir ce qu'il y a de l'autre côté. Si un de leurs navires atterrit n'importe où ailleurs – ou un bateau qui n'est pas à eux ; seuls les gens du Peuple de la Mer sont autorisés à aller là-bas – on ne revoit plus jamais ce navire et son équipage. Et c'est pratiquement tout ce que je peux vous dire, après plus d'années passées à poser des questions que je n'aime à m'en souvenir. Les Atha'ans Mierre gardent leurs secrets, mais je ne crois pas qu'ils en détiennent beaucoup sur ce point-là. D'après ce que j'ai réussi à glaner, les Cair-hienins étaient traités de la même façon, quand ils avaient encore le droit d'emprunter le Chemin de la Soie à travers le Désert. Les négociants cairhienins ne voyaient jamais qu'une ville fortifiée, et ceux qui s'en écartaient disparaissaient. »

Élayne se surprit à l'étudier comme elle avait étudié les dauphins. Quel genre d'homme était-ce ? Par deux fois maintenant il avait semblé sur le point de se moquer d'elle – il était visiblement amusé, il y a une minute, si peu désireuse qu'elle fût de l'admettre, mais au contraire il lui avait parlé aussi sérieusement que... Eh bien, qu'un père à sa fille. « Il se pourrait que vous trouviez quelques réponses sur ce bateau, Thom. Ils étaient en partance pour l'est jusqu'à ce que nous ayons convaincu la Maîtresse-des-Voiles de nous emmener à Tanchico. Pour Shara, d'après le Maître-du-Fret, à l'est de Mayene ; cela doit se situer au-delà du Désert. »

Il la dévisagea pendant un instant. « Shara, vous

dites ? Je n'ai encore jamais entendu ce nom-là. Shara, est-ce une cité, une nation, ou les deux ? Peut-être vais-je en apprendre un peu plus. »

Qu'est-ce que j'ai dit ? s'étonna-t-elle. *J'ai dit quelque chose qui l'incite à réfléchir. Ô Lumière ! Je lui ai raconté que nous avions poussé Coine à changer ses plans.* Cela ne pouvait avoir aucune conséquence, mais elle se tança vertement. Un mot proféré à l'étourdie devant ce charmant vieillard ne provoquerait pas de catastrophe, mais le même pouvait la tuer dans Tanchico, et Nynaeve aussi, pour ne pas parler du preneur-de-larrons et de Thom lui-même. S'il était bien un charmant vieil homme. « Thom, pourquoi êtes-vous venu avec nous ? Simplement parce que Moiraine l'a demandé ? »

Les épaules de Thom tressautaient ; elle se rendit compte qu'il riait de lui-même. « Quant à cela, qui peut le dire ? Ce n'est pas facile de résister à des Aes Sedai qui sollicitent une faveur. Peut-être était-ce la perspective de votre agréable compagnie pendant la traversée. Ou peut-être ai-je décidé que Rand était d'âge suffisant pour se tirer d'affaire seul pendant un certain temps. »

Il s'esclaffa ouvertement et elle ne put s'empêcher de rire avec lui. L'idée de ce vieux bonhomme chenu prenant soin de Rand. Le sentiment qu'elle pouvait se fier à lui revint, plus fort que jamais, tandis qu'il la regardait. Non pas parce qu'il était capable de se moquer de lui-même, ou pas seulement à cause de cela. Elle n'aurait pas su donner une raison à part le fait qu'en plongeant les siens dans ses yeux bleus elle ne pouvait croire que cet homme chercherait jamais à lui nuire en quoi que ce soit.

Elle éprouva de nouveau une envie presque irrésistible de tirer sur une de ses moustaches, mais elle astreignit ses mains à l'immobilité. Elle n'était plus une enfant, au bout du compte. Une enfant. Elle ouvrit la bouche – et soudain tout lui sortit de l'esprit.

« Je vous prie de m'excuser, Thom, dit-elle précipitamment. Il faut que je... Excusez-moi. » Elle se dirigea vivement vers la dunette, sans attendre de réponse. Il pensa probablement que le mouvement du vaisseau lui avait bouleversé l'estomac. Le tangage s'était accentué, tandis que le *Danseur* fonçait plus vite dans la forte houle soulevée par le vent qui avait fraîchi.

Deux hommes se tenaient à la barre sur le gaillard d'arrière, la force musculaire des deux nécessaire pour maintenir le cap du vaisseau. La Maîtresse-des-Voiles n'était pas sur le pont, mais la Pourvoyeuse-de-Vent s'y trouvait, debout contre la lisse derrière les timoniers, le torse nu comme les hommes, scrutant le ciel où de grosses vagues de nuages déferlaient plus sauvagement que l'océan. Pour une fois, ce n'était pas l'habillement de Jorine – ou son absence de vêtement – qui troublait Élayne. L'aura d'une femme embrassant la *Saidar* l'entourait, nettement visible malgré la clarté rougeoyante du jour. Voilà ce qu'elle avait ressenti, ce qui l'avait attirée. Une femme qui canalisait.

Élayne s'arrêta juste à côté du gaillard d'arrière pour observer ce qu'elle faisait. Les flux d'Air et d'Eau que maniait la Pourvoyeuse-de-Vent avaient l'épaisseur d'un câble, pourtant son tissage était complexe, presque raffiné, et il s'étendait sur les eaux aussi loin que portait la vue, toile tendue en travers du ciel. Le vent acquit de plus en plus de force ; les timoniers peinaient et *Danseur* volait au travers des vagues. Le tissage s'interrompit, l'aura de la *Saidar* se dissipa et Jorine s'affaissa contre la lisse, appuyée sur ses mains.

Élayne gravit l'échelle sans bruit, pourtant la femme du Peuple de la Mer parla à voix basse sans tourner la tête dès qu'elle fut assez près pour l'entendre. « Pendant que j'œuvrais, au beau milieu, j'ai pensé que vous me regardiez. À ce moment-là, je ne pouvais pas m'arrêter ; il y avait un risque de tempête que même *Danseur* n'aurait pas étalé. La Mer des Tempêtes est bien nommée ; elle soufflera bien assez de vents mauvais sans moi. Je n'avais pas eu du tout l'intention de faire cela, mais Coine a dit que nous devions aller vite. Pour vous et pour le Coramoor. » Elle leva les yeux et examina le ciel. « Ce vent tiendra jusqu'au matin, s'il plaît à la Lumière.

— C'est pour cette raison que le Peuple de la Mer n'accepte pas d'Aes Sedai à son bord ? dit Élayne en prenant place à côté d'elle à la lisse. Pour que la Tour n'apprenne pas que les Pourvoyeuses-de-Vent peuvent canaliser. Voilà pourquoi c'était vous qui aviez décidé de nous embarquer, et non votre sœur. Jorine, la Tour n'essaiera pas de vous en empêcher. Il n'y a pas de loi dans la Tour pour empêcher une femme de canaliser, même si elle n'est pas Aes Sedai.

— Votre Tour Blanche s'en mêlera. Elle essaiera de pénétrer dans nos navires, où nous sommes libres de la terre et des terriens. Elle tentera de nous lier à elle, de nous lier pour nous arracher à la mer. » Elle poussa un profond soupir. « On ne peut obliger à revenir la vague qui a passé. »

Élayne aurait aimé pouvoir la contredire, mais c'était vrai que la Tour recherchait les femmes et les jeunes filles qui pouvaient apprendre à canaliser, à la fois pour accroître le nombre d'Aes Sedai, s'amenuisant maintenant en comparaison de ce qu'il avait jadis été et à cause du danger de s'exercer à canaliser sans être guidée. En vérité, une femme à qui l'on pouvait enseigner d'atteindre la Vraie Source se retrouvait généralement dans la Tour qu'elle le veuille ou non, au moins jusqu'à ce qu'elle soit assez habile pour ne pas se tuer elle-même ou tuer d'autres personnes par accident.

Au bout d'un moment, Jorine reprit la parole. « Ce n'est pas le cas de nous toutes. Seulement de quelques-unes. Nous envoyons un petit groupe de jeunes filles à Tar Valon pour que les Aes Sedai ne viennent pas voir s'il y en a chez nous. Aucun navire dont la Pour-voyeuse-de-Vent peut tisser les courants de l'air ne transporte d'Aes Sedai. Quand vous vous êtes présentées, j'ai cru que vous deviez me connaître, mais vous n'avez rien dit, vous avez demandé à être embarquées et j'ai espéré que vous n'étiez peut-être pas des Aes Sedai malgré vos anneaux. Un espoir absurde. Je sentais la force qui émanait de vous deux. Et maintenant la Tour Blanche va être au courant.

— Je ne peux pas promettre de garder votre secret, mais je m'y attacherai au maximum. » Cette femme méritait davantage. « Jorine, je jure par l'honneur de la Maison Trakand d'Andor que je m'appliquerai de mon mieux à taire votre secret devant quiconque risquerait de nuire à vous et à votre peuple et, si je suis obligée de le révéler, je mettrai en œuvre tout ce qui est en mon pouvoir pour protéger les vôtres d'une ingérence quelconque. La Maison de Trakand n'est pas sans influence, même dans la Tour. » *Et j'obligerai maman à en jouer si besoin est, d'une manière ou d'une autre.*

« S'il plaît à la Lumière, tout se passera bien, dit Jorine d'un ton fataliste. Tout ira bien, et tout ira bien, et toutes sortes de choses seront bien s'il plaît à la Lumière.

— Il y avait une *damane* sur ce bateau seanchan, n'est-ce pas ? » La Pourvoyeuse-de-Vent lui adressa un coup d'œil interrogateur. « Une des captives qui savent canaliser.

— Vous avez une grande compréhension pour quelqu'un d'aussi jeune. Voilà pourquoi j'ai pensé au premier abord que vous n'étiez peut-être pas une Aes Sedai, parce que vous êtes tellement jeune ; j'ai des filles plus âgées que vous, je pense. J'ignorais qu'elle était prisonnière ; cela me fait désirer que nous ayons pu la sauver. *Danseur* a distancé aisément d'abord le vaisseau seanchan – nous avions entendu parler des Seanchans et de leurs navires aux voiles nervurées, nous étions au courant qu'ils exigeaient d'étranges serments et châtiaient ceux qui ne voulaient pas les prononcer – mais alors la... *damane ?...* a brisé deux de ses mâts et ils l'ont abordé l'épée à la main. J'ai réussi à allumer des feux sur le vaisseau seanchan – tisser le Feu m'est difficile pour davantage qu'allumer une lampe, mais il a plu à la Lumière que cela suffise – et Toram a pris la tête de l'équipage pour refouler les Seanchans sur leurs propres ponts. Nous avons tranché les grappins d'abordage et leur vaisseau s'est écarté en feu à la dérive. Ils étaient trop occupés à tenter de le sauver pour nous inquiéter quand nous nous sommes éloignés tant bien que mal. À ce moment-là, j'ai regretté de le voir brûler et sombrer ; c'était un beau bateau, je pense, construit pour résister aux coups de mer. À présent, je le regrette parce que nous aurions pu sauver la femme, la *damane*. Elle a endommagé *Danseur*, mais peut-être ne l'aurait-elle pas fait si elle avait été libre. Que la Lumière illumine son âme et que les flots l'accueillent en paix. »

Relater cet épisode l'avait attristée. Elle avait besoin d'être distraite. « Jorine, pourquoi les Atha'ans Mierre parlent-ils des bateaux au masculin ? Toutes les autres personnes que j'ai rencontrées en parlent au féminin. Je suppose que cela revient au même, mais pourquoi ?

— Les hommes vous donneraient une réponse différente, répliqua la Pourvoyeuse-de-Vent en souriant, ils parleraient de force, de grandeur et autres vertus du même genre, pourtant c'est la vérité. Un bateau est vivant et il est comme un homme, avec le cœur d'un homme digne de ce nom. » Elle passa affectueusement la main sur la lisse, comme si elle caressait quelque chose de vivant, quelque chose qui pouvait sentir sa caresse. « Traitez-le bien et entretenez-le convenablement et il se battra pour vous contre la mer la plus déchaînée. Il luttera pour vous maintenir en vie même après que la mer lui aura asséné depuis longtemps le coup fatal dont il mourra. Par contre, négligez-le, ne tenez pas compte des petits avertissements de danger qu'il donne, et il vous noiera dans une mer plate sous un ciel sans nuage. »

Élayne espéra que Rand n'avait pas autant d'inconstance. *Alors pourquoi saute-t-il à droite et à gauche, ravi de me voir partir une minute et, la minute suivante, envoyant Juilin Sandar m'escorter ?* Elle s'ordonna de cesser de penser à lui. Il se trouvait bien loin. Impossible maintenant d'agir dans un sens ou dans l'autre à son sujet.

Elle jeta un coup d'œil par-dessus son épaule en direction de la proue. Thom était parti. Elle était sûre d'avoir découvert la clef de son énigme juste avant de sentir la Pourvoyeuse canaliser. Quelque chose en rapport avec son sourire. Quoi que ce fût, cela avait disparu. Bah, elle comptait bien s'en souvenir de nouveau avant leur arrivée à Tanchico, devrait-elle secouer Thom comme un prunier. De toute façon, Thom serait encore là demain matin. « Jorine, combien de temps d'ici que nous débarquions à Tanchico ? On m'a dit que les rakeurs sont les bateaux les plus rapides du monde, mais rapides à quel point ?

— Jusqu'à Tanchico ? Pour servir le Coramoor, nous ne nous arrêterons à aucun port en cours de route. Peut-être dix jours, si je réussis à tisser assez bien les vents, s'il plaît à la Lumière que je capte les courants qui conviennent. Peut-être seulement sept ou huit, par la grâce de la Lumière.

— Dix jours ? s'exclama Élayne d'une voix étranglée. Ce n'est pas possible. » Elle avait vu des cartes, après tout.

Le sourire de l'autre jeune femme traduisait à demi de la fierté à demi de l'indulgence. « Comme vous l'avez dit vous-même, les bateaux les plus rapides du monde. Les plus rapides après eux ensuite prendront moitié plus de temps sur n'importe quelle distance, et la plupart encore deux fois plus. Les caboteurs qui ne s'écartent pas des côtes et jettent l'ancre tous les soirs dans les hauts-fonds... » elle eut un reniflement de dédain « ... mettent dix fois plus de temps.

— Jorine, voudriez-vous m'enseigner à faire ce que vous venez de faire ? »

La Pourvoyeuse-de-Vent la dévisagea, ses yeux noirs dilatés brillant dans la clarté faiblissante du jour. « Vous enseigner ? Mais vous êtes Aes Sedai.

— Jorine, je n'ai jamais tissé un flot moitié aussi épais que ceux que vous manipuliez. Et sur quelle étendue ! Je suis ébahie, Jorine. »

La Pourvoyeuse-de-Vent la dévisagea encore un moment, non plus par étonnement mais comme pour tenter de fixer les traits d'Élayne dans son esprit. Finalement elle déposa un baiser sur les doigts de sa main droite qu'elle appuya sur les lèvres d'Élayne. « S'il plaît à la Lumière, nous apprendrons l'une et l'autre. »

21.

Au cœur du Cœur

L'aristocratie du Tear emplissait la vaste salle voûtée aux énormes colonnes de grès rouge poli, épaisses
de dix pieds, qui s'élevaient vers des hauteurs perdues
dans l'obscurité au-dessus des lampes dorées suspendues à des chaînes également dorées. Les Puissants
Seigneurs et Puissantes Dames formaient un cercle
épais qui laissait un rond désert sous la voûte majestueuse, au centre de la salle, les seigneurs de plus
petite noblesse alignés derrière eux, rangée après rangée disparaissant dans la forêt des colonnes, tous revêtus de leurs plus beaux velours, soies et dentelles,
larges manches, fraise à l'encolure et chapeaux pointus, tous murmurant avec anxiété de sorte que le dôme
là-haut répercutait des bruissements d'oies inquiètes.
Seuls les Puissants Seigneurs avaient été jusqu'ici
convoqués dans ce lieu, appelé le Cœur de la Pierre,
et ils ne s'y présentaient que quatre fois par an, à la
double réquisition de la loi et de la coutume. Ils
venaient maintenant, tous ceux qui n'étaient pas
quelque part ailleurs dans le pays, sur l'ordre de leur
nouveau suzerain, le faiseur de loi et destructeur de
coutume.

Ces gens en foule pressée s'écartèrent devant Moiraine dès qu'ils virent qui elle était, si bien qu'elle et Egwene avançaient dans un petit espace libre. L'absence de Lan irritait Moiraine. Cela ne ressemblait pas à Lan de disparaître quand elle risquait d'avoir besoin de lui ; son habitude était ordinairement de veiller sur elle comme si elle n'était pas en mesure de se défendre elle-même sans un protecteur. N'aurait-elle pas été capable de sentir le lien qui les unissait et n'aurait-elle pas su qu'il ne pouvait se trouver très loin de la Pierre elle se serait tourmentée.

Il luttait contre les fils que Nynaeve nouait autour de lui avec la ténacité qu'il avait déployée quand il combattait les Trollocs dans la Grande Dévastation mais, il aurait beau le nier, cette jeune femme l'avait attachée à elle aussi solidement qu'elle-même le tenait sous sa coupe, encore que par d'autres moyens. Autant pour lui vouloir rompre à mains nues une lame d'acier que ces liens-là. Elle n'était pas jalouse, à proprement parler, mais Lan avait été son bras armé d'une épée, son bouclier et compagnon depuis trop d'années pour qu'elle y renonce d'un cœur léger. *Sur ce plan-là, j'ai fait ce qui devait être fait. Elle l'aura si je meurs et pas avant. Où est-il ? Que fait-il ?*

Une femme en robe rouge et manchettes de dentelle, une Dame du Pays au visage chevalin appelée Leitha, rassembla ses jupes contre elle d'un mouvement un peu trop appuyé et Moiraine la regarda. Simplement la regarda sans ralentir le pas, mais cette femme frémit et baissa les yeux. Moiraine hocha la tête pour elle-même. Elle admettait que ces gens détestent les Aes

Sedai, mais elle ne tolérait pas l'insolence déclarée couronnant des affronts voilés. Du reste, les autres reculèrent encore d'un pas après avoir vu Leitha obligée de baisser pavillon.

« Es-tu certaine qu'il n'a parlé de rien de ce qu'il compte annoncer ? » questionna-t-elle à voix basse. Dans ce brouhaha, personne à trois pas de là n'aurait pu percevoir un mot. Les gens de Tear gardaient à présent cette distance. Moiraine n'aimait pas que l'on surprenne ce qu'elle disait.

« De rien », répondit Egwene aussi bas. D'un ton dénotant la même irritation que ressentait Moiraine.

« Il y a eu des rumeurs.

— Des rumeurs ? Quelle sorte de rumeurs ? »

La jeune fille n'était pas très habile à maîtriser son expression et sa voix ; visiblement, elle n'avait pas entendu raconter ce qui se passait dans les Deux Rivières. Parier que Rand n'était pas au courant non plus, pourtant, ce serait pousser son cheval à sauter une barrière de dix pieds de haut. « Tu devrais l'inciter à se confier à toi. Il a besoin d'une oreille attentive. Cela l'aiderait, de pouvoir discuter de ses ennuis avec quelqu'un en qui il a confiance. » Egwene la regarda du coin de l'œil. Elle devenait trop sophistiquée pour des méthodes de cette simplicité. N'empêche, Moiraine avait dit la pure vérité – ce garçon avait besoin de quelqu'un qui l'écoute et en l'écoutant allège ses soucis – et cela pouvait marcher.

« Il ne se confiera à personne, Moiraine. Il cache ses peines et espère réussir à les maîtriser avant que l'on s'en aperçoive. » Le visage d'Egwene refléta brièvement de la colère. « Cette espèce d'idiot têtu comme un mulet ! »

Moiraine éprouva une sympathie passagère. Il ne fallait pas s'attendre à ce que la jeune fille accepte de gaieté de cœur que Rand se promène bras dessus bras dessous avec Élayne, s'embrassant dans les coins où ils ne se croyaient pas vus. Et Egwene n'en savait pas encore la moitié. Cette commisération ne dura pas. Il y avait trop de choses importantes à régler pour que cette petite se ronge à propos de ce qu'elle ne pouvait pas avoir de toute façon.

Élayne et Nynaeve devaient avoir embarqué sur le rakeur à présent, elle en était débarrassée. Leur voyage lui apprendrait par la suite si ses soupçons à propos des Pourvoyeuses-de-Vent étaient fondés. Toutefois, la question était secondaire. Au pire, les deux avaient assez d'or pour acheter un bateau et engager un équipage – ce qui risquait d'être nécessaire, étant donné ce qui se disait de Tanchico – et assez d'or leur resterait pour les pots-de-vin si souvent nécessaires avec les fonctionnaires du Tarabon. La chambre de Thom Merrilin était vide, et ses informateurs avaient rapporté qu'il parlait entre ses dents de Tanchico en quittant la Pierre ; il veillerait à ce qu'elles aient un bon équipage et s'adressent aux fonctionnaires qui leur seraient utiles. Le prétendu complot pour assister Mazrim Taim était de beaucoup le plus vraisemblable, mais ses messages à l'Amyrlin y couperaient court. Les deux jeunes filles étaient de taille à venir à bout de l'éventualité beaucoup moins probable d'un mystérieux danger caché dans Tanchico, et leur départ lui laissait les mains libres et les éloignait de Rand. Elle regrettait seulement qu'Egwene ait refusé de les accompagner. Tar Valon aurait mieux valu pour toutes les trois, mais Tanchico faisait l'affaire.

« À propos d'idiotie, as-tu l'intention de poursuivre ce projet d'aller dans le Désert ?

— Oui », répliqua la jeune fille d'un ton ferme. *Elle avait besoin de revenir à la Tour pour apprendre à exercer sa force. À quoi pensait Siuan ? Elle me débitera probablement une de ces maximes à propos de barques et de poissons quand je pourrai la questionner.*

Du moins Egwene serait-elle aussi hors de son chemin et la jeune Aielle veillerait sur elle. Les Sagettes étaient peut-être effectivement en mesure de lui enseigner quelque chose sur l'Art de Rêver. Cette lettre des Sagettes était absolument stupéfiante, non pas qu'elle puisse se permettre d'en admettre la majeure partie. Le voyage d'Egwene dans le Désert avait finalement des chances d'être utile.

La dernière ligne des nobles de Tear s'écarta, ménageant un petit creux, et elle et Egwene se trouvèrent face à l'espace libre sous le vaste dôme. Le malaise des nobles était encore plus évident ici ; bon nombre examinaient leurs pieds comme des enfants boudeurs et d'autres ne contemplaient rien, regardant n'importe quoi sauf l'endroit où ils étaient. C'était ici que *Callandor* avait été conservée avant que Rand la prenne. Ici sous cette voûte, touchée par aucune main pendant plus de trois mille ans, intouchable par d'autre main

614

que celle du Dragon Réincarné. Les gens de Tear n'aimaient pas admettre que le Cœur de la Pierre existait.

« Pauvre femme », murmura Egwene.

Moiraine suivit le regard de la jeune fille. La Puissante Dame Alteima, déjà en robe, fraise et bonnet d'un blanc chatoyant comme les veuves du Tear bien que son mari n'eût pas encore rendu son dernier souffle, était peut-être la plus maîtresse d'elle-même de tous les assistants. C'était une femme mince, ravissante, rendue d'autant plus séduisante par son petit sourire triste, avec de grands yeux marron et de longs cheveux noirs tombant jusqu'au milieu du buste. Une grande femme, bien que Moiraine reconnût qu'elle tendait à en juger d'après sa propre taille, et avec une poitrine un peu forte. Les Cairhienins n'étaient pas grands et elle avait été considérée comme petite même par rapport à eux.

« Oui, une pauvre femme », dit-elle, mais elle n'y mettait pas de compassion. C'était plaisant de voir qu'Egwene n'était pas encore devenue assez sophistiquée pour voir tout le temps au-delà des apparences. Cette enfant était déjà bien moins malléable qu'elle n'aurait dû l'être avant des années. Elle avait besoin d'être formée avant d'être endurcie.

Thom avait fait preuve d'inattention à l'égard d'Alteima. Ou peut-être avait-il volontairement fermé les yeux ; il semblait avoir une étrange répugnance à agir contre des femmes. La Puissante Dame Alteima était beaucoup plus dangereuse que son mari ou son amant, qu'elle avait manipulés tous les deux sans que l'un ou l'autre s'en aperçoive. Peut-être plus dangereuse que

615

quiconque dans Tear, homme ou femme. Elle en trouverait bien assez tôt d'autres à utiliser. C'était le style d'Alteima de rester à l'arrière-plan et de tirer les fils. Il allait falloir s'occuper d'elle.

Moiraine promena un regard inquisiteur le long des rangées des Puissants Seigneurs et Puissantes Dames jusqu'à ce qu'elle découvre Estanda en brocart de soie jaune avec une large fraise en dentelle ivoire et un minuscule bonnet assorti. Une certaine sévérité déparait la beauté de son visage et les coups d'œil qu'elle jetait de temps en temps à Alteima étaient durs comme fer. Entre ces deux-là, les sentiments allaient au-delà de la simple rivalité ; auraient-elles été des hommes, l'une aurait versé le sang de l'autre en duel depuis des années. Si cet antagonisme pouvait être avivé, Alteima serait trop occupée pour créer des ennuis à Rand.

Pendant un instant, elle regretta de s'être arrangée pour que Thom parte. Perdre son temps avec ce genre d'affaires insignifiantes ne lui plaisait guère. Seulement il avait trop d'influence sur Rand ; le garçon devait se reposer sur ses conseils à elle. Les siens et uniquement les siens. La Lumière savait qu'il était déjà assez difficile sans intervention quelconque. Thom avait mis le garçon à diriger le Tear alors qu'il avait besoin de passer à de plus grandes entreprises. Mais voilà qui était terminé pour le moment. Le problème de mater Thom Merrilin pourrait être traité plus tard. Le dilemme à présent, c'était Rand. Qu'avait-il l'intention d'annoncer ?

« Où est-il ? Il a appris le premier talent des rois, semble-t-il. Faire attendre les gens. »

Elle ne se rendit compte d'avoir parlé à haute voix que lorsqu'Egwene lui adressa un coup d'œil surpris. Elle effaça aussitôt de ses traits toute expression d'irritation. Rand finirait par venir et elle apprendrait ce qu'il avait en tête. L'apprendrait en même temps que les autres. Elle faillit grincer des dents. Cette espèce de fol gamin aveugle qui courait à corps perdu dans la nuit sans se soucier qu'il risquait d'arriver au bord de falaises, sans penser qu'il risquait de basculer dans le vide et d'entraîner le monde avec lui. Si seulement elle parvenait à l'empêcher de se précipiter à la rescousse de son village. Il le voudrait mais ne pouvait se le permettre maintenant. Peut-être ne savait-il rien ; c'était à espérer.

Mat était en face d'elles, pas coiffé et se tenant de façon négligée les mains dans les poches de sa tunique verte au col montant. Elle était à moitié déboutonnée, comme d'habitude, et ses bottes étaient éraflées, en contraste frappant avec l'élégance recherchée de ceux qui l'entouraient. Il changea nerveusement d'appui sur ses jambes quand il vit Moiraine le regarder, puis arbora un de ses sourires provocants frisant l'insolence. Du moins était-il là sous ses yeux. Mat Cauthon était un jeune homme épuisant à suivre à la trace, car il évitait ses espions avec aisance ; il ne donnait jamais aucun signe qu'il décelait leur présence, mais ses « yeux-et-oreilles » déclaraient qu'il s'éclipsait chaque fois qu'ils se rapprochaient trop.

« Je pense qu'il dort tout habillé, dit Egwene d'un ton réprobateur. Exprès. Je me demande où est Perrin. » Elle se dressa sur la pointe des pieds pour regarder par-dessus les têtes de l'assemblée. « Je ne l'aperçois pas. »

Fronçant les sourcils, Moiraine examina la foule, non pas qu'elle arrivât à distinguer grand-chose au-delà du premier rang. Lan pouvait être aussi bien de retour au milieu des colonnes. Elle se refusait toutefois à tendre le cou ou à se hausser d'un bond comme un enfant anxieux. Lan aurait droit à une semonce qu'il n'oublierait pas de sitôt quand elle le retrouverait. Avec Nynaeve le tirant d'un côté et les *Ta'veren* – Rand, au moins – le tirant d'un autre, elle se demandait parfois jusqu'à quel point tenait leur lien. Enfin, le temps qu'il passait avec Rand était utile ; cela lui fournissait un autre fil reliant le jeune homme à elle.

« Peut-être qu'il est avec Faile, reprit Egwene. Il ne s'enfuirait pas, Moiraine. Perrin possède un grand sens du devoir. » Presque aussi fort que celui d'un Lige, Moiraine le savait, c'est pourquoi elle ne chargeait pas d'yeux-et-oreilles de le surveiller comme elle le tentait pour Mat. « Faile s'est efforcée de l'inciter à partir, mon petit. » Il était très probablement avec elle ; il l'était d'habitude. « N'aie pas l'air si surprise. Ils parlent – et discutent – souvent à des endroits où l'on peut entendre ce qu'ils disent.

— Je ne suis pas surprise que vous soyez au courant, répliqua sèchement Egwene, je le suis seulement que Faile essaie de le dissuader de faire ce qu'il sait qu'il a à faire.

— Peut-être n'en est-elle pas aussi convaincue que lui. » Moiraine ne l'avait pas cru elle-même, au début, elle ne s'en était pas rendu compte. Trois *Ta'veren*, tous du même âge, venant du même village ; elle devait être aveugle pour n'avoir pas compris qu'existait fatalement un lien entre eux. Cette découverte avait rendu tout beaucoup plus compliqué. Comme de vouloir jongler d'une seule main et les yeux bandés avec trois balles colorées de Thom ; elle avait vu Thom exécuter ce numéro, mais elle n'avait aucune envie de s'y essayer. Il n'y avait pas d'indication sur la façon dont ils étaient reliés ou sur le rôle qu'ils étaient censés assumer ; les Prophéties ne mentionnaient jamais de compagnons.

« Je la trouve sympathique, reprit Egwene. Elle est bien pour lui, juste ce qu'il lui faut. Et elle éprouve une profonde affection à son égard.

— Oui, je le suppose. » Si Faile commençait à jeter trop de bâtons dans les roues, Moiraine serait obligée d'avoir un entretien avec elle à propos des secrets qu'elle avait cachés à Perrin. Ou elle en chargerait un de ses yeux-et-oreilles. Cela la remettrait au pas.

« Vous le dites comme si vous ne le croyiez pas. Ils s'aiment, Moiraine. Ne vous en apercevez-vous pas ? Ne pouvez-vous même pas reconnaître un sentiment humain quand vous en voyez un ? »

Moiraine lui asséna un regard dur, un qui lui cloua le bec de façon fort satisfaisante. Cette petite en savait si peu et s'imaginait en savoir tellement. Moiraine s'apprêtait à le lui signifier en termes cinglants lorsque des « ha » étouffés, des « ha » de saisissement et même de peur, montèrent de la masse des gens de Tear.

Cette foule s'écarta précipitamment, avec plus que

de l'empressement, ceux de devant forçant impitoyablement ceux qui étaient derrière à reculer plus encore, ménageant un large passage jusqu'à l'espace dégagé sous la voûte. Rand s'avança à grands pas dans ce couloir, les yeux fixés droit devant lui, impérieux, en tunique rouge brodée de volutes d'or s'enroulant sur ses manches, tenant *Callandor* nichée dans son bras droit comme un sceptre. Pourtant ce n'est pas seulement à cause de lui que les gens de Tear laissaient la voie libre. À la suite de Rand venaient peut-être cent Aiels, lances et arcs avec flèche encochée, la *shoufa* drapée autour de leur tête, leur voile noir masquant tout sauf les yeux. Moiraine pensa identifier Rhuarc en première place, juste derrière Rand, mais seulement à cause de sa démarche. Visiblement, quoi que soit ce qu'il voulait annoncer, Rand avait l'intention de réprimer toute résistance avant qu'elle ait une chance de s'organiser.

Les Aiels s'arrêtèrent, mais Rand continua jusqu'à être en plein sous le centre du dôme, puis il parcourut l'assemblée du regard. Il parut surpris, et peut-être bouleversé, à la vue d'Egwene, mais il adressa à Moiraine un sourire qui l'exaspéra et à Mat un sourire qui leur donna à eux deux un air de gamins quand Mat le lui rendit. Les gens de Tear étaient blêmes, ne sachant pas qui regarder, de Rand et *Callandor* ou des Aiels voilés ; les uns et les autres pouvaient semer la mort dans leurs rangs.

« Le Puissant Seigneur Sunamon, dit soudain Rand d'une voix forte qui fit sursauter ce replet personnage, m'a garanti un traité avec Mayene suivant strictement les directives que je lui ai données. Il a garanti cela avec sa vie. » Il rit comme s'il avait plaisanté et la plupart des nobles rirent avec lui. Pas Sunamon, qui avait nettement l'air malade. « S'il échoue, annonça Rand, il a accepté d'être pendu et ce service lui sera rendu. » Les rires s'arrêtèrent. Le visage de Sunamon se colora d'une nuance verdâtre maladive. Egwene jeta un coup d'œil inquiet à Moiraine ; elle agrippait sa robe à deux mains. Moiraine se contentait d'attendre ; il n'avait pas convoqué tous les nobles de quatre lieues à la ronde pour leur parler d'un traité ou menacer un gros imbécile. Elle força ses mains à lâcher sa propre jupe.

Rand tourna sur lui-même, en cercle, examinant les visages qu'il voyait. « Grâce à ce traité, des navires seront bientôt disponibles pour transporter vers l'ouest les céréales du Tear, et trouver de nouveaux marchés. » Ce qui suscita quelques murmures approbateurs, vite étouffés. « Mais ce n'est pas tout. Les armées de Tear vont se mettre en marche. »

Une acclamation fusa, un tumulte de cris répercutés par la voûte. Les hommes sautaient comme des cabris, même les Puissants Seigneurs, brandissaient les poings au-dessus de leur tête et lançaient en l'air leurs chapeaux pointus en velours. Les femmes, souriant avec autant de transports de joie que les hommes, déposaient des baisers sur la joue des hommes qui allaient partir pour la guerre et, feignant d'être sur le point de s'évanouir, elles respiraient délicatement les petits flacons en porcelaine contenant des sels dont aucune Noble Dame de Tear ne se séparait. « Illian tombera ! »

cria quelqu'un et des centaines de voix reprirent son cri dans un bruit de tonnerre. « Illian tombera ! Illian tombera ! Illian tombera ! »

Moiraine vit les lèvres d'Egwene remuer, ses mots étouffés par les clameurs de jubilation. Elle put les lire, ces mots, toutefois : « Non, Rand. Je t'en prie, non. Je t'en prie. » En face de Rand, Mat, le visage rembruni, gardait un silence réprobateur. Eux et elle étaient les seuls à ne pas se réjouir, en dehors des Aiels comme toujours sur leurs gardes et Rand lui-même. Le sourire de Rand avait un pli de dédain et ne se reflétait pas dans ses yeux. De la transpiration venait de perler sur son visage. Elle croisa son regard sardonique et attendit. Il en avait encore à dire et qui ne serait pas, elle le subodorait, à son goût.

Rand leva la main gauche. Le calme se rétablit, ceux de devant incitant anxieusement ceux de derrière à se taire. Il attendit le silence total. « Les armées se dirigeront au nord dans le Cairhien. Le Puissant Seigneur Meilan en prendra le commandement et, sous ses ordres, les Puissants Seigneurs Gueyam, Aracome, Hearne, Maraconn et Simaan. Les armées seront généreusement financées par le Puissant Seigneur Torean, le plus riche d'entre vous, qui accompagnera les armées pour veiller à ce que son argent soit dépensé à bon escient. »

Un silence de mort accueillit cette déclaration. Personne ne broncha, encore que Torean au visage sans beauté parût avoir du mal à se tenir debout.

Moiraine dut s'incliner mentalement devant Rand pour ses choix. Expédier ces sept-là hors de Tear vidait adroitement de leur substance les sept complots les plus dangereux contre lui, et aucun de ces hommes ne se fiait suffisamment aux autres pour combiner un complot avec eux. Thom Merrilin lui avait donné de bons conseils ; manifestement, ses espions à elle n'avaient pas repéré quelques-uns des billets qu'il avait fait glisser dans les poches de Rand. Mais le reste ? C'était de la folie. Il ne pouvait pas avoir obtenu pareille réponse de l'autre côté de ce *ter'angreal*. Impossible, voyons.

De toute évidence, Meilan partageait son avis, encore que pas pour les mêmes raisons. Il s'avança d'un pas hésitant, cet homme maigre et dur mais tellement apeuré qu'on apercevait le blanc de ses yeux formant un cercle complet. « Mon Seigneur Dragon... » Il s'interrompit, avala sa salive et recommença d'une voix légèrement plus forte. « Mon Seigneur Dragon, intervenir dans une guerre civile équivaut à s'engager dans une fondrière. Une douzaine de factions se disputent le Trône du Soleil, avec autant d'alliances se modifiant constamment, chacune rompue du jour au lendemain. De plus, des bandits infestent le Cairhien comme des puces sur un sanglier. Des paysans affamés ont dépouillé complètement le pays. J'ai appris par des sources fiables qu'ils mangent de l'écorce et des feuilles. Mon Seigneur Dragon, « un bourbier » commencerait à peine à décrire... »

Rand lui coupa la parole. « Vous ne voulez pas étendre la souveraineté du Tear jusqu'à la Dague-du-Meurtrier des-Siens, Meilan ? C'est très bien. Je sais qui j'ai l'intention de mettre sur le Trône du Soleil.

Vous ne partez pas pour conquérir, Meilan, vous partez pour restaurer l'ordre, et la paix. Et pour nourrir ceux qui ont faim. Il y a dans les entrepôts plus de blé que le Tear ne peut en vendre et les fermiers en récolteront encore autant cette année, à moins que vous ne me désobéissiez. Des chariots le transporteront au nord à la suite des armées et ces *paysans*... Ces *paysans* ne seront plus réduits à manger de l'écorce, mon Seigneur Meilan. » Le grand Puissant Seigneur ouvrit de nouveau la bouche et Rand dans un grand geste circulaire abaissa *Callandor* dont il planta la pointe de cristal devant lui. « Vous avez une question, Meilan ? » Secouant la tête, Meilan recula dans la foule comme s'il essayait de se cacher.

« Je savais bien qu'il ne déclencherait pas une guerre, dit Egwene avec passion. Je le savais.

— Tu crois qu'il y aura moins de tueries avec cette solution ? » murmura Moiraine entre ses dents. Quel but visait le garçon ? Du moins ne s'enfuyait-il pas pour courir au secours de son village pendant que les Réprouvés s'emparaient du reste du monde. « Les cadavres s'entasseront aussi haut, mon petit. Tu ne verras pas la différence entre ceci et une guerre. »

Attaquer Illian et Sammael lui aurait permis de gagner du temps même si cela aboutissait à une impasse. Du temps pour apprendre son pouvoir et peut-être abattre un de ses plus puissants ennemis, pour intimider les autres. Que gagnait-il avec ceci ? La paix pour la terre natale de Moiraine, de la nourriture pour les Cairhienins affamés ; en d'autres circonstances, elle aurait applaudi. C'était un acte d'humanité louable – et complètement stupide à présent. Du sang versé inutilement au lieu d'affronter un ennemi qui chercherait à le tuer à la première occasion. Pourquoi ? Lanfear. Que lui avait dit Lanfear ? Qu'avait-elle fait ? Les éventualités glacèrent le cœur de Moiraine. Désormais Rand nécessiterait une surveillance plus étroite que jamais. Elle ne le laisserait pas se tourner vers l'Ombre.

« Ah, oui, reprit Rand comme s'il venait de se rappeler quelque chose. Les soldats ne savent guère comment nourrir des gens qui souffrent de la faim, n'est-ce pas ? Pour cela, je pense qu'il faut un cœur de femme plein de bonté. Ma Dame Alteima, je regrette de vous déranger dans votre chagrin, mais voulez-vous entreprendre de surveiller la distribution des vivres ? Vous aurez une nation à nourrir. »

Et de la puissance à gagner, songea Moiraine. C'était sa première erreur. Sans compter choisir le Cairhien de préférence à l'Illian, bien sûr. Alteima reviendrait certainement à Tear sur un pied d'égalité avec Meilan et Gueyam, prête à de nouveaux complots. Elle aurait fait assassiner Rand avant, s'il n'y prenait garde. Peut-être un accident pouvait-il être arrangé dans le Cairhien.

Alteima s'inclina dans une révérence gracieuse, déployant son ample jupe blanche, montrant à peine un peu de sa surprise. « Comme le commande mon Seigneur Dragon, ainsi obéirai-je. Ce me sera un plaisir infini de servir le Seigneur Dragon.

— J'en étais sûr, répliqua Rand d'un ton mi-figue mi-raisin. Si grande que soit votre affection pour votre mari, vous ne voudrez pas qu'il vous accompagne au Cairhien. Les conditions y seront dures pour un malade. J'ai pris la liberté de le faire transporter dans les appartements de la Puissance Dame Estanda. Elle s'occupera de lui pendant votre absence et l'enverra vous rejoindre au Cairhien quand il sera rétabli. » Estanda sourit, d'un mince sourire de triomphe. Les yeux d'Alteima se révulsèrent et elle s'effondra sur elle-même.

Moiraine secoua légèrement la tête. Il était vraiment plus dur que naguère. Plus dangereux. Egwene esquissa un mouvement pour se diriger vers la femme tombée à terre, mais Moiraine posa la main sur son bras. « Je pense qu'elle a simplement succombé à l'émotion. Je peux le reconnaître, vois-tu. Les dames s'occupent d'elle. » Plusieurs d'entre elles s'étaient rassemblées autour d'Alteima, lui tapotant les poignets et lui passant des sels sous le nez. Elle toussa et ouvrit les yeux – et parut prête à s'évanouir de nouveau en apercevant Estanda debout à côté d'elle.

« Rand vient de faire quelque chose de très astucieux, je pense, commenta Egwene d'une voix blanche. Et de très cruel. Il est en droit d'avoir honte de lui. »

Rand en avait d'ailleurs l'air, fixant les dalles sous ses bottes avec une grimace. Peut-être n'était-il pas aussi endurci qu'il s'efforçait de l'être.

« Toutefois pas immérité », observa Moiraine. C'était prometteur de la part de cette jeune fille, qu'elle ait saisi ce qu'elle ne comprenait pas, mais elle avait encore besoin d'apprendre à contrôler ses émotions, à discerner ce qui devait être fait aussi bien qu'elle discernait ce qu'elle désirait qui puisse l'être. « Espérons qu'il en a fini pour aujourd'hui de se montrer astucieux. »

Très peu dans la grande salle avaient pris conscience nettement de ce qui s'était passé, ils avaient remarqué seulement que l'évanouissement d'Alteima avait ému le Seigneur Dragon. Quelques-uns au fond entonnèrent le slogan « Le Cairhien sera vaincu », mais ce cri de guerre ne fut pas repris.

« Avec vous pour nous conduire, mon Seigneur Dragon, nous allons conquérir le monde ! » s'exclama un jeune homme au visage bosselé qui soutenait à demi Torean. Estean, le fils aîné de Torean ; la ressemblance dans ce visage grumeleux était nette, bien que le père fût encore en train de marmonner.

Redressant brusquement la tête, Rand parut surpris. Ou peut-être mécontent. « Je ne serai pas avec vous. Je... vais partir pour quelque temps. » Ce qui provoqua immanquablement encore un silence. Tous les yeux étaient tournés vers lui, mais son attention se concentrait sur *Callandor*. La foule eut un mouvement de recul quand il dressa la lame de cristal devant sa figure. Des gouttes de sueur ruisselaient sur son visage, beaucoup plus abondantes qu'auparavant. « La Pierre a gardé *Callandor* avant mon arrivée. La Pierre la gardera de nouveau jusqu'à mon retour. »

Soudain l'épée transparente flamboya dans ses mains. Il en brandit la garde au maximum de sa hauteur puis la plongea. Dans le sol de pierre. Un éclair jaillit en arc vers le dôme. La pierre gronda sourdement et la forteresse s'ébranla, dansant, se dérobant sous les pieds des gens qui hurlaient.

Moiraine repoussa Egwene qui était tombée sur elle alors que des ondes de choc se propageaient encore à travers la salle – et se redressa tant bien que mal. Qu'avait-il donc fait ? Et pourquoi ? Il s'en allait ? C'était le pire de ses cauchemars.

Les Aiels s'étaient déjà relevés. Tous les autres gisaient à plat, étourdis, ou ramassés sur eux-mêmes à quatre pattes. Sauf Rand. Il avait un genou en terre, ses deux mains tenant la poignée de *Callandor*, dont la lame était enfoncée jusqu'à moitié dans les dalles. L'épée était redevenue du cristal transparent. La sueur luisait sur le visage de Rand. Il desserra ses mains un doigt après l'autre, les tint arrondies en coupe autour de la garde mais sans y toucher. Pendant un instant, Moiraine crut qu'il allait de nouveau l'empoigner, mais à la place il se força à se remettre debout. Il eut à se forcer, elle en était certaine.

« Regardez ceci pendant que je serai absent. » Sa voix était plus légère, ressemblait plus à ce qu'elle était quand Moiraine l'avait découvert la première fois dans son village, mais pas moins assurée ou ferme que quelques instants auparavant. « Regardez-la et souvenez-vous de moi. Rappelez-vous que je reviendrai la chercher. Si quiconque veut prendre ma place, il lui suffira de la retirer de là. » Il agita le doigt avec un sourire presque espiègle. « Mais n'oubliez pas le prix de l'échec. »

Pivotant sur ses talons, il sortit de la salle à grands pas, les Aiels se rangeant à sa suite derrière lui.

Contemplant l'épée sortant du sol du Cœur, les nobles de Tear se mirent plus lentement debout. La plupart paraissaient avoir envie de s'enfuir à toutes jambes, mais d'être trop effrayés pour s'y décider.

« Cet homme ! grommela Egwene en époussetant sa robe de lin vert. Est-il fou ? » Elle plaqua sa main sur sa bouche. « Oh, Moiraine, il ne l'est pas, n'est-ce pas ? L'est-il ? Pas déjà.

— La Lumière veuille que non », murmura Moiraine. Pas plus que les nobles de Tear, elle ne pouvait détacher ses yeux de l'épée. Que la Lumière emporte le garçon. Pourquoi ne pouvait-il être resté le jeune homme docile qu'elle avait trouvé au Champ d'Emond ? Par un effort de volonté, elle partit pour rejoindre Rand. « Mais je vais m'en assurer. »

Courant presque, elles rattrapèrent rapidement le cortège dans un vaste couloir tendu de tapisseries. Les Aiels, voiles pendant librement à présent mais faciles à remettre en place si nécessaire, s'écartèrent sans ralentir. Ils lui jetèrent un coup d'œil, ainsi qu'à Egwene, leurs traits impassibles mais le regard empreint d'une touche de cette défiance que les Aiels éprouvaient toujours en présence d'Aes Sedai.

Comment pouvaient-ils être mal à l'aise auprès d'elle tout en suivant calmement Rand, elle ne le comprenait pas. Apprendre sur eux plus que des bribes était difficile. Ils répondaient librement aux questions – sur n'importe quoi qui n'avait aucun intérêt pour elle. Ce que récoltaient ses informateurs et ce qu'elle réussissait à surprendre sans être remarquée équivalait à rien, et son réseau d'yeux-et-d'oreilles ne voulait plus essayer. Pas depuis qu'une femme avait été laissée ligotée et bâillonnée, suspendue au rempart par les chevilles et les yeux fous fixant la chute de soixante toises au-dessous d'elle, plus depuis que l'homme avait simplement disparu ; la femme refusant d'aller plus haut que le rez-de-chaussée avait été un perpétuel avertissement jusqu'à ce que Moiraine l'envoie à la campagne.

Rand ne ralentit pas plus que les Aiels quand elle et Egwene l'encadrèrent. Son regard était empreint de méfiance, aussi, mais différemment, et d'une nuance d'exaspération coléreuse. « Je te croyais partie, dit-il à Egwene. Je croyais que tu accompagnais Élayne et Nynaeve. Tu aurais dû. Même Tanchico est... Pourquoi es-tu restée ?

— Je ne resterai pas beaucoup plus longtemps, répliqua Egwene. Je vais dans le Désert avec Aviendha à Rhuidean, pour étudier avec les Sagettes. »

Il trébucha en lui jetant un regard incertain quand elle mentionna le Désert, puis reprit sa marche rapide. Il semblait maître de soi, beaucoup trop, une bouilloire bouillonnante dont le couvercle est fixé avec une courroie et le bec verseur obturé. « Te rappelles-tu les baignades dans le Bois Humide ? demanda-t-il à mi-voix. Je faisais la planche dans un étang et je pensais que le plus dur que j'aurais jamais à faire était de labourer un champ, à moins peut-être que ce ne soit tondre les moutons. Tondre depuis le lever du soleil jusqu'à l'heure du coucher, m'arrêtant à peine pour manger jusqu'à ce que la tonte soit rentrée.

— Filer, dit Egwene. Je détestais ça encore plus

que briquer les sols. On a les doigts endoloris à force
de tordre les fils.

— Pourquoi as-tu fait ça ? » questionna Moiraine
avant qu'ils continuent cette évocation de souvenirs
d'enfance.

Il lui adressa un regard du coin de l'œil et un sourire
assez moqueur pour venir de Mat. « Pouvais-je réellement ordonner de la pendre pour essayer de tuer un
homme qui complotait de me tuer ? Y aurait-il plus de
justice que dans ce que j'ai décidé ? » Le sourire
s'effaça de son visage. « Y a-t-il la moindre justice
dans ce que je fais ? Sunamon sera pendu s'il échoue.
Parce que je l'ai décrété. Il le mérite après la façon
dont il a essayé de tirer des profits sans jamais se soucier si ses propres concitoyens mouraient de faim,
mais il n'ira pas au gibet pour cela. Il sera pendu parce
que j'ai déclaré qu'il le serait. Parce que je l'ai
ordonné. »

Egwene posa une main sur son bras, mais Moiraine
ne voulait pas le laisser esquiver la question. « Tu sais
que ce n'est pas ce que je demande. »

Il hocha la tête ; cette fois, son sourire avait la qualité effrayante d'un rictus. « *Callandor*. Avec ça dans
mes mains, je peux exécuter n'importe quoi. N'importe quoi. Je sais que je peux réussir n'importe quoi.
Alors, à présent, c'est un poids de moins sur mes
épaules. Vous ne comprenez pas, n'est-ce pas ? » Non,
elle ne comprenait pas, mais elle était irritée qu'il le
voie. Elle garda le silence et il continua. « Peut-être
cela vous aidera-t-il si vous savez que cela vient des
Prophéties.

Dans le cœur il enfonce son épée,
Dans le cœur, pour retenir leurs cœurs.
Qui la tire du cœur devra suivre,
Quelle main peut saisir cette lame redoutable ?

« Vous voyez ? Sorti droit des Prophéties.

— Tu oublies une chose, lui répliqua-t-elle d'une voix tendue. Tu as délivré *Callandor* de sa gangue en accomplissement d'une prophétie. Les sauvegardes qui l'ont obligée à t'attendre pendant trois mille ans et plus ont disparu. Elle n'est plus l'Épée-qui-ne-peut pas-être-touchée. Moi-même, je pourrais la libérer en canalisant. Plus grave, n'importe quel Réprouvé le pourrait. Et si Lanfear revient ? Elle ne serait pas plus capable que moi d'utiliser *Callandor*, mais elle pourrait s'en emparer. » Le nom ne suscita pas chez lui de réaction. Parce qu'il ne la redoutait pas – auquel cas il était stupide – ou pour une autre raison ? « Si Sammael ou Rahvin ou un autre Réprouvé met la main sur *Callandor*, il peut s'en servir aussi bien que toi. Imagine-toi face au pouvoir que tu abandonnes avec une telle désinvolture. Pense à ce pouvoir entre les mains de l'Ombre.

— J'espère presque qu'ils essaieront. » Une lumière menaçante brilla dans ses yeux ; ils ressemblaient à de grises nuées d'orage. « Une surprise attend quiconque tente d'extraire *Callandor* de la Pierre en canalisant, Moiraine. Ne pensez pas à l'emporter à la Tour pour la mettre à l'abri ; je n'ai pas pu combiner que le piège établisse des différences. Le Pouvoir est tout ce dont il a besoin pour se déclencher et se réamorcer, prêt à attraper de nouveau sa proie. Je ne renonce pas pour toujours à *Callandor*. Seulement jusqu'à ce que je... » Il prit une profonde aspiration. « *Callandor* restera ici jusqu'à ce que je revienne la chercher. En étant là, leur remémorant qui je suis et ce que je suis, elle assure que je peux revenir sans une armée. En quelque sorte un havre de grâce, avec des gens comme Alteima et Sunamon pour m'accueillir à mon retour. Si Alteima survit à la justice que son mari et Estanda dispenseront à son égard et si Sunamon survit à la mienne. Par la Lumière, quel enchevêtrement détestable. »

Il n'avait pas pu créer un piège sélectif, ou ne l'avait pas voulu ? Elle était résolue à ne pas sous-évaluer ce dont il pouvait être capable. *Callandor* devait se trouver dans la Tour, s'il ne voulait pas s'en servir comme il le devait, dans la Tour jusqu'à ce qu'il veuille l'utiliser. *Seulement jusqu'à ce que* quoi ? Il avait été sur le point de dire autre chose que *jusqu'à ce que je revienne*. Mais quoi ?

« Et où vas-tu ? Ou as-tu l'intention que cela demeure un mystère ? » En son for intérieur, elle se jurait de ne pas le laisser échapper de nouveau, de l'en détourner d'une manière ou d'une autre s'il pensait se précipiter aux Deux Rivières, quand il la surprit.

« Pas de mystère, Moiraine. Pas pour vous et Egwene, en tout cas. » Il regarda Egwene et prononça un mot. « Rhuidean. »

Les yeux écarquillés, la jeune fille parut aussi abasourdie que si elle n'avait jamais entendu ce nom auparavant. D'ailleurs, Moiraine ne l'était guère moins. Un murmure monta d'entre les Aiels mais, quand elle jeta un coup d'œil en arrière, ils continuaient à avancer sans aucune expression. Elle aurait aimé les congédier, mais ils n'obéiraient pas à son ordre et elle ne voulait pas demander à Rand de les renvoyer. Cela ne lui bénéficierait pas auprès de Rand de requérir des faveurs, d'autant plus qu'il était parfaitement capable de lui opposer un refus.

« Tu n'es pas un chef de clan aiel, Rand, déclarat-elle d'un ton ferme, et tu n'as pas besoin d'en être un. Ta bataille est de ce côté-ci du Rempart du Dragon. À moins... Est-ce la conséquence des réponses que tu as eues dans le *ter'angreal* ? Cairhien, *Callandor* et Rhuidean ? Je t'ai dit que ces réponses sont souvent sibyllines. Tu risques de mal les interpréter, et cela serait fatal. À davantage pour toi.

— Vous devez me faire confiance, Moiraine. Comme j'ai si souvent dû me fier à vous. » Son visage aurait aussi bien pu appartenir à un Aiel pour ce qu'elle réussit à y lire.

« Je te fais confiance pour le moment. Seulement n'attends pas qu'il soit trop tard avant de me demander conseil. » *Je ne te laisserai pas te tourner vers l'Ombre. J'ai œuvré trop longtemps pour le permettre. Quoi qu'il en coûte.*

22.

Départ de la Pierre

C'est un étrange cortège que Rand conduisit hors de la Pierre en direction de l'est, des nuages blancs voilant le soleil à son zénith et un souffle d'air balayant la ville. Sur son ordre, il n'y avait pas eu d'avis, pas de proclamation, mais le bruit que quelque chose se passait s'était répandu : les citoyens avaient interrompu ce qu'ils faisaient et couru vers les endroits offrant les meilleurs observatoires. Les Aiels traversaient la ville, les Aiels sortaient de la ville. Les gens qui ne les avaient pas vus arriver dans la nuit, qui n'avaient cru qu'à demi qu'ils occupaient la Pierre, étaient de plus en plus nombreux à former la haie le long des rues du parcours, à s'agglutiner aux fenêtres, même à grimper sur les toits d'ardoise, à califourchon sur le faîte des toits et des angles relevés des maisons. Des murmures se propagèrent quand ils comptèrent les Aiels. Ces quelque cent ne pouvaient avoir pris la Pierre. La bannière du Dragon flottait toujours au-dessus de la forteresse. Il devait y avoir des milliers d'Aiels à l'intérieur. Et le Seigneur Dragon.

Rand chevauchait à l'aise en manches de chemise, sûr qu'aucun des badauds n'admettait qu'il soit quelqu'un sortant de l'ordinaire. Un étranger, assez riche pour monter à cheval – et sur un superbe étalon pommelé, le meilleur des pur-sang de Tear – un homme fortuné qui voyageait dans la plus bizarre des compagnies bizarres, mais certainement malgré tout un homme ordinaire. Pas même le chef de cette cohorte insolite ; ce titre était sans doute attribué à Lan ou à Moiraine, en dépit du fait qu'ils chevauchaient à une petite distance derrière lui, juste devant les Aiels. Le sourd susurrement impressionné qui accompagnait son passage était à coup sûr suscité par les Aiels, pas par lui. Ces gens de Tear s'imaginaient peut-être même qu'il était un palefrenier, montant le cheval de son maître. Eh bien, non, pas ça ; pas en tête comme il l'était. En tout cas, c'était une belle journée. Pas étouffante, seulement chaude. Personne n'attendait de lui qu'il rende la justice ou gouverne une nation. Il pouvait jouir simplement du plaisir de chevaucher dans l'anonymat, jouir de la brise exceptionnelle. Pendant un moment, il pouvait oublier la sensation de ses paumes marquées au fer rouge du signe du héron sur les rênes. *Pendant un peu plus longtemps en tout cas*, songea-t-il. *Un petit peu plus longtemps*.

« Rand, dit Egwene, crois-tu vraiment que c'était bien de laisser les Aiels emporter toutes ces choses ? » Il tourna la tête comme elle faisait approcher de lui d'un coup de talon sa jument grise, Brume. Elle avait déniché quelque part une robe vert sombre à la jupe divisée en deux jupes étroites, et un ruban de velours vert nouait ses cheveux sur sa nuque.

Moiraine et Lan étaient restés en arrière à une distance d'une demi-douzaine d'enjambées, elle sur sa jument blanche, vêtue d'une tenue de cheval en soie bleue à crevés verts et à l'ample jupe, sa chevelure noire rassemblée dans une résille d'or, lui à califourchon sur son grand destrier noir, dans une cape de Lige aux couleurs changeantes qui soulevait probablement autant de *oh* et de *ah* que les Aiels. Quand la brise agitait la cape, des nuances de vert, de brun et de gris ondulaient dessus ; quand elle était immobile elle semblait en quelque sorte se fondre dans ce qui se trouvait derrière, si bien que l'œil donnait l'impression de voir à travers des portions de Lan et de sa monture. C'était inquiétant à regarder.

Mat était là, lui aussi, affaissé sur sa selle, la mine résignée, s'efforçant de se tenir à l'écart du Lige et de l'Aes Sedai. Il avait choisi un hongre brun d'apparence quelconque, un animal qu'il appelait Pips ; il fallait un regard avisé pour remarquer le large poitrail et le garrot robuste qui promettaient que ce Pips à la tête camuse était vraisemblablement de force à égaler l'étalon de Rand ou celui de Lan en rapidité et en endurance. La décision de Mat de venir avait été une surprise ; Rand ne savait toujours pas pourquoi. Par amitié, peut-être, et d'autre part peut-être pas. Mat se montrait bizarre dans sa façon comme dans ses raisons d'agir.

« Ton amie Aviendha ne t'a-t-elle pas expliqué ce qu'était le « cinquième » ?

— Elle a mentionné quelque chose, mais... Rand, tu ne penses pas qu'elle a... emporté des choses, elle aussi ? »

Derrière Moiraine et Lan, derrière Mat, derrière Rhuarc à leur tête, les Aiels marchaient en longues files de chaque côté de mulets de bât chargés, rang après rang à quatre de front. Quand les Aiels s'emparaient de l'une des places fortes d'un clan ennemi dans le Désert, selon la coutume – ou peut-être une loi, Rand ne l'avait pas très bien compris – ils emportaient un cinquième de tout ce qu'elle contenait, à l'unique exception de la nourriture. Ils n'avaient pas vu de raison de ne pas traiter la Pierre de la même façon. Non pas que les mulets aient transporté davantage qu'une minime partie d'une fraction d'un cinquième des trésors de la Pierre. Rhuarc disait que la cupidité tuait plus d'hommes que l'acier. Les paniers d'osier fixés aux bâts, surmontés de rouleaux de tapis et de tentures murales, ne transportaient que des charges légères. Il y avait à prévoir une traversée éventuellement pénible de l'Échine du Monde, puis une marche encore plus dure dans le Désert.

Quand les préviendrai-je ? se demanda-t-il. *Bientôt, à présent ; il faut que ce soit bientôt.* Moiraine penserait très probablement que c'était téméraire, un coup d'audace ; elle pourrait même approuver. Elle croyait connaître maintenant la totalité de son plan et ne se gênait pas pour le désapprouver ; nul doute qu'elle désirait qu'il en finisse le plus vite possible. Par contre, les Aiels... *Et s'ils refusent ? Bah, s'ils refusent, ils refusent. Je dois le faire.* Quant au « cinquième »... À son avis, ce n'aurait pas été possible d'empêcher les Aiels de le prendre même s'il l'avait voulu, et il ne l'avait pas voulu ; ils avaient bien gagné leur récompense et il n'avait pas envie d'aider les Seigneurs de Tear à conserver ce qu'ils avaient pressuré de leurs vassaux depuis des générations.

« Je l'ai vue montrer à Rhuarc une coupe d'argent, dit-il à haute voix. D'après la façon dont son sac a cliqueté quand elle y a rangé la coupe, il y avait d'autres objets en argent à l'intérieur. Ou peut-être d'or. Tu désapprouves ?

— Non. » Elle prononça le mot lentement, avec un brin d'incertitude, mais alors sa voix s'affermit. « C'est simplement que je n'avais pas pensé à cela de sa part... Les gens de Tear ne se seraient pas contentés d'un cinquième si les positions avaient été inversées. Ils se seraient emparés de ce qui ne faisait pas corps avec les murs et auraient volé toutes les charrettes pour l'emporter. Que les habitudes des gens soient différentes ne signifie pas qu'ils agissent mal, Rand. Tu devrais le savoir. »

Il rit tout bas. C'était presque comme au bon temps de naguère, lui prêt à expliquer pourquoi et en quoi elle se trompait, et elle s'emparant de sa position à lui et lançant à sa tête l'explication qu'il n'avait pas encore formulée. Sensible à son humeur, son étalon se mit à danser. Il caressa l'encolure arquée du pommelé. Une plaisante journée.

« C'est un beau cheval, reprit-elle. Comment l'as-tu appelé ?

— Jeade'en », répondit-il d'une voix neutre, perdant un peu de son entrain. Il était légèrement confus de ce nom, de ses raisons pour le choisir. Un de ses livres favoris avait toujours été *Les Voyages de Jain*

Fartsrider et ce grand voyageur avait appelé son cheval Jeade'en – le Trouveur Infaillible dans l'Ancienne
Langue – parce que l'animal était toujours capable de
retrouver le chemin de sa demeure. Ç'aurait été
agréable qu'un jour Jeade'en le ramène chez lui.
Agréable mais pas vraisemblable et il ne voulait pas
que l'on se doute de ce qui avait causé le choix de ce
nom. Les rêveries enfantines n'avaient plus de place
dans sa vie maintenant. Il n'y avait pas grande place
pour ce qui n'était pas ce qu'il avait à faire.

« Un beau nom », commenta Egwene distraitement.
Il savait qu'elle aussi avait lu le livre et s'attendait
presque à ce qu'elle reconnaisse le nom, mais elle
semblait absorbée par quelque chose d'autre qu'elle
retournait dans sa tête en se mordillant pensivement la
lèvre inférieure.

Le silence convenait fort bien à Rand. Les derniers
restes de la ville laissèrent la place à la campagne et à
des fermes lamentablement dispersées. Pas même un
Congar ou un Coplin, des natifs des Deux Rivières
tristement renommés pour leur paresse entre autres, ne
laisserait sa maison aussi mal entretenue et délabrée
que ces demeures de pierre brute, aux murs qui penchaient comme près de s'écrouler sur les poules grattant la terre. Des granges affaissées s'étayaient contre
des lauriers ou des copalmes. Des toits aux ardoises
fendues ou brisées donnaient l'impression de laisser
entrer la pluie. Des chèvres bêlaient tristement dans
des enclos de pierres sèches que l'on aurait cru
assemblés précipitamment du matin même. Des
hommes et des femmes pieds nus, le dos voûté,

binaient des champs dépourvus de clôtures, ne levant pas les yeux même quand passait cette grande compagnie. Rouges-becs et grives chantant dans les petits halliers ne suffisaient pas à alléger le sentiment d'une oppressante mélancolie.

Il faut que je fasse quelque chose pour remédier à ça. Je... Non, pas maintenant. Les choses importantes d'abord. J'ai fait ce que j'ai pu pour eux en quelques semaines. Je ne peux pas plus à présent. Il s'efforça de ne pas regarder les fermes menaçant ruine. Les champs d'oliviers dans le sud étaient-ils en aussi mauvais état ? Les gens qui les travaillaient ne possédaient même pas la terre ; elle appartenait en totalité aux Puissants Seigneurs. *Non. La brise. Agréable comme elle abat la chaleur. Je peux en jouir encore un peu. Je vais être obligé de les mettre au courant d'ici un moment.*

« Rand, dit tout à coup Egwene, je veux te parler. » D'un sujet sérieux, d'après son expression ; ces grands yeux noirs fixés sur lui recélaient une lueur évocatrice de ceux de Nynaeve quand elle s'apprêtait à entamer une semonce. « Je veux parler d'Élayne.

— Eh bien quoi concernant Élayne ? » questionnat-il avec méfiance. Il effleura son escarcelle où deux lettres se chiffonnaient contre un petit objet dur. Si elles n'avaient pas été toutes les deux de la même élégante écriture cursive, il n'aurait jamais cru qu'elles provenaient de la même personne. Et après tous ces baisers et ces câlineries. Les Puissants Seigneurs étaient plus faciles à comprendre que les femmes.

« Pourquoi l'as-tu laissée partir de cette façon ? »

641

Déconcerté, il la regarda d'un air interdit. « Elle désirait partir. J'aurais dû l'attacher pour l'en empêcher. D'ailleurs, elle sera plus en sécurité à Tanchico que près de moi – ou de Mat – si nous risquons d'attirer des bulles maléfiques comme le dit Moiraine. Tu y serais aussi.

— Ce n'est pas du tout ce à quoi je pense. Bien sûr qu'elle était décidée à partir. Et tu n'avais pas le droit de l'en empêcher. Seulement, pourquoi ne pas lui avoir dit que tu souhaitais qu'elle reste ?

— Elle désirait partir », répéta-t-il et fut encore plus ahuri en la voyant lever les yeux au ciel comme s'il débitait des propos inintelligibles. S'il n'avait pas le droit de retenir Élayne, et si elle avait en tête de partir, pourquoi était-il censé essayer de l'en dissuader ? D'autant plus qu'elle était davantage en sécurité ailleurs.

Moiraine éleva la voix juste derrière lui. « Es-tu prêt à me révéler le secret suivant ? À l'évidence, tu me cachais quelque chose. Je serais peut-être au moins en mesure de te prévenir si tu nous mènes à un précipice. »

Rand poussa un soupir. Il n'avait pas entendu qu'elle et Lan s'étaient rapprochés. Et Mat de même, bien qu'observant toujours une certaine distance entre lui et l'Aes Sedai. Le visage de Mat était à peindre, passant tour à tour par des nuances de doute, de répugnance et de détermination farouche, surtout quand il jetait un coup d'œil à Moiraine. Il ne la regardait jamais en face, seulement du coin de la paupière.

« Es-tu certain de vouloir venir, Mat ? » questionna Rand.

Mat haussa les épaules et affecta de sourire, pas d'un sourire très assuré. « Qui renoncerait à une chance de voir ce sacré Rhuidean ? » Egwene haussa les sourcils à son adresse. « Oh, excuse mon langage, *Aes Sedai*. Je t'ai entendue en user d'aussi vert et pour moins de raisons, je le parierais. » Egwene le dévisagea avec indignation, mais des taches de couleur sur ses joues indiquaient qu'il avait marqué un point.

« Félicite-toi que Mat soit ici, dit Moiraine à Rand, le ton froid et mécontent. Tu as commis une grave erreur en permettant à Perrin de s'enfuir, en me dissimulant son départ. Le monde repose sur tes épaules, mais ils doivent tous les deux te soutenir ou tu seras perdu et le monde avec toi. » Mat tiqua et Rand eut l'impression qu'il était sur le point de faire tourner son cheval et de s'éloigner aussitôt.

« Je connais mon devoir », répliqua-t-il à Moiraine. *Et je connais ma destinée*, pensa-t-il, mais il ne le dit pas à haute voix ; il ne recherchait pas la compassion. « L'un de nous devait retourner là-bas, Moiraine, et Perrin voulait y aller. Vous êtes prête à sacrifier n'importe quoi pour sauver le monde. Je... je fais ce que je dois. » Le Lige acquiesça d'un signe de tête, toutefois sans mot dire ; Lan ne se montrait jamais en désaccord avec Moiraine devant des tierces personnes.

« Et le secret suivant ? » réclama-t-elle avec insistance. Elle n'abandonnerait pas avant de le lui avoir extirpé, et il n'avait aucune raison de le taire plus long-temps. Pas cette partie-là.

« Les Pierres Portes, dit-il simplement. Si nous avons de la chance.

— Oh, par la Lumière ! gémit Mat. Par cette sacrée fichue Lumière ! Ne m'accable pas de grimaces, Egwene ! De la chance ? Est-ce qu'une fois ne suffit pas, Rand ? Tu nous as presque tués, tu te rappelles ? Non, pire que tués. Je préférerais revenir à une de ces fermes demander à être engagé pour soigner des cochons jusqu'à la fin de mes jours.

— Tu peux partir de ton côté si tu en as envie, Mat », lui dit Rand. Le visage calme de Moiraine était un masque posé sur de la fureur, mais il ne tint pas compte du regard de glace qui tentait de lui brider la langue. Même Lan avait l'air désapprobateur, en dépit de la quasi-impassibilité de ses traits durs ; le Lige plaçait le devoir avant tout. Rand accomplirait son devoir, mais ses amis... Il n'aimait pas contraindre les gens à faire quelque chose ; il ne l'imposerait pas à ses amis. Cela du moins il pouvait l'éviter, sûrement. « Tu n'as aucune raison de te rendre au Désert.

— Oh, que si. En tout cas... Oh, que je sois brûlé ! Je n'ai qu'une vie à donner, hein ? Pourquoi pas de cette façon-là ? » Mat eut un rire nerveux, et légère-ment convulsif. « Fichues Pierres Portes ! Par la Lumière ! »

Rand fronça les sourcils ; c'était lui que tous affir-maient voué à devenir fou, mais c'était Mat mainte-nant qui paraissait sur le point de succomber à la folie.

Egwene clignait des paupières en regardant Mat

avec inquiétude pourtant c'est vers Rand qu'elle se pencha. « Rand, Vérine Sedai m'a parlé un peu des Pierres Portes. Elle m'a raconté le... le voyage que tu avais entrepris. As-tu réellement l'intention de passer par là ?

— Je ne peux pas me débrouiller autrement, Egwene. » Il avait à se déplacer rapidement et aucun moyen n'était plus rapide que les Pierres Portes. Vestiges d'une Ère plus ancienne que l'Ère des Légendes ; même les Aes Sedai de l'Ère des Légendes n'avaient apparemment pas compris leur mécanisme. Cependant il n'existait pas de solution plus expéditive. Si cela marchait comme il l'espérait.

Moiraine avait écouté patiemment la discussion. Surtout la part qu'y avait prise Mat, bien que Rand ne comprît pas pourquoi. Or voici qu'elle dit : « Vérine m'a aussi parlé de ce voyage par les Pierres Portes. Il s'agissait seulement de quelques personnes et de quelques chevaux, pas de centaines et, si tu n'as pas tué à peu près tout le monde comme le prétend Mat, cela semblait quand même une expérience que personne n'aimerait revivre. Sans compter qu'elle ne s'était pas déroulée comme tu t'y attendais. Elle a aussi requis une grande quantité du Pouvoir ; presque assez au moins pour te tuer, a précisé Vérine. Même si tu laisses la plupart des Aiels ici, oses-tu courir le risque de renouveler cette tentative ?

— J'y suis obligé », répliqua-t-il, portant la main à son escarcelle, touchant la petite forme dure derrière les lettres, mais Moiraine continua comme s'il n'avait pas ouvert la bouche :

« Es-tu même certain qu'il existe une Pierre Porte dans le Désert ? Évidemment, Vérine en connaît plus que moi sur le sujet, mais je n'en ai jamais entendu parler. Si c'est exact, nous placera-t-elle plus près de Rhuidean que nous ne le sommes maintenant ?

— Voilà de cela six cents ans environ, lui répondit-il, un colporteur a voulu jeter un coup d'œil à Rhuidean. » À un autre moment, ç'aurait été un plaisir de jouer à son égard le rôle de celui qui enseigne, pour changer. Pas aujourd'hui. Il ignorait trop de choses. « Ce bonhomme n'en a apparemment rien vu ; il a prétendu avoir aperçu une ville d'or dans les nuages planant au-dessus des montagnes.

— Il n'y a pas de villes dans le Désert, rétorqua Lan, ni dans les nuages ni sur la terre. J'ai combattu les Aiels. Ils n'ont pas de villes. »

Egwene acquiesça d'un signe de tête. « Aviendha m'a dit qu'elle n'avait pas vu de villes avant de quitter le Désert.

— Peut-être bien, dit Rand, seulement le colporteur a vu aussi quelque chose qui se dressait au flanc d'une de ces montagnes. Une Pierre Porte. Il l'a parfaitement décrite. Rien ne ressemble à une Pierre Porte. Quand je l'ai décrite au bibliothécaire en chef de la Pierre... » Sans nommer ce qu'il cherchait, il ne le précisa pas. « ... il l'a reconnue, bien que ne sachant pas ce que c'était, suffisamment pour m'en montrer quatre sur une vieille carte du Tear...

« Quatre ? » Moiraine parut stupéfaite. « Toutes dans le Tear ? Les Pierres Portes ne sont pas monnaie aussi courante.

— Quatre », répliqua Rand d'un ton catégorique. Le vieux bibliothécaire décharné en avait été certain, déterrant même un manuscrit jauni en mauvais état parlant d'efforts pour transporter ces « objets façonnés inconnus appartenant à une Ère antérieure » dans la Grande Réserve. Chaque tentative avait échoué et les Seigneurs de Tear avaient finalement renoncé. Ce qui avait été une confirmation pour Rand ; les Pierres Portes s'opposaient à être déplacées. « Une se trouve à moins d'une heure de cheval d'où nous sommes, poursuivit-il. Les Aiels ont autorisé le colporteur à s'en aller, puisqu'il était colporteur. Avec un de ses mulets et autant d'eau qu'il pouvait en porter sur son dos. Il a réussi à atteindre un *Stedding* dans l'Échine du Monde où il a rencontré un homme appelé Soran Milo qui écrivait un livre intitulé *Les Tueurs au voile noir*. Le bibliothécaire m'en a fourni un exemplaire en piteux état quand j'ai demandé des livres sur les Aiels. Milo l'avait apparemment basé entièrement d'après les Aiels venus commercer au *Stedding* et il avait presque tout faux d'ailleurs, selon Rhuarc, mais une Pierre Porte ne peut être qu'une Pierre Porte. » Il avait examiné d'autres cartes et manuscrits, par douzaines, en principe étudiant le Tear et son histoire, se familiarisant avec le pays ; personne, absolument personne, ne pouvait se douter de ses intentions avant les quelques minutes précédentes.

Moiraine renifla et sa jument blanche, Aldieb, sentant son irritation, se mit à caracoler sur quelques pas. « Une histoire supposée racontée par un colporteur supposé qui prétendait avoir vu une ville dorée planant dans les nuages. Est-ce que Rhuarc a vu cette Pierre Porte ? Il est allé à Rhuidean, lui. Même si ce colporteur s'est rendu dans le Désert et a bien vu une Pierre Porte, elle pouvait être située n'importe où. Quelqu'un qui raconte une histoire essaie en général d'enjoliver ce qui est réellement arrivé. Une ville planant dans les nuages ?

— Comment savez-vous qu'elle ne plane pas ? » riposta Rand. Rhuarc n'avait demandé qu'à rire de toutes les erreurs que Milo avait écrites sur les Aiels, mais il n'avait pas été très disert en ce qui concernait Rhuidean. Non, plus que cela ; ou plutôt moins. L'Aiel avait même refusé de commenter les parties du livre censées porter sur Rhuidean. Rhuidean, dans les terres de l'Aiel Jenn, le clan qui « n'est pas » ; voilà presque le maximum de ce que Rhuarc acceptait d'en dire. On ne devait pas parler de Rhuidean.

L'Aes Sedai ne fut pas des plus enchantées par sa réplique cavalière, mais il n'en avait cure. Elle-même gardait trop de secrets, l'obligeait trop souvent à la suivre en se fiant à elle aveuglément. Que ce soit son tour. Elle avait à apprendre qu'il n'était pas une marionnette. *Je suivrai son avis quand j'estimerai qu'il est bon, mais je ne veux plus danser au bout des fils de Tar Valon.* Il mourrait à ses propres conditions.

Egwene poussa plus près sa monture grise, chevauchant presque botte à botte avec lui. « Rand, as-tu réellement l'intention de risquer nos vies sur un... sur un coup de chance ? Rhuarc ne t'a rien dit, n'est-ce pas ? Quand j'ai interrogé Aviendha sur Rhuidean, elle s'est renfermée aussi serré qu'une noix d'hickory. »

Mat avait l'air malade.

Rand surveilla son expression, ne laissant pas voir son bref éclair de gêne. Il n'avait pas voulu effrayer ses amis. « Il y a une Pierre Porte là-bas », affirmat-il. Il frotta de nouveau la forme dure dans son escarcelle. Il fallait que ceci marche.

Les cartes du bibliothécaire étaient anciennes mais, en un sens, c'était une aide. Les herbages qu'ils traversaient à présent avaient été des forêts quand ces cartes avaient été dessinées, seulement peu d'arbres subsistaient, des taillis clairsemés de chênes blancs, de pins et de ginkgos, éparpillés de loin en loin, de grands arbres solitaires qu'il ne reconnut pas, au tronc mince et noueux. Il discernait aisément la forme du terrain – des collines en grande partie envahies par de hautes herbes maintenant.

Sur les cartes, deux grandes crêtes courbes, l'une derrière l'autre dont elle était proche, formaient comme des flèches désignant le groupe de collines rondes où se trouvait la Pierre Porte. Si les cartes avaient été tracées avec précision. Si le bibliothécaire avait réellement reconnu sa description et si le losange vert était effectivement un symbole désignant d'antiques ruines comme il le soutenait. *Pourquoi mentirait-il ? Je deviens trop soupçonneux. Non, il faut que je sois soupçonneux. Aussi confiant qu'une vipère et aussi froid.* Cela ne lui plaisait pas, pourtant.

Au nord, il distinguait tout juste des collines sans aucun arbre, mouchetées de formes mouvantes qui devaient être des chevaux. Les bandes de chevaux des Puissants Seigneurs, broutant sur le site de l'ancien bosquet ogier. Il espéra que Perrin et Loial avaient pu partir sans encombre. *Aide-les, Perrin, pensa-t-il. Aide-les d'une manière ou d'une autre, puisque moi je ne le peux pas.*

Le bosquet ogier signifiait que les crêtes plissées devaient être à proximité et, bientôt, il les repéra légèrement au sud, telles deux flèches l'une à l'intérieur de l'autre, quelques arbres à leur sommet formant une mince ligne sur l'horizon. Derrière, des collines rondes et basses comme des bulles couvertes d'herbe se pressaient les unes contre les autres. Davantage de collines que sur la vieille carte. Trop nombreuses, car la totalité du secteur comprenait moins d'un acre. Si elles ne correspondaient pas à la carte, laquelle avait sur son flanc la Pierre Porte ?

« Les Aiels sont nombreux, dit Lan à mi-voix, et ils ont des yeux perçants. »

Inclinant la tête en signe de gratitude, Rand retint Jeade'en, se laissant dépasser pour soumettre le problème à Rhuarc. Il décrivit seulement la Pierre Porte, sans expliquer ce que c'était ; cela suffirait de le faire quand elle serait découverte. Il était habile à garder un secret, à présent. D'ailleurs, Rhuarc n'avait probablement aucune idée de ce qu'était une Pierre Porte. Peu de monde était au courant à part les Aes Sedai. Lui-même l'ignorait jusqu'à ce que quelqu'un lui en ait parlé.

Avançant à longues enjambées à côté de l'étalon pommelé, l'Aiel fronça légèrement les sourcils – l'équivalent d'une mine soucieuse chez la plupart des autres hommes – puis il hocha la tête. « Nous

pouvons trouver cette chose-là. » Il éleva la voix.
« *Aethan Dor ! Far Aldazar Din ! Duadhe Mahdi'in !*
Far Dareis Mai ! Seia Doon ! Sha'mad Conde !

À son appel, des membres des sociétés guerrières
qu'il avait nommées s'avancèrent au pas gymnastique,
tant et si bien qu'un bon quart des Aiels se rassemblèrent autour de lui et de Rand. Boucliers Rouges. Frères
de l'Aigle. Chercheurs d'Eau. Vierges de la Lance.
Yeux Noirs. Marcheurs du Tonnerre.

Rand repéra l'amie d'Egwene, Aviendha, une
grande et jolie femme avec un regard hautain et grave.
Des Vierges avaient monté la garde à sa porte, mais il
ne pensait pas l'avoir vue avant que les Aiels se
regroupent pour quitter la Pierre. Elle jeta un coup
d'œil dans sa direction, fière comme un faucon aux
yeux verts, puis secoua la tête et reporta son attention
sur le chef de clan.

Eh bien, je voulais redevenir comme le commun des
mortels, songea-t-il un peu mélancoliquement. Les
Aiels, certes, exauçaient son vœu. Même au chef de
clan, ils n'offraient qu'une oreille respectueuse, sans
rien de la déférence empressée qu'exigerait un seigneur, et une obéissance qui semblait entre égaux. Il
ne pouvait guère s'attendre à mieux pour lui-même.

Rhuarc donna ses instructions en quelques mots et,
après l'avoir écouté, les Aiels se déployèrent en éventail dans le secteur des collines, courant avec aisance,
certains se voilant à titre de précaution. Les autres
attendirent, debout ou accroupis à côté des mulets
chargés.

Ils représentaient presque tous les clans – excepté

l'Aiel Jenn, évidemment ; Rand n'avait pu déterminer si les Jenns existaient réellement ou non, étant donné que d'après la façon dont ils les mentionnaient, ce qui était rare, ce pouvait être l'un ou l'autre – y compris quelques clans qui se livraient une guerre à mort et d'autres qui se battaient souvent. Il avait appris au moins cela sur eux. Pas pour la première fois, il se demanda ce qui les unissait jusqu'ici. Était-ce seulement leurs prophéties concernant la chute de la Pierre et la quête pour Celui-qui-Vient-avec-l'Aube ?

« Plus que cela », dit Rhuarc, et Rand prit conscience d'avoir émis ses réflexions à haute voix. « La prophétie nous a conduits à franchir le Rempart du Dragon et le nom qui n'est pas prononcé nous a attirés vers la Pierre de Tear. » Le nom auquel il faisait allusion était « Peuple du Dragon », un nom secret pour les Aiels ; seuls les chefs de clan et les Sagettes le connaissaient ou l'utilisaient, apparemment rarement et uniquement entre eux. « Pour le reste ? Nul ne peut verser le sang d'un membre de la même société, naturellement, pourtant mêler les Shaarads aux Goshiens, les Taardads et les Nakais avec les Shaidos... Même moi j'aurais pu danser la danse des lances avec les Shaidos si les Sagettes n'avaient pas exigé que tous ceux qui franchiraient le Rempart du Dragon jurent par le serment de l'eau de traiter n'importe quel Aiel comme étant de leur propre société sur ce côté-ci de la montagne. Même les Shaidos sournois... » Il haussa légèrement les épaules. « Vous voyez ? Ce n'est pas facile, y compris pour moi.

— Ces Shaidos sont vos ennemis ? » Rand prononça maladroitement le nom ; dans la Pierre, les Aiels se répartissaient en sociétés, pas en clans.

« Nous avons évité les guerres à mort, dit Rhuarc, mais les Taardads et les Shaidos n'ont jamais été en termes d'amitié ; les enclos opèrent parfois des raids les uns chez les autres, volent des chèvres ou du bétail. Mais les serments ont été respectés par nous tous en dépit de trois guerres à mort et une douzaine de vieilles haines entre les clans ou les enclos. Que nous nous dirigions vers Rhuidean nous facilite les choses à présent, même si quelques-uns nous quittent avant d'y arriver. Il est interdit de verser le sang de qui se rend à Rhuidean ou en revient. » L'Aiel leva vers Rand un visage totalement dépourvu d'expression. « Il se peut que bientôt aucun de nous ne verse le sang d'un autre. » Déterminer s'il trouvait la perspective plaisante était impossible.

Un ululement provint d'une des Vierges de la Lance qui se dressait au sommet d'une colline et agitait les bras au-dessus de sa tête.

« On a trouvé votre colonne de pierre, à ce qu'il paraît », dit Rhuarc.

Rassemblant ses rênes, Moiraine adressa à Rand un regard indéchiffrable quand il passa devant elle, talonnant avec ardeur Jeade'en pour qu'il prenne le galop. Egwene tira sur la bride de sa jument à la hauteur de Mat et se pencha sur sa selle en s'étayant d'une main sur le haut pommeau de la selle de Mat pour entamer avec lui une conversation à voix basse. Elle semblait essayer d'obtenir qu'il lui dise quelque chose ou admette quelque chose et, d'après la véhémence des gesticulations de Mat, ou bien il était innocent comme un enfant qui vient de naître ou bien il mentait comme un arracheur de dents. Se jetant à bas de sa selle, Rand escalada précipitamment la pente douce pour examiner ce que la Vierge de la Lance – c'était Aviendha – avait découvert à demi enfoui dans la terre et voilé par de longues herbes. Une colonne de pierre grise rongée par les intempéries, d'au moins deux toises et demie de long et un pas d'épaisseur. Des symboles bizarres couvraient le moindre espace apparent, chacun entouré d'une étroite ligne de marques qu'il pensa être de l'écriture. Aurait-il même connu la langue – en admettant que c'en soit une, l'écriture – s'il s'agissait bien d'une écriture, était usée jusqu'à en être illisible. Les symboles, il les distinguait un peu mieux. Quelques-uns ; bon nombre auraient pu passer pour creusés par la pluie et le vent.

Arrachant l'herbe à pleines poignées pour mieux voir, il jeta un coup d'œil à Aviendha. Elle avait rabaissé sa *shoufa* autour de ses épaules, découvrant de courts cheveux aux reflets roux, et elle l'observait avec une expression dure et fermée. « Vous n'avez pas de sympathie pour moi, dit-il. Pourquoi ? » Il y avait un symbole qu'il devait trouver, le seul qu'il connaissait.

« De la sympathie ? répéta-t-elle. Vous pouvez être Celui-qui-Vient-avec-l'Aube, un homme prédestiné. Qui est capable d'éprouver ou non de la sympathie envers un tel homme ? D'autre part, vous êtes libre de vos mouvements, un natif des Terres Humides en dépit de votre visage, pourtant vous rendant à Rhuidean pour les honneurs, alors que moi...

— Que vous quoi ? » questionna-t-il quand elle s'interrompit. Il poursuivait lentement ses recherches en remontant. Où était ce symbole ? Deux lignes parallèles ondulées traversées de biais par un trait bizarre. *Par la Lumière, s'il est enfoui, cela nous demandera des heures pour retourner ça.* Il éclata brusquement de rire. Pas des heures. Il pouvait canaliser et soulever cette masse hors du sol, ou Moiraine, ou Egwene. Une Pierre Porte refusait peut-être de se laisser emporter, mais ils réussiraient sûrement à la bouger sur cette petite distance-là. Toutefois, canaliser ne l'aiderait pas à trouver les lignes onduleuses. Promener ses doigts sur la pierre était l'unique moyen.

Au lieu de répondre, l'Aielle s'accroupit avec souplesse, posant ses courtes lances en travers de ses genoux. « Vous vous êtes mal conduit envers Élayne. Cela m'indiffère, mais Élayne est presque sœur d'Egwene, qui est mon amie. Pourtant Egwene ressent toujours de l'affection pour vous, alors par égard pour elle j'essaierai. »

Sans cesser d'inspecter l'épaisse colonne, il secoua la tête. Encore Élayne. Il pensait parfois que toutes les femmes appartenaient à une guilde comme les artisans dans les villes. Commettez une erreur à l'encontre de l'une d'elles et les dix suivantes que vous rencontrez sont au courant et désapprouvent.

Ses doigts s'immobilisèrent, revinrent vers la partie qu'il venait d'examiner. Elle était ravagée par les intempéries au point que ce qui était gravé dessus était presque indiscernable, mais il était sûr que c'était les lignes onduleuses. Elles représentaient une Pierre Porte à la Pointe de Toman, pas dans le Désert, mais elles indiquaient ce qui avait été la base de cette pierre quand elle était dressée. Les symboles au sommet représentaient des mondes ; ceux du pied les Pierres Portes. Avec un symbole du haut et un du bas, il était censé voyager jusqu'à une Pierre Porte donnée dans un monde donné. Avec seulement un du bas, il savait pouvoir atteindre une Pierre Porte dans ce monde-ci. La Pierre Porte proche de Rhuidean, par exemple. S'il en connaissait le symbole. C'est maintenant qu'il avait besoin de chance, qu'il avait besoin d'être servi par cette attirance que le *Ta'veren* exerce sur la chance.

Une main passa par-dessus son épaule et Rhuarc dit d'une voix contrainte : « Ces deux sont utilisés pour Rhuidean dans les anciens écrits. Il y a longtemps, même le nom n'était pas écrit. » Il passa le doigt sur deux triangles, chacun englobant ce qui semblait être un éclair arborescent, un pointé vers la gauche et l'autre vers la droite.

« Savez-vous ce que c'est ? » questionna Rand. L'Aiel détourna les yeux. « Que je brûle, Rhuarc, il faut que je sache. Je comprends bien que vous ne désirez pas en parler, mais vous devez me le dire. Dites-le-moi, Rhuarc. Avez-vous déjà vu une colonne pareille ? »

L'autre prit une profonde aspiration avant de répondre. « J'ai vu sa pareille. » Chaque mot sortait comme arraché de sa gorge. « Quand un homme va à Rhuidean, les Sagettes et les hommes des clans attendent sur les pentes du Chaendar près d'une pierre comme celle-ci. » Aviendha se redressa et s'éloigna d'un air guindé ; Rhuarc la regarda partir en fronçant les sourcils « Je n'en sais pas davantage, Rand al'Thor. Que je ne connaisse plus d'ombre si je mens. »

Rand effleura l'inscription indéchiffrable entourant les triangles. Lequel ? Un seul l'emmènerait où il voulait aller. Le second le débarquerait aussi bien à l'autre bout du monde qu'au fond de l'océan.

Le reste des Aiels s'étaient regroupés au pied de la colline avec leurs mulets de bât. Moiraine et ses compagnons mirent pied à terre et gravirent la pente légère, menant leurs montures par la bride. Mat s'occupait de Jeade'en en même temps que de son propre hongre brun, maintenant l'étalon à bonne distance du Mandarb de Lan. Les deux étalons se décochaient des regards féroces à présent qu'ils n'avaient plus de cavaliers sur le dos.

« Franchement, tu agis sans savoir quel résultat cela donnera, n'est-ce pas ? protesta Egwene. Moiraine, arrêtez-le. Nous pouvons gagner Rhuidean à cheval. Pourquoi le laissez-vous continuer ça ? Pourquoi ne dites-vous rien ?

— Que proposes-tu que je fasse ? répliqua ironiquement l'Aes Sedai. Je peux difficilement l'emmener d'ici en le traînant par l'oreille. Nous allons peut-être voir si réellement Rêver a son utilité.

— Rêver ? répéta sèchement Egwene. Quel rapport Rêver a-t-il avec ça ?

— Voulez-vous bien vous taire, vous deux ? » Rand se força à parler d'un ton patient. « J'essaie de prendre

une décision. » Egwene le dévisagea avec indignation ; Moiraine ne témoignait aucune émotion, mais
elle observait avec une attention soutenue.

« Sommes-nous obligés d'emprunter ce moyen-là ?
demanda Mat. Qu'est-ce que tu as contre une marche
à cheval ? » Rand le regarda et il haussa les épaules
d'un air penaud. « Oh, que je me réduise en braises !
Si tu tentes de te décider... » Rassemblant dans une
seule main les rênes des deux chevaux, il extirpa une
pièce de monnaie de sa poche, un marc d'or de Tar
Valon, et poussa un soupir. « Cette pièce-là ou une
autre, ce serait du pareil au même, hein. » Il roula la
pièce en travers du dessus de ses doigts. « Je... j'ai de
la chance quelquefois, Rand. Que ma chance choisisse.
Face, celui qui est tourné vers ta droite ; pile, la
Flamme, l'autre. Qu'en dis-tu ?

— C'est la plus ridicule... », commença Egwene,
mais Moiraine lui imposa silence en lui effleurant le
bras.

Rand hocha la tête. « Pourquoi pas ? » Egwene marmotta quelque chose ; tout ce qu'il saisit était « homme » et « gamins », mais cela ne ressemblait pas à un
compliment.

La pièce sauta du pouce de Mat et tourna sur elle-
même en l'air, luisant faiblement dans la clarté du
soleil. Au sommet de sa course, Mat la rattrapa et la
plaqua sur le dos de son autre main, puis hésita.
« C'est un fichu risque, Rand, de se fier au résultat
d'un lancer de pièce à pile ou face. »

Rand posa sans regarder la paume sur un des symboles. « Celui-ci, dit-il. Tu as choisi celui-ci. »

Mat jeta un coup d'œil à la pièce et cilla de surprise. « Tu as raison. Comment l'as-tu su ?

— Cela devait marcher pour moi tôt ou tard. » Personne ne comprit – il s'en rendit compte – mais cela n'avait pas d'importance. Soulevant sa main, il examina ce que lui et Mat avaient désigné. Le triangle pointait vers la gauche. Le soleil avait quitté son zénith. Il lui fallait s'y prendre correctement. Une erreur, et ils perdraient du temps au lieu d'en gagner. Ce serait la catastrophe. Oui, sans contredit.

Se redressant, il fouilla dans son escarcelle et en sortit le petit objet dur, une pierre vert sombre brillante sculptée qui logeait facilement dans le creux de sa main, représentant un homme à tête ronde et au corps arrondi assis en tailleur, une épée sur les genoux. Il frotta du pouce la tête chauve de la figurine. « Rassemblez tout le monde ici. Tout le monde. Rhuarc, dites-leur de monter ici les bêtes de somme. Il faut que tout le monde soit le plus rapproché possible de moi.

— Pourquoi ? demanda l'Aiel.

Nous allons à Rhuidean. » Rand fit sauter la figurine dans sa paume et se pencha pour tapoter la Pierre Porte. « À Rhuidean. Immédiatement. »

Rhuarc le dévisagea longuement d'un regard neutre, puis se redressa, appelant déjà les autres Aiels.

Moiraine s'avança d'un pas sur la pente herbue. « Qu'est-ce que c'est ? questionna-t-elle avec curiosité.

— Un *angreal*, répondit Rand en le tournant dans sa main. Un qui fonctionne pour les hommes. Je l'ai trouvé dans la Grande Réserve quand je cherchais ce portail. C'est l'épée qui m'a incité à le prendre et alors j'ai su. Si vous vous demandez comment je pense canaliser suffisamment de Pouvoir pour nous transporter tous – les Aiels, les mulets, tout le monde et tout notre chargement – voilà comment.

— Rand, dit Egwene d'une voix anxieuse, je suis persuadée que tu penses agir pour le mieux, mais est-ce que tu es certain ? Es-tu certain que cet *angreal* est assez puissant ? Je ne suis même pas sûre que c'est vraiment un *angreal*. Je te crois si tu le dis, mais les *angreals* diffèrent, Rand. Du moins ceux que les femmes peuvent utiliser. Certains sont plus efficaces que d'autres et la dimension ou la forme ne sont pas une indication.

— Naturellement que j'en suis certain. » Il mentait. Il n'avait eu aucun moyen de le tester, pas pour ce but-là, pas sans risquer de mettre la moitié de Tear au courant qu'il avait un projet en tête, mais il estimait que l'*angreal* ferait l'affaire. Tout juste. Et, petit comme il l'était, personne ne saurait qu'il avait disparu de la Pierre avant qu'on décide d'établir l'inventaire de la Réserve. Ce qui était peu probable.

« Tu laisses derrière toi *Callandor* et tu emportes ceci, murmura Moiraine. Tu parais avoir de solides connaissances sur la façon d'utiliser les Pierres Portes. Plus que je ne l'aurais cru.

— Vérine m'en a dit pas mal », répliqua-t-il. Vérine lui en avait parlé effectivement, mais c'est Lanfear qui l'avait renseigné sur elles la première. Il l'avait connue à l'époque sous le nom de Séléné, cependant il n'avait pas l'intention d'expliquer cela à

Moiraine, pas plus que de lui dire que Lanfear avait offert de l'aider. L'Aes Sedai avait accueilli la nouvelle de l'apparition de Lanfear trop calmement, même pour elle. Et elle avait dans le regard cette expression évaluatrice comme si elle l'avait placé sur un plateau de balance dans son esprit.

« Prends garde, Rand al'Thor, reprit-elle de cette voix musicale et glacée qu'elle avait. N'importe quel *Ta'veren* modifie plus ou moins le Dessin, mais un *Ta'veren* tel que toi risque de déchirer à jamais la Dentelle du Temps. »

Il aurait aimé savoir ce qu'elle pensait. Il aurait aimé connaître ce qu'elle projetait, elle.

Les Aiels gravissaient la colline avec leurs mulets, couvrant la pente en se massant autour de lui et de la Pierre Porte, serrés épaule contre épaule sauf en ce qui concernait Moiraine et Egwene. À ces deux-là, ils laissèrent un petit espace. Rhuarc hocha la tête à son adresse comme pour dire : c'est fait, à vous de jouer maintenant.

Soupesant le brillant *angreal* vert, il se demanda s'il n'allait pas dire aux Aiels d'abandonner les bêtes, mais le voudraient-ils, là était la question et il désirait arriver avec eux tous, avec tous estimant qu'il s'était bien conduit envers eux. Les dispositions amicales ne devaient pas abonder dans le Désert. Ils l'observaient avec des visages imperturbables. Néanmoins, quelques-uns s'étaient voilés. Mat, qui roulait nerveusement sans arrêt sur le dessus de ses doigts ce marc d'or de Tar Valon, et Egwene, le visage emperlé de sueur, étaient les seuls à paraître inquiets. Attendre plus long-

661

temps ne servait à rien. Il devait agir plus vite que nul ne s'y attendait.

Il s'enveloppa du Vide et tendit sa volonté pour atteindre la Vraie Source, cette pâle lumière scintillante qui était toujours là, juste derrière son épaule. Le Pouvoir l'envahit, souffle de vie, vent à déraciner des chênes, brise d'été au parfum de fleurs, bouffées nauséabondes provenant d'un tas de fumier. Planant dans l'espace, il concentra son attention sur le triangle traversé d'éclairs arborescents devant lui et, par le truchement de l'*angreal*, aspira profondément à lui le torrent ardent du *Saidin*. Il devait les transporter tous. Il fallait que cela fonctionne. Ce symbole serré dans sa main, il attira le Pouvoir Unique, l'attira à lui jusqu'à penser pour de bon qu'il allait exploser. En attira encore. Et encore.

Le temps d'un clin d'œil et ce fut comme si le monde cessait d'exister.

23.

Au-delà de la Pierre

Egwene trébucha et jeta les bras autour du cou de Brume, sa jument, comme le sol s'inclinait sous ses pieds. Autour d'elle, les Aiels bataillaient avec les mulets qui ne cessaient de braire et de déraper sur une raide pente rocheuse où rien ne poussait. La chaleur éprouvée dans le *Tel'aran'rhiod* et dont elle se souvenait l'accablait. L'air miroitait devant ses yeux : le sol lui brûlait les pieds à travers la semelle de ses souliers. Sa peau picota douloureusement pendant un instant, puis la sueur jaillit par tous ses pores. Sa robe n'en fut qu'humidifiée et la sueur sécha presque aussitôt.

Les mulets qui se débattaient et les grands Aiels lui masquaient pratiquement les alentours, mais elle en eut de brefs aperçus entre eux. Une épaisse colonne de pierre grise saillait hors du sol en oblique à moins de trois pas d'elle, décapée par le sable venu sur le souffle du vent au point que c'était impossible de dire si elle avait jamais été la jumelle de la Pierre Porte de Tear. Des montagnes abruptes aux flancs plats qui donnaient l'impression d'avoir été taillées par la hache d'un géant fou grillaient sous un soleil ardent dans un ciel sans nuages. Pourtant, au centre de la longue vallée

663

aride très bas en dessous, planait une masse de brouillard dense ondoyant comme des nuages ; ce soleil brûlant aurait dû l'évaporer en quelques instants, mais le brouillard roulait ses vagues, intact. Et de ces tourbillons gris émergeaient les sommets de tours, certaines terminées en flèches, d'autres interrompues subitement comme si les maçons étaient encore au travail.

« Il avait vu juste, murmura-t-elle pour elle-même. Une ville dans des nuages. »

La main crispée sur la bride de son hongre, Mat regardait autour de lui avec des yeux émerveillés. « Nous avons réussi ! » Son rire s'adressa à elle. « Nous avons réussi, Egwene, et sans aucun... Que je sois brûlé, nous avons réussi ! » Il tira sur les lacets de sa chemise à l'encolure pour l'ouvrir. « Par la Lumière, ça chauffe. Je brûle pour de bon ! »

Subitement, elle se rendit compte que Rand était à genoux, la tête basse, se soutenant d'une main posée sur le sol. Tirant sa jument à sa suite, elle se fraya un chemin jusqu'à lui à travers le fourmillement des Aiels juste au moment où Lan l'aidait à se redresser. Moiraine était déjà là, observant Rand avec un calme apparent – et le léger pincement aux coins de sa bouche qui signifiait qu'elle aimerait le gifler.

« Je l'ai fait », dit Rand d'une voix haletante en jetant un coup d'œil autour de lui. Il ne tenait debout que grâce au Lige ; son visage était blême et tiré, comme un homme sur son lit de mort.

« Tu as failli y rester », répliqua froidement Moiraine. Très froidement. « L'*angreal* n'était pas suffisant. Il ne faut plus que tu recommences. Si tu prends

664

des risques, ils doivent être calculés et pris pour un motif puissant. Il le faut.

— Je ne prends pas de risques, Moiraine. C'est Mat celui qui se fie à la chance. » Rand força sa main droite à s'ouvrir ; l'*angreal*, le petit homme replet, avait enfoncé la pointe de son épée dans sa chair droit dans la marque imprimée par le feu en forme de héron. « Peut-être avez-vous raison. Peut-être ai-je besoin d'un qui soit un peu plus puissant. Un tout petit peu plus, peut-être... » Il eut un rire haletant. « Cela a marché, Moiraine. C'est ça qui est important. Je les ai tous gagnés de vitesse. Cela a marché.

— C'est ce qui compte », acquiesça Lan en hochant la tête.

Egwene émit un *tsk* de contrariété. Ces hommes. L'un s'était presque tué puis tentait de tourner la chose en plaisanterie et un autre lui disait qu'il avait bien agi. Ne deviendraient-ils jamais adultes ?

« La fatigue de canaliser ne ressemble à aucune autre lassitude, déclara Moiraine. Je ne peux pas t'en débarrasser totalement, pas quand tu as canalisé autant que cette fois-ci, mais je vais essayer de mon mieux. Peut-être ce qui reste te rappellera-t-il de te montrer plus prudent à l'avenir. » Elle était bien en colère ; il y avait une nette nuance de satisfaction dans sa voix.

L'aura de la *Saidar* entoura l'Aes Sedai quand elle leva les bras pour prendre la tête de Rand entre ses mains. Un souffle pantelant jaillit de la gorge de Rand et il fut secoué d'un tremblement incoercible, puis il se rejeta en arrière, s'arrachant du même élan au soutien de Lan.

« Demandez, Moiraine, dit Rand froidement en enfonçant l'*angreal* dans son escarcelle. Demandez d'abord. Je ne suis pas votre chien de manchon pour que vous puissiez faire ce que vous voulez chaque fois que vous en avez envie. » Il se frotta les mains l'une contre l'autre afin d'enlever les minuscules gouttelettes de sang.

Egwene émit de nouveau ce *tsk* de contrariété. Infantile et par-dessus le marché ingrat. Il pouvait se tenir debout seul à présent, en dépit de la lassitude qui se lisait dans ses yeux, et elle n'avait pas à voir sa paume pour savoir que la petite perforation avait disparu comme si elle n'avait jamais existé. De la pure ingratitude. À sa surprise, Lan ne réprimanda pas Rand pour avoir parlé à Moiraine de cette façon.

Elle s'avisa que les Aiels observaient une immobilité absolue maintenant qu'ils avaient calmé les mulets. Ils regardaient avec défiance non pas vers la vallée et la ville noyée dans le brouillard qui devait être Rhuidean mais vers deux camps, un de chaque côté d'eux à quatre cents toises environ. Les deux rassemblements de tentes basses aux côtés ouverts, des douzaines de douzaines, l'un deux fois plus important que l'autre, étaient accrochés au flanc de la montagne et se confondaient pratiquement avec elle ; en revanche les Aiels gris-brun dans chaque camp étaient nettement visibles, courtes lances et arcs de corne enfléchés à la main, se voilant s'ils ne l'étaient pas déjà. Ils semblaient en équilibre sur la pointe des pieds, prêts à attaquer.

« La paix de Rhuidean », proclama une voix de

femme au-dessus d'eux sur la pente, et Egwene sentit la tension quitter les Aiels autour d'elle. Ceux qui étaient parmi les tentes commencèrent à baisser leur voile, mais conservaient leur attitude méfiante.

Il y avait un troisième camp beaucoup plus restreint dans les hauteurs de la montagne, Egwene s'en aperçut, quelques-unes de ces tentes basses sur un modeste replat. Quatre femmes descendaient de ce camp, calmes et dignes en volumineuses jupes sombres et amples corsages blancs, avec des châles bruns ou gris sur les épaules en dépit de la chaleur qui commençait à étourdir Egwene, et une masse de colliers et de bracelets en ivoire et en or. Deux avaient des cheveux blancs, une autre une chevelure couleur du soleil, qui leur descendaient dans le dos jusqu'à la taille et étaient retenus à l'écart de leurs figures par des foulards pliés et noués autour du front.

Egwene reconnut une des femmes aux cheveux blancs : Amys, la Sagette qu'elle avait rencontrée dans le *Tel'aran'rhiod*. Elle fut de nouveau frappée par le contraste entre les traits hâlés par le soleil d'Amys et sa chevelure neigeuse ; la Sagette n'avait pas l'air assez âgée pour cette blancheur. La deuxième femme à cheveux blancs avait un visage ridé d'aïeule et une des autres, aux cheveux noirs striés de gris, paraissait presque aussi vieille. Elle était sûre que toutes les quatre étaient des Sagettes, très probablement celles qui avaient signé cette lettre à Moiraine.

Les Aielles s'arrêtèrent à dix pas au-dessus du groupe entourant la Pierre Porte et celle qui avait l'air d'une aïeule étendit ses mains ouvertes et parla d'une voix âgée mais puissante. « Que la paix de Rhuidean soit sur vous. Ceux qui viennent à Chaendaer pourront retourner chez eux en paix. Il n'y aura pas de sang sur le sol. »

Sur quoi, les Aiels de Tear commencèrent à se séparer, répartissant rapidement les bêtes de somme et le contenu de leurs paniers. Ils n'étaient pas divisés en sociétés, maintenant ; Egwene vit des Vierges de la Lance partir avec plusieurs groupes, dont certains commencèrent aussitôt à contourner la montagne, s'évitant mutuellement et évitant les campements, paix de Rhuidean ou pas. D'autres se dirigèrent vers un des deux grands rassemblements de tentes, où les armes furent finalement déposées.

Tous ne s'étaient pas fiés à la paix de Rhuidean. Lan lâcha la garde de son épée encore au fourreau, bien qu'Egwene n'eût pas remarqué qu'il y avait porté les mains, et Mat renfila précipitamment un couple de poignards dans ses manches. Rand se tenait les pouces passés dans sa ceinture, mais un soulagement évident se lisait dans ses yeux.

Egwene chercha du regard Aviendha, pour lui poser quelques questions avant d'aborder Amys. L'Aielle serait sûrement un peu plus communicative au sujet des Sagettes, ici dans son propre pays. Elle repéra la Vierge de la Lance chargée d'un grand sac de jute cliquetant et de deux tapisseries murales roulées sur son épaule comme elle partait d'un pas accéléré en direction d'un des grands campements.

« Reste ici, Aviendha », dit d'une voix forte la Sagette aux cheveux striés de gris. Aviendha se figea sur place, sans regarder personne. Egwene s'apprêta à aller à elle, mais Moiraine murmura : « Mieux vaut ne pas s'en mêler. Je doute qu'elle ait envie de compassion ou y voie autre chose si tu lui en offres. »

Egwene acquiesça d'un signe de tête malgré elle. Aviendha avait effectivement l'air de désirer qu'on la laisse tranquille. Que lui voulaient les Sagettes ? Avait-elle enfreint un règlement, une loi ?

Elle-même n'aurait pas refusé un peu plus de compagnie. Elle se sentait très exposée debout là sans Aiels autour d'elle, avec tous ces autres Aiels aux aguets parmi les tentes. Les Aiels qui étaient venus de la Pierre s'étaient montrés courtois quoique pas exactement amicaux ; ces observateurs ne paraissaient ni l'un ni l'autre. Embrasser la *Saidar* était une tentation. Seuls Moiraine, sereine et froide comme toujours malgré la transpiration visible sur son visage, et Lan, aussi impavide que les rochers autour d'eux, l'en empêchèrent. Ils l'auraient su, s'il y avait eu du danger. Aussi longtemps qu'ils acceptaient la situation, elle les imiterait. Seulement elle aurait aimé que ces Aiels cessent de les dévisager.

Rhuarc gravit la pente en souriant. « Je suis revenu, Amys, bien que pas par le chemin que tu prévoyais, je parie.

— Je savais que tu serais là aujourd'hui, ombre de mon cœur. » Elle leva la main pour lui caresser la joue, laissant son châle brun tomber sur ses bras. « Ma sœur-épouse t'envoie son cœur. »

« Voilà ce que vous vouliez dire à propos du Rêve », dit tout bas Egwene à Moiraine. Lan était la seule personne assez proche pour entendre. « Voilà pourquoi vous étiez disposée à laisser Rand essayer de nous amener ici par une Pierre Porte. Elles la connaissaient et vous en ont avertie dans cette lettre. Non, cela n'a pas de sens. Si elles avaient mentionné une Pierre Porte, vous n'auriez pas tenté de le dissuader. Pourtant, elles savaient que nous serions ici. »

Moiraine hocha la tête sans quitter les Sagettes des yeux. « Elles ont écrit qu'elles nous accueilleraient ici, sur Chaendaer, aujourd'hui. J'avais pensé que c'était... improbable jusqu'à ce que Rand ait parlé des Pierres Portes. Quand il s'est montré sûr – certain malgré mon scepticisme – qu'une existait ici... Eh bien, disons que notre arrivée ici à Chaendaer a subitement paru très vraisemblable. »

Egwene aspira une profonde bouffée d'air brûlant. Ainsi c'était une des choses que les Rêveuses pouvaient accomplir. Elle se sentait impatiente de commencer à apprendre. Elle avait envie de suivre Rhuarc et de se présenter à Amys – de se présenter de nouveau – mais Rhuarc et Amys se regardaient dans les yeux d'une façon qui excluait qu'on les dérange.

De chacun des camps était sorti un homme, l'un grand à forte carrure, à la chevelure couleur de feu et n'ayant pas encore atteint l'âge mûr, l'autre comptant plus d'années et aux cheveux plus foncés, grand mais plus svelte. Ils s'arrêtèrent à quelques pas de chaque côté de Rhuarc et des Sagettes. L'aîné au visage tanné n'avait pas d'arme visible excepté le poignard à lame épaisse qu'il portait à la ceinture, en revanche l'autre avait des lances et un bouclier de cuir, et il dressait la tête avec une expression orgueilleuse et farouchement menaçante à l'adresse de Rhuarc.

Lequel n'en tint pas compte et se tourna vers l'aîné. « Je te vois, Heirn. Un des chefs d'enclos a-t-il conclu que j'étais déjà mort ? Qui cherche à prendre ma place ?

— Je te vois, Rhuarc. Aucun des Taardads n'est entré dans Rhuidean ni ne cherche à y entrer. Amys disait qu'elle voulait venir à ta rencontre aujourd'hui, et ces autres Sagettes ont voyagé avec elle. J'ai amené ces hommes de l'enclos Jindo pour veiller à ce qu'elles arrivent saines et sauves. »

Rhuarc hocha solennellement la tête. Egwene eut l'impression que quelque chose d'important venait d'être dit, ou suggéré à mots couverts. Les Sagettes ne regardaient pas l'homme à la chevelure de feu, ni Rhuarc ou Heirn non plus mais, d'après la rougeur qui envahissait ses joues, ils auraient aussi bien pu le toiser. Elle jeta un coup d'œil à Moiraine et reçut d'elle un léger mouvement de tête négatif ; l'Aes Sedai ne comprenait pas non plus.

Lan se pencha entre elles deux et parla à voix basse. « Une Sagette peut se rendre n'importe où sans courir de risques, dans n'importe quelle place forte sans considération de clan. Je ne crois pas que même une guerre à mort concerne une Sagette. Cet Heirn est venu pour protéger Rhuarc de l'autre camp quel qu'il soit, mais ce ne serait pas honorable de le dire. » Moiraine haussa légèrement un sourcil et il ajouta : « Je ne connais pas grand-chose sur eux, mais je les ai souvent combattus avant de te rencontrer. Tu ne m'as jamais interrogé à leur sujet.

— Je vais y remédier », répliqua l'Aes Sedai sèchement.

Se retourner vers les Sagettes et les trois hommes donna le vertige à Egwene. Lan lui fourra entre les mains une gourde en peau débouchée contenant de l'eau et elle pencha la tête en arrière avec reconnaissance pour boire. L'eau était tiède et sentait le cuir mais, dans la chaleur, elle paraissait fraîchement puisée à la source. Egwene offrit la gourde à moitié vide à Moiraine, qui but avec retenue et la rendit. Egwene fut contente d'avaler goulûment le reste les yeux fermés ; de l'eau ruissela sur sa tête et elle les rouvrit bien vite. Lan déversait une autre gourde sur elle, et les cheveux de Moiraine dégouttaient déjà.

« Cette chaleur peut tuer quand on n'y est pas habitué », expliqua le Lige en mouillant deux écharpes de simple toile blanche tirées de sa tunique. Se conformant à ses instructions, elle et Moiraine attachèrent les étoffes trempées autour de leur front. Rand et Mat faisaient de même. Lan laissa sa propre tête sans protection contre le soleil ; rien ne semblait le gêner.

Le silence entre Rhuarc et les Aiels présents près de lui s'était prolongé mais le chef de clan finit par se tourner vers l'homme à la chevelure de feu. « Les Shaidos manquent donc d'un chef de clan, Couladin ?

— Suladric est mort, répondit l'autre. Muradin est entré dans Rhuidean. S'il échoue, c'est moi qui entrerai.

— Tu ne l'as pas demandé, Couladin, dit la Sagette

672

au visage d'aïeule de cette voix ténue et pourtant puissante. S'il échoue, alors demande. Nous sommes quatre, suffisamment pour dire oui ou non.

— C'est mon droit, Bair », répliqua Couladin d'un ton coléreux. Il avait l'air d'un homme aucunement habitué à être contrecarré.

« C'est ton droit de demander, reprit la femme à la voix ténue. C'est le nôtre de répondre. Je ne pense pas que tu seras autorisé à entrer, quoi qu'il advienne de Muradin. Tu as une faille intérieure, Couladin. » Elle bougea son châle gris, le drapant de nouveau autour de ses épaules anguleuses d'une façon qui donnait à entendre qu'elle en avait dit davantage qu'elle ne considérait nécessaire.

L'homme à la chevelure de feu s'empourpra. « Mon premier-frère reviendra marqué en tant que chef de clan et nous conduirons les Shaidos à la gloire ! Nous le ferons... ! » Il ferma la bouche avec brusquerie, presque frémissant.

Egwene songea qu'elle garderait un œil sur lui au cas où il resterait à proximité. Il lui rappelait les Congar et les Coplin, ces gens de son village pleins de vanterie et de mauvaiseté. En tout cas, elle n'avait encore jamais vu un Aiel montrer aussi ouvertement ses sentiments.

Amys paraissait l'avoir déjà écarté de ses préoccupations. « Il y a ici quelqu'un qui est venu avec toi, Rhuarc », dit-elle. Egwene s'attendait à ce qu'elle lui adresse la parole, mais les yeux d'Amys se dirigèrent droit sur Rand. Moiraine, manifestement, n'était pas surprise. Egwene se demanda ce que cette lettre de ces

673

quatre Sagettes contenait que l'Aes Sedai n'avait pas révélé.

Un instant, Rand parut déconcerté, hésitant, mais ensuite il gravit la pente et s'arrêta auprès de Rhuarc face aux femmes. La sueur collait sur son corps sa chemise blanche et formait des taches plus sombres sur ses chausses. Avec un tortillon d'étoffe blanche attaché autour de la tête, sans contredit il n'avait pas aussi grand air que dans le Cœur de la Pierre. Il s'inclina bizarrement, le pied gauche en avant, la main gauche sur le genou, la main droite ouverte paume levée.

« Par le droit du sang, dit-il, je demande la permission d'entrer dans Rhuidean, pour l'honneur de nos ancêtres et en mémoire de ce qui fut. »

Amys cilla sous le coup d'une surprise évidente et Bair murmura : « Une forme ancienne, mais la question a été posée. Je réponds oui.

— Moi aussi, je réponds oui, dit Amys. Seana ?

— Cet homme n'est pas un Aiel », s'exclama Couladin avec hargne. Egwene eut dans l'idée qu'il était presque toujours en colère. « C'est la mort pour lui d'être sur ce sol ! Pourquoi Rhuarc l'a-t-il amené ? Pourquoi...

— Désires-tu être une Sagette, Couladin ? demanda Bair, la désapprobation accentuant les rides de son visage. Enfile une robe et viens me trouver, et je verrai si tu peux être formé. Jusque-là, tais-toi quand les Sagettes parlent !

— Ma mère était aielle », dit Rand d'une voix tendue.

Egwene le regarda avec stupeur. Kari al'Thor était morte alors qu'Egwene était à peine sortie de son berceau mais, si l'épouse de Tam avait été une Aielle, Egwene en aurait certainement entendu parler. Elle jeta un coup d'œil à Moiraine ; l'Aes Sedai regardait, les traits au repos, calme. Rand ressemblait énormément aux Aiels, par sa haute taille, ses yeux gris-bleu et ses cheveux aux reflets roux, mais c'était ridicule.

« Pas votre mère, rectifia lentement Amys. Votre père. » Egwene secoua la tête. Cela frisait la démence. Rand ouvrit la bouche, mais Amys ne le laissa pas parler. « Scana, que dis-tu ?

— Oui, répondit la femme aux cheveux striés de gris. Mélaine ? » La dernière des quatre, une belle femme aux cheveux d'or roux, qui n'avait guère plus de dix ou quinze ans de plus qu'Egwene, hésita. « Cela doit être fait, finit-elle par acquiescer à contrecœur. Je réponds oui.

— Vous avez eu votre réponse, dit Amys à Rand. Vous pouvez entrer dans Rhuidean et... » Elle s'interrompit comme Mat grimpait jusqu'à leur groupe et copiait gauchement le salut de Rand.

« Je demande aussi à entrer dans Rhuidean », annonça-t-il d'une voix chevrotante.

Les quatre Sagettes le regardèrent avec surprise. La tête de Rand pivota brusquement sous le coup de la surprise. Egwene pensait que personne ne pouvait être plus bouleversé qu'elle, mais Couladin lui en donna le démenti. Levant une de ses lances avec un grondement de hargne, il la pointa contre la poitrine de Mat.

L'aura de la *Saidar* entoura Amys et Mélaine, et des

flots d'Air soulevèrent l'homme aux cheveux flamboyants et le projetèrent à douze pas de là.

Egwene les contemplait, les yeux agrandis de stupeur. Elles savaient canaliser. Du moins deux d'entre elles le pouvaient. Soudain les traits lisses juvéniles d'Amys sous cette chevelure blanche prirent pour elle leur signification, quelque chose de très proche de l'éternelle jeunesse des Aes Sedai. Moiraine était figée dans une immobilité absolue. Pourtant Egwene entendait presque bourdonner ses réflexions. C'était manifestement une surprise autant pour l'Aes Sedai que pour elle-même.

Couladin se redressa tant bien que mal sur ses talons. « Vous acceptez cet étranger comme un des nôtres, s'exclama-t-il d'une voix âpre en désignant Rand avec la lance qu'il avait tenté d'utiliser contre Mat. Si vous le dites, eh bien, soit. Il n'en est pas moins un mollasson des Terres Humides et Rhuidean le tuera. » La lance vira vers Mat, qui s'efforçait de rentrer un poignard dans sa manche sans être remarqué. « Mais celui-là... c'est la mort pour lui d'être ici et un sacrilège de sa part d'avoir même demandé d'entrer dans Rhuidean. Nul autre que ceux du sang ne peut y pénétrer. Personne ! »

— Retourne à tes tentes, Couladin, répliqua froidement Mélaine. Et toi, Heirn. Et toi aussi, Rhuarc. Ceci est l'affaire des Sagettes et pas des hommes sauf ceux qui ont présenté leur demande. Allez ! » Rhuarc et Heirn inclinèrent la tête et s'éloignèrent vers le groupe de tentes le moins important. Couladin darda un regard furieux sur Rand et sur Mat, et aussi sur les Sagettes, avant de se retourner d'une secousse et de se diriger à grands pas vers le camp le plus grand.

Les Sagettes échangèrent des coups d'œil. Des coups d'œil déroutés, aurait dit Egwene, en dépit de leur habileté égalant presque celle d'une Aes Sedai quand elles voulaient garder un visage impassible.

« Ce n'est pas permis, finit par annoncer Amys. Jeune homme, vous ne savez pas ce que vous avez fait. Repartez avec les autres. » Son regard passa en revue Egwene, Moiraine et Lan, maintenant seuls avec les chevaux près de la Pierre Porte rongée par le vent. Egwene ne perçut dans ce regard aucun signe qu'elle avait été reconnue.

« Je ne peux pas. » Mat paraissait aux abois. « Je suis venu jusqu'ici, mais cela ne compte pas, n'est-ce pas ? Il faut que j'aille à Rhuidean.

— Ce n'est pas permis, riposta sèchement Mélaine, ses longs cheveux d'or roux se balançant comme elle secouait la tête. Vous n'avez pas de sang aïel dans les veines. »

Pendant tout ce temps, Rand avait observé Mat. « Il m'accompagne, déclara-t-il soudain. Vous m'avez accordé la permission et il peut venir avec moi, que vous affirmiez qu'il le peut ou non. » Il affronta le regard des Sagettes non pas avec défi, simplement avec détermination, ferme dans sa décision. Egwene le connaissait comme cela ; il ne se déjugerait pas quoi qu'elles disent.

« Ce n'est pas permis », reprit Mélaine d'un ton ferme en s'adressant à ses compagnes. Elle remonta son châle pour s'en couvrir la tête. « La loi est claire.

677

Aucune femme ne peut aller à Rhuidean plus de deux fois, aucun homme plus d'une, et personne qui n'a du sang des Aiels. »

Seana secoua la tête. « Beaucoup change, Mélaine. Les anciennes coutumes...

— Si c'est lui, remarqua Bair, le Temps du Changement est arrivé. Une Aes Sedai se tient sur le Chaendaer, ainsi que *Aan'allein* avec sa cape changeante. Pouvons-nous encore nous cramponner aux antiques coutumes ? Sachant à quel point il y aura du Changement ?

— Nous ne le pouvons pas, répliqua Amys. À présent tout est prêt à changer. Mélaine ? » La Sagette blonde regarda les montagnes qui les entouraient et la ville noyée dans la brume au-dessus, après quoi elle soupira et inclina la tête en signe d'assentiment. « D'accord, donc », conclut Amys en se tournant vers Rand et vers Mat. « Vous... », commença-t-elle puis marqua une pause. « De quel nom vous appelez-vous ?

— Rand al'Thor.

— Mat. Mat Cauthon. »

Amys hocha la tête. « Vous, Rand al'Thor, devez vous rendre au cœur de Rhuidean, au centre même. Si vous désirez l'accompagner, Mat Cauthon, soit, mais sachez que la plupart des hommes qui entrent au cœur de Rhuidean ne reviennent pas, et que quelques-uns reviennent fous. Il vous est interdit d'emporter de la nourriture ou de l'eau, en mémoire de nos errances après la Destruction du Monde. Vous devez aller à Rhuidean sans arme, fors vos mains et votre cœur, pour honorer les Jenns. Si vous avez des armes, déposez-les sur le sol devant nous. Elles seront ici pour vous à votre retour. Si vous revenez. »

Rand tira de sa gaine le poignard qu'il portait à la ceinture et le plaça aux pieds d'Amys et, au bout d'un instant, ajouta la pierre verte sculptée en forme du petit bonhomme rond. « C'est le mieux que je peux faire », dit-il.

Mat commença avec son poignard de ceinture et continua, tirant des poignards de ses manches et de dessous sa tunique, y compris de derrière sa nuque, formant un tas qui parut impressionner même les Aielles. Il eut l'air de vouloir s'arrêter, regarda les femmes, puis en sortit deux de plus de chaque haut de ses bottes. « Je les avais oubliés », commenta-t-il avec un sourire espiègle et un haussement d'épaules. Le regard fixe des Sagettes effaça son sourire.

« Ils sont voués à Rhuidean », déclara solennelle-ment Amys, les yeux levés au-dessus de la tête des deux jeunes gens, et les trois autres récitèrent ensemble : « Rhuidean appartient aux morts.

— Il ne leur est pas permis de parler aux vivants jusqu'à ce qu'ils reviennent », psalmodia-t-elle et encore une fois ses compagnes répondirent : « Les morts ne parlent pas aux vivants.

— Nous ne les voyons plus jusqu'à ce qu'ils soient de nouveau présents parmi les vivants. » Amys tira son châle devant ses yeux et, l'une après l'autre, les trois l'imitèrent. Leurs visages dissimulés, elles décla-rèrent à l'unisson : « Partez d'entre les vivants et ne nous hantez pas avec des souvenirs de ce qui est perdu. Ne parlez pas de ce que voient les morts. » Gardant alors le silence, elles restèrent ainsi là, tenant leur châle levé, attendant.

Rand et Mat se regardèrent. Egwene eut envie de les rejoindre, de leur dire quelque chose – ils avaient l'expression fixe trop rigide d'hommes qui ne veulent pas que l'on sache qu'ils sont mal à l'aise ou effrayés – mais cela risquait de troubler le cérémonial.

Finalement, Mat eut un éclat de rire sec. « Bah, je suppose que les morts peuvent au moins parler entre eux. Je me demande si cela compte pour... Peu importe. À ton avis, est-ce admissible que nous prenions nos chevaux ?

— Je ne crois pas, répliqua Rand. Je crois que nous devons aller à pied.

— Oh, que brûlent mes pieds douloureux. Alors autant nous y mettre tout de suite. Rien que pour arriver jusque là-bas, il faudra la moitié de l'après-midi. Si la chance est de notre côté. »

Rand adressa à Egwene un sourire rassurant quand ils commencèrent à descendre de la montagne, comme pour la convaincre qu'il n'y avait pas de danger, rien de fâcheux à redouter. Le large sourire de Mat était celui qu'il arborait en exécutant quelque chose de particulièrement dénué de sens commun comme d'essayer de danser au sommet d'un toit.

« Tu ne vas rien faire de... d'absurde... hein ? demanda Mat. J'ai l'intention de revenir vivant.

— Moi aussi, répliqua Rand. Moi aussi. »

Ils s'éloignèrent hors de portée de voix, devenant de plus en plus petits à mesure qu'ils descendaient. Quand ils se furent réduits à des silhouettes minuscules, à peine reconnaissables comme des êtres humains, les Sagettes abaissèrent leurs châles.

Tirant sur sa robe et souhaitant ne pas transpirer autant, Egwene gravit la courte distance jusqu'à elles en conduisant Brume. « Amys ? Je suis Egwene al'Vere. Vous avez dit que je devrais... »

Amys l'interrompit d'une main levée et tourna la tête vers Lan qui conduisait Mandarb, Pips et Jeade'en, derrière Moiraine et Aldicb. « Ceci est l'affaire des femmes, maintenant, *Aan'allein*. Tenez-vous à l'écart. Allez aux tentes. Rhuarc vous offrira l'eau et l'ombre. »

Lan attendit le léger signe d'assentiment de Moiraine avant de s'incliner et de s'éloigner dans la même direction que Rhuarc avait prise. La cape changeante qui pendait derrière son dos lui donnait l'apparence d'une tête et de bras sans corps flottant au-dessus du sol devant les trois chevaux.

« Pourquoi l'appelez-vous ainsi ? questionna Moiraine lorsqu'il fut hors de portée de voix. Homme Unique. Le connaissez-vous ?

— De réputation, Aes Sedai. » Amys prononçait le titre comme parlant d'égale à égale. « Le dernier des Malkieri. L'homme qui ne renonce pas à sa guerre contre l'Ombre bien que sa nation ait été détruite depuis longtemps par cette Ombre. Il y a beaucoup d'honneur en lui. Je savais par le rêve que, si vous veniez, c'était presque certain que *Aan'allein* viendrait aussi, mais j'ignorais qu'il vous obéissait.

— C'est mon Lige », dit simplement Moiraine.

Egwene eut l'impression que l'Aes Sedai était

troublée en dépit du ton qu'elle avait eu, et elle comprenait pourquoi. *Presque* certain que Lan viendrait avec Moiraine ? Lan suivait toujours Moiraine ; il la suivrait au fond du Gouffre du Destin sans la moindre hésitation. Presque aussi intéressant pour Egwene était le « *si vous veniez* ». Les Sagettes avaient-elles été sûres qu'ils viendraient – ou non ? Peut-être qu'interpréter le Rêve n'était pas aussi précis qu'elle l'espérait. Elle s'apprêtait à poser la question quand Bair éleva la voix.

« Aviendha ? Approche. »

Aviendha s'était assise à l'écart sur ses talons, les bras noués autour de ses genoux, l'air désolée, les yeux fixés sur le sol. Elle se dressa lentement. Si Egwene n'avait pas eu la preuve du contraire, elle aurait pensé qu'Aviendha avait peur. Elle monta d'un pas traînant jusqu'à l'endroit où se tenaient les Sagettes et déposa à ses pieds son sac et son rouleau de tentures.

« Il est temps », dit Bair, non sans douceur. Toutefois, il n'y avait pas de compromis dans ses yeux bleu pâle. « Tu as couru avec les lances aussi longtemps que tu as pu. Plus longtemps que tu n'aurais dû. »

Aviendha redressa la tête dans un mouvement de défi. « Je suis une Vierge de la Lance. Je n'ai pas envie d'être une Sagette. Je n'en serai pas une ! »

Les traits des Sagettes se durcirent. Dans l'esprit d'Egwene s'imposa le souvenir du Cercle des Femmes au Champ d'Emond devant qui comparaissait une femme s'apprêtant à commettre quelque sottise.

« Tu as déjà été traitée avec plus d'indulgence que

de mon temps, déclara Amys d'un ton dur comme pierre. Moi aussi, j'ai refusé quand j'ai été appelée. Mes sœurs de lance ont brisé mes lances sous mes yeux. Elles m'ont amenée à Bair et à Coedeline pieds et poings liés et avec seulement ma propre peau sur moi.

— Ainsi qu'une jolie petite poupée passée sous ton bras, ajouta sèchement Bair, pour te rappeler à quel point tu étais puérile. Si je m'en souviens bien, tu t'es enfuie neuf fois le premier mois. »

Amys hocha la tête sévèrement. « Et pour chaque fois on m'a fait pleurer comme une gamine. Je ne me suis enfuie que cinq fois le deuxième mois. Je me croyais aussi forte et dure qu'une femme peut l'être. Pourtant je n'étais pas bien maligne ; il m'a fallu une demi année pour apprendre que tu étais plus forte et plus dure que je ne pourrais jamais l'être, Bair. J'ai fini par comprendre mon devoir, mon obligation envers les gens. De même que tu l'apprendras, Aviendha. Telles que nous sommes, toi et moi, nous avons cette obligation. Tu n'es pas une enfant. Il est temps de laisser de côté les poupées – et les lances – pour devenir la femme que tu es destinée à être. »

Brusquement, Egwene comprit pourquoi elle avait éprouvé dès le début une telle affinité avec Aviendha, comprit pourquoi Amys et les autres avaient l'intention qu'elle devienne Sagette. Aviendha avait en puissance le don de canaliser. Comme elle-même, comme Élayne et Nynaeve – et Moiraine, d'ailleurs –, elle était une de ces rares femmes à qui canaliser pouvait être enseigné mais qui en avaient aussi le don inné, de sorte qu'elle était capable d'entrer en contact avec la Vraie Source, qu'elle sache ce qu'elle faisait ou non. L'Aes Sedai en avait sûrement eu conscience dès qu'elle avait approché l'Aielle. Egwene se rendit compte qu'elle ressentait la même affinité avec Amys et avec Mélaine. Toutefois pas avec Bair ou Seana. Seules les deux premières avaient le don ; elle en était sûre. Et maintenant elle décelait la même chose chez Moiraine. C'était la première fois qu'elle le remarquait. L'Aes Sedai était une personne réservée.

Quelques-unes des Sagettes, du moins, lisaient apparemment davantage sur le visage de Moiraine. « Vous aviez l'intention de l'emmener à votre Tour Blanche, dit Bair, pour en faire une des vôtres. C'est une Aielle, Aes Sedai.

— Elle sera très forte si elle reçoit la formation appropriée, répliqua Moiraine. Aussi forte que le sera Egwene. Dans la Tour, elle sera en mesure de parvenir à cette force.

— Nous sommes en mesure de la former aussi bien, Aes Sedai. » La voix de Mélaine était calme, certes, mais du mépris teintait le regard ferme de ses yeux verts. « De la former mieux. J'ai parlé à des Aes Sedai. Vous chouchoutez les femmes dans la Tour. La Terre Triple ne se prête pas au dorlotement. Aviendha aura appris ce qu'elle peut faire alors que vous l'auriez encore laissée au stade des petits jeux. »

Egwene reporta sur Aviendha un regard soucieux ; cette dernière contemplait ses pieds, toute attitude de défi disparue. Si elles pensaient que la formation de la Tour était du *dorlotement*... Elle avait été obligée de

684

travailler plus dur et elle avait été châtiée plus strictement comme novice que jamais auparavant dans sa
vie. Elle éprouva un sincère élan de compassion pour
l'Aielle.

Amys tendit les mains et Aviendha y déposa à regret
ses lances et son bouclier, tressaillant quand la Sagette
les jeta de côté où ils tombèrent en cliquetant sur le
sol. D'un geste lent, Aviendha dégagea l'arc dans son
étui qu'elle portait dans le dos et le livra, détacha la
ceinture où étaient suspendus son carquois et son poignard dans sa gaine. Amys prit chaque objet offert et
le lança plus loin comme s'il s'agissait de détritus ;
Aviendha avait chaque fois un léger sursaut. Une
larme tremblait au coin d'un œil bleu-vert.

« Faut-il que vous la traitiez de cette façon ? » s'exclama Egwene avec colère. Amys et les autres tournèrent vers elle des regards impérieux, mais elle
n'allait pas se laisser intimider. « Vous traitez des
choses qui lui sont chères comme des ordures.

— Elle doit les considérer comme des ordures,
déclara Seana. Quand elle reviendra – si elle revient –
elle les brûlera et en dispersera les cendres. Le métal,
elle le donnera à un forgeron pour qu'il fabrique des
objets simples. Pas des armes. Pas même un couteau
à découper. Des agrafes ou des marmites ou des
puzzles pour enfants. Des choses qu'elle distribuera de
ses propres mains quand elles seront faites.

— La Terre Triple n'est pas tendre, Aes Sedai, dit
Bair. Ce qui est tendre meurt, ici.

— Le *cadin'sor*, Aviendha. » Amys désigna du

685

geste les armes mises au rebut. « Tes nouveaux vêtements attendront ton retour. »

Mécaniquement, Aviendha se déshabilla, expédiant sur le tas tunique et chausses, bottes souples, tout. Nue, elle se tint droite sans remuer un orteil, alors qu'Egwene avait l'impression que ses propres pieds allaient se couvrir d'ampoules dans ses souliers. Elle se rappela avoir regardé brûler les vêtements qu'elle avait portés en venant à la Tour Blanche, rupture des liens avec une vie antérieure, mais cela ne s'était pas passé ainsi. Pas de cette façon brutale.

Comme Aviendha s'apprêtait à ajouter le sac et les tapisseries au tas, Seana les lui prit des mains. « Ceci, tu pourras le ravoir. Si tu reviens. Sinon, tout ira à ta famille, à titre de souvenir. »

Aviendha hocha la tête. Elle ne semblait pas éprouver de peur. De la répugnance, de la colère, de la morosité même, mais pas de peur.

« Dans Rhuidean, dit Amys, tu trouveras trois cercles, disposés ainsi. » Elle traça en l'air trois lignes qui se rejoignaient au milieu. « Entre dans n'importe lequel. Tu verras ton avenir se dérouler devant toi, maintes et maintes fois, avec des variations. Elles ne te guideront pas entièrement, ce qui est pour le mieux, car elles se fondront les unes dans les autres comme les récits entendus autrefois, cependant tu t'en souviendras suffisamment pour connaître des choses qui doivent survenir pour toi, si dédaignées qu'elles puissent être, et d'autres qui n'adviendront pas, quelque chères espérances qu'elles soient. Ceci est le commencement d'être ce qu'on appelle sage. Il y a des femmes qui ne reviennent jamais des cercles ; peut-être ont-elles été incapables d'affronter l'avenir. Certaines qui ont survécu aux cercles ne survivent pas à leur deuxième visite à Rhuidean, au cœur de Rhuidean. Tu ne renonces pas à une vie dure et dangereuse pour une autre plus douce mais pour une plus rude et plus périlleuse. »

Un *ter'angreal*. Amys décrivait un *ter'angreal*. Quel endroit était donc ce Rhuidean ? Egwene s'avisa qu'elle avait envie d'y descendre elle-même pour le découvrir. C'était stupide. Elle n'était pas ici pour courir des risques inutiles avec un *ter'angreal* dont elle ne connaissait rien.

Mélaine prit dans sa main le menton d'Aviendha et tourna vers elle le visage de sa cadette. « Tu as la force, dit-elle sur un ton de calme conviction. Un esprit énergique et un cœur ferme sont désormais tes armes, mais tu les manies avec autant de sûreté que tu as jamais manié une lance. Souviens-toi d'eux, utilise-les et ils t'aideront à triompher de tout. »

Egwene fut surprise. Des quatre, elle aurait cru que la Sagette à la chevelure couleur de soleil serait la dernière à témoigner de la compassion.

Aviendha hocha la tête et réussit même à sourire. « Je vais arriver à Rhuidean avant ces hommes. Ils ne savent pas courir. »

Chaque Sagette à son tour l'embrassa légèrement sur les deux joues en murmurant : « Reviens-nous. »

Saisissant la main d'Aviendha, Egwene la serra et sentit qu'elle lui rendait son étreinte. Puis voilà l'Aielle descendant le flanc de la montagne en courant par bonds. Elle semblait bien partie pour rattraper Rand et Mat. Egwene la regarda s'éloigner avec inquiétude. C'était un peu comme d'être élevée au rang d'Acceptée, pour ainsi dire, mais sans aucune formation préalable de novice, sans personne pour donner ensuite un peu de réconfort. Que se serait-il passé si elle avait dû affronter les épreuves pour être une Acceptée le premier jour de son entrée à la Tour ? Elle songea qu'elle serait peut-être devenue folle. Nynaeve avait accédé de cette façon au rang d'Acceptée, à cause de sa force ; elle pensa qu'au moins une partie de l'aversion de Nynaeve pour les Aes Sedai provenait de ce qu'elle avait éprouvé à ce moment-là. *Reviens-nous*, pensa-t-elle. *Sois ferme*.

Quand Aviendha disparut hors de vue, Egwene soupira et se retourna vers les Sagettes. Elle avait son propre objectif à atteindre ici et retarder le moment de s'y mettre ne servirait à personne. « Amys, dans le *Tel'aran'rhiod* vous m'aviez dit que je devais venir vous trouver pour apprendre. Me voici.

— Nous avons agi avec précipitation, dit la Sagette aux cheveux blancs. Nous nous sommes hâtées parce qu'Aviendha a résisté si longtemps à son *toh*, parce que nous avions craint que les Shaidos ne se voilent, même ici, si nous n'envoyions pas Rand al'Thor dans Rhuidean avant qu'ils se décident.

— Vous croyez qu'ils auraient tenté de le tuer ? s'étonna Egwene. Pourtant c'est lui que vous avez envoyé des gens chercher au-delà du Rempart du Dragon. Celui-qui-Vient-avec-l'Aube. »

Bair réarrangea son châle. « Peut-être est-ce lui. Nous verrons. S'il vit.

— Il a les yeux de sa mère, commenta Amys, et beaucoup d'elle aussi dans les traits en même temps que quelque chose de son père, mais Couladin ne pouvait voir que la façon dont il était habillé et son cheval. Les autres Shaidos auraient réagi de même et peut-être aussi les Taardads. Les étrangers ne sont pas admis sur cette terre et maintenant vous voici cinq. Non, quatre ; Rand al'Thor n'est pas un étranger, quel que soit le lieu où il a été élevé. Par contre, nous en avons déjà autorisé un à entrer dans Rhuidean, ce qui est également interdit. Le Changement survient comme une avalanche, que nous le souhaitions ou non.

— Il doit survenir, déclara Bair, qui n'en avait pas l'air enchantée. Le Dessin nous plante où il veut.

— Vous connaissiez les parents de Rand ? » questionna Egwene avec circonspection. Quoi qu'elles en disent, Egwene pensait toujours que les parents de Rand étaient Tam et Kari al'Thor.

« C'est son histoire, répliqua Amys, s'il est désireux de l'apprendre. » D'après la fermeté de sa bouche, elle n'ajouterait pas un mot de plus sur le sujet.

« Venez, reprit Bair. La hâte n'est plus nécessaire à présent. Venez. Nous vous offrons l'eau et l'ombre. »

À la mention d'ombre, les genoux d'Egwene faillirent plier sous elle. Le foulard qui avait été noué trempé autour de son front était maintenant presque sec ; le sommet de son crâne lui donnait l'impression d'être cuit et le reste de sa personne ne l'était guère moins. Moiraine parut tout aussi reconnaissante de suivre les Sagettes qui montaient vers un des petits groupes de tentes basses aux côtés ouverts.

Un homme de haute taille, chaussé de sandales et vêtu d'une longue tunique blanche à capuche se chargea des rênes des chevaux. C'était bizarre de voir son visage d'Aiel dans les profondeurs de cette souple cuculle, avec les yeux baissés.

« Donnez à boire aux bêtes », recommanda Bair avant de se courber pour entrer sous la tente basse sans parois latérales, et l'homme porta la main à son front en s'inclinant à l'adresse du dos de Bair.

Egwene hésita à laisser cet homme emmener Brume. Il avait l'air sûr de lui, mais qu'est-ce qu'un Aiel savait des chevaux ? Toutefois, elle ne pensait pas qu'il leur nuirait et l'intérieur de la tente avait un aspect merveilleusement plus sombre. La tente était effectivement plus ombreuse – et délicieusement fraîche en comparaison avec l'extérieur.

Son toit montait en pointe autour d'un trou, mais même sous celui-ci on pouvait à peine se tenir debout. Comme pour compenser les couleurs ternes que portaient les Aiels, de grands coussins rouges ornés de glands dorés étaient disposés çà et là sur des tapis aux teintes éclatantes placés les uns au-dessus des autres en couche assez épaisse pour que l'on ne sente plus le sol dur au-dessous. Egwene et Moiraine imitèrent les Sagettes, se laissant glisser sur le tapis et s'appuyant du coude sur un coussin. Elles étaient toutes en cercle, presque assez près pour toucher leurs voisines.

Bair frappa un petit gong de cuivre et deux jeunes femmes entrèrent avec des plateaux d'argent, se courbant avec grâce, vêtues de blanc avec de profondes capuches, les yeux baissés comme l'homme qui avait pris en charge les chevaux. S'agenouillant au milieu de la tente, l'une d'elles remplit de vin une petite coupe en argent pour chacune des femmes appuyées à un coussin et la seconde versa de l'eau dans des coupes plus grandes. Sans un mot, elles sortirent à reculons en s'inclinant, laissant les plateaux luisants et les pichets emperlés de condensation.

« Voici de l'eau et de l'ombre, librement accordées, énonça Bair en levant sa coupe pleine d'eau. Que ne règne aucune gêne entre nous. Toutes ici sont bienvenues, comme sont bienvenues les premières-sœurs.

— Que ne règne aucune gêne », murmurèrent Amys et les deux autres. Après une première gorgée d'eau, les Aielles se nommèrent cérémonieusement. Bair, de l'enclos des Haidos des Aiels Shaarads. Amys, de l'enclos des Sept Vallées des Aiels Taardads. Mélaine, de l'enclos des Jhirads des Aiels Goshiens. Seana, de l'enclos de la Colline Noire des Aiels Nakais.

Egwene et Moiraine se conformèrent au rite, encore que la bouche de Moiraine se soit pincée quand Egwene se présenta comme une Aes Sedai de l'Ajah Verte.

Comme si le partage de l'eau et l'échange des noms avaient abattu un mur, l'atmosphère dans la tente se modifia de façon palpable. Des sourires chez les Aielles, une décontraction subtile et la contrainte en question disparut.

Egwene fut plus reconnaissante pour l'eau que pour

691

le vin. Peut-être régnait-il plus de fraîcheur sous la tente que dehors, mais rien que respirer lui desséchait encore la gorge. Sur un geste d'Amys, elle se resservit avec empressement une coupe d'eau.

Les personnes habillées de blanc avaient été une surprise. C'était stupide, mais elle se rendit compte qu'elle avait cru qu'à part les Sagettes les Aiels étaient tous comme Rhuarc et Aviendha, des guerriers. Certes, ils avaient des forgerons, des tisserands et autres artisans ; ils y étaient obligés. Pourquoi pas des serviteurs ? Seulement Aviendha s'était montrée dédaigneuse à l'égard des serviteurs dans la Pierre, ne les laissant rien faire pour elle à part ce qu'elle ne pouvait éviter. Ces gens d'ici avec leur façon de se comporter avec humilité ne se conduisaient nullement comme des Aiels. Elle ne se rappelait pas avoir vu d'habits blancs dans les deux grands camps. « Est-ce uniquement les Sagettes qui ont des serviteurs ? » questionna-t-elle.

Mélaine s'étrangla avec son vin. « Des serviteurs ? répéta-t-elle en reprenant péniblement sa respiration. Ce sont des *gai'shains*, pas des serviteurs. » Elle disait cela comme si cela expliquait tout.

Moiraine fronça légèrement les sourcils au-dessus de sa coupe de vin. « *Gai'shains ?* Comment cela se traduit-il ? "Ceux liés par serment à la paix dans la bataille" ?

— Ils sont simplement des *gai'shains* », répliqua Amys. Elle parut se rendre compte qu'elles ne comprenaient pas. « Pardonnez-moi, mais avez-vous entendu parler de *ji'e'toh* ?

— Honneur et obligation, répondit aussitôt Moiraine. Ou peut-être honneur et devoir.

— Ce sont les mots, oui. Par contre, ce qui compte, c'est le sens. Nous vivons selon le *ji'e'toh*, Aes Sedai.

— N'essaie pas de leur dire tout, Amys, lui conseilla Bair. Une fois, j'ai passé un mois à tenter d'expliquer le *ji'e'toh* à une femme des Terres Humides et à la fin elle posait plus de questions qu'au commencement. »

Amys hocha la tête. « Je m'en tiendrai au strict minimum. Si vous désirez avoir l'explication, Moiraine. »

Egwene aurait préféré commencer à parler du Rêve et de la formation de Rêveuse mais, à sa profonde contrariété, l'Aes Sedai dit : « Oui, si vous voulez bien. »

Avec un hochement de tête à l'adresse de Moiraine, Amys commença. « Je donnerai simplement l'idée générale du *gai'shain*. Dans la danse des lances, le maximum de *ji*, d'honneur, est acquis en touchant un ennemi armé sans le tuer ni le blesser d'aucune manière.

— Le plus d'honneur parce que c'est tellement difficile, commenta Scana, ses yeux d'un gris tirant sur le bleu se plissant dans une expression grimaçante, et donc si rarement réalisé.

— Le moins d'honneur est de tuer, poursuivit Amys. Un enfant ou un imbécile sont capables de tuer. Entre les deux se place la prise d'un captif. Je simplifie, vous comprenez. Il y a de nombreux degrés. Les *gai'shains* sont des prisonniers ainsi capturés, encore

693

qu'un guerrier qui a été touché puisse parfois demander d'être pris comme *gai'shain* pour diminuer l'honneur de son ennemi et sa propre perte d'honneur.

— Les Vierges de la Lance et les Chiens de Pierre en particulier sont connus pour le faire, intervint Seana, ce qui lui attira un regard sévère d'Amys.

— Est-ce moi qui explique ou toi ? Je continue. Il y en a qui ne peuvent pas être pris comme *gai'shains*, évidemment. Une Sagette, un forgeron, un enfant, une femme enceinte ou une femme qui a un enfant au-dessous de dix ans. Un *gai'shain* a un *toh* envers celui ou celle qui l'a capturé. Pour le *gai'shain*, cela implique de servir pendant un an et un jour, obéissant avec humilité, ne touchant aucune arme, ne commettant aucun acte violent. »

L'intérêt d'Egwene s'était éveillé malgré elle. « Ne tentent-ils pas de s'évader ? Moi, je n'y manquerais pas. » *Jamais je ne laisserai qui que ce soit me retenir de nouveau prisonnière !*

Les Sagettes eurent l'air choquées. « C'est arrivé, répliqua Seana d'une voix sévère, mais il n'y a pas d'honneur à ça. Un *gai'shain* qui s'enfuit est ramené par son enclos pour recommencer son année et un jour. La perte d'honneur est si grande qu'un premier-frère ou une première-sœur viendra aussi comme *gai'shain* pour apurer le *toh* de l'enclos. Plus d'un ou d'une, s'ils estiment qu'est grande la perte de *ji*. »

Moiraine semblait prendre tout cela avec calme, buvant son eau à petites gorgées, mais Egwene eut bien du mal à s'empêcher de secouer la tête. Les Aiels étaient fous ; point final. Il y eut pire.

« Certains *gai'shains* se targuent maintenant d'humilité avec arrogance, commenta Mélaine d'un ton désapprobateur. Ils estiment acquérir ainsi de l'honneur, en poussant l'obéissance et la soumission jusqu'à la caricature. C'est quelque chose de nouveau et de ridicule. Cela n'a rien à voir avec le *ji'e'toh*. »

Bair éclata de rire, d'un rire étonnamment sonore en comparaison de sa voix ténue. « Il y a toujours eu des imbéciles. Quand j'étais jeune et que les Shaarads et les Tomanelles se chapardaient mutuellement toutes les nuits du bétail et des chèvres, Chenda, la maîtresse du toit de la Passe de Mainde, a été repoussée de côté par un jeune Chercheur d'Eau des Haidos au cours d'une razzia. Elle s'est rendue à la Vallée Courbe et a exigé que le garçon la prenne comme *gai'shaine* ; elle ne voulait pas lui permettre de remporter l'honneur de l'avoir touchée *parce qu'elle avait dans les mains un couteau à découper à ce moment-là.* Un couteau de cuisine ! C'était une arme, avait-elle prétendu, comme si elle était une Vierge de la Lance. Le garçon n'a pas eu d'autre choix que de souscrire à ses exigences, en dépit des rires que cela a suscité quand il s'est exécuté. On ne renvoie pas une maîtresse du toit pieds nus à sa place forte. Avant que l'année et un jour aient été écoulés, l'enclos des Haidos et l'enclos des Jendas ont échangé leurs lances et le garçon s'est bientôt retrouvé marié à la fille aînée de Chenda. Avec sa seconde-mère encore *gai'shaine* pour lui. Il a voulu la donner à son épouse en complément de son cadeau de noces, et les deux femmes ont protesté qu'il essayait de leur voler de l'honneur. Il a failli être obligé de prendre sa propre épouse comme *gai'shaine*. Peu s'en est fallu que recommencent les expéditions de pillage entre Haidos et Jendas avant que le *toh* soit apuré. » Les Aielles étaient presque écroulées de rire, Amys et Mélaine s'essuyaient les yeux.

Egwene ne comprenait pas grand-chose à cette histoire – assurément pas pourquoi elle était drôle – mais elle réussit à émettre un rire poli.

Moiraine posa de côté sa coupe d'eau pour prendre la petite coupe de vin en argent. « J'ai entendu des hommes parler de leurs combats avec des Aiels, mais je n'avais jamais entendu une chose de ce genre. En tout cas pas d'un Aiel se rendant parce qu'il avait été touché.

— Il ne s'agit pas de reddition, rectifia Amys. Il s'agit de *ji'e'toh*.

— Personne ne demanderait d'être *gai'shain* pour quelqu'un des Terres Humides, dit Mélaine. Les étrangers ne connaissent rien au *ji'e'toh*. »

Les Aielles échangèrent des coups d'œil. Elles étaient mal à l'aise. *Pourquoi ?* se demanda Egwene. *Oh*. Pour les Aielles, ne pas connaître le *ji'e'toh* doit être comme ignorer les bonnes manières, ou ne pas être honorable. « Il y a des hommes et des femmes honorables parmi nous, déclara Egwene. La plupart d'entre nous. Nous savons distinguer le bien du mal.

— Oui certes, vous le savez, murmura Bair d'un ton signifiant qu'il ne s'agissait pas du tout de la même chose.

— Vous m'avez adressé une lettre à Tear avant même que j'y arrive, dit Moiraine. Vous mentionniez de nombreuses choses, dont certaines se sont révélées exactes. Y compris que je vous rencontrerais – que je devais vous rencontrer – ici aujourd'hui ; vous m'avez pratiquement ordonné d'y être. Pourtant, auparavant vous aviez employé le conditionnel – *si je venais*. Dans ce que vous avez écrit, qu'est-ce que vous saviez être vrai ? »

Amys soupira et reposa sa coupe de vin, mais c'est Bair qui prit la parole. « Beaucoup est incertain, aussi bien pour une Rêveuse. Amys et Mélaine sont les meilleures d'entre nous et pourtant elles non plus ne voient pas tout ce qui est ou tout ce qui peut survenir.

— Le présent est beaucoup plus clair que le futur même dans le *Tel'aran'rhiod*, dit la Sagette aux cheveux couleur de soleil. Ce qui est en train de se produire ou ce qui commence est beaucoup plus aisément vu que ce qui se produira ou a des chances de se produire. Nous n'avons absolument pas vu Egwene ou Mat Cauthon. Les chances qu'il vienne ou ne vienne pas étaient égales en ce qui concerne le jeune homme qui s'appelle Rand al'Thor. S'il ne venait pas, c'était sûr qu'il mourrait et les Aiels aussi. Cependant il est venu et, s'il survit à Rhuidean, quelques-uns des Aiels au moins survivront. Cela, nous le savons. Si vous n'étiez pas venue, il serait mort. Si *Aan'allein* n'était pas venu, vous seriez morte. Si vous ne passez pas par les cercles... » Elle s'arrêta net, comme si elle s'était mordu la langue.

Egwene se pencha en avant, tout oreilles. Moiraine devait entrer dans Rhuidean ? Mais l'Aes Sedai paraissait ne rien avoir remarqué et Seana prit vivement la parole pour détourner l'attention de ce qui avait échappé à Mélaine.

« Il n'y a pas de chemin définitivement tracé vers l'avenir. Le Dessin fait paraître la plus fine dentelle pareille à de la toile à sac grossièrement tissée ou un emmêlement de ficelle. Dans le *Tel'aran'rhiod* il est possible de voir plusieurs manières dont le futur peut se trouver tissé. Pas davantage. »

Moiraine but une gorgée de vin. « L'Ancienne Langue est parfois difficile à traduire. » Egwene la regarda avec stupeur. L'Ancienne Langue ? Et les cercles, le *ter'angreal* ? Mais Moiraine poursuivit comme si de rien n'était. « *Tel'aran'rhiod* signifie le Monde des Rêves, ou peut-être le Monde Invisible. Ni l'une ni l'autre interprétation n'est réellement exacte ; c'est plus complexe que cela. *Aan'allein*. Homme Unique, mais aussi l'Homme Qui Est un Peuple Entier, et deux ou trois autres façons encore de traduire ce terme. Et les mots dont nous nous servons journellement sans jamais penser à leur sens dans l'Ancienne Langue. Les Liges sont appelés "Gaidins" qui était "frères de bataille". Aes Sedai signifiait "servante de tous". Et "Aiel", "Dédié", dans l'Ancienne Langue. Non, le sens est plus fort ; il implique un serment inscrit dans les os. Je me suis souvent demandé à quoi les Aiels s'étaient consacrés. » L'expression des Sagettes avait pris la rigidité du fer, mais Moiraine continua. « Et les "Aiels Jenns". "Les vraiment voués", mais là encore la signification est plus riche. Peut-être "les seuls vrais fidèles". Les seuls vrais Aiels ? » Elle leur adressa un regard interrogateur, exactement comme si elles n'avaient pas eu soudain des yeux de pierre. Aucune ne parla.

À quoi pensait donc Moiraine ? Egwene n'entendait pas laisser l'Aes Sedai ruiner ses chances d'apprendre ce que les Sagettes étaient en mesure de lui enseigner. « Amys, pourrions-nous maintenant parler du Rêve ?

— Ce soir, il sera bien assez temps, répliqua Amys.

— Mais...

— Ce soir, Egwene. Toute Aes Sedai que vous soyez, vous devez redevenir une élève. Vous ne savez même pas encore vous endormir à volonté ou dormir d'un sommeil assez léger pour décrire ce que vous voyez avant de vous réveiller. Quand le soleil commencera à se coucher, je commencerai à vous instruire. »

Egwene courba vivement la tête pour regarder sous le bord du toit de la tente. Vue de cette ombre profonde, la clarté du dehors luisait à en brûler les yeux à travers les miroitements de chaleur dans l'air ; le soleil se trouvait seulement à mi-chemin du sommet des montagnes.

Subitement, Moiraine se redressa sur les genoux ; passant les mains dans son dos, elle commença à déboutonner sa robe. « Je présume que je dois aller comme Aviendha », dit-elle, et ce n'était pas une question.

Bair adressa à Mélaine un regard sévère que sa cadette ne soutint que brièvement avant de baisser les yeux. Seana commenta d'un ton résigné : « Vous n'auriez pas dû être avertie. C'est fait, maintenant. Le changement. Un qui n'est pas du sang s'est rendu à Rhuidean et en voici une autre. »

Moiraine s'arrêta un instant. « Cela change-t-il quoi que ce soit, que j'aie été prévenue ?

— Peut-être beaucoup, répondit à regret Bair, peut-être pas du tout. Nous guidons souvent, mais nous ne révélons rien. Quand nous vous avons vue aller vers les cercles, c'était vous qui parliez la première d'y aller, qui demandiez le droit bien que n'étant pas du sang. À présent, l'une de nous l'a mentionné d'abord. Il y a déjà des modifications dans ce que nous avons vu. Qui peut dire ce qu'elles sont ?

— Et qu'avez-vous vu si je n'y vais pas ? »

Le visage ridé de Bair n'exprimait rien, mais une nuance de compassion apparut dans ses yeux bleu clair. « Nous en avons déjà trop révélé, Moiraine. Ce qu'une Rêveuse voit est ce qui a des chances de se produire, pas ce qui se produira sûrement. Ceux qui cheminent avec une trop grande connaissance du futur vont inévitablement au-devant de leur perte, soit parce qu'ils se fient à ce qu'ils croient devoir arriver soit parce qu'ils s'efforcent de le changer.

— C'est la grâce accordée par les cercles que les souvenirs s'estompent, reprit Amys. Une femme connaît certaines choses – un petit nombre – qui vont arriver ; d'autres, elle ne les reconnaîtra pas avant qu'elle ait à se décider, ou ne les reconnaîtra peut-être pas du tout. La vie est incertitude, lutte, choix et changement ; quelqu'un sachant comment sa vie est tissée dans le Dessin aussi bien que la façon dont un fil est inséré dans un tapis aurait l'existence d'un animal. Ou sombrerait dans la folie. L'incertitude, la lutte, le choix et le changement sont le lot de l'espèce humaine. »

Moiraine écoutait sans impatience apparente, mais Egwene se doutait qu'elle en ressentait ; l'Aes Sedai avait l'habitude de donner des leçons, pas d'en recevoir. Elle garda le silence pendant qu'Egwene l'aidait à ôter sa robe, ne prenant la parole que quand elle s'assit sur ses talons, nue, au bord des tapis, le regard plongeant le long de la montagne vers la cité enveloppée de brouillard dans la vallée. Alors elle dit : « Ne laissez pas Lan me suivre. Il essaiera s'il me voit.

— Ainsi sera ce qu'il en sera », répliqua Bair. Le ton de sa voix ténue était froid et sans réplique.

Au bout d'un instant, Moiraine hocha la tête à regret et se glissa hors de la tente en plein soleil ardent. Elle se mit à courir aussitôt, pieds nus sur la pente brûlante.

Egwene esquissa une grimace. Rand et Mat, Aviendha, Moiraine maintenant, tous allaient dans Rhuidean. « Est ce qu'elle... survivra ? Si vous avez rêvé de ceci, vous devez le savoir.

— Il y a des endroits où l'on ne peut pas pénétrer dans le *Tel'aran'rhiod*, répondit Seana. Rhuidean. Un *stedding* ogier. Quelques autres. Ce qui se passe là-bas est caché aux yeux d'une Rêveuse. »

Ce n'était pas une réponse – elles auraient pu voir si Moiraine sortait de Rhuidean – mais c'était manifestement tout ce qu'elle obtiendrait. « Très bien. Dois-je y aller aussi ? » L'idée de faire l'expérience des cercles ne lui souriait pas ; ce serait de nouveau comme l'épreuve pour accéder au rang d'Acceptée. Mais si tous les autres y allaient...

« Ne soyez pas ridicule, remontra Amys avec vigueur.

— Nous n'avons rien vu de pareil pour vous, ajouta Bair d'un ton plus modéré. Nous ne vous avons pas vue du tout.

— Et je ne dirais pas oui si vous demandiez, poursuivit Amys. Quatre sont requis pour obtenir la permission, et je dirais non. Vous êtes ici pour apprendre à vous déplacer dans le domaine du Rêve.

— Dans ce cas, répliqua Egwene en se réinstallant sur son coussin, enseignez-moi. Il doit bien y avoir quelque chose par quoi vous pouvez commencer avant ce soir. »

Mélaine la foudroya du regard, mais Bair eut un petit rire sarcastique. « Elle est aussi passionnée et impatiente que toi une fois que tu avais décidé d'apprendre, Amys. »

Celle-ci hocha la tête. « Je souhaite qu'elle sache garder sa passion et perdre l'impatience, pour son bien. Écoutez-moi, Egwene. Ce sera dur, certes, mais vous devez oublier que vous êtes une Aes Sedai si vous voulez apprendre. Vous devez écouter, rappelez-vous, et exécuter ce que l'on vous ordonne. Surtout, vous ne devez plus entrer dans le *Tel'aran'rhiod* avant que l'une de nous donne son accord. Pouvez-vous accepter ceci ? »

Ce n'était pas difficile d'oublier qu'elle était une Aes Sedai puisqu'elle n'en était pas une. Pour le reste, cela semblait de façon inquiétante revenir à l'état de novice. « Je peux l'accepter. » Elle espéra ne pas avoir eu l'air hésitante.

« Bien, conclut Bair. Je vais maintenant vous parler des déplacements dans le Rêve et du *Tel'aran'rhiod* d'une façon très générale. Quand j'aurai terminé, vous répéterez ce que j'ai dit. Si vous ne réussissez pas à tout mentionner, vous astiquerez les marmites à la place des *gai'shaines* ce soir. Si votre mémoire est si mauvaise que vous êtes incapable de répéter ce que j'ai dit après l'avoir entendu une seconde fois... Eh bien, nous en discuterons quand l'occasion se présentera. Soyez attentive.

« Presque tout le monde peut atteindre le *Tel'aran'-rhiod*, mais rares sont ceux qui y pénètrent pour de bon. De toutes les Sagettes, nous quatre sommes les seules à nous déplacer en rêve, et votre Tour n'a pas eu de Rêveuse en près de cinq cents ans. Cela ne dépend pas du Pouvoir Unique, bien que les Aes Sedai en soient persuadées. Je suis incapable de canaliser et Seana également mais nous évoluons en rêve aussi bien qu'Amys ou que Mélaine. Nombreux sont ceux qui effleurent le Monde des Rêves dans leur sommeil. Parce qu'ils le frôlent seulement, ils s'éveillent avec des douleurs et des peines au lieu d'os brisés ou de chagrins mortels. Une Rêveuse entre entièrement dans le Rêve, c'est pourquoi ses blessures sont réelles au réveil. Pour quiconque s'introduit totalement dans le Rêve, Rêveuse ou non, la mort là-bas est la mort ici. Cependant, s'intégrer trop complètement dans le Rêve, c'est perdre le contact avec la chair ; il n'y a pas de voie de retour et la chair meurt. On raconte qu'il y en a eu jadis qui pouvaient s'introduire en chair et en os dans le rêve sans rien laisser d'elles-mêmes en ce monde. C'était chose mauvaise, car elles avaient là-bas agi de façon malfaisante ; cela ne doit jamais être tenté, même si vous pensez que vous en êtes capable, car chaque fois vous perdrez une partie de ce qui vous rend humaine. Il vous faut apprendre à entrer dans le *Tel'aran'rhiod* quand vous le désirez, au degré que vous désirez. Il vous faut apprendre à découvrir ce que vous avez besoin de découvrir et à déchiffrer ce que vous voyez, à entrer dans les Rêves d'une autre personne près de vous afin de faciliter sa guérison, à déceler ceux qui ont pénétré dans le Rêve avec suffisamment de substance pour vous nuire, à... »

Egwene écoutait avec une application soutenue. C'était fascinant pour elle, ces évocations de choses dont elle ne s'était jamais doutée qu'elles soient possibles mais, en plus, elle n'avait pas l'intention de se retrouver en train d'astiquer des marmites. Pour tout dire, cela ne semblait pas juste. Quel que soit ce qui attendait Rand, Mat et les autres dans Rhuidean, ils ne seraient pas envoyés récurer des chaudrons. *Et j'ai donné mon accord !* Non, ce n'était pas juste. Mais aussi bien elle doutait qu'ils puissent tirer de Rhuidean davantage qu'elle n'en aurait de ces femmes.

24.

Rhuidean

Le caillou lisse dans la bouche de Mat ne le faisait plus saliver, et cela depuis un moment. Il le cracha et s'assit sur ses talons à côté de Rand pour contempler la paroi grise ondoyante à peut-être trente pas devant eux. Du brouillard. Il espérait qu'au moins la température serait plus fraîche là-dedans qu'ici au-dehors. Et de l'eau serait appréciée. Ses lèvres se craquelaient. Il retira l'écharpe enroulée autour de sa tête et s'essuya la figure, mais ce n'était pas ce qu'il avait comme sueur dessus qui humidifierait l'écharpe. Il n'avait plus guère de sueur dans le corps à éliminer. Un endroit pour s'asseoir. Ses pieds lui donnaient l'impression d'être des saucisses bouillies à l'intérieur de ses bottes ; il se sentait d'ailleurs pratiquement cuit de la tête aux pieds. Le brouillard s'étendait à droite et à gauche sur plus de huit cents toises et s'élevait au-dessus de sa tête telle une très haute falaise. Une falaise de brume épaisse au milieu d'une vallée aride dévorée par la chaleur. Il y aurait sûrement de l'eau là-dedans.

Pourquoi ce brouillard ne s'évapore-t-il pas ? Cette particularité-là ne lui plaisait pas. Se frotter au Pouvoir Unique l'avait amené ici et voilà que maintenant il semblait devoir s'y frotter de nouveau. *Par la Lumière, je veux me libérer du Pouvoir et des Aes Sedai. Que je me réduise en braises, je le veux !* N'importe quoi pour ne pas penser à entrer dans ce brouillard, juste encore le temps d'une minute. « C'était bien l'amie aielle d'Egwene que j'ai vue courir », dit-il d'une voix rauque. Courir ! Dans cette chaleur torride. Rien que de l'évoquer rendait ses pieds encore plus douloureux. « Aviendha. Un nom comme ça.

— Si tu le dis », répliqua Rand qui examinait le brouillard. Il parlait comme s'il avait la bouche pleine de poussière, son visage était brûlé par le soleil et il vacillait sur ses jambes repliées en position accroupie. « Mais pourquoi serait-elle descendue ici ? Et *nue* ? »

Mat n'insista pas. Rand ne l'avait pas vue – il n'avait guère quitté des yeux la brume tourbillonnante depuis qu'il avait commencé à descendre de la montagne – et il n'était pas convaincu non plus que Mat l'avait vue. Courant comme une folle et se tenant à bonne distance d'eux deux. Fonçant vers cet étrange brouillard, à ce qu'il lui avait semblé. Rand n'avait pas l'air plus pressé que lui de pénétrer dedans. Il se demanda s'il avait aussi triste mine que Rand. Il toucha sa joue et eut une grimace. Il pensa que oui.

« Allons-nous rester ici toute la nuit ? Cette vallée est passablement profonde. Il fera noir ici dans deux heures. Peut-être plus frais à ce moment-là, mais je ne pense pas que je me réjouirais de rencontrer dans la nuit ce qui circule par ici. Des lions, probablement. J'ai entendu dire qu'il y avait des lions dans le désert.

— Es-tu sûr de vouloir venir, Mat ? Tu as entendu

ce que les Sagettes ont annoncé. Tu risques de mourir ou de devenir fou. Tu peux retourner aux tentes. Tu as laissé des gourdes et une outre d'eau sur la selle de Pips. »

Il aurait préféré que Rand ne le lui rappelle pas. Mieux valait ne pas penser à l'eau. « Que je brûle, je n'ai pas envie d'aller là. Il *faut* que j'y aille. Et toi ? Être ce sacré Dragon Réincarné ne te suffit pas ? Dois-tu être aussi un fichu chef de clan aiel ? Pourquoi es-tu ici ?

— J'y suis obligé, Mat. J'y suis obligé. » Le ton déformé par la sécheresse de sa bouche se teintait de résignation mais aussi de quelque chose d'autre. D'une pointe d'ardeur. Le gars était fou pour de bon ; il désirait vraiment le faire.

« Rand, peut-être est-ce la réponse qu'ils donnent à tout le monde. Je parle de ces espèces d'êtres-serpents. *Allez à Rhuidean.* Peut-être que nous n'avons pas besoin du tout d'être ici. » Il ne le croyait pas, mais avec ce brouillard menaçant devant son nez...

Rand tourna la tête pour le regarder, sans rien dire. À la fin, il répliqua : « Ils n'ont pas soufflé mot de Rhuidean à moi, Mat.

— Oh, que je me réduise en braises », marmotta-t-il. Il avait l'intention de s'arranger d'une manière ou d'une autre pour repasser par ce seuil tors de Tcar. Machinalement, il sortit de la poche de sa tunique le marc d'or frappé aux symboles de Tar Valon, le roula en travers du dos de ses doigts et le rempocha. Ces espèces de serpents lui donneraient quelques réponses de plus, qu'ils le veuillent ou non, vaille que vaille.

Sans rien ajouter, Rand se leva et se dirigea vers le brouillard à enjambées mal assurées, les yeux fixés droit devant lui. Mat se précipita à sa suite. *Que je brûle en braises. Que je brûle. Je n'ai aucune envie de faire ça.*

Rand plongea dans le brouillard dense, mais Mat hésita un instant avant de l'imiter. Ce devait être le Pouvoir qui maintenait le brouillard, finalement, bouillonnant à sa lisière mais n'avançant ni ne reculant d'un pouce. Le sacré Pouvoir, et pas de sacré choix. Ce premier pas fut un soulagement bienvenu, frais et humide ; il ouvrit la bouche pour que le brouillard lui humecte la langue. Trois pas encore et il commença à s'inquiéter. Au-delà du bout de son nez, il n'y avait que du gris uniforme. Il ne distinguait même pas une ombre qui serait Rand.

« Rand ? » L'effet aurait été le même si le son n'était pas sorti de sa bouche ; le brouillard semblait l'absorber avant qu'il parvienne à ses propres oreilles. Il n'était même plus sûr de sa direction, alors qu'il savait toujours s'orienter. N'importe quoi pouvait se trouver devant lui. Ou sous ses pieds. Il ne voyait pas ses pieds ; le brouillard l'enveloppait complètement au-dessous de la taille. Il força néanmoins l'allure. Et soudain émergea à côté de Rand dans une singulière clarté sans ombre.

Le brouillard formait une énorme voûte concave masquant le ciel, sa surface interne bouillonnante luisant dans un bleu clair soutenu. Rhuidean était loin d'avoir l'importance de Tear ou de Caemlyn, mais les rues désertes étaient aussi vastes que les plus grandes de sa connaissance, avec de larges bandes de terre nue au centre, comme si des arbres avaient poussé là à un moment donné, et de prestigieuses fontaines avec des statues. D'énormes bâtiments s'alignaient le long des rues, de curieux palais aux côtés unis en marbre, quartz et cristal taillé, s'élevant à des centaines de pieds par paliers ou à la verticale. Il n'y avait pas une seule petite construction, rien qui aurait été une simple taverne ou une auberge ou une écurie. Seulement d'immenses palais, aux colonnes luisantes de cinquante pieds d'épaisseur, hautes de cent pas, rouges, blanches ou bleues, et des tours majestueuses, cannelées et terminées en flèche, certaines transperçant le dôme de nuages phosphorescents.

Quelle que fût sa magnificence, la ville n'avait jamais été terminée. Bon nombre de ces édifices démesurés offraient l'aspect en dents de scie des constructions abandonnées. Du verre coloré formait des images dans quelques énormes baies : hommes et femmes d'une majesté sereine de trente pieds de haut ou davantage, des levers de soleil et des ciels nocturnes étoilés ; d'autres fenêtres béaient, vides. Une ville inachevée et depuis longtemps désertée. L'eau ne rejaillissait en gerbes d'éclaboussures dans aucune des fontaines. Le silence enveloppait cette ville aussi complètement que la voûte de brouillard. L'air était plus frais qu'au-dehors, mais juste aussi aride. La poussière crissait quand on marchait sur les dalles de pierre poli des pavages.

Mat pressa néanmoins le pas jusqu'à la plus proche fontaine, à tout hasard, et s'appuya sur la margelle blanche qui montait à hauteur de sa taille. Trois femmes dévêtues, deux fois plus grandes que lui et soutenant un curieux poisson à la bouche béante au-dessus de leurs têtes, regardaient au fond d'un vaste bassin poussiéreux pas moins sec que sa propre bouche.

« Évidemment, dit Rand derrière lui. J'aurais dû y penser avant. »

Mat regarda par-dessus son épaule. « Pensé à quoi ? » Rand regardait fixement la fontaine, secoué d'un rire silencieux. « Hé, reprends-toi, Rand. Tu n'es pas devenu fou à cette minute même. Tu aurais dû penser à quoi ? »

Un gargouillement sourd ramena vivement les yeux de Mat vers la fontaine. Brusquement, de l'eau fusa de la bouche du poisson, un jet aussi gros que sa jambe. Il grimpa dans le bassin et courut se poster sous ce tor-rent, tête renversée et bouche ouverte. Une délicieuse eau froide, assez froide pour le faire frissonner, meil-leure que du vin. Elle trempa ses cheveux, sa tunique, ses chausses. Il but à en croire qu'il allait se noyer et, finalement, se traîna d'un pas chancelant jusqu'à la jambe de pierre d'une des femmes contre laquelle il s'adossa, haletant.

Rand était toujours là-bas, le regard braqué sur la fontaine, le visage recuit et les lèvres fendillées, riant tout bas. « Pas d'eau, Mat. Elles ont dit que nous ne pouvions pas emporter d'eau, mais elles n'ont pas parlé de ce qui était déjà ici.

— Rand ? Est-ce que tu ne vas pas boire ? »

Rand sursauta, puis entra dans le bassin à présent

rempli jusqu'à ses chevilles et s'en fut se placer au même endroit que Mat, buvant comme Mat, les paupières closes et la figure levée pour que l'eau se déverse sur lui.

Mat l'observa avec inquiétude. Pas fou, exactement ; pas encore. Mais combien de temps Rand serait-il resté là à rire alors que la soif transformait sa gorge en pierre s'il ne lui avait pas parlé ? Mat le laissa là et grimpa par-dessus le rebord du bassin pour sortir de la fontaine. Une partie de l'eau trempant ses vêtements s'était infiltrée dans ses bottes. Il ne se préoccupa pas du gargouillis que provoquait chaque pas ; il n'était pas certain de pouvoir remettre ses bottes s'il les ôtait. D'autre part, la sensation était agréable.

Il observa la ville en se demandant pourquoi il était là. Ces gens avaient prétendu qu'autrement il mourrait, mais se trouver dans Rhuidean suffisait-il ? *Dois-je accomplir quelque chose ? Quoi ?* Les rues désertes et les palais inachevés ne projetaient aucune ombre dans cette lumière azurée. Un picotement s'intensifia entre ses omoplates. Toutes ces fenêtres vides qui le regardaient, toutes ces silhouettes irrégulières comme des mâchoires brèche-dent de constructions abandonnées. N'importe quoi pouvait se dissimuler là-dedans, et dans un endroit comme celui-ci n'importe quoi pouvait être... *N'importe quel bougre d'il ne savait quoi.* Il regretta de ne pas avoir encore au moins les poignards qu'il logeait dans ses bottes. Seulement ces femmes, ces Sagettes, l'avaient dévisagé comme si elles étaient au courant de ce qu'il leur dissimulait. Et elles avaient canalisé, une d'entre elles sinon toutes. Ce n'était pas sage de se mettre à dos des femmes qui avaient le talent de canaliser quand on pouvait l'éviter. *Que je me réduise en braises, si je réussissais à me débarrasser des Aes Sedai, je ne réclamerais jamais rien d'autre. Enfin, pas pendant un bon bout de temps, en tout cas. Par la Lumière, je me demande s'il se cache quelque chose ici.*

« Le cœur doit être par là, Mat. » Rand sortait du bassin, ruisselant d'eau.

« Le cœur ?

— Les Sagettes ont déclaré que je devais aller jusqu'au cœur. Elles devaient vouloir dire le centre de la ville. » Rand jeta un coup d'œil par-dessus son épaule à la fontaine et soudain le jet se réduisit à un filet, puis s'interrompit. « Il y a un océan de bonne eau douce là-dessous. À une grande profondeur. Si grande que j'ai failli ne pas la trouver. Si je pouvais ramener cette eau en surface... Inutile de la gâcher, néanmoins. Nous pourrons boire de nouveau à satiété quand il sera temps de nous en retourner. »

Mat oscilla d'un pied sur l'autre avec malaise. *Idiot ! D'où croyais-tu qu'elle provenait ? Bien sûr qu'il a fichtrement canalisé. Est-ce que tu t'imaginais qu'elle s'était juste remise à couler après la Lumière sait combien de temps ?* « Le centre de la ville. Naturellement. En avant. »

Ils se maintinrent au milieu de la vaste avenue, marchant le long du bord des plates-bandes de terre stérile, passant à côté d'autres fontaines à sec, quelques-unes avec seulement le bassin de pierre et un socle de marbre où auraient dû se dresser les statues. Rien n'était brisé dans la ville, c'était seulement... incomplet. Les palais s'élevaient de chaque côté comme des à-pics. Il y avait sûrement des choses à l'intérieur. Du mobilier, peut-être, s'il n'avait pas pourri. Peut-être de l'or. Des couteaux. Les couteaux ne rouillaient pas dans cette atmosphère sèche quelle que soit la longueur de temps qu'ils avaient passé là.

Pour autant que tu le saches, peut-être qu'un bougre de Myddraal se trouve là-dedans. Par la Lumière, quel besoin de penser à ça ? Si seulement il avait eu l'idée d'emporter avec lui un bâton d'escrime quand il avait quitté la Pierre. Peut-être aurait-il réussi à convaincre les Sagettes que c'était un bâton de marche. Inutile de ratiociner là-dessus maintenant. Un arbre ferait l'affaire, s'il avait un moyen de couper une bonne branche et de la parer. Si, de nouveau. Ceux qui avaient bâti cette cité avaient-ils réussi à cultiver des arbres, se demanda-t-il. Il avait travaillé trop longtemps dans la ferme de son père pour ne pas reconnaître de la bonne terre quand il en voyait. Ces longs rubans de terrain nu étaient pauvres, ne valant rien pour qu'y pousse quoi que ce soit à part des mauvaises herbes, et encore pas beaucoup. Aucune, à présent.

Ils avaient parcouru presque une demi-lieue quand l'avenue aboutit subitement à une vaste place, d'une largeur peut-être égale au chemin qu'ils avaient parcouru et entourée par ces palais de marbre et de quartz. Chose surprenante, un arbre se dressait sur cette immense place, haut d'au moins cent pieds, étalant ses épaisses branches feuillues sur une surface de plus d'un sulung, plus de cent vingt acres de dalles blanches poussiéreuses, près de ce qui paraissait être des cercles concentriques de colonnes de verre transparent scintillantes, fines comme des aiguilles en comparaison de leur hauteur, presque égale à celle de l'arbre. Il se serait demandé comment un arbre pouvait pousser ici, sans soleil, s'il n'avait pas été tellement absorbé par la contemplation de l'ahurissant fouillis jonchant le reste de la place.

Un passage dégagé menait de chaque avenue que Mat pouvait voir, droit aux cercles de colonnes mais, dans les intervalles, des statues se dressaient au petit bonheur, dont la taille allait depuis la grandeur nature jusqu'à la moitié de celle-ci, en pierre, cristal ou métal, posées à même le pavage. Autour d'elles étaient... Il ne sut pas comment les appeler d'abord. Un anneau plat argenté, de dix pas de diamètre et mince comme une lame. Un socle de cristal décroissant en largeur et haut de trois quarts de toise qui aurait pu servir à soutenir une des plus petites statues. Un pinacle de métal noir luisant, étroit comme une lance et pas plus long, se tenant pourtant tout droit comme enraciné. Des centaines, peut-être même des milliers de choses de toutes les formes imaginables, de tous les matériaux imaginables, parsemant l'énorme place avec pas plus d'une douzaine de pieds d'écart entre deux.

C'est la lance de métal noire, dressée de manière si anormale, qui lui indiqua soudain ce que ces choses-là devaient être. Des *ter'angreals*. En tout cas, des choses qui avaient un rapport avec le Pouvoir. Certains, sûrement. Ce portique de pierre tors dans la

Grande Réserve de la forteresse de Tear avait résisté à la chute, lui aussi.

À ce moment-là, il était prêt à tourner les talons et à repartir aussitôt, mais Rand continuait à avancer, jetant à peine un coup d'œil à ce qui jalonnait son chemin. Une fois, Rand marqua un temps d'arrêt pour contempler deux figurines qui ne méritaient apparemment guère une place parmi le reste. Deux statuettes d'un pied de haut à peu près, un homme et une femme, chacun tenant en l'air dans une main une sphère de cristal. Il se pencha à demi pour les toucher, mais se redressa si vite que Mat aurait pu croire que son imagination lui jouait un tour.

Au bout d'une minute, Mat suivit, hâtant le pas pour le rattraper. Plus ils approchaient des cercles scintillants de colonnes, plus sa nervosité augmentait. Ces choses qui les entouraient étaient liées au Pouvoir, et les colonnes aussi. Il le savait d'instinct. Ces fûts d'une hauteur et d'une minceur incroyables étincelaient dans la lumière bleuâtre, aveuglants. *Tout ce qu'ils ont dit c'est que je devais venir ici. Eh bien, m'y voilà. Ils n'ont pas parlé de ce sacré Pouvoir.*

Rand s'arrêta si subitement que Mat approcha encore de trois enjambées les cercles de colonnes avant de s'en apercevoir. Rand contemplait l'arbre, c'est ce que vit Mat. L'arbre. Mat se retrouva en train de s'en approcher comme s'il était attiré. Aucun arbre n'avait ces feuilles trilobées. Aucun arbre à part un ; un arbre de légende.

« L'*Avendesora*, dit Rand à mi-voix. L'Arbre de Vie. Il est ici. »

Sous les branches touffues, Mat sauta en l'air pour attraper une de ces feuilles ; ses doigts tendus manquèrent de près d'une demi-toise la plus basse. Il se borna alors à s'avancer plus profondément sous ce toit feuillu et à s'appuyer au tronc épais. Un instant après, il se laissa glisser pour s'asseoir le dos appuyé contre lui. Les récits d'antan étaient vrais. Il ressentait... du contentement. De la paix. Du bien-être. Même ses pieds ne le tourmentaient plus beaucoup.

Rand s'installa en tailleur à côté. « Je peux croire les contes. Ghoetam assis pendant quarante ans sous l'*Avendesora* pour acquérir de la sagesse. Maintenant, je peux le croire. »

Mat laissa sa tête retomber en arrière sur le tronc. « Par contre, je ne me fierais pas à ce que des oiseaux m'apportent à manger. On doit être obligé de se lever tôt ou tard. » *Mais une heure ou à peu près ne serait pas mal. Même une journée entière.* « Ce n'est pas vraisemblable, en tout cas. Quel genre de nourriture des oiseaux pourraient apporter ici ? Quels oiseaux ?

— Peut-être que Rhuidean n'a pas toujours été comme ça, Mat. Peut-être... je ne sais pas. Peut-être qu'à l'époque l'*Avendesora* était autre part.

— Autre part, murmura Mat. Je ne demanderais pas mieux que d'être autre part. » *On se... sent bien... pourtant.* »

« Autre part ? » Rand pivota sur ses hanches pour regarder les hautes et minces colonnes qui brillaient si près. « Le devoir est plus lourd qu'une montagne », dit-il en soupirant.

C'était une partie d'un dicton qu'il avait glané dans

les Marches. « La mort est plus légère qu'une plume, le devoir plus lourd qu'une montagne. » Pour Mat c'était pure idiotie, mais Rand se relevait. Mat l'imita à regret. « Qu'est-ce que nous allons trouver là-dedans, à ton avis ?

— Je pense qu'à partir d'ici je dois continuer seul, répliqua lentement Rand.

— Qu'est-ce que tu dis ? s'exclama impérieuse-ment Mat. Je suis venu jusqu'ici, non ? Je ne vais pas tourner les talons maintenant. » *Ce que j'aimerais le faire, pourtant !*

« Ce n'est pas la question, Mat. Si on entre là, on en ressort chef de clan ou on meurt. Ou l'on ressort fou. Je ne crois pas qu'il y ait d'autre choix. À moins peut-être que les Sagettes n'aillent là-dedans. »

Mat hésita. *Mourir et revivre.* Voilà ce qu'ils avaient dit. Toutefois, il n'avait pas l'intention d'essayer d'être chef de clan ; les Aiels le larderaient probablement de lances. « Nous allons laisser la chance décider, dit-il en sortant de sa poche le marc d'or de Tar Valon. Cette pièce devient mon porte-bonheur. Flamme, je t'accom-pagne ; face, je reste dehors. » Il fit sauter la pièce d'or vivement, avant que Rand ait eu le temps d'élever des objections.

Il ne sut pas pourquoi il ne réussit pas à la rattraper ; le marc d'or fila du bout de ses doigts, cliqueta sur les dalles, rebondit deux fois... Et s'arrêta sur la tranche.

Il darda sur Rand un regard accusateur. « Fais-tu ce genre de chose exprès ? Ne peux-tu le maîtriser ?

— Non. » La pièce retomba à plat, montrant un

visage de femme à jamais jeune entouré d'étoiles.
« Apparemment, tu restes ici, Mat.

— Est-ce que tu as... ? » Il aurait bien aimé que
Rand ne canalise pas dans son voisinage. « Oh, que je
brûle en braises, si tu tiens à ce que je reste dehors, je
resterai. » Ramassant vivement la pièce, il la fourra de
nouveau dans sa poche. « Écoute, tu entres, tu fais ce
que tu dois faire et tu ressors. J'ai envie de partir d'ici
et je ne vais pas demeurer éternellement à me tourner
les pouces en t'attendant. Et ne va pas t'imaginer non
plus que j'entrerai pour te chercher, alors tâche d'être
prudent.

— Je n'imaginerais jamais cela de toi, Mat », répliqua Rand.

Mat le regarda d'un œil soupçonneux. Qu'avait-il à
sourire en se fendant la bouche jusqu'aux oreilles ?
« Bon, du moment que tu comprends que je ne te courrai pas après. Aaah, vas-y et sois un sacré chef aiel.
Tu as le physique de l'emploi.

— N'entre pas là-bas, Mat. Quoi qu'il arrive, abs-
tiens-toi. » Il attendit que Mat ait acquiescé d'un signe
de tête avant de s'éloigner.

Mat le regarda pénétrer parmi les colonnes scintillantes. Dans l'éblouissement provoqué par les fluctua-
tions rapides de leur éclat, Rand parut disparaître
presque aussitôt. *C'est un tour que me jouent mes
yeux*, se dit Mat. Pas autre chose. *Un sacré tour.*

Il se mit à longer l'imposante colonnade, en gardant
largement ses distances, dans un effort pour apercevoir
de nouveau Rand. « Attention à ce que tu fais, nom
d'une pipe, cria-t-il. Si tu me laisses seul dans le

Désert avec Moiraine et ces sacrés Aiels, je t'étrangle, Dragon Réincarné ou pas ! » Après une minute, il ajouta : « Je ne vais pas là dedans te chercher si tu t'attires des ennuis ! Tu m'entends ? » Il n'y eut pas de réponse. *S'il ne sort pas de là dans une heure...* « C'est de la folie rien que d'y être entré, marmotta-t-il. Eh bien, qu'il ne compte pas sur moi pour ôter du feu sa tranche de lard qui brûle. C'est lui qui sait canaliser. S'il se fourre dans un guêpier, il n'a qu'à sacrément canaliser pour s'en sortir. » *Je lui donne une heure.* Après quoi il partirait, que Rand soit revenu ou pas. Simplement tournerait les talons et partirait. S'en irait, comme ça. Voilà ce qu'il ferait. Oui.

À la façon dont ces fûts de colonne en verre captaient la lumière bleuâtre, la réfractant et la réfléchissant, rien que de regarder avec attention suffisait à lui donner mal à la tête. Il se détourna et repartit par le même chemin qu'à l'aller, jetant un coup d'œil empreint de malaise aux *ter'angreals* – ou ce qu'ils étaient – jonchant la place. Qu'est-ce qu'il fabriquait ici ? Pourquoi ?

Soudain il s'arrêta net, contemplant avec stupeur un de ces objets bizarres. Un grand encadrement de porte en grès rouge poli, tordu d'une façon qu'il ne parvenait pas à déterminer, son œil dérapant en quelque sorte quand il tentait d'en suivre la forme. Il se dirigea vers lui à pas lents entre des cônes effilés en flèche à facettes luisantes aussi hauts que sa tête et des cadres dorés bas remplis de ce qui paraissait être des plaques de verre, les remarquant à peine, ne quittant pas des yeux le porche.

C'était le même. Le même grès rouge poli, la même dimension, les mêmes angles qui déroutaient la vue. Le long de chaque montant couraient trois lignes de triangles, sommet en bas. Celui de Tear avait-il ces triangles ? Impossible de s'en souvenir ; la dernière fois, il n'avait pas essayé de retenir tous les détails. C'était sûrement le même ; ce devait l'être. Peut-être ne pouvait-il pas franchir de nouveau l'autre, mais celui-ci ? Une seconde chance d'arriver jusqu'à ces espèces de serpents, d'obtenir d'eux des réponses à quelques questions de plus.

Plissant les paupières pour atténuer les scintillements, il tourna la tête en direction des colonnes et chercha à voir. Une heure, qu'il avait donnée à Rand. Dans une heure il aurait passé par ce machin et serait revenu largement avant. Peut-être que ce porche ne fonctionnerait même pas pour lui, puisqu'il avait utilisé son jumeau. *Ils sont bien les mêmes.* Alors donc peut-être que cela marcherait. Cela n'impliquait que se frotter encore une fois au Pouvoir.

« Par la Lumière, murmura-t-il. Des *ter'angreals.* Des Pierres Portes. Rhuidean. Quelle différence peut faire une fois de plus ? »

Il sauta le pas. À travers un mur de lumière blanche aveuglante, à travers un grondement si intense qu'il annihilait tout bruit.

Clignant des paupières, il regarda autour de lui et ravala le juron le plus grossier de sa connaissance. Quel que fût cet endroit-ci, ce n'était pas là qu'il était allé avant.

Le porche tors se dressait au milieu d'une immense

salle qui paraissait être en forme d'étoile, pour autant qu'il pouvait en juger avec cette forêt d'épaisses colonnes, chacune profondément creusée de huit cannelures, dont les arêtes vives étaient jaunes et rayonnaient d'une douce clarté. D'un noir satiné à l'exception des parties luisantes, elles montaient d'un sol blanc mat jusque dans une pénombre épaisse très haut au-dessus où même les bandes jaunes devenaient invisibles. Les colonnes et le sol semblaient presque être en verre mais, quand il se courba pour passer la main par terre, il eut la sensation de toucher de la pierre. De la pierre poussiéreuse. Il s'essuya la main sur sa tunique. L'air avait une odeur de renfermé, et ses propres empreintes de pas étaient les seules marques dans la poussière. Personne n'était venu là depuis très longtemps.

Déçu, il se retourna vers le *ter'angreal*.

« Très longtemps. »

Mat pivota sur lui-même, plongeant dans sa manche pour saisir un poignard qui était resté là-bas sur le flanc de la montagne. L'homme debout au milieu des colonnes ne ressemblait aucunement aux espèces d'êtres évoquant des serpents. Il fit regretter à Mat d'avoir laissé ses dernières armes aux Sagettes.

Le gaillard était grand, plus grand qu'un Aiel, et musclé mais avec des épaules trop larges pour sa taille fine et une peau aussi blanche que le plus beau papier. Des bandes de cuir clair cloutées d'argent s'entrecroisaient sur ses bras et sa poitrine nue, et un kilt noir s'arrêtait à ses genoux. Ses yeux étaient trop grands et presque incolores, enfoncés dans une face à la mâchoire étroite. Ses cheveux ternes tirant sur le roux coupés court se dressaient en brosse et ses oreilles collées contre son crâne avaient une forme légèrement pointue en haut. Il se pencha vers Mat, respirant, ouvrant la bouche pour absorber plus d'air encore, montrant des dents aiguës. Il donnait l'impression d'un renard prêt à sauter sur un poulet acculé.

« Très longtemps », dit-il en se redressant. Sa voix était grondante, presque un feulement. « Respectez-vous les traités et les accords ? Avez-vous sur vous du fer, ou des instruments de musique ou des dispositifs pour obtenir de la lumière ?

— Je n'ai rien de ces choses-là », répliqua lentement Mat. Ce n'était pas le même endroit, mais ce gars-là posait les mêmes questions. Et il se conduisait de la même manière, avec tous ces flairements. *Il fouille dans mes fichues expériences, hein ? Eh bien, qu'il le fasse. Peut-être qu'il en déterrera quelques-unes de sorte que je me les rappellerai aussi.* Il se demanda s'il parlait l'Ancienne Langue. C'était désagréable, de ne pas savoir, de ne pas être capable de s'en rendre compte. « Si vous êtes en mesure de m'emmener à l'endroit où je pourrai avoir une réponse à quelques questions, alors marchez devant. Sinon, je vais m'en aller, avec mes excuses pour vous avoir dérangé.

— Non ! » Ces grands yeux incolores cillèrent d'agitation. « Vous ne devez pas partir. Venez. Je vous conduirai là où vous trouverez ce dont vous avez besoin. Venez. » Il recula, avec des gestes des deux mains. « Venez. »

Après un coup d'œil au *ter'angreal*, Mat suivit. Il aurait aimé qu'à cet instant-là l'homme ne lui ait pas souri. Peut-être voulait-il être rassurant, mais ces dents... Mat résolut de ne plus jamais se démunir de la totalité de ses poignards, ni pour des Sagettes ni pour l'Amyrlin en personne.

Le large encadrement de porte pentagonal ressemblait plutôt à l'entrée d'un tunnel, car le couloir au-delà était exactement de la même dimension et de la même forme, avec ces bandes jaunes rayonnant doucement qui en suivaient les courbes, bordant le plafond et le sol. Il semblait continuer à l'infini, disparaissant dans un lointain obscur, rythmé à intervalles par d'autres de ces grands seuils pentagonaux. L'homme au kilt marchait à reculons et ne se retourna que lorsqu'ils furent tous les deux dans le couloir et même ainsi il ne cessait de jeter un coup d'œil par-dessus une large épaule comme pour s'assurer que Mat était toujours là. L'air ne sentait plus le renfermé, il contenait un faible relent de quelque chose de déplaisant, quelque chose qui donnait l'impression d'être connu mais sans assez de netteté pour être catalogué.

Au premier des seuils, Mat inspecta l'intérieur en passant et poussa un soupir. Au-delà de colonnes noires en forme d'étoile, un encadrement de porte tors en grès rouge se dressait sur un sol vitreux d'un blanc terne où la poussière conservait les marques d'une paire de bottes venant du *ter'angreal* et précédées vers le couloir par les empreintes d'étroits pieds nus. Il tourna la tête pour regarder derrière lui. Au lieu de s'achever à cinquante pas dans une autre salle comme celle-ci, le couloir s'allongeait aussi loin que portait sa vue, fidèle reflet de ce qui était en avant. Son guide lui adressa un sourire découvrant ses dents aiguës ; le gaillard semblait affamé.

Il savait qu'il aurait dû s'attendre à ce genre de chose après ce qu'il avait vu de l'autre côté du seuil tors dans la Pierre. Ces tours en flèches qui s'esquivaient de l'emplacement qui était le leur vers un autre où, logiquement, elles ne pouvaient pas se trouver. Si des tours, pourquoi pas des salles. *J'aurais été plus avisé de rester dehors là-bas à attendre Rand, voilà ce qui aurait été sage. Il y a des quantités de choses que j'aurais été sage de faire.* Du moins n'aurait-il pas de mal à retrouver le *ter'angreal* si tous les seuils de porte devant lui étaient pareils.

Il examina le suivant et vit des colonnes noires, le *ter'angreal* de grès rouge, ses empreintes et celles de son guide dans la poussière. Quand l'homme à la mâchoire étroite jeta de nouveau un coup d'œil par-dessus son épaule, Mat lui dédia un sourire découvrant ses dents. « Ne vous imaginez pas avoir capturé un naïf dans votre filet. Si vous essayez de me duper, j'aurai votre peau pour m'en fabriquer un tapis de selle. »

Le gaillard sursauta, ses yeux pâles s'écarquillant, puis il haussa les épaules et rajusta les bandes cloutées d'argent qui lui barraient la poitrine ; son sourire moqueur semblait dessiné pour attirer l'attention sur son geste. Soudain, Mat se retrouva en train de se demander d'où provenait ce cuir clair. Sûrement pas... *Oh, Lumière, je crois que si.* Il parvint à s'empêcher de s'éclaircir la gorge, mais tout juste. « En avant, fils de chèvre. Ta peau ne vaut pas la peine de la clouter d'argent. Emmène-moi où je veux aller. »

Avec un grognement hargneux, l'homme continua son chemin en pressant l'allure, le dos raide. Mat se moquait pas mal que le gaillard soit offensé. Toutefois, il aurait bien aimé avoir ne serait-ce qu'un poignard. *Que je sois brûlé si je laisse un type à face de renard et à cervelle de chèvre fabriquer un harnais avec ma peau à moi.*

Impossible de dire depuis combien de temps ils marchaient. Le couloir ne changeait jamais avec ses parois en courbe et ses bandes jaunes lumineuses. Chaque seuil ouvrait sur la même salle, empreintes et *ter'angreal* compris. À cause de cette similitude, il n'y avait plus de repères pour mesurer le passage du temps. Mat s'inquiéta de celui qui s'était écoulé depuis qu'il était là. Certainement davantage que l'heure qu'il s'était accordée. Ses vêtements étaient seulement humides à présent ; ses bottes ne gargouillaient plus. Mais il marchait, le regard fixé sur le dos de son guide, et marchait toujours.

Soudain le couloir se termina devant un autre seuil. Mat cligna des paupières. Il aurait juré qu'un moment auparavant ce couloir continuait aussi loin qu'il pouvait voir. Cependant il avait observé le gaillard aux dents aiguës plus que ce qui se trouvait devant eux. Il regarda en arrière et faillit lâcher un juron. Le couloir se poursuivait jusqu'à un point où les bandes jaunes luisantes semblaient se rejoindre. Et il n'y avait pas une ouverture visible sur toute sa longueur.

Quand il se retourna, il était seul devant le grand seuil pentagonal. *Que je me réduise en braises, je voudrais bien qu'ils ne fassent pas ça.* Il respira à fond et entra.

C'était encore une salle en forme d'étoile au sol blanc, pas aussi vaste que celle – ou celles – avec des colonnes. Une étoile à huit branches avec un piédestal qui paraissait en verre noir posé dans chaque branche, comme une tranche de colonne d'environ sept coudées. De brillantes bandes jaunes couraient le long des arêtes de la salle et des piédestaux. L'odeur déplaisante était plus forte ici ; il la reconnaissait maintenant. L'odeur d'une tanière d'animal sauvage. Toutefois il y prêta à peine attention, car la salle était vide à part lui.

Il se tourna lentement pour examiner les piédestaux, les sourcils froncés. Voyons, des gens devraient être dessus, ceux qui étaient censés répondre à ses questions. On était en train de le flouer. S'il pouvait venir ici, il était en droit d'obtenir des réponses.

Soudain, il pivota sur lui-même en cercle pour examiner non pas les piédestaux mais les murs gris et lisses. Le seuil avait disparu ; il n'y avait pas de sortie.

Cependant, avant qu'il achève un second tour, il y avait quelqu'un debout sur chaque piédestal, des gens comme son guide mais vêtus différemment. Quatre étaient des hommes, les autres des femmes, leur chevelure raide se dressant en crête avant de retomber dans leur dos. Tous portaient de longues jupes blanches qui cachaient leurs pieds. Les femmes avaient des corsages blancs qui leur descendaient plus bas que les hanches, avec de hauts cols de dentelle et des manchettes également en dentelle claire aux poignets. Les hommes arboraient encore plus de bandes de cuir que le guide, plus larges et cloutées d'or. Des harnais qui soutenaient sur la poitrine de chacun de ceux qui les portaient une paire de couteaux à lame nue. Des lames de bronze, jugea Mat d'après leur couleur, mais il aurait donné tout l'or en sa possession pour en avoir ne serait-ce qu'un seul.

« Parlez, dit une des femmes de cette voix gutturale. Par l'antique traité, l'accord est conclu. Quel est votre besoin ? Parlez. »

Mat hésita. Ce n'est pas ce qu'avaient dit ces gens aux allures de serpent. Tous le regardaient comme des renards leur repas. « Qui est la Fille des Neuf Lunes et pourquoi suis-je obligé de l'épouser ? » Il espéra qu'ils le compteraient comme une seule question.

Personne ne répondit. Aucun d'eux ne prit la parole. Ils continuaient simplement à le fixer avec ces grands yeux incolores.

« Vous êtes censés répondre », reprit-il. Silence. « Que vos os se réduisent en cendres, répondez-moi ! Qui est la Fille des Neuf Lunes et pourquoi dois-je me marier avec elle ? Comment vais-je mourir et revivre encore ? Qu'est-ce que cela veut dire qu'il me faut renoncer à la moitié de la lumière du monde ? Voilà mes trois questions. Dites quelque chose ! »

Un silence de mort. Il s'entendait respirer, entendait le sang battre dans ses oreilles.

« Je n'ai pas l'intention de me marier. Et je n'ai pas l'intention de mourir non plus, que je sois censé revivre ensuite ou non. Je me balade avec des trous dans la mémoire, des trous dans ma vie et vous me regardez comme des ahuris. Si cela ne dépendait que de moi, je voudrais voir ces trous comblés, mais au moins des réponses à mes questions en combleraient quelques-uns dans mon avenir. Vous devez répondre... !

— Accordé », dit un des hommes de sa voix gutturale et Mat cligna des paupières.

Accordé ? Qu'est-ce qui était accordé ? Qu'est-ce que cela signifiait ? « Que brûlent vos yeux, marmonna-t-il. Que brûlent vos âmes ! Vous ne valez pas mieux que les Aes Sedai. Eh bien, je veux un moyen d'être libéré des Aes Sedai et du Pouvoir, et je veux m'en aller d'ici où vous êtes et retourner à Rhuidean, si vous ne voulez pas me répondre. Ouvrez une porte et laissez-moi...

— Accordé », dit un autre homme et une des femmes répéta en écho : « Accordé. »

Mat parcourut des yeux les murs, puis se tourna pour les avoir tous dans le champ de son regard irrité, ces êtres qui le dévisageaient du haut de leur piédestal. « Accordé ? Qu'est-ce qui est accordé ? Je ne vois pas de porte. Espèces de fils de chèvres menteurs...

— Fou », dit une femme dans un chuchotement rauque, et d'autres le répétèrent. Fou. Fou. Fou.

« Sage de demander la permission de partir, alors que vous n'avez fixé aucun prix, aucune condition.

— Pourtant fou de n'avoir pas d'abord discuté du prix.

— Nous allons fixer le prix. »

Ils parlaient si vite qu'il était incapable de déterminer qui avait dit quoi.

« Ce qui a été demandé sera donné.

— Le prix sera payé.

— Que le feu vous brûle, cria-t-il, de quoi parlez... »

Une obscurité totale l'enveloppa. Il y avait quelque chose autour de sa gorge. Il ne pouvait plus respirer. De l'air. Il ne pouvait plus...

Note sur les dates mentionnées
dans ce glossaire

Trois systèmes de datation ont été communément utilisés depuis la Destruction du Monde. Le premier fait débuter le calendrier après la Destruction (A.D.). Comme les années de la Destruction et celles qui les ont immédiatement suivies étaient une période de chaos quasi total et que ce calendrier a été mis en usage au moins cent ans après la fin de la Destruction, le point de départ en a été désigné arbitrairement. À la fin des Guerres trolloques, de nombreuses archives avaient disparu, si bien que cette date fixée selon l'ancien système prêtait à controverse. Un nouveau calendrier fut donc établi, partant de la date de la fin de ces Guerres et du jour célébrant la délivrance supposée de la menace trolloque qui pesait sur le monde. Ce deuxième calendrier désignait chaque année sous le nom d'Année Libre (A.L.). À la suite des morcellements, décès et destructions causés par la Guerre des Cent Ans, un troisième calendrier a été adopté. C'est ce calendrier, dit de la Nouvelle Ère (N.E.) qui est actuellement en usage.

Glossaire

Acceptées : Jeunes femmes suivant une formation pour devenir Aes Sedai, qui ont atteint un certain niveau de pouvoir et passé certains tests. Il faut normalement cinq à dix ans pour être élevée du rang de novice à celui d'Acceptée. Les Acceptées sont astreintes à un règlement un peu moins strict que celui des novices et elles sont autorisées – dans certaines limites – à choisir leurs sujets d'études. Une Acceptée a le droit de porter un anneau représentant le Grand Serpent, mais seulement au troisième doigt de la main gauche. Quand une Acceptée est élevée au rang d'Aes Sedai, elle choisit son Ajah, reçoit le châle représentatif de cette Ajah et a la possibilité d'enfiler l'anneau à n'importe quel doigt ou à ne pas le mettre du tout si les circonstances le requièrent.

A'dam : Dispositif consistant en un collier et un bracelet reliés par une laisse de métal argenté, qui sert à obtenir obéissance, contre sa volonté, de toute femme ayant le don de canaliser. Le collier est porté par la *damane*, le bracelet par la *sul'dam* (voir ces mots).

Aes Sedai : Celles qui exercent le Pouvoir Unique. Depuis le Temps de la Folie, les femmes sont les seules Aes Sedai survivantes. Objets de crainte et de méfiance un peu partout, détestées même, elles sont tenues par beaucoup pour responsables de la Destruction du Monde et sont soupçonnées d'ingérence dans les affaires intérieures des nations. Néanmoins, il n'y a guère de gouvernants qui se passent d'une conseillère Aes Sedai, même dans les pays où l'existence de ces relations doit être gardée secrète. Voir aussi *Ajahs ; Amyrlin, Trône d'Amyrlin ; Temps de la Folie.*

Agelmar ; Seigneur Agelmar de la Maison de Jagad : Seigneur de Fal Dara. Son emblème est trois renards roux courant.

Aiels : Les habitants du Désert d'Aiel. Farouches et courageux, les Aiels se voilent le visage avant de tuer, ce qui a donné naissance au dicton : « Agir comme un Aiel voilé de noir », pour décrire quelqu'un qui se montre violent. Guerriers redoutables avec des armes ou à mains nues, ils ne touchent jamais une épée. Ils vont à la bataille au son d'airs de danse que jouent leurs cornemuseux et les Aiels appellent le combat « la Danse ». Voir aussi *Associations guerrières des Aiels ; Désert d'Aiel.*

Ajahs : Associations d'Aes Sedai, auxquelles toutes adhèrent sauf l'Amyrlin qui « est de toutes et d'aucune ». Elles sont désignées par des couleurs : l'Ajah Bleue, l'Ajah Rouge, l'Ajah Blanche, l'Ajah Verte, l'Ajah Brune, l'Ajah Jaune et l'Ajah Grise. Chacune a une conception personnelle de l'utilisation du Pouvoir Unique et des buts à poursuivre. Par exemple, l'Ajah Rouge applique toute son énergie à découvrir et neutraliser les hommes qui tentent de se servir du Pouvoir Unique. Par contre, l'Ajah Brune refuse de s'impliquer dans les affaires du monde et se consacre à l'étude, tandis que l'Ajah Blanche, dédaignant à la fois le monde et la valeur des sciences courantes, se consacre à des questions touchant la philosophie et la vérité. L'Ajah Verte (appelée l'Ajah Combattante pendant les Guerres trolloques) se tient prête à affronter tout nouveau Seigneur de l'Épouvante quand éclatera la Tarmon Gai'don. Selon des rumeurs, il existerait une Ajah Noire, vouée à servir le Ténébreux.

Alanna Mosvani : Une Aes Sedai de l'Ajah Verte.

Alantin : Dans l'Ancienne Langue, « Frère » ; abréviation pour *tia avende alantin* – « Frère des Arbres » ; « Frère-Arbre ».

Alar : La plus Ancienne des Anciens du *Stedding* Tsofu.

Aldieb : Dans l'Ancienne Langue, « Vent d'Ouest », le vent qui amène les pluies de printemps. C'est le nom donné à la jument blanche de l'Aes Sedai Moiraine.

Al'Meara, Nynaeve : Jeune femme du Champ d'Emond dans la région des Deux Rivières, au pays d'Andor, naguère Sagesse du Champ d'Emond et maintenant une des Acceptées.

Al'Thor, Rand : Jeune homme du Champ d'Emond qui est *Ta'veren*. Naguère berger. À présent proclamé le Dragon Réincarné. (S'est longtemps cru fils de Tam al'Thor, son père nourricier. *N.d.T.*)

Al'Thor, Tam : Ancien Lige. A recueilli à sa naissance Rand sur les pentes du Mont du Dragon lors de la Guerre des Aiels. (*N.d.T.*)

Aludra : Membre de la Guilde des Illuminateurs qui préparait un spectacle à Cairhien. (Cf. « La Bannière du Dragon »). (*N.d.T.*)

Al'Vere, Egwene : Fille cadette de l'aubergiste et maire du bourg appelé le Champ d'Emond, elle suit maintenant la formation pour devenir Aes Sedai. Elle a accédé au rang d'Acceptée.

Amalasin, Guaire : Voir *Guerre du Deuxième Dragon*.

Amalisa, Dame : Appartenant à la Maison de Jagad, du Shienar ; sœur d'Agelmar.

Amis du Ténébreux : Sectateurs du Ténébreux persuadés qu'ils auront pouvoir et récompense quand il sera libéré de prison.

Amyrlin ou *Trône d'Amyrlin :* 1) Titre de celle qui dirige les Aes Sedai. Élue à vie par la Chambre de la Tour (la Tour Blanche), le Haut Conseil des Aes Sedai, composé de trois représentantes (appelées Députées ou Gardiennes) de chacune des sept Ajahs. Le Trône/Siège d'Amyrlin, en théorie du moins, exerce une autorité quasi suprême sur les Aes Sedai et occupe dans l'échelle sociale un rang égal à celui de roi ou de reine. On lui donne aussi le titre de Souveraine d'Amyrlin ou, selon une étiquette moins rigoureuse, simplement « l'Amyrlin ». 2) Le trône sur lequel s'assied l'Amyrlin.

Anaiya : Une Aes Sedai de l'Ajah Bleue.

Ancienne Langue : La langue parlée pendant l'Ère des Légendes. En principe les nobles et les personnes instruites sont censés avoir appris à la parler, mais la plupart n'en connaissent que quelques mots.

Angreal : Objet d'une extrême rareté qui permet à quiconque sait canaliser le Pouvoir Unique d'en maîtriser une plus grande portion que ce ne serait possible sans risque si cet appoint venait à manquer. Vestige de l'Ère des Légendes, son secret de fabrication a été perdu. Il n'en existe plus que de rares exemplaires. Voir aussi *sa'angreal ; ter'angreal.*

Arad Doman : Une nation au bord de l'océan d'Aryth.

Arafel : Une des Marches (Pays Frontières).

Artur Aile-de-Faucon : Roi légendaire (règne de 943 à 994, A.L.), qui avait uni tous les pays à l'ouest de l'Échine du Monde, ainsi que quelques terres au-delà du Désert d'Aiel. Il avait même envoyé des armées de l'autre côté de l'océan d'Aryth (en 992), mais tout contact avec ces armées a été perdu à sa mort, qui a déclenché la Guerre des Cent Ans. Son emblème est un faucon d'or en vol. Voir aussi *Guerre des Cent Ans.*

Assemblée, l' : Corps constitué d'Illian, choisi parmi les négociants et armateurs et élu par eux, qui est censé conseiller tant le Roi que le Conseil des Neuf mais qui, sur le plan historique, a bataillé contre eux pour s'emparer du pouvoir.

Associations guerrières des Aiels : Les Aiels font tous partie d'une des sociétés guerrières de leur pays – Chiens de Pierre (*Shae'en M'taal*), Bouchers Rouges (*Aethan Dor*) ou Vierges de la Lance (*Far Dareis Mai*). Chaque société a ses coutumes et parfois des tâches spécifiques. Par exemple, les Boucliers Rouges se consacrent à la police. Les Chiens de Pierre font souvent le vœu de ne pas battre en retraite une fois un combat engagé et mourront jusqu'au dernier si besoin est pour respecter ce vœu. Les clans des Aiels – parmi lesquels Goshien, Reyn, Shaarad et Taardad Aiel – se livrent fréquemment bataille entre eux, mais les membres d'une même société ne s'affrontent pas, même si leurs clans sont en guerre. De la sorte, il existe toujours des points de contact entre les clans même lors d'un conflit déclaré. Voir aussi *Aiels* ; *Désert d'Aiel* ; *Far Dareis Mai*.

Avendesora : Dans l'Ancienne Langue, « l'Arbre de Vie ». Mentionné dans de nombreux récits et légendes.

Avendoraldera : Un arbre issu d'un plant d'*Avendesora* qui a grandi dans la ville capitale de Cairhien. Ce plant était un cadeau offert par les Aiels en 566 N.E., encore qu'aucune relation n'ait été établie entre les Aiels et l'*Avendesora* d'après les archives. Voir aussi *Guerre des Aiels*.

Aviendha : Une femme de la sept de l'Eau Amer des Aiels Taardad ; une *Far Dareis Mai*, une Vierge de la Lance.

Aybara, Perrin : Jeune homme originaire du bourg du Champ d'Emond où il était apprenti forgeron. Ami d'enfance de Rand al'Thor et de Mat Cauthon. (Se sont révélées en lui des affinités avec les loups : il peut s'entretenir avec eux même à distance – par la pensée ou en rêve ; ses yeux ont pris la couleur de celle des loups. Il redoute de devenir lui-même un loup. *N.d.T.*)

Ba'alzamon : En langue trolloque : Cœur des Ténèbres. Passe pour être le nom trolloc du Ténébreux. Voir aussi *Ténébreux ; Trollocs*.

Barthanes : Seigneur de la Maison de Damodred, Cairhienin qui est le second personnage du Cairhien après le roi sur le plan de la puissance. Son emblème personnel est un sanglier qui charge. L'emblème de la Maison de Damodred est la Couronne de l'Arbre.

Bashere, Zarine : Jeune femme de la Saldaea, « Chasseur » participant à *La Grande Quête du Cor* de Valère. Elle désire être appelée Faile qui, dans l'Ancienne Langue, signifie « faucon ».

Bel'al : Un des Réprouvés.

Bel Tine : Festival de printemps au pays des Deux Rivières, célébrant la fin de l'hiver, les premières pousses des semailles et la naissance des premiers agneaux.

Birgitte : Blonde héroïne de légende et de cent contes de ménestrels, elle avait un arc en argent et des flèches également en argent avec lesquelles elle ne manquait jamais sa cible.

Bitème : Minuscule insecte piqueur presque immobile – terme souvent employé par mépris.

Blancs Manteaux : Voir *Enfants de la Lumière*.

Bois chanté : Voir *Chanteur-d'Arbre*.

Bornhald, Dain : Officier des Enfants de la Lumière, fils du Seigneur Capitaine Geofram

Bornhald qui est mort à Falme, sur la Pointe de Toman. (Voir *La Bannière du Dragon*, tome 4 de *la Roue du Temps. N.d.T.*)

Bornhald, Geofram : Seigneur Capitaine des Enfants de la Lumière.

Boucliers Rouges : Voir *Associations guerrières des Aiels.*

Byar, Jaret : Un officier des Enfants de la Lumière.

Caemlyn : Capitale du Royaume d'Andor.

Cairhien : Nom à la fois d'une nation, située le long de l'Échine du Monde, et de la capitale de ce pays. La ville a été incendiée et pillée pendant la Guerre des Aiels (976-978 N.E.), comme beaucoup d'autres bourgs et villages. L'abandon des cultures le long de l'Échine du Monde qui en a résulté a rendu nécessaire l'importation de grandes quantités de blé. L'assassinat du Roi Galldrian (998 N.E.) a eu pour conséquence une guerre civile entre les Maisons nobles pour la succession au Trône du Soleil, l'arrêt des importations de blé et la famine. L'emblème de Cairhien est un soleil d'or rayonnant hissant d'un champ d'azur.

Callandor : L'Épée qui n'est pas une Épée, l'Épée-qui-ne-peut-pas-être-touchée. Une épée de cristal conservée dans la Pierre de Tear, dans la salle appelée le Cœur de la Pierre. Nulle main n'y peut toucher en dehors de celle du Dragon Réincarné. D'après les Prophéties du Dragon, l'un des principaux signes de la Renaissance du Dragon et de l'approche de la Tarmon Gai'don sera que le Dragon Réincarné est venu prendre *Callandor.*

Canaliser : Maîtriser l'afflux du Pouvoir Unique et lui faire exécuter ce que l'on désire.

Carallain : Une des nations arrachées à l'empire d'Artur Aile-de-Faucon au cours de la Guerre des Cent Ans. Affaiblie par la suite, elle a fini par disparaître, ses dernières traces datant des environs de 500 N.E.

Cauthon, Mat : Jeune fermier des Deux Rivières, en Andor, né au bourg du Champ d'Emond. Ami d'enfance de Rand al'Thor et de Perrin Aybara. (Mat – diminutif de « Matrim » – est l'espiègle, le joueur, l'égocentrique du trio, mais il a ce qu'on appelle un « bon fond » qui l'entraîne à agir – malgré lui – avec courage et dévouement. *N.d.T.*)

Cent Compagnons, les : Cent hommes ayant titre d'Aes Sedai parmi les plus puissants de l'Ère des Légendes qui, sous le commandement de Lews Therin Telamon, ont lancé l'offensive ultime qui a mis fin à la Guerre de l'Ombre en enfermant de nouveau le Ténébreux dans sa prison du Shayol Ghul. La riposte du Ténébreux a corrompu le *Saidin* ; les Cent Compagnons sont devenus fous et ont commencé la Destruction du Monde.

Chant d'Arbre . Voir *Chanteur-d'Arbre.*

Chanteur-d'Arbre : Un Ogier qui a le don de se faire comprendre des Arbres en chantant (le « chant-d'Arbre »), soit les guérissant, soit les aidant à croître et à fleurir, soit à faire des objets dans leur bois sans endommager les arbres. Les objets produits de cette manière sont appelés « bois chanté » et sont hautement appréciés. Il reste peu d'Ogiers Chanteurs-d'Arbre ; ce talent semble en voie d'extinction.

Chasse Sauvage : Nombreux sont ceux qui croient que le Ténébreux (souvent appelé l'Inexorable, ou le Vieil Inexorable, dans le Tear, l'Illian, le Murandy, l'Altara et le Ghealdan) chevauche dans la nuit avec les Chiens Noirs ou Chiens des Ténèbres, à la poursuite d'âmes. C'est la Chasse Sauvage. La pluie peut empêcher les limiers du Ténébreux de sortir dans la nuit mais, une fois qu'ils ont pris une piste, on doit les affronter et les vaincre sinon la mort de la victime est inévitable. On pense que simplement voir passer la Chasse Sauvage signifie qu'il y aura mort imminente, soit pour celui qui l'a vue soit pour quelqu'un qui lui est cher.

Chiens des Ténèbres : Voir *Chasse Sauvage.*

Cinq Pouvoirs, les : Il existe des fils rattachés au Pouvoir Unique, et quiconque est capable de maîtriser ce Pouvoir peut habituellement en saisir aussi quelques-uns mieux que d'autres. Ces fils prennent en général le nom de ce sur quoi on peut agir quand on s'en sert – Terre, Air, Feu, Eau et Esprit – et sont appelés les Cinq Pouvoirs. Un détenteur de la maîtrise du Pouvoir Unique aura une action plus efficace avec l'un ou peut-être deux d'entre ceux-ci et moindre avec les autres. Un petit nombre acquiert une grande force avec Trois Pouvoirs mais, depuis l'Ère des Légendes, personne n'a pu réunir sous sa volonté l'ensemble des Cinq. Et encore était-ce extrêmement rare à l'époque. Le degré de concentration varie grandement selon les individus. Accomplir certains actes avec le Pouvoir Unique exige d'avoir la maîtrise d'un ou plusieurs des Cinq Pouvoirs. Par exemple, susciter ou diriger du Feu requiert un don concernant le Feu, et modifier le temps qu'il fait exige d'avoir une action sur l'Air et l'Eau, tandis que la santé ne va pas sans la maîtrise de l'Eau et de l'Esprit. Alors que le Pouvoir sur l'Esprit se trouve à part égale chez les hommes et les femmes, un don particulier pour agir sur la Terre et/ou le Feu était beaucoup plus fréquent chez les hommes tandis que chez les femmes c'était sur l'Eau et/ou l'Air. Il y avait des exceptions, mais cela se manifestait si souvent que la Terre et le Feu en étaient venus à être considérés comme des Pouvoirs masculins, l'Air et l'Eau comme des Pouvoirs féminins. En général, aucun don n'est considéré comme plus fort qu'un autre, bien qu'un dicton ait cours chez les Aes Sedai : « Il n'y a pas de rocher si dur que l'Eau et le Vent ne puissent user et il n'y a pas de Feu si ardent que l'Eau ne puisse éteindre ou le Vent souffler. » Il faut noter que ce dicton est entré dans l'usage bien des années après la mort du dernier homme ayant titre d'Aes Sedai. Tout dicton équivalent ayant cours parmi ceux-ci est oublié depuis longtemps.

Cistre : Instrument de musique, tenu à plat sur les genoux, comportant six, neuf ou douze cordes que l'on pince ou gratte.

Cœur de la Pierre : Voir *Callandor.*

Conseil des Neuf : Dans Illian, un conseil de neuf Seigneurs qui sont censés donner leur avis au Roi mais qui en réalité travaillent contre lui pour conquérir le pouvoir. D'autre part, le Roi comme les Neuf doivent souvent aussi entrer en lutte avec l'Assemblée.

Cor de Valère : Cor censé capable de faire sortir de leurs tombeaux les héros morts en combattant l'Ombre. But légendaire de *La Grande Quête du Cor.*

Corenne : Dans l'Ancienne Langue, « Retour » ou « le Retour ».

Croc du Dragon : Marque stylisée en forme de larme équilibrée sur sa pointe. Griffonnée sur une porte ou une maison, c'est l'accusation que les habitants sont malfaisants (séides du Ténébreux) ou une tentative pour attirer sur eux l'attention du Ténébreux, donc du malheur.

Cuendillar, la : Appelée aussi pierre-à-cœur, substance indestructible créée pendant l'Ère des Légendes. Toute force connue pour tenter de la détruire est absorbée, la rendant encore plus solide.

Cycle de Karaethon, le : Voir *Prophéties du Dragon.*

Daes Dae'mar : Le Grand Jeu, connu aussi sous le nom de Jeu des Maisons (nobles). Nom donné aux intrigues, complots et manipulations pour obtenir des avantages pratiqués par les Maisons seigneuriales. Une grande valeur est attribuée à la subtilité, à feindre de vouloir atteindre un certain but alors qu'on en vise un autre et à parvenir à ses fins avec le moins d'effort apparent.

Dai Shan : Titre ayant cours dans les Marches signifiant « Seigneur de Guerre couronné ».

Damane : Dans l'Ancienne Langue, les « Femmes-en-laisse ». Femmes capables de canaliser, prisonnières d'*a'dam* (torque ou collier) et utilisées par les

Seanchans pour de nombreuses tâches, la principale étant de servir d'armes dans les combats. Voir aussi *Seanchans ; a'dam ; sul'dam*.

Damodred, Seigneur Galadedrid : Demi-frère d'Élayne et de Gawyn. Fils unique de Taringail Damodred et de Tigraine. Son emblème est une épée d'argent ailée, pointe en bas.

Damodred, prince Taringail : Prince royal de Cairhien, il épousa Tigraine et engendra Galadedrid. Lorsque Tigraine disparut et fut déclarée morte, il se remaria avec Morgase et engendra Gawyn et Élayne. Lui-même disparut sans laisser de traces dans des circonstances mystérieuses et resta présumé mort pendant de nombreuses années. Il a pour emblème une hache d'armes à double tranchant en or.

Désactivation : L'acte, accompli par les Aes Sedai, interdisant toute communication entre une femme capable de canaliser et le Pouvoir Unique. La femme qui a été désactivée a conscience de la présence de la Vraie Source, mais est incapable d'y puiser.

Désert d'Aiel : À l'est de l'Échine du Monde, une contrée au climat et au relief rudes, quasiment dépourvue d'eau. Appelée par les Aiels la Terre Triple. Peu d'étrangers s'y aventurent, non seulement parce que l'eau est presque impossible à trouver pour quelqu'un qui n'est pas né sur ce sol, mais aussi parce que les Aiels se considèrent comme en guerre contre tous les autres peuples et font grise mine aux étrangers. Seuls les colporteurs, les ménestrels et jongleurs ainsi que les Thuatha'ans sont autorisés à circuler en toute sécurité, et même avec eux les contacts sont limités. On ne connaît pas de cartes géographiques du Désert.

Dessin d'une Ère : La Roue du Temps tisse les fils des destinées humaines en un Dessin d'une Ère, qui forme la substance de la réalité pour cette Ère ; appelée aussi Dessin ou Dentelle du Temps. Voir également *Ta'veren.*

Dôme de Vérité : Grande salle d'audience des Enfants de la Lumière, située à Amador, la capitale d'Amadicia. Il existe un roi d'Amadicia, mais les Enfants sont souverains en tout sauf de nom. Voir aussi *Enfants de la Lumière.*

Do Mierre A'vron : Voir *Guetteurs par-delà les Vagues.*

Domon, Bayle : Le capitaine de *L'Écume,* collectionneur d'objets anciens.

Draghkar : Créature du Seigneur des Ténèbres, née de la déformation d'une souche humaine. Un Draghkar est un homme de haute taille aux ailes de chauve-souris, dont la peau est trop pâle et les yeux trop grands. Le chant du Draghkar hypnotise sa proie et l'attire à lui. Selon le dicton : « Le baiser du Draghkar est mortel. » En fait, il ne mord pas, mais son baiser consume d'abord l'âme de sa victime, puis sa vie.

Dragon, le : Nom par lequel Lews Therin Telamon était connu pendant la Guerre de l'Ombre. Au cours de la crise de folie qui a frappé tous les hommes portant le titre d'Aes Sedai, Lews Therin a tué tous ceux de son sang, ainsi que tous ceux qu'il aimait, ce qui lui a valu le surnom de Meurtrier-des-Siens.

Dragon, le faux : De temps à autre, des hommes

prétendent être le Dragon Réincarné et, parfois, l'un d'eux rassemble assez de partisans pour qu'une armée soit nécessaire afin d'écraser cette rébellion. Certains ont déclenché des conflits qui ont entraîné l'entrée en guerre de nombreuses nations. Au cours des siècles, la plupart d'entre eux s'étaient révélés incapables de maîtriser le Pouvoir Unique, mais quelques-uns le pouvaient. Néanmoins, tous soit disparurent, soit furent capturés, soit furent tués sans avoir accompli aucune des Prophéties concernant la Renaissance du Dragon. Ces hommes ont été appelés faux Dragons. Parmi ceux qui savaient canaliser, les plus puissants étaient Raolin Fléau-du-Ténébreux (335-36 A.D.), Yurian Arc-de-Pierre (circa 1300-108 A.D.), Davian (A.L. 351), Guaire Amalasin (A.L. 939-43) et Logain (997 N.E.). Voir aussi *Dragon Réincarné*.

Dragon Réincarné, le : D'après légendes et prophéties, le Dragon renaîtra à l'heure du plus grand péril de l'humanité pour sauver le monde. Ce que personne n'envisage d'un cœur joyeux, à la fois à cause des prophéties disant que le Dragon ressuscité provoquera une nouvelle Destruction du Monde et, à cause de Lews Therin Meurtrier-des-Siens, le Dragon est un nom qui fait frémir les gens même plus de trois mille ans après sa mort. Voir aussi *Dragon, Faux Dragon*.

Échine du Monde : Chaîne de montagnes très élevées, avec peu de cols permettant de la franchir, qui sépare le Désert d'Aiel des pays de l'ouest.

Élaida : Une Aes Sedai de l'Ajah Rouge. A été

conseillère de Morgase, Reine d'Andor. Elle a parfois le don de Divination.

Élayne de la Maison de Trakand : Fille de la Reine Morgase, Fille-Héritière du Trône d'Andor. À présent, elle suit une formation pour devenir Aes Sedai. Elle vient d'accéder au rang d'Acceptée. Son emblème est un lis d'or.

Enfants de la Lumière : Association aux strictes croyances ascétiques, vouée à vaincre le Ténébreux et à détruire tous ses Amis. Fondée pendant la Guerre des Cent Ans par Lothair Mantelar pour réunir des prosélytes afin de lutter contre le nombre croissant d'Amis du Ténébreux, ses membres ont l'absolue conviction d'être seuls à connaître la vérité et ce qui est juste. Ils haïssent les Aes Sedai, qu'ils considèrent, ainsi que tous ceux qui les soutiennent par leur aide ou leur affection, comme des Amis du Ténébreux. On les surnomme par mépris les Blancs Manteaux ; leur emblème est un soleil rayonnant sur champ d'argent.

Fain, Padan : Un colporteur arrivé au bourg du Champ d'Emond lors de la Nuit de l'Hiver (veille de Bel Tine) : voir *La Roue du Temps* (premier volume du cycle écrit par Robert Jordan). Emprisonné en tant qu'Ami du Ténébreux dans les cachots de la citadelle de Fal Dara, au Shienar, puis délivré par des traîtres à la lumière. Il est devenu une dangereuse créature de l'Ombre, impitoyable et cruelle.

Far Dareis Mai : Littéralement « Vierges de la Lance ». Une des sociétés guerrières des Aiels qui, au contraire des autres, admet des femmes et uniquement des femmes. Une Vierge ne peut rester membre de cette société une fois qu'elle se marie ou combattre quand elle est enceinte. Tout enfant né d'une Vierge de la Lance est donné à élever à une autre femme de sorte que nul ne sache qui est la mère de l'enfant. *(Tu ne peux appartenir à aucun homme, aucun homme ni aucun enfant ne peuvent t'appartenir. La Lance est ton amant, ton enfant, ta vie.)* Ces enfants sont tendrement aimés, car il a été prédit qu'un enfant né d'une Vierge unirait les clans et restaurerait la grandeur des Aiels qu'ils avaient connue pendant l'Ère des Légendes.

Fetches : Fantômes, un des surnoms donnés aux Myrddraals.

Fille-Héritière : Titre de l'héritière présomptive du Trône d'Andor. La fille aînée de la souveraine succède à sa mère sur le Trône. À défaut de fille survivante, le Trône va à la parente la plus proche de la reine par le sang.

Fille de la Nuit : Voir *Lanfear.*

Flamme de Tar Valon, la : Symbole de Tar Valon, du Trône d'Amyrlin/Amyrlin, et des Aes Sedai. Représentation stylisée d'une flamme ; larme blanche dessinée pointe en l'air.

Forteresse de la Lumière : La grande forteresse des Enfants de la Lumière qui se trouve à Amador, la capitale de l'Amadicia. Il y a un Roi d'Amadicia, mais ce sont les Enfants qui règnent de fait sinon de nom. Voir aussi *Enfants de la Lumière.*

Gaidin : Littéralement « Frère de bataille ». Un titre utilisé par les Aes Sedai pour les Liges. Voir aussi *Lige*.

Galad : Voir *Damodred*.

Galldrian su Riatin Rie : Littéralement, « Galldrian de la Maison de Riatin, Roi ». Souverain de Cairhien. Voir aussi *Cairhien*.

Gardienne des Chroniques : (ou des Archives). Qui détient la plus haute autorité après l'Amyrlin chez les Aes Sedai. Elle est aussi la secrétaire de l'Amyrlin. Choisie à vie par le Conseil de la Tour, habituellement de la même Ajah que l'Amyrlin. Voir *Amyrlin,* Trône ; *Ajah*.

Gawyn de la Maison de Trakand : Fils de la Reine Morgase et frère d'Élayne qui sera Premier Prince de l'Épée quand Élayne montera sur le Trône d'Andor. Son emblème est un sanglier blanc.

Goaban : Une des nations arrachées à l'empire d'Artur Aile-de-Faucon au cours de la Guerre des Cent Ans. Elle s'est affaiblie et a disparu approximativement vers la 500ᵉ année de la N.E.

Grande Dévastation, la : Une région de l'extrême nord, entièrement corrompue par le Ténébreux. Repaire des Trollocs, des Myrddraals et autres créatures de l'Ombre.

Grande Quête du Cor, La : Cycle de récits concernant la recherche légendaire du Cor de Valère, dans les années qui se situent entre la fin des Guerres trolloques et le début de la Guerre des Cent Ans. Raconter ce cycle dans sa totalité requiert de nombreux jours.

Grand Jeu, le : Voir *Daes Dae'mar*.

Grand Seigneur de l'Ombre : Appellation par laquelle les Amis du Ténébreux font allusion au Seigneur des Ténèbres, imbus qu'ils sont de l'idée que prononcer son nom (Shai'tan) serait blasphématoire.

Grand Serpent : Symbole du temps et de l'éternité, déjà ancien avant que commence l'Ère des Légendes, il représente un serpent qui se mord la queue. Un anneau en forme de Grand Serpent est donné aux femmes élevées au rang d'Acceptées au sein des communautés d'Aes Sedai.

Guerre des Aiels : (976-78 N.E.) Quand Laman, Roi du Cairhien a coupé l'Avendoraldera, plusieurs clans des Aiels ont franchi l'Échine du Monde. Ils pillèrent et brûlèrent la capitale ainsi que de nombreuses autres villes et cités, et le conflit s'est étendu jusqu'en Andor et dans le Tear. L'opinion générale est que les Aiels ont finalement été vaincus à la bataille des Remparts Étincelants, devant Tar Valon, mais en fait Laman fut tué au cours de cette bataille et – ayant accompli ce pour quoi ils étaient venus – les Aiels sont repartis de l'autre côté de l'Échine du Monde.

Guerre des Cent Ans : Une série de guerres qui se sont chevauchées à la suite d'alliances constamment changeantes, précipitées par la mort d'Artur Aile-de-Faucon et la lutte qui en est résultée pour la conquête de son empire. Elle a duré de 994 A.L. à 1117 A.L. Cette Guerre a dépeuplé de grands espaces des terres situées entre l'océan d'Aryth et le Désert d'Aiel, depuis la mer des Tempêtes jusqu'à la Grande Dévastation. Si massives ont été les destructions que ne subsistent que des archives fragmentaires de l'époque.

751

L'empire d'Aile-de-Faucon a été démantelé et c'est alors que se sont formées les nations de l'Ère présente.

Guerre des Trollocs : Série de guerres commencée vers l'an 1000 A.D. dont la durée a dépassé trois cents ans, pendant lesquelles les armées trolloques ont ravagé le monde. Finalement elles ont été exterminées ou refoulées dans la Grande Dévastation. Les archives de cette époque sont partout fragmentaires.

Guerre du Deuxième Dragon : Guerre menée de 939 à 943 A.L. contre le faux Dragon Guaire Amalasin. C'est au cours de cette guerre qu'un jeune roi appelé Artur Paendrag Tanreall, connu plus tard sous le nom d'Artur Aile-de-Faucon, est parvenu à une position de la plus haute importance.

Guetteurs par-delà les Vagues : Un groupe persuadé que les armées envoyées par Artur Aile-de-Faucon de l'autre côté de l'océan d'Aryth reviendront un jour, de sorte qu'ils persistent à observer l'océan depuis la ville de Falme, à la Pointe de Toman.

Hailène : Dans l'Ancienne Langue : « Ceux-qui-arrivent-les-Premiers » ou « les Avant-Courriers ».

Hardan, le : Une des nations arrachées à l'empire d'Artur Aile-de-Faucon, depuis longtemps oubliée. Le Hardan se trouve entre le Cairhien et le Shienar.

Homme Gris : Un homme ou une femme qui a volontairement renoncé à son âme pour devenir un meurtrier au service de l'Ombre. Les Hommes Gris ont une apparence si neutre que l'œil les effleure sans les remarquer. La grande majorité des Hommes Gris sont effectivement des hommes, mais il y a aussi un petit nombre de femmes. On les appelle aussi des Non-Morts.

Hurin : Un natif du Shienar qui a la faculté de sentir les emplacements où de la violence a été commise, et de suivre à l'odeur ceux qui l'ont perpétrée. Appelé « Flaireur », il est l'auxiliaire de la justice du roi dans Fal Dara, au Shienar.

Illian : Un grand port sur la mer des Tempêtes, ville capitale de la nation du même nom.

Illuminateurs, la Guilde des : Une association qui détient le secret de fabrication des fusées d'artifice. Elle garde ce secret étroitement, quitte à aller jusqu'au meurtre. La Guilde doit son nom aux magnifiques spectacles, appelés Illuminations, qu'elle organise pour les souverains et parfois pour des grands seigneurs. Les fusées d'artifice moins importantes sont vendues pour être utilisées par d'autres, mais avec de sérieux avertissements concernant le danger qu'il y a à vouloir connaître ce qui se trouve à l'intérieur des fusées. La Maison du Chapitre de la Guilde se trouve à Tanchico, la capitale du Tarabon. La Guilde avait installé une autre Maison à Cairhien, mais qui n'est plus utilisée (voir *La Bannière du Dragon*).

Ingtar : Le Seigneur Ingtar de la Maison de Shinowa ; guerrier du Shienar dont l'emblème est le hibou gris. Son destin s'achève dans *La Bannière du Dragon*.

Inquisiteurs : Un ordre dans l'organisation des Enfants de la Lumière. Leur but avoué est de découvrir la vérité dans les « disputations » et de démasquer les

Amis du Ténébreux. Dans la recherche pour la Vérité et la Lumière, leur méthode habituelle d'investigation est la torture ; leur point de vue habituel : qu'ils connaissent déjà la vérité et doivent seulement obliger leur victime à la confesser. Les Inquisiteurs se désignent eux-mêmes comme la Main de la Lumière et parfois agissent comme s'ils étaient entièrement indépendants des Enfants et du Conseil des Oints de la Lumière qui dirige les Enfants. Le chef des Inquisiteurs est le Grand Inquisiteur qui siège au Conseil des Oints. Leur emblème est une crosse de berger rouge sang.

Irrégulière : Une femme qui a appris par elle-même à canaliser, surmontant la crise à laquelle ne résiste qu'une femme sur quatre. Ces irrégulières créent en général des barrières mentales pour s'empêcher de comprendre ce qu'elles font, mais, si ces barrières peuvent être abattues, les Irrégulières sont parmi les plus puissantes canaliseuses. Le terme est souvent utilisé dans une intention péjorative. On les appelle aussi des « Sauvages ».

Ishamael : Dans l'Ancienne Langue, « Traître de l'Espérance ». Un des Réprouvés. Nom donné au chef des Aes Sedai qui avaient pris le parti du Ténébreux dans la Guerre de l'Ombre. On dit que lui-même a oublié son véritable nom. Voir aussi *Réprouvés*.

Laman : Un roi du Cairhien, de la Maison de Damodred, qui a perdu son trône et sa vie dans la Guerre des Aiels.

Lan ; al'Lan Mandragoran : Un Lige au service de Moiraine. Roi sans couronne de la Malkier, Dai Shan, et le dernier seigneur malkieri survivant. Voir aussi *Moiraine ; Malkier ; Dai Shan.*

Lanfear : Dans l'Ancienne Langue, « Fille de la Nuit ». Une des Réprouvés, peut-être la plus puissante après Ishamael. Au contraire des autres Réprouvés, elle a choisi elle-même ce nom. On dit qu'elle avait aimé Lews Therin Telamon et haï son épouse Ilyena. Voir *Réprouvés ; Dragon.*

Leane : Une Aes Sedai de l'Ajah Bleue, Gardienne des Chroniques. Voir aussi *Ajahs, Gardienne des Chroniques.*

Le Ténébreux, nommer le : Prononcer le véritable nom du Ténébreux (Shai'tan) attire son attention, entraînant inévitablement des ennuis au mieux, un désastre dans le pire des cas. Pour cette raison, on utilise de nombreux euphémismes, parmi lesquels le Ténébreux, Père des Mensonges, Aveugleur, Seigneur de la Tombe, Berger de la Nuit, Fléau-du-cœur, Fléau-de-l'âme, Brûleur d'herbe et Flétrisseur-des-feuilles. Les Amis du Ténébreux l'appellent le Grand Seigneur des Ténèbres. De quelqu'un qui semble avoir de la malchance, on dit souvent qu'il a « nommé le Ténébreux ».

Lews Therin Telamon : Lews Therin Meurtrier-des-Siens. Voir *Dragon.*

Liandrin : Une Aes Sedai de l'Ajah Rouge, originaire du Tarabon. Maintenant connue comme appartenant à l'Ajah Noire.

Lige, un : Guerrier lié par serment à une Aes Sedai. Ce lien est en relation avec le Pouvoir Unique et par ce lien il obtient des avantages tels que la faculté de

Guérir rapidement, de se passer longtemps de nourriture, d'eau ou de repos et aussi de sentir à distance la souillure du Ténébreux. Aussi longtemps que vit ce guerrier, l'Aes Sedai dont il est l'Homme Lige sait qu'il est vivant quelque éloigné d'elle qu'il puisse se trouver et, quand il meurt, elle est avertie de l'heure et de la manière de sa mort. Cependant ce lien ne la renseigne ni sur la direction dans laquelle il se trouve ni sur la distance qui la sépare du Lige. Tandis que la plupart des Ajahs estiment qu'une Aes Sedai peut avoir un seul Lige à sa dévotion, les Ajahs Rouges refusent tout engagement de Lige, alors que les Ajahs Vertes sont convaincues qu'une Aes Sedai peut avoir autant de Liges qu'elle le désire. Sur le plan éthique, le Lige doit accéder de son plein gré à cet état de serviteur vassal, mais on a vu des Liges qui l'étaient devenus involontairement. Ce que les Aes Sedai tirent comme bénéfice de ce vasselage est un secret bien gardé. Voir aussi *Aes Sedai*.

Logain : Un faux Dragon neutralisé par les Aes Sedai.

Loial : Un Ogier originaire du *Stedding* Shangtai devenu le compagnon de Rand al'Thor, de Mat Cauthon et de Perrin Aybara. Il se met aux ordres de l'Aes Sedai Moiraine qu'il aide par ses grandes connaissances du passé du Monde.

Luc ; Seigneur Luc de la Maison de Mantear : Frère de Tigraine. Sa disparition dans la Grande Dévastation (971 N.E.) passe pour être en relation avec celle de Tigraine qui se produisit ensuite. Son emblème est un gland.

Luthair : Voir *Mondwin, Luthair Paendrag.*

Malkier, la : Une nation qui avait jadis fait partie des Marches, à présent détruite par la Dévastation. Son emblème : une grue dorée en plein essor.

Manetheren : Une des dix nations qui avaient signé le Deuxième Pacte. Manetheren est aussi le nom de sa capitale. L'une et l'autre – nation aussi bien que cité – ont été détruites au cours des Guerres trolloques.

marath'damane : Dans l'Ancienne Langue, « Celles qui doivent être mises en laisse ». Terme utilisé par les Seanchans pour les femmes capables de canaliser, mais qui n'ont pas encore été capturées et enchaînées à l'aide d'un collier. Voir aussi *damane ; a'dam ; Seanchans.*

Masema : Un guerrier du Shienar qui déteste les Aiels.

Mashiara : Dans l'Ancienne Langue, « bien-aimée », mais dans le sens de « qui est aimée d'un amour sans espoir ».

Mayene : État-cité au bord de la mer des Tempêtes tirant sa richesse et son indépendance de son savoir-faire pour trouver les bancs de poissons fournissant de l'huile, qui rivalisent en importance économique avec les oliveraies de Tear, d'Illian et du Tarabon. Poissons et olives fournissent la presque totalité de l'huile lampante. La présente souveraine de Mayene est Berelain, la Première de Mayene. Les souverains de Mayene prétendent descendre d'Artur Aile-de-Faucon. L'emblème de Mayene est un gerfaut d'or en plein vol.

Merrilin, Thom : Un ménestrel qui avait été l'amant

de la Reine d'Andor, Morgase. Venu se produire au Champ d'Emond à l'occasion du Festival de Bel Tine, il avait suivi la cavalcade de Moiraine en route pour Tar Valon. (Voir volume 1 de *La Roue du Temps*.) Ménestrel s'entend au sens élargi du terme qui est celui du vieil anglais : gleeman, de *gleo-man* – homme de musique et de divertissement, compositeur de ballades et d'épopées dans le style des sagas islandaises – récitant, conteur et musicien, mais aussi jongleur avec balles et couteaux ou baladin exécutant sauts périlleux et culbutes. Le « divertisseur » serait le bon néologisme. Rendus signalétiques par leurs capes traditionnelles couvertes de morceaux d'étoffe multicolores, ces « divertisseurs » se produisent principalement dans les villages et les gros bourgs. (En fait, Thom Merrilin est davantage qu'un simple ménestrel, c'est un barde de cour. *N.d.T.*)

Min : Jeune femme ayant le don de comprendre les auras et images qu'elle voit parfois autour des gens.

Moiraine : Une Aes Sedai de l'Ajah Bleue. Issue de la Maison de Damodred, mais non dans la ligne de succession au Trône, elle a grandi dans le Palais Royal de Cairhien.

Mondwin, Luthair Paendrag : Fils d'Artur Aile-de-Faucon, il commandait les armées qu'Aile-de-Faucon avait envoyées de l'autre côté de l'océan d'Aryth. Sa bannière était un faucon doré aux ailes déployées, tenant dans ses serres des éclairs. Voir *Artur Aile-de-Faucon*.

Mordeth : Conseiller qui a incité la cité d'Aridhol à utiliser les procédés des Amis des Ténèbres contre ceux-ci, entraînant sa destruction et lui valant un nouveau nom, Shadar Logoth (« Où l'Ombre attend »). Une seule chose survit dans Shadar Logoth en plus de la haine qui l'a détruite, c'est Mordeth enfermé dans ses ruines pour deux mille ans, guettant la venue de quelqu'un dont il pourrait consumer l'âme et ainsi s'emparer de son corps, s'y réincarnant.

Morgase : Par la grâce de la Lumière, Reine d'Andor, Défenseur du Royaume, Protectrice du Peuple, Haut Siège de la Maison de Trakand. Son emblème est trois clefs d'or. L'emblème de la Maison de Trakand est une clef de voûte en argent.

Myrddraals, les : Créatures du Ténébreux, chefs des Trollocs. Descendants dénaturés de Trollocs en qui l'héritage humain utilisé pour créer les Trollocs a repris sa prépondérance, mais a été corrompu par le mal qui a fabriqué les Trollocs. Physiquement, ils sont comme des humains, à part qu'ils sont dépourvus d'yeux, mais ils ont une vue d'aigle la nuit comme le jour. Ils possèdent certains pouvoirs hérités du Ténébreux, y compris la faculté de provoquer une peur paralysante d'un seul regard et le don de disparaître chaque fois qu'il y a des ombres. Une de leurs rares faiblesses connues est qu'ils répugnent à traverser de l'eau courante. Selon les pays, ils sont connus sous des noms différents, entre autres Demi-Hommes, les Sans Yeux, les Hommes-Ombres, les Rôdeurs et les Évanescents – ou les Fetches (un Fetch ou encore un fantôme).

Neutralisation : Cette mesure exécutée par les Aes Sedai consiste à empêcher que l'homme capable de canaliser puisse capter le Pouvoir Unique. C'est nécessaire car un homme sachant canaliser sera rendu fou par la souillure que le Ténébreux a instillée dans le *Saidin* et commettra presque certainement dans sa folie des actes épouvantables. L'homme neutralisé sent encore la Vraie Source, mais il ne peut l'atteindre. La neutralisation empêche le développement de la folie, mais ne la guérit pas. Si elle est pratiquée assez tôt la mort peut être évitée. L'équivalent pour les femmes capables de canaliser qui auraient commis des actes indignes ou seraient soupçonnées de pouvoir en commettre est la « désactivation ».

Niall, Pedron : Un Seigneur Capitaine Commandant des Enfants de la Lumière. Voir aussi *Enfants de la Lumière.*

Nisura, Dame : Dame noble du Shienar, une des suivantes de Dame Amalisa, sœur d'Agelmar Seigneur de Fal Dara.

Ogiers, les : 1) Race non humaine caractérisée par sa haute taille (trois mètres est la moyenne pour un Ogier adulte), par un nez épaté ressemblant presque à un groin et par de longues oreilles terminées par des aigrettes de poil. Les Ogiers vivent dans des emplacements appelés *steddings.* La séparation de leurs *steddings* après la Destruction du Monde (une période appelée Exil par les Ogiers) provoquait ce qu'on appelle la nostalgie ; un Ogier resté trop longtemps loin de son *stedding* languit et meurt. Bien connus

760

comme de merveilleux maîtres maçons et tailleurs de pierre, ils considèrent le travail de construction simplement comme quelque chose d'appris durant l'Exil, de moins important que soigner les arbres du *stedding*, surtout les immenses Grands Arbres. Sauf pour leurs travaux de construction, ils quittent rarement leurs *steddings* et par goût ont peu de contact avec les humains. Ils sont pratiquement ignorés des hommes qui, pour la plupart, les croient des êtres de légende. Bien que jugés pacifiques et extrêmement lents à se mettre en colère, des récits de l'ancien temps mentionnent qu'ils ont combattu aux côtés des humains pendant les Guerres trolloques et les disent des ennemis implacables. Généralement, ils sont extrêmement friands de science, et leurs livres et histoires contiennent souvent des informations perdues par les humains. La longévité ogière typique dépasse de trois ou quatre fois celle d'un homme.

2) Ogier ou Ogière est le nom donné à toute personne de cette race non humaine. Voir aussi *Stedding ; Chanteur-d'Arbre*.

Ombre, Guerre de l' : Connue aussi sous le nom de Guerre du Pouvoir, elle a mis fin à l'Ère des Légendes. Elle a été déclarée peu après la tentative pour libérer le Ténébreux et n'a pas tardé à s'étendre au monde entier. Dans un monde où même le souvenir de la guerre avait été oublié, chaque facette de la guerre a été redécouverte, souvent déformée par le contact du Ténébreux sur la terre, et le Pouvoir Unique dut être utilisé comme arme. La Guerre s'est achevée sur la réincarcération du Ténébreux dans sa prison. Voir *Cent Compagnons*.

Ordeith : Dans l'Ancienne Langue, « Absinthe ». Nom adopté par un homme qui conseille le Seigneur Capitaine Commandant des Enfants de la Lumière, Pedron Niall.

Peuple de la Mer ou *Atha'ans Mierre* : Habitants d'îles dans l'océan d'Aryth et de la mer des Tempêtes, ils séjournent peu de temps sur ces îles, vivant en général sur leurs bateaux. La plupart du trafic maritime passe par les mains du Peuple de la Mer.

Pierre de Tear : Grande forteresse dans la cité de Tear, passe pour avoir été construite peu après la Destruction du Monde et cela en utilisant le Pouvoir Unique. Elle a été attaquée ou assiégée d'innombrables fois, mais jamais avec succès. La Pierre est mentionnée deux fois dans les Prophéties du Dragon. Une fois, elles annoncent qu'elle tombera seulement lors de la venue du Peuple du Dragon. À un autre endroit, elles disent qu'elle ne tombera que lorsque la main du Dragon tiendra l'Épée-qui-ne-peut-pas-être-touchée, *Callandor*. D'aucuns estiment que ces Prophéties justifient l'antipathie des Puissants Seigneurs pour le Pouvoir Unique ainsi que la loi de Tear interdisant le canalisage. En dépit de cette antipathie, la Pierre contient une collection d'*angreals* et de *ter'angreals* rivalisant avec celle de la Tour Blanche, collection qui a été rassemblée, selon certains, afin d'essayer de diminuer le rayonnement de *Callandor*.

Pouvoir Unique, le : Le Pouvoir puisé à la Vraie

Source. La grande majorité des gens est absolument incapable d'apprendre à canaliser le Pouvoir Unique. Un très petit nombre peut apprendre à le faire et un nombre encore plus restreint en a le don inné. Ces rares privilégiés n'ont pas besoin de recevoir de formation ; ils atteindront la Vraie Source et canaliseront le Pouvoir qu'ils le veuillent ou non, peut-être sans même s'en rendre compte. Ce don inné se manifeste en général à la fin de l'adolescence ou au début de l'âge adulte. Si la maîtrise n'en a pas été acquise par expérience personnelle (extrêmement difficile, avec une chance sur quatre de succès) ou par une formation spéciale, la mort est certaine. Depuis le Temps de la Folie, aucun homme n'a été capable de canaliser le Pouvoir sans devenir fou furieux et, même s'il a appris tant soit peu à le maîtriser, sans mourir d'une maladie de langueur qui fait que celui qui en est atteint pourrit vivant, maladie causée comme la folie par la souillure instillée dans le *Saidin* par le Ténébreux. Pour une femme, la mort qui survient quand elle ne peut contrôler le Pouvoir est moins horrible, mais est inéluctable. Les Aes Sedai recherchent les jeunes filles qui ont le don inné autant pour sauver leur vie que pour accroître le nombre des Aes Sedai et elles recherchent les hommes pour empêcher les actes terribles auxquels ils se livreraient inévitablement à l'aide du Pouvoir dans leur folie. Voir aussi *Canaliser ; Temps de la Folie ; Vraie Source.*

Prophéties du Dragon : Peu connues et rarement citées, les Prophéties mentionnées dans le *Cycle de Karaethon* annoncent que le Ténébreux sera de nouveau libéré pour s'attaquer au monde. Et que Lews Therin Telamon, le Dragon, Destructeur du Monde, renaîtra pour livrer la Tarmon Gai'don, l'Ultime Bataille contre l'Ombre. Voir *Dragon*.

Puissants Seigneurs de Tear : Constitués en Conseil, les Puissants Seigneurs dirigent la nation de Tear qui n'a ni roi ni reine. Leur nombre n'est pas fixe et a varié au fil des années de vingt à six. Ne pas confondre avec les Seigneurs de la Terre, qui sont des Seigneurs Tairens de moindre importance.

Ragan : Guerrier du Shienar.

Renna : Une femme d'origine Seanchan : une *sul'dam*.

Réprouvés, les : Nom donné à treize des plus puissants Aes Sedai de l'Ère des Légendes, c'est-à-dire des plus puissants qui aient jamais existé. Ils s'étaient mis du côté du Ténébreux pendant la Guerre de l'Ombre en échange de la promesse de l'immortalité. Selon à la fois les récits légendaires et des archives fragmentaires, ils avaient été emprisonnés en même temps que le Ténébreux quand les sceaux eurent été replacés sur sa prison. Leurs noms – parmi lesquels Lanfear, Bel'al, Sammael, Asmodée, Rahvin et Ishamael – sont encore utilisés pour faire peur aux enfants.

Rétameurs : Voir *Tuatha'an*.

Rêveuse : Voir *Talents*.

Rhuarc : Un Aiel, chef de clan des Aiels Taardad.

Rhyagelle : Dans l'Ancienne Langue, « Ceux qui sont revenus ».

Roue du Temps, la : Le Temps est une Roue à sept rayons, chacun représentant une Ère. À mesure que la

Roue tourne, les Ères surviennent et s'en vont, chacune laissant des souvenirs qui se fondent en légende, puis en mythe et sont oubliés quand l'Ère revient. Le Dessin d'une Ère est légèrement différent à chaque survenance et, chaque fois, le changement est plus important, mais c'est chaque fois la même Ère.

Sa'angreal : Nom donné à des objets permettant à un individu de canaliser une plus grande partie du Pouvoir Unique que ce ne serait possible ou dépourvu de danger sans lui. Le *sa'angreal* est comparable à un *angreal*, mais est beaucoup plus puissant. La quantité du Pouvoir Unique maîtrisable avec un *sa'angreal* est, par rapport à celle obtenue avec un *angreal*, du même ordre que celle obtenue avec un *angreal* par rapport à celle qui est manipulée sans aide. Vestige de l'Ère des Légendes, sa méthode de fabrication a été perdue. Il n'en reste plus qu'un très petit nombre, encore moindre que celui des *angreals.*

Sagesse, la : Dans les villages, jeune femme choisie par le Cercle des Femmes pour ses compétences en l'art de Guérir et de prédire le temps à venir, ainsi que pour son robuste bon sens. Poste de grande responsabilité et d'autorité, autant réelles qu'implicites. La Sagesse est généralement considérée à l'égal du Maire, de même que le Cercle des Femmes est l'égal du Conseil de Village. Au contraire du Maire, elle est nommée à vie et c'est bien rare qu'une Sagesse soit démise de son poste avant la fin de ses jours. Selon les pays, on lui donne un titre différent : Guide, Guérisseuse, Sagette, Devineresse ou Déchiffreuse.

Saidar, Saidin : Voir *Vraie Source.*

Saldaea : Une des Marches.

Sanche, Siuan : Une Aes Sedai appartenant originellement à l'Ajah Bleue. Élevée au rang d'Amyrlin en 985 N.E. L'Amyrlin est de toutes les Ajahs et d'aucune.

Sans-Âme : Voir *Homme Gris.*

Sauteur : Un loup qui rêvait de « fendre l'air comme les aigles ». Ami et compagnon de Perrin Aybara.

Seanchans : 1) Descendants des armées envoyées par Artur Aile-de-Faucon de l'autre côté de l'océan d'Aryth qui sont revenus reconquérir les terres de leurs aïeux. 2) Seanchan est la terre d'où ils viennent. Voir *Hailène ; Corenne ; Rhyagelle.*

Seandar : Capitale du Seanchan où l'Impératrice siège sur le Trône de Cristal dans la Cour des Neuf Lunes.

Séléné : Nom utilisé par la Réprouvée appelée Lanfear.

Servantes, la Salle des : Au cours de l'Ère des Légendes, la grande salle de réunion des Aes Sedai, dite aussi la Salle des Serviteurs.

Sèta : Une seanchane ; une *sul'dam.*

Shadar Logoth : Cité abandonnée et évitée depuis les Guerres trolloques. Son sol est souillé et pas un caillou de cette ville n'est inoffensif. Dans l'Ancienne Langue, l'Endroit-où-attend-l'Ombre. Appelée aussi l'Attente-de-l'Ombre. Voir aussi *Mordeth.*

Shai'tan : Le Ténébreux. Shai'tan est aussi le nom que les musulmans donnent au Génie du Mal. Assimilable au dieu rouge Seth des anciens Égyptiens et au Satan des chrétiens.

Shayol Ghul : Montagne dans les Terres Maudites, site de la prison du Ténébreux.

Sheriam : Une Aes Sedai de l'Ajah Bleue. Maîtresse des Novices à la Tour Blanche.

Shienar : Une des Marches. L'emblème du Shienar est un faucon noir fondant sur sa proie.

Shoufa : Partie de vêtement des Aiels, pièce d'étoffe couleur de sable ou de roche qui entoure la tête et le cou, laissant seulement à nu le visage.

Siuan Sanche : Fille d'un poissonnier de Tear, elle fut, selon la loi tairenne, embarquée sur un navire à destination de Tar Valon avant que le soleil se soit couché le lendemain du jour où l'on avait découvert qu'elle avait le potentiel nécessaire pour canaliser. Elle faisait partie de l'Ajah Bleue quand elle a été élevée au Trône d'Amyrlin en 985 N.E.

Soleil, Jour du : Jour férié et festival célébré au milieu de l'été dans de nombreuses parties du monde.

Stedding : Terre natale des Ogiers. De nombreux *steddings* ont été abandonnés depuis la Destruction du Monde. Ils sont protégés, on ne sait plus par quoi, de sorte que dans leur enceinte nulle Aes Sedai ne peut canaliser le Pouvoir ni même sentir l'existence de la Vraie Source. Les tentatives pour faire agir le Pouvoir Unique de l'extérieur d'un *stedding* n'ont pas d'effet à l'intérieur de ses limites. Aucun Trolloc n'entrera dans un *stedding* à moins d'y être contraint et forcé. Et même un Myrddraal ne se portera à cette extrémité qu'en cas de nécessité, et alors avec la plus grande répugnance et aversion. Même les plus fermes Amis du Ténébreux se sentent mal à l'aise dans un *stedding*.

Sul'dam : Une femme ayant subi avec succès les épreuves démontrant qu'elle peut porter le bracelet de l'*a'dam* et ainsi faire obéir une *damane*. Voir aussi *A'dam ; Damane*.

Suroth, Haute et Puissante Dame : Noble seanchane de haut rang.

Tai'shar : Dans l'Ancienne Langue, « Vrai sang de ».

Talents : Aptitudes à se servir du Pouvoir Unique dans des domaines particuliers. La plus connue est, bien sûr, la Guérison. Quelques-unes, comme Voyager (la faculté de se déplacer d'un endroit à un autre sans franchir l'espace intermédiaire), ont été perdues. D'autres, telle la Prédiction (le don de prophétiser des événements futurs, mais d'une façon générale) sont très rares sinon même disparues. Une autre aptitude longtemps crue perdue est le Rêve, qui implique, entre autres, d'interpréter les songes de la Rêveuse ou du Rêveur pour prédire des événements futurs d'une manière plus précise que la simple Prédiction. Certains Rêveurs ont la faculté d'entrer dans le *Tel'aran'rhiod*, le Monde des Rêves, et (dit-on) même dans les rêves d'autres personnes. La dernière Rêveuse connue était Corianine Nedeal, morte en 526 N.E.

Ta'maral'ailen : Dans l'Ancienne Langue, « Toile de destinée ». Un grand changement dans le Dessin d'une Ère, centré autour d'une ou plusieurs personnes qui sont *Ta'veren*. Voir aussi *Dessin d'une Ère ; Ta'veren.*

Tanreall, Artur Paendrag : Voir *Artur Aile-de-Faucon.*

Tarmon Gai'don, la : L'Ultime Bataille. Voir aussi *Dragon ; Prophéties du Dragon ; Cor de Valère.*

Tar Valon : ville sur une île au milieu du fleuve Érinin. Le centre du pouvoir des Aes Sedai et emplacement de la Tour Blanche.

Ta'veren : Une personne autour de qui la Roue du Temps tisse tous les fils de la vie qui l'entourent, sinon même la totalité des fils de la vie pour former une Toile de Destinée.

Tear : Grand port sur la mer des Tempêtes.

Telamon, Lews Therin : Voir *Dragon.*

Tel'aran'rhiod : Dans l'Ancienne Langue, « le Monde Invisible » ou « le Monde des Rêves ». Un monde entrevu en songe dont les anciens pensaient qu'il pénétrait et entourait tous les autres mondes possibles. Au contraire d'autres rêves, ce qui arrive aux choses vivantes dans le Monde des Rêves est réel ; une blessure reçue là-bas sera toujours présente au réveil et quiconque meurt là-bas ne se réveillera jamais.

Temps de la Folie, le : Dans les années ayant succédé à la riposte du Ténébreux qui avait pollué la partie masculine de la Vraie Source, les hommes Aes Sedai étaient devenus fous et avaient détruit le monde. La durée de cette période est inconnue, mais on suppose qu'elle s'est étendue sur près d'une centaine d'années. Elle ne s'est achevée qu'à la mort du dernier

Aes Sedai. Voir aussi *Cent Compagnons ; Vraie Source ; Pouvoir Unique.*

Ténébreux, le : Le nom le plus courant, utilisé dans tous les pays pour Shai'tan. La source du mal, antithèse du Créateur. Emprisonné par le Créateur dans le Shayol Ghul au moment de la Création. La tentative pour le libérer de cette prison a déclenché la Guerre de l'Ombre, la souillure du *Saidin*, la Destruction du Monde et la fin de l'Ère des Légendes.

Ter'angreal : Un parmi un certain nombre d'objets datant de l'Ère des Légendes participant à l'usage du Pouvoir Unique. Au contraire de l'*angreal* et du *sa'angreal*, chaque *ter'angreal* a été fait pour obtenir un résultat particulier. Par exemple, il y en a un qui rend les serments formulés dedans impossibles à rompre. Quelques-uns sont utilisés par les Aes Sedai, mais on connaît mal leur destination première. Certains tuent ou détruisent le don de canaliser de la femme qui les utilise.

Tia avende alantin : « Frère des Arbres ».

Tia mi aven Moridin isainde vadin : Dans l'Ancienne Langue, « La tombe n'est pas un obstacle à mon appel ». Inscription sur le Cor de Valère.

Tigraine : En tant que Fille-Héritière d'Andor, elle avait épousé Taringail Damodred, dont elle eut un fils, Galadedrid. Sa propre disparition en 972 N.E., peu après celle de son frère Luc dans la Grande Dévastation, a conduit à la lutte dans l'Andor appelée la Succession et provoqué dans le Cairhien les événements qui aboutirent à la Guerre contre les Aiels. Son emblème est une main de femme étreignant une tige épineuse de rose blanche.

Toile de la Destinée : Un grand changement dans le Dessin d'une Ère, centré autour d'une ou plusieurs personnes qui sont *Ta'veren.* Équivalent : *ta'maral'ailen.*

Trollocs : Créatures du Ténébreux, créées pendant la Guerre de l'Ombre. D'une stature gigantesque, ils sont un mélange dénaturé de souches humaines et animales. Cruels par essence, ils tuent pour le plaisir de tuer. Fourbes à l'extrême, on ne peut compter sur eux qu'en leur inspirant de la crainte.

Tuatha'ans : Population errante appelée aussi Rétameurs et Peuple des Nomades ou Peuple Voyageur, qui vit dans des roulottes peintes de couleurs vives et adhère à une philosophie totalement pacifiste appelée la Voie de la Feuille. Les objets réparés par les Rétameurs valent parfois mieux que les objets neufs. Ils comptent parmi les rares étrangers qui peuvent traverser le Désert d'Aiel sans être molestés, les Aiels évitant avec soin tout contact avec eux.

Tueurs d'arbre : Surnom donné aux Cairhienins par les Aiels, toujours prononcé avec un accent d'horreur et de dégoût. (Les Aiels avaient envahi le Cairhien pour tuer son Souverain Laman qui avait commis le crime, à leurs yeux, d'abattre l'Arbre de Vie – Voir *La Roue du Temps* – c'est l'origine de la Guerre des Aiels... et de la naissance du Dragon Réincarné sur les pentes du Mont du Dragon ainsi que l'avaient annoncé les Prophéties. *N.d.T.*)

771

Turak, Haut et Puissant Seigneur de la Maison d'Aladon : Un seanchan de haut rang, chef des *Hailènes*. Voir aussi *Seanchan ; Hailène*.

Vérine Mathwin : Une Aes Sedai de l'Ajah Brune.

Vraie Source, la : La force motrice de l'univers, qui fait tourner la Roue du Temps. Elle est partagée en une moitié mâle (le *Saidin*) et une moitié femelle (la *Saidar*) qui œuvrent à la fois ensemble et l'un contre l'autre. Seul un homme peut attirer à soi le *Saidin*, seule une femme peut recourir à la *Saidar*. Depuis le commencement du Temps de la Folie, le *Saidin* a été corrompu par le contact du Ténébreux. Voir aussi *Pouvoir Unique*.

Achevé d'imprimer par GGP Media GmbH, Pößneck
en Mars 2007
pour le compte de France Loisirs,
Paris

N° d'éditeur: 48302
Dépôt légal: Février 2007

Imprimé en Allemagne